U0866907

曹禺全集

·9·

北京出版集团
北京十月文艺出版社

主编：王风

本卷责任编委：王鸿莉

学术顾问：钱理群　方锡德

编委会：（以学位授予时序排列）

钱理群　北京大学中文系
方锡德　北京大学中文系
王　风　北京大学中文系
李宪瑜　首都师范大学文学院
段美乔　中国社会科学院文学研究所
陈改玲　浙江理工大学史量才新闻与传播学院
丁　文　中国社会科学院大学文学院
祝宇红　同济大学人文学院
马俊江　浙江师范大学人文学院
田　露　天津工业大学人文学院
王鸿莉　北京市社会科学院满学研究所
李　斌　中国社会科学院郭沫若纪念馆
李雅娟　华中科技大学人文学院
王　倩　北京十月文艺出版社

约1980年

1961年北京人艺除夕联欢会，曹禺与周恩来同镜。
周恩来与曹禺分别是1910年代和1920年代南开新剧团成员。
人艺戏剧博物馆藏

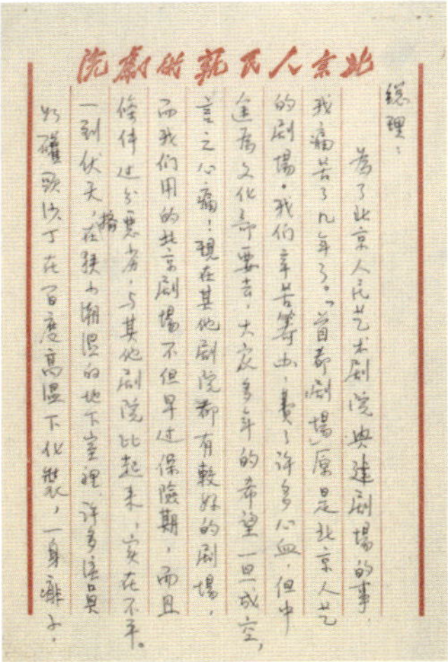

北京人民藝術劇院

總理：

為了北京人民艺术剧院要建剧場的事，我痛苦了九年了。"首都剧場"原是北京人艺的剧場，我们辛苦筹出，費了許多心血，但中途為文化部要去，大家多年的希望一旦成空，言之心痛！現在其他剧院都有較好的剧場，而我们用的北京剧場不但早过保險期，而且條件过於惡劣，与其他剧院比起来，实在不平。一到伏天，擠在狭小潮湿的地下室裡，許多演員們滿頭汗下在窗底高温下化妝，一身痱子。

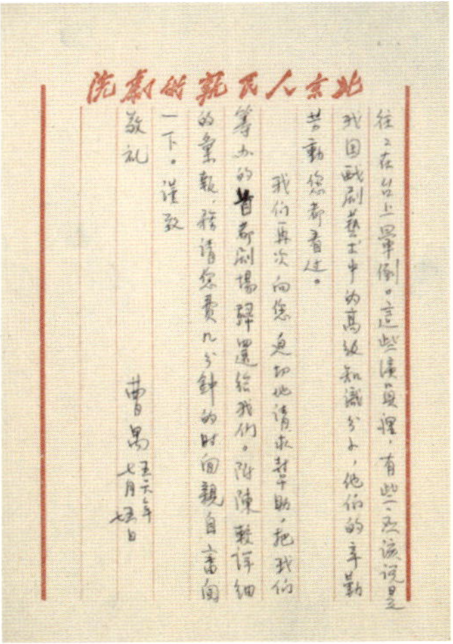

北京人民藝術劇院

往往在台上暈倒。這些演員裡，有些可以說是我国戲剧藝术中的高級知識分子，他们的辛勤勞動您都看过。

我们再次向您急切地請求幫助，把我们籌办的首都剧場歸還給我们。附陳較詳細的彙報，務請您費几分鐘的时间親自審閱一下。謹致

敬礼

曹禺
五六年七月十五日

1956年7月15日曹禺就人艺收回首都剧场问题，致信周恩来。人艺戏剧博物馆藏

20世纪40年代初，曹禺与方瑞在四川相识相恋

1949年曹禺与吴祖光在香港，二人原系国立剧专同事

1988年中戏教师节大会与孙家琇（右二）合影，二人均曾任教国立剧专。中央戏剧学院图书馆档案室提供

1957年中央戏剧学院导演系师资进修班《女店主》演出后，
曹禺、苏联专家古里叶夫（右二）与演员合影。
中央戏剧学院图书馆档案室提供

1961年曹禺与人艺同事在大兴农村参加劳动。人艺戏剧博物馆藏

曹禺在“文革”中

“文革”中，被造反派勒令在北京人艺传达室看守

1979年10—11月参加第四次文代会，
与周扬、夏衍、阳翰笙在主席台上

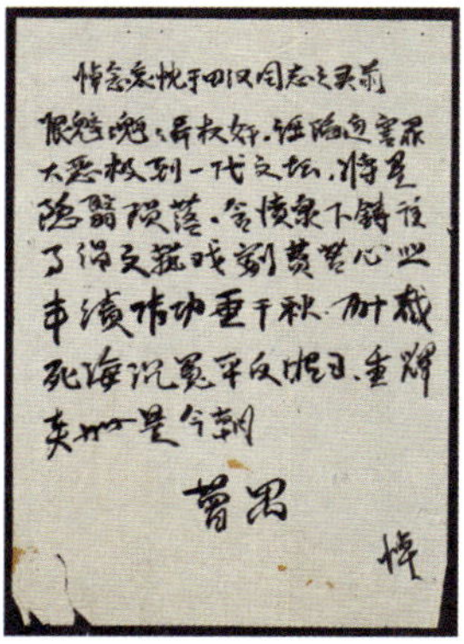

约1979年为田汉作哀辞

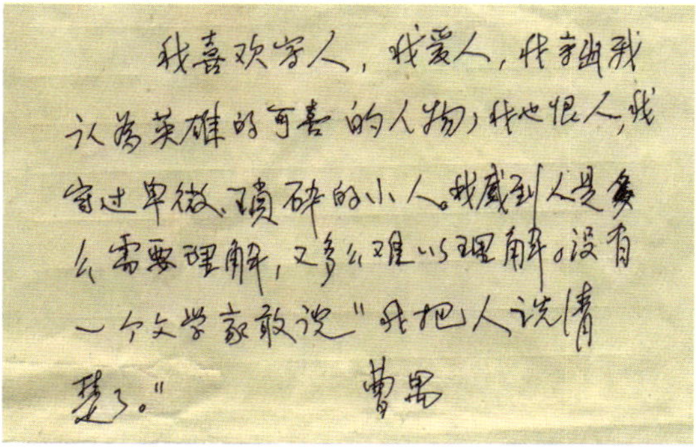

我喜欢写人，我爱人，我写出我认为英雄的可喜的人物，我也恨人，我写过卑微、琐碎的小人。我感到人是多么需要理解，又多么难以理解。没有一个文学家敢说"我把人说清楚了。"

曹禺

1979年为北京人艺重排《雷雨》节目单题词。
人艺戏剧博物馆藏

1980年4月2日中戏三十周年庆祝活动，与新疆民族班学生在一起。曹禺时为名誉院长，前排左二时任院长金山。中央戏剧学院图书馆档案室提供

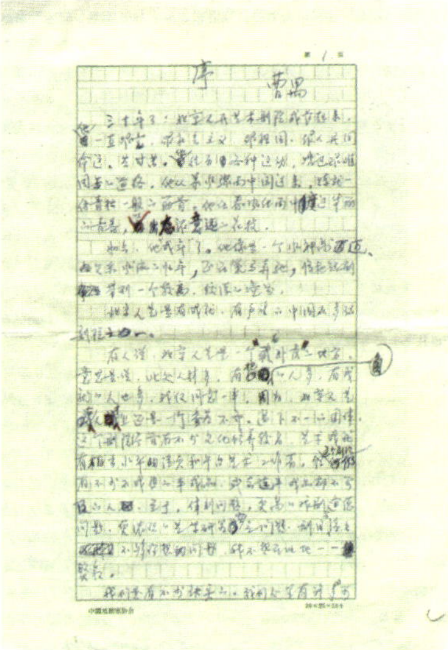

序 曹禺

三十年了，北京人民艺术剧院成长起来。

《纪念北京人民艺术剧院建院三十周年》序言手稿。人艺戏剧博物馆藏

四川文艺出版社1985年版《论戏剧》书影

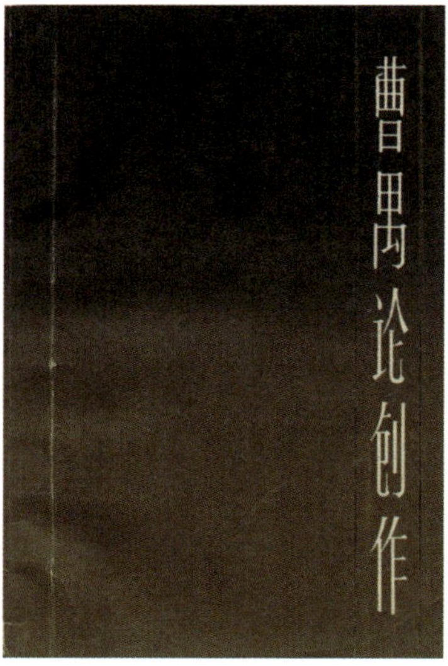

上海文艺出版社1986年版《曹禺论创作》书影

目　录

多读书，读透书

文章没有写好，我总不自觉地说："眼高手低啊！"似乎解释我手虽低，眼还是高的。我不肯承认自己"眼低"。"眼低"，仿佛牵涉到趣味问题，对于从事创作的人来说，这大约是最难堪的了。

我真是"眼高"吗？多思索一下，并不是的。

在我们创作的过程中确实有那么一段"眼高手低"的时候，那就是，寻到了也具体望到了那个更高的境界，但是暂时还没有能力达到，或者就长期的达不到。这才真是"眼高手低"。一般情况，我们的"眼"往往是不够"高"的。我们写不好，常因为不去看好的作品，或者看了，不下力钻研。因此，胸中无数，没有一个实实在在、眼可见、手可触的标准。古话说："取法乎中，仅得其下。""取法乎下"，就更糟了。能"取法"什么，不是个简单事情，而是要真拿出时间从大作品中去学。浏览了几部东西，便以为是"眼高"了，这是宽容了自己。

【题注】载1962年1月10日《文汇报》。

“眼高”，要真下一番苦功夫才能得到。登上高山就比翘首而望，看得远，见得博，这是谁都知道的。但“登高见博”就要下一番“攀登”的苦功夫。杜甫说：“读书破万卷，下笔如有神。”他要求我们不仅要博览“万卷”，而且要“读破”万卷。“读破”才能“眼高”，眼高了才是“下笔如有神”的一个条件。自然，“下笔如有神”，还要具备其他的一些条件，那是不用说的。

郭老、田汉、夏衍、老舍同志，给我们写了很多好剧本。读了他们的剧本或者看演出，总是很受感动。他们往往把我们带入一种很高的境界里。我以为这些老前辈写得好，总是在“登高见博”上下了大功夫的。首先他们“眼高”，这便具备了写好作品的一个条件。

对话不够提炼，意味不厚。我写的东西有些便犯这类毛病。读了夏衍同志的作品，我益发觉出自己写得不精练、不含蓄。想出一大堆，恨不得全都装进文章里，不肯割舍。有一种语言的毛病是臃肿，写得很多，内容反而显得少起来，更空洞了，不充实了。

假若真的“眼高”，这种毛病是可以治掉的。读透了优秀的作品，再看自己的那些败笔，取舍之间就能“狠”了。好比坏了的食物，不丢掉而吃下去，是要呕吐的。语言也是一样。对语言能有这样敏锐的感觉，先要下功夫，是不可幸致的。要看得出自己作品中那些不干净、芜杂的东西，再，便是勇于割舍它。这需要“眼高”，需要有人指点，需要谦虚，需要实事求是，更需要长期的钻研好作品，读得深，读得透。

我很希望有人指导我们如何欣赏好剧本。古今中外的经典著作，确实有许多我们意想不到的好东西。如果有人为我们比较细致地指点出来，这会对我们有好处。戏剧文学的世界宝库里，有掘不尽的宝藏，这些好文章会告诉我们，应该用怎样的语言标准来指导自己的写作，衡量自己的写作。

漫谈剧作

从前，我是不大明确为什么而动笔的。如果说有个目的，那就是为了揭露旧社会，要打倒眼前一些使我们活不下去的人。然而想得也很不彻底：怎样打倒呢？打倒以后的世界是怎样的呢？谁来坐天下呢？因此打的时候也是软手软脚的，打不中旧世界的要害，不明确谁是真正的敌人，谁是真正的朋友，谁是我们自己人。

后来，一读再读毛主席《在延安文艺座谈会上的讲话》，才开始懂得了这个“我们”首先是工农兵，是劳动群众，是劳动人民的知识分子。这以后，知道了这个“我们”也包括了一切拥护社会主义的爱国人士。文艺工作者要为工农兵服务，要为广大的人民群众服务。文艺工作者必须进行自我改造，必须采取无产阶级的立场，才能接近人民群众，才能正确地看见今天的时代。而且只有深入生活，参加人民

【题注】载《戏剧报》1962年第6期。文末附注：“本文是作者根据在全国话剧、歌剧创作座谈会上的发言改写的。”按，该座谈会系本年3月由文化部、中国剧协在广州召开的全国话剧、歌剧、儿童剧创作座谈会。

的火热斗争，与人民同呼吸、共命运，才能真实地、深刻地反映我们的丰富无比的新世界，才有可能写出好作品来提高广大群众的觉悟，鼓舞人民群众积极地建设社会主义。

这是一切创作的基础。有了这样的基本认识，我们才能谈剧本创作的其他问题。

创作的道路总得要自己走的。我们必须依靠党的领导，也需要许多老前辈的指点。但写作还是靠自己。因此，就要善于学习，老老实实地学习，实事求是，不能浮夸。比如说，自己知道多少，就浮夸不得。有一句话："知之为知之，不知为不知，是知也。"这个老老实实的习惯非常可爱，但并不是每个人都有的。

我是有过这种不知以为知，甚至不懂装懂的痛苦经验的。不知以为知虽然不好，还情有可原，因为往往我们不明白自己的无知，以为自己所知道的那一点学问就是全部学问，所以有时不懂，或不甚懂，却以为懂了。然而不懂装懂，实在可怕。这"装"字就不大好，至少是不谦虚的表现。我想，"装懂"的时候总该有些窘促的，但如果那时候还有些得意，离开"知"这一条路便更远了。

因为想学习，才知道要读书。读了后，我才发现世界上原来有这么多好东西，过去知道的是多么少。小时候读书，记得这样一句话："学，然后知不足。"原来一个人不是天生就知道不足的，总是学了，下了一定的劳动，才知道不足。知道不足是件好事，但真知道不足，不足在什么地方，要下一些功夫才能明白。

写作也是同样的道理。我以为必须真知道了，才可以写，必须深有所感，才可以写。要真知道，要深有所感，却必须下很大的劳动。

我写过一点东西，常是写不好。写不好，可以列举很多原因，但主要的还是因为自己不真知道，不深有所感。

一个剧本总是有“理”有“情”的。没有凭空而来的“情”和“理”，“情”和“理”都是从生活斗争的真实里逐渐积累、发展、孕育而来的。真知道要写的环境、人物和他们的思想感情，很不容易。只有不断地在深入生活的过程中体验和思索，才能使我们达到“真知道”的境界。

对环境、人物和思想没有理解透，甚至不太明了就动笔，是写不出很动人的作品的。不很动人的剧本里常有两种现象：一种是“理”胜于“情”。作者的精神仿佛只围着一种抽象的“道理”转。戏里没有什么情节，没有什么人物，没有多少生活的真实感。“道理”纵好，也是不落实的。

剧本总是为着一种思想才写的，古往今来也没有一个剧本不包含某一阶级的思想的。但作品中的思想并不就是某一个人物说的台词，也不全是指某一种曲折的情节所显示的倾向。一个剧本的主题有时可能用一句话概括起来，有时可能是某一个人物所说的一句台词，有时也可能在人物的互相辩论中表现出来。但不管怎么说，一个剧本的“理”似乎不能限于这一点。这“理”可以说是通过真实的人物、巧妙合理的结构、生动真实的语言、环境的气氛，以及作者无处不流露的深厚的情感，合在一起，透露出来的统一的思想结论。剧本的“理”只有一个，是统一的。这个统一的“理”应该渗透在人物的塑造里，情节的安排里，以及丰富多样的语言里。“理”是整个剧本的“灵魂”。人何曾见过“灵魂”，但人的一进一退、一言一行之间，往往使人感到它的存在。因此“理”是我们读完剧本后油然而生的一种思想，仅仅依赖剧本的某一部分、某一个人物、某一段精辟的语言，是不能得到这种结果的。

这样的“理”常是不能立刻掌握得住的，严格地说，也是不能轻易看得见的。因为，别人告诉你这个“理”，不等于你看见了这个“理”。当然，这“理”也不能轻易写得出来的。要下很多艰苦细致、真是“磨人”的功夫。人物、语言、故事，都应该体现得出这个“理”来。作者的“理”在剧本中是无所不在的，正如作者的“情”在剧本中无所不在一样。然而我们有时把“理”看得太简单了，抓住有修养的同志的一句话就用，抓住书本上的一段结论就用，以为有了这些，就可以随心所欲，发展成为剧本中的“理”了。这里面当然有“理”，而且常是能启发我们的。但它未经我咀嚼消化，还不是我的。在它还没有化为我的以前，总不能随便拿来，充作我的作品中的“理”。作品中的“理”总应该是作者从生活斗争中得来的，是下了很大的劳动，观察、体验、分析才能得到的。

一个富有生命力的“理”是有丰富的生活源泉的。因此，表现这个“理”就有千变万化的方式。与“理”同来的，自然就有人物、故事和语言的原始的粗坯。剧本的“理”还时时带来各个作者从体验、观察生活所取的不同角度的特点，以及作者在深入生活上用了多少功夫和他个人修养高低的标志。因此，同样一个“理”，当它变成不同作者的剧本中的“理”的时候，便有不同深浅的内容。

如果从一个作品中看得出作者写了他真知道的事物，写出了他深有所感的事物，那么，即使这作品仍然给你“理胜于情”，或“情胜于理”的感觉，这也不能算什么缺点了，相反，倒可以说是作者的风格。我所提“理胜于情”的“理”不是指这样的理，而是指深入生活还不够，作者习惯于抽象地推论，把“想当然”作为“当然”，把借来的思想错认为能生根发芽的思想，就铺扬起来的一种干巴巴的东西。这么办，首先不合于创作之理，所以就容易写成概念化、简单化的剧本。

与此相反，还有一种“情胜于理”的现象。这里说的“情”也不是从作者对事物的深刻体验里流露出来的，而是一种比较肤浅的对事物的感触。仿佛作者仅仅为一种“强烈”却有点浮夸的情感所激荡，没有再进一步探索，就动笔了。这种作品使人感到作者急躁一些。实际上，作品反映的，仅仅是作者对于生活的一点新鲜的感触，有时这一点感触甚至也不是新鲜的。

我们要有新鲜的感触，但这不是要标新立异；不是说别人感到的，我们就不要体验了。“新鲜”首先是对作者而言，然后才由作者的笔下传达给读者。我们踏进新的环境，便自然有新鲜的感觉，这点新鲜的感觉总归是很可宝贵的，它是创作过程的第一步，是引人入胜的东西。但它本身却不是什么“胜境”，不可据此立言立说，洋洋洒洒写下大文章来。新鲜的感觉不能代替更真实、更深刻的认识。创作还是靠把现实摸透。但是，应该叫这新鲜的感觉总在陪伴着你，不要丧失它。新鲜的感觉时常不是客观现实的准确的反映，它带有很多的主观成分，比如，作者的思想、教养和艺术敏感等。我们可以在创作过程中逐渐修改它，但不可因为在一个环境中生活久了，反弄得感觉迟钝了，丢掉那最初的新鲜的感觉。

我们是时常经验不同的新鲜感情的。同样的感情在不断的生活实践里也会感觉得更深一些。生活的经历积累多了，才会对它生出深刻的情感。情感的反复体验一步一步加深了，才使我们有深刻的思索。比如说第一次下工厂，我们会有很多新鲜的感情和由此而来的感想，这便是作品中“情”和“理”的开端。但是这一点“情”和“理”，和我们长期生活在工人之间，和他们做了知心朋友，与他们共患难、同呼吸所得来的“情”和“理”，便大不相同。这里有一个深浅之别、粗细之别，甚至有真假之别。如果剧本的“情”和“理”在作者的生活里生不了根，如果剧本的“情”和“理”都不是从我们的内心深处流露出来的，这就难以写出很动人的作品了。必须真知道，必须深有所感，才能谈到写作。

“情胜于理”的剧本的“情”，有的开始便不很真切，有的从头到尾仅是虚张声势。喊叫的声音太大了，“情”和“理”的声音太小了。这类剧本往往有些形似慷慨的文章，这些文章如流箭乱发，颇难射中思想的箭靶。

“理胜于情”便干枯了，“情胜于理”便泛滥了。前一种使人感到乏味，后一种使人感到茫然。但是，我不是说有这两种现象的剧本就一定是不足取。只要合乎六条政治标准，有一定水平的作品总会发挥作用的。我说必须真知道，深有所感才写，并不是说要慎重得不敢动笔。一个作者总要练笔，练笔就免不了有写得不够完善的地方。好的剧本总不是一蹴而成的。古来的名作家也时有败笔。还是要多写。作家的创作过程，也是个逐渐“入情入理”的过程。但心目中必须悬起一个较高的具体的标准。多写多改，尽量地求完善。

最好的剧本总是“情”“理”交融的。在生活体验中，同时不断钻研马克思列宁主义，以毛泽东的思想为武器来观察分析一切事物和一切阶级的人，我们会获得比较深刻的“情”和“理”。一个好的剧本的“情”和“理”是很难截然分成两部分谈的。“情”和“理”一步一步深化的过程，总是同时进行着的。因此，作者的“情”和“理”都融化在他所写的细致、生动、深刻的生活真实里。它感动我们，它又使我们思想；它给我们极大的艺术享受，它又给我们以深刻的教育。它不是干枯的说理，也不是感情的浮夸。它是深入生活后，作者用了思考，真知道了，深有所感，然后动笔写的结果。

有一位艺术家批评一张风景画，他说：“画这幅画的人并没有看见风景的美，吸引他动笔的只是因为这风景有名。风景在他的笔下不能表现他任何的思想和情感，他没有看见风景。”

他的话使我深思。要真看见了风景才能画。写剧本也是一样。有多少事物我写是写了，也仿佛见过的，但是否真的看见了呢？写作必须由真知道、深有所感出发，而深入广大人民群众的生活，是写出好作品的先决条件。

（在人艺建院十周年庆祝大会并大班学员的结业仪式上的发言）

今天我们怀着兴奋的心情，在这里庆祝我们建院十周年。

大家记得，十年前，我们聚集在一个不大的院落里，开了我们的建院大会。会上，一些领导同志讲了话，表示了对我们的期待。我们就是按照他们的指示，迈开了我们的第一步的，自那以后，在工作中，我们愈来愈多地得到从周总理起的各级领导的关怀和文艺界的热心指导，以及社会上的相当广泛的支持。回顾十年，我们是不是可以说，我们是努力按照党和人民的意志工作的呢？我想是可以这样说的。我们的剧院是沿着党所规定的道路向前发展的。

十年来，我们上演了许多不同风格的优秀剧目，从政治上、道德上、艺术上给观众以教育和积极的影响。在这里，应该特别感谢一直为我们剧院写作的作家们，他们不是我们剧院的干部，却是我们的亲人，他们为我们剧院担负了一项十分艰难的工作。

【题注】据北京人民艺术剧院大事记编辑组编《北京艺术剧院大事记》1962年7月4日条所载排印，原文无题。

十年来，我们尝试了许多不同风格的演出，其中有不少的尝试已经在文艺界和观众中留下了广泛的影响，获得了他们的鼓励与称誉。这些尝试，将在我们剧院的历史上留下光荣的记载。

十年来，我们培养了不少的人才。我们现在几乎已经是一个“五世同堂”的剧院了。在我们的干部中间，有的从“五四”起即开始了自己的戏剧活动的……在社会主义革命和建设时期，我们培养了不少的干部和学员。他们是我们的新生力量，在他们中间，有些已经成为我们工作中的骨干，开始受到观众的喜爱。

我们的一批学员在今天举行毕业仪式，这是剧院的一件喜事。你们是新的一代。祖国伟大的社会主义事业期待着你们，我们的社会主义戏剧事业期待着你们，剧院期待着你们！为此，你们应当继续学习，勤勤恳恳地学习。

十年来，我们得到了各方面观众的支持，我们的观众面是相当广泛。……

这些成绩的取得，首先应该归功于党。我们共同感受到，没有党的正确领导，个人的才能与智慧是得不到充分发挥的。这是我们一切经验中最核心的一条。这些成绩的取得，还是全院同志团结努力的结果。我们的艺术干部、技术干部、行政干部、前台的干部和全体公勤人员，和谐地为了一个目标，共同工作着。剧院的一切成绩，都是和每一位同志的勤恳劳动分不开的。我代表剧院的领导，衷心地感谢你们！

剧院的导演们、演员们、设计们、大家朝夕相处，不知疲倦地探索钻研。你们的成就，已经赢得了观众的肯定与赞扬。在这里，我们应当特别提到焦菊隐同志，他的辛勤劳动，他的许多创造性的工作，对剧院艺术的发展，对剧院风格的建立，都起了极其重要的作用，影响将是深远的！他的许多成就，对国家话剧艺术的建设，做出了很大的贡献。

像人的一生一样，十岁，还不过是童年。艺术的道路应是无涯的。倘若说，我们这头一个小小的十年，还过得不错的话，那么，这点成绩和收获，只能作为鼓励我们继续前进的力量，没有任何理由，使我们变得骄傲起来。“骄傲使人落后”，这是一个极不留情的真理，我们一定要谦虚谨慎地学习和工作，鼓足更大的干劲，在执行党的路线政策上，力争上游；在克服困难，完成国家任务上，力争上游;在提高艺术质量上，力争上游;在同心同德团结一致上，力争上游！

语言学习杂感

什么样的人会说出什么样的话。人不能脱离了自己的阶级、生活、思想、感情与语言的教养，抽象地、超然地说出一套话来。语言是人用来表达思想感情的工具，也是人的镜子；有革命感情的人，才能说出感人的革命语言。

罗学瓒烈士（1893—1930）在湖南第一师范读书的时候，便写了这样的语言：

> 不患不能柔，惟患不能刚；
> 惟刚斯不惧，惟刚斯有为。
> 将肩挑日月，天地等尘埃。
> 何言乎富贵，赤胆为将来。

这是多么激励志气的诗句！它说明一个真诚的革命战士的肺腑语

【题注】载《红旗》1962年第14期。

言只有这样，不会是别的。

明末清初有一个钱谦益，一生醉心功名利禄，奴颜婢骨，老而不知耻。连后来的新朝统治者乾隆都骂他：“大节有亏，实不足齿于人类。”他晚年受尽奚落。在八十岁的时候，回顾腐朽的一生，老境凄凉，他不禁流露心里的话：“……荣进败名，艰危苟免，无一事可及生人，无一言可书册府，濒死不死，偷生得生。”看看自己，想想轰轰烈烈，一代完人的师友，他在诗里也只好这样忏悔：“故鬼视今真恨晚，余生较死不争多。”钱谦益是个文人，他是懂得用文字来装饰自己的，但是在严肃的历史面前，他不可能用语言来打扮自己。他的诗文告诉我们，他不过是一个齿落骨枯，连乞怜的尾巴都摇不动的老狗而已。

再读一下杨匏安烈士（1896—1931）的狱中诗：

慷慨登车去，临难节独全。
余生无足恋，大敌正当前。
投止穷张俭，迟行笑褚渊。
者番成永别，相视莫潸然。

哪种语言充满了天地间的正气，哪种语言才是真正的人的语言，这是用不着说的了。

“言为心声”，又说“情见乎词”，没有感人的思想内容，就不会有感人的语言。所以古来有人直截了当地说，诗是人的情性。一个学习语言的人若不首先认为好的、美的、真实的语言是从自己的好的、美的、真实的生活与思想来的，相反，以为只是关在屋里雕琢文章，苦下功夫就可以把语言炼好，这是妄想。

什么样的人，就有什么样的语言。要把语言写好，使人信服，首先就要老实；老实的语言便是“心声”，“心声”是骗不得人的。

学习掌握语言，我知道要下艰苦的功夫。后来，感到仅下功夫还不够，要学习前人的经验，懂得一些窍门和方法。近来，又觉得这些还是不够，逐渐明白，要学好语言，首先要对语言发生强烈的兴趣。不能以为自己是个作者，应该意新语工，高人一等，才要学一套遣词造句的本领。如果我不爱语言，不感到文学语言的魅惑力量，不能沉醉在丰富深刻的人民语言的奇妙世界里，那便是“缘木求鱼”，空有一个决心，是学不好如何使用语言的奥妙的。要爱语言，要着迷，语言的妙境才能领会得到；之后，才能谈到学着掌握语言，学着使笔下生花，创造同样真实、生动、迷人的语言境界。

为什么我们读到一篇好文字，往往要流连反复，一唱三叹，要背诵，要传抄，要找个好朋友同声欣赏？这不只是因为文章的思想感情吸引我们，还因为这思想感情表达得那样感人、那样恰当、那样传神，使我们不由得发生强烈的兴趣。这强烈的兴趣是学习语言的重要条件。

我们学习语言是为了无产阶级的革命事业。在学习语言的过程中，作者的革命责任感和这种对语言的兴趣是同样重要的，两者都是推动我们学习语言的力量。我们知道语言是武器，学好了，可以帮助我们改造世界，因此，要苦学苦练，却不常记得，语言本身是十分迷人的艺术，爱上它，就丢不下的这个事实。对语言的兴趣，并不是每个有志于学习语言的人都有的。苦学可以使人发生兴趣，但往往有人不知，有了强烈的兴趣，才更容易领略语言的妙境，才更能摸索语言的精微。人的头脑在未学习之前是闭塞的。苦学可以使人"通"，但得到学习之乐，就更容易使人"通"。然而也有人苦学一生，还是看不出他对语言发生什么真正的兴趣。他很辛苦，但他总像是徘徊在语言艺术的门外。为什么会这样呢？可能因为他的兴趣与才能另有所在，但也很有可能因为他没有体验到学习语言之乐，没有打开这个乐园之门。

幼年读《三字经》，塾师说："'头悬梁，锥刺股'，古人就是那样读书的。"听了，我便怕读书。如今我只看出其中有一种刻苦发愤的道理，还是不喜欢那一幅森然可畏的受难的图画。我是不赞成皱着眉头，口含黄连那样地读书、写文章的。写文章、读书自然不能轻而易举，要付出艰巨的劳动，但这并不是说，这就不是乐事。我赞成用心读书，勤奋学习语言，但我还是十分欣赏陶渊明读书时"每有会意，便欣然忘食"的态度，这是懂得读书的真味道的人的精神状态。

写文、写诗、写剧本，锻炼语言的乐趣又何尝不是这样呢？为了一句话、一个字用得精确，用得传神，用上一夜一夜的工夫，千挑万选，涂抹满纸，而终夜不成，这难道不苦吗？然而回头一想，如果其中没有乐趣，望着眼前的语言难题，如对枯柴败木，不发生一丝真正的兴趣，谁又能长此投进这样多的苦功夫呢？学习语言总得要苦练才成，有人谈起吟诗之苦说："……句句夜深得，心自天外归。吟成五字句，用破一生心。……"一句五言诗，要用破一生心，可谓真苦了，然而乐也在其中。

没有对语言创造发生极浓烈的兴趣，一个作者便难成其为作者。辛辛苦苦，琢磨语言，同时又兴味无穷，感到语言创造的快乐，这就是作者一生的工作。寻觅那“唯一的、完美的一句话”，用阿·托尔斯泰的话说，要找寻那“金刚石似的语言”，这就要有如饥如渴的愿望和兴趣。

我们不是为兴趣而写作的。我们写诗歌，写小说，写剧本，是为革命，为人民的利益。因为马克思列宁主义者总是主张以“文”来载马克思列宁主义之“道”的。语言是手段，不是目的。但正因为我们写作怀着这样崇高的目的，我们就更要把语言这个手段练得更有力、更高明。我们有这样一个强烈的愿望。

然而这里，兴趣还是发生作用的。对语言研究发生兴趣，懂得语言研究的真味道，语言的进步便如水之就下那样顺当，反之，只有锻炼语言的愿望而无兴趣，语言的进步就如激水上山那样的困难。古来有一句话：“以道为饮，以文为食。”过去许多大文章家废寝忘餐，在语言、文章中看见了深厚的乐趣，都有一种欲罢不能的情感。比如读韩愈、柳宗元的文章，不但使我们感到作者对于自己的时代的强烈责任感，而且如果用心诵读起来，也会使我们感到这些大文章家对于语言的深切喜爱。

我们有些初学语言的人不免还有这样的情况：有真诚的决心要提高语言的修养，却对语言不爱好，或者不十分爱好，或者仅仅是口头上的“爱好”。然而热爱语言，肯定是会帮助我们掌握语言的。“文章千古事”，作诗，在杜甫看，是不朽的事业。他说“为人性僻耽佳句，语不惊人死不休”。他是如何重视创作，又如何热爱语言啊！

兴趣不是生来就有的，生活与劳动会使我们对某些活动发生兴趣。一辈子种菜蔬的农民就会对种菜蔬发生兴趣。要培养对语言的兴趣就要不断接触语言。工、农、兵群众的语言，各阶级的活生生的语言，古今中外的文学语言，如果认真学习，都可以提高我们对语言的兴趣。熟读好文章、好剧本、好诗，背诵它、揣摩它，一边读，一边想作者的用心处，一遍两遍，乃至无数遍地熟读，久而久之，便心领神会，理解了它的好处，那才会发生真正的兴趣。杜甫竭力称赞他的一个朋友说:“群书万卷常暗诵。”他自己又何尝不如是呢。马雅可夫斯基对古今大诗人的作品也是成本成本地背诵的。这样认真地研究语言，才能理解语言，对语言有兴趣。

对文学的语言既然应该发生兴趣，对实际生活中间的、无限丰富的人民的语言，就更应该发生兴趣了。对于生活中间的语言要下深厚的基本功夫，我是主张用笔记录的。少数一直在生活中打滚，生活经验极其丰富，记忆力又好的人，他们也许可以不记，但他们还是需要研究语言，要培养对语言的敏感。至于我们呢，便需要记。当着人记也好，后来追记也好。要对人民的语言、生活的语言发生强烈的兴趣，揣摩它，寻味它，看它妙在什么地方，什么地方使人感到它真实、准确、生动、传神、美、有思想、有味道。这种笔记不是毫无选择的记录，应该看得出记录者的目的和修养。(比如，不是要我们记下所有的谚语、歇后语、俏皮话等等。)一个人真要记下一箱子一箱子的人民生活中的语言、人物和故事，而且小本上的每一句话都是用了心思才记下的，反复看过、想过，不是记完了便搁在脑后，埋在箱子里，从此不见面了，那他才逐渐体会语言的妙处，对语言发生兴趣了。

一天我们对于语言“着了魔”，那才算是进了大门，以后才有可能登堂入室，从事语言的创造。由有兴趣学习语言，到能称心如意运用语言，使它成为艺术品，这又是进了一大步，要费更大的苦功夫。作者对语言应如鱼之于水，人之于空气，有一种离不开的感觉才成。离开了语言，作者就仿佛失了魂，丧了魄，这样才是真正的喜爱。革命的语言艺术家视语言如戈如矛，如枪如剑，就更应该喜爱他的武器。

我最近和一位语言艺术的前辈一同旅行，几乎日夜在一处，我看他兴致勃勃，白日作诗，晚间写文，有空便读新的旧的文章，爱和各种人物长谈。他喜欢孩子，甚至在长途汽车上他也对孩子讲说自己即兴编的妙不可言的童话。他很忙，他几乎沉浸在终日不停的语言创造里，或者如他平日谦虚地说的“语言练习”里，他兴味盎然，没有一丝疲倦的神色。他一点不使我联想到那些“头悬梁，锥刺股”的人们，然而他一天的劳动是何等惊人，他写出的作品是何等有魅力啊！我又想起七十六岁的盖叫天老先生，他热爱表演艺术，他一开口，一抬手，便是最美、最好的戏的语言和动作，见了朋友，便滔滔不绝，谈起林冲、武松这些人物的塑造，仿佛这便是他最好的休息。他开玩笑说，自己是“戏迷”。我看，“迷”真是极好的事情。为什么我们不多出一些“语言迷”呢？

学习语言是要有些方法，有些窍门的。知道了这些，可以事半功倍，可以比较顺当地升堂入室；然而很少有人把兴趣当作一个窍门看。学习语言这些年，我才明白，还是要培养自己对语言的兴趣，把假兴趣变成真兴趣，把肤浅的兴趣变成深刻的兴趣，这才是一个极大的窍门。对语言的兴趣、喜爱，这是源头活水，可以取不尽，用不完。有了它，我们再讲究学习语言的方法，语言便易为己用了。

对怎样一种语言应该有兴趣呢？语言是有美丑、高卑、精粗的区别的。我们要有兴趣研究一切美的、高的、精的语言，要分辨得出那丑的、粗的、卑下的语言。

有这样一种观念：仿佛我们对美的、高的、精的语言必然一见生情，天生就会喜爱的。以我看，这不尽然。我小时候不能领会屈原、杜甫的诗。长大一些，懂得他们一些词句的意义了，仍然不算喜欢。直到后来，看见人民的丧乱流离，重重苦难，才开始喜欢，但对他们语言的精微还是说不上能领略的。我有一个小时候的朋友，看了一辈子《济公传》，却始终不爱看《红楼梦》和《水浒》。对美的语言不是生来就有兴趣，就有认识能力的。对于美的语言有兴趣，就是对美的语言有理解、欣赏的能力。这是需要用功培养，才能得到的。

一个学习语言的人，总应该锻炼自己对语言的敏锐的感觉。语言在他面前，哪一个字是准确的、美的，哪一个字是不准确的、使他“反胃口”的，他应该感觉得到。他应该这样灵敏，甚至不用什么理由，凭直感便能断定他的选择就是精确的。一个语言的艺术家选择每一个字，都有用心，有理由。我们学习语言，就是要寻觅，体会，找到“语”与“意”之间的最精微的关系，探索语言艺术家们以及人民生活里最美、最好的语言，是如何用最恰当的言辞，表达难以表达的思想和感情的。苏东坡说：“求物之妙”，是很难的，使“物之妙”了然于心，千万人中难遇见一个；用口说出来，用笔写下来这“物之妙”，就更难了。更早谈文章的人说，要“意能称物，辞能逮意”。复杂微妙的“意”，常常不能一下子用语言捕捉得到的。因此，一个学习语言的人，要不断磨砺他对语言的敏锐的感觉，才能够使他比较完美地传达心中的“意”、眼中的“物”，才能使他已经了然于心的“意”或“物”，不至于为拙劣或浮华的言辞所累。对语言的敏锐感觉是无止境的，因此要不断磨砺，这是一个语言艺术家一生的事情。

为什么我们过去那样厌恶“鸳鸯蝴蝶派”的东西呢？这不只是因为它的思想感情不能使人接受，那种陈词滥调、虚有其表的感伤词句，就使人经受不起。不是所有的人都能看得出屈原、杜甫、鲁迅和一切伟大文学家的语言的美的，首先要能够对好的、美的、真实的语言看得出，体会得到。常常一个字的妙处，便看得出作者语言的感觉如何。能否看得出那一个字的妙处，也衡量了我们自己语言的感觉如何。有一旧本杜甫集，文多脱落。在《送蔡希鲁都尉》诗中，有一句“身轻一鸟 ×”，写一个志雄气猛的武将，驰马战斗，说他轻得像一只鸟那样“×”。“×”字脱落，有些文人便揣测，原来是什么字。有说“疾”(即“身轻一鸟疾”)；有说“落”；有说“起”；有说“下”；却都感觉不怎样恰当。后来，得到一个善本，才知道是“身轻一鸟过”。大家叹服了。“过”字为什么比“疾”“落”“起”“下”都好呢？用“疾”字，露了；用“下”字，拙了；用“起”，用“落”，似乎仅限于鸟的状态，有些“执”了；都病在着痕迹，不自然，不贴切。恰是用了一个“过”字，“身轻一鸟过”，叫人想起碧空晴日，一鸟瞥然掠过，那样地轻灵活泼，道出枪急将勇，驰马追敌，一闪而去的感觉。这样一句“身轻一鸟过”，才呼应得起下面的一句“枪急万人呼”。只有伟大的诗人才有这样极其敏锐的语言感觉。

这样的敏锐的语言感觉，是诗人多少年来对好的、美的、真实的语言发生了强烈的兴趣、“苦用心”的结果，是必须做到“毫发无遗憾”的“苦吟”的结果。尽管杜甫说他“下笔如有神”，但那还是从苦学、苦思、不断锻炼中取得的敏锐感觉，才使他有这种称心如意的创作境界。必须要从苦学中寻找引起人创作欲望的乐趣。不是愈苦学，创作之火愈暗了。要对美的、好的、真实的语言有兴趣，这才进了学习语言的大门。进一步，锻炼、培养自己对好的、美的、真实的语言的敏锐感觉，这才进入了用语言来创作的大门。

说回头，语言是一种从属的东西，语言总是以“意”为主的，而“意”便是为一个人的思想、感情、阶级立场所决定的。古人说，要有“怀霜之心”“凌云之志”，也就是怀抱高洁心情的人才写得出好文章，便是这个意思。什么人，就写出什么话。要文章写得好，就要求修辞立诚，表里如一。写文章要辞意双美，不能重辞轻情，更不能有辞无情。好的民歌是朴素的、自然的，它应感而来，思若风发，言若泉流，却总是充满了深厚的思想，不可抑止的感情。伟大的革命诗词便是这样。苦学苦练才能提高语言艺术，这是真理。但另一个真理是：伟大的语言总是从伟大的心灵中来的。读下面张锦辉烈士（1915—1930）的就义诗：

唔（不）怕死来唔怕生，天大事情妹敢当；

一心革命为穷人，阿妹敢去上刀山。

打起红旗呼呼响，工农红军有力量；
共产党万年走天下，反动派总是不久长。

穷苦工农并士兵，希望大家要齐心；
打倒军阀国民党，何愁天下唔太平。

这是一个十五岁的姑娘就义时写的。这里，燃烧着火热的革命时代，火热的革命心胸。明若日月的道理，风雷震怒的精神，短短几句心里话，它激动过去、今天和将来的战士，要我们警惕，催我们向前，战斗、再战斗。这是不朽的声音，不朽的语言。

读剧一得

——和青年剧作者的一次谈话

今天我想跟大家聊聊学习问题，聊聊自己向古典作家学习的一点体会。

我们需要学习，需要向古今中外的优秀作家和作品学习。但学习不是生搬硬套，需要“化”。生搬硬套永远学不到东西。

我想先谈谈契诃夫。我从小就读他的剧本，但没有读通。后来多读了几遍，从他的作品中学到许多东西。当然，我今天谈契诃夫，并不意味着要你们每个人马上去读契诃夫，但你们如果有时间，读读契诃夫，有好处；同时我也不主张你们模仿契诃夫。

现在大家都在探索话剧的新形式、新手法。契诃夫是一个勇于革新的作家。与当时俄国舞台上乱七八糟的很多形式主义的东西相比

【题注】收录于《论剧作》，人民文学出版社1979年第1版。按，本文原系1962年11月15日至1963年1月19日第1期话剧作者学习、创作研究会上曹禺的讲稿，后经曹禺修改，文末有曹禺作于1978年3月20日的“作者附记”。

较，他的剧本是现实主义的，在当时是新形式，用的也是新手法，所谓“契诃夫式”。但他的“新”，首先不在于形式，而在于表现了新的内容。

我们就来谈谈契诃夫早期的一个剧本——《海鸥》吧。

《海鸥》，这是一个真正“契诃夫式”的剧本，是现实主义的，也富有诗意和象征性。

剧本的名字叫《海鸥》，是因为剧本的第一幕里，特里勃列夫无意中打死了一只海鸥，这只被打死的海鸥具有强烈的象征意义。

这个剧本的结构方法和处理手法，都是契诃夫式的。我们现在来谈一谈第四幕，看看契诃夫是如何处理这个题材的。从这一幕的艺术表现中，可以看到契诃夫式的某些特点。

……两年之后，特里勃列夫又回到舅舅家里。这一幕的环境是这样描写的：傍晚，油灯半明半暗，风声，巡夜更夫的敲更声……这种环境气氛的描写是“契诃夫式”的。契诃夫总是善于通过外部的环境气氛，来烘托人物的内在的感情和情绪。想一想，特里勃列夫是在这样一个环境气氛中去会见宁娜，这对人物和主题的烘托都是极其深刻而意味深长的。

现在我们把老医生多恩和特里勃列夫的一段谈话读一读：

多　恩　咱们妨碍康斯坦丁·加夫里洛维奇用功吧？

特里勃列夫　不，没有关系。

〔停顿。

注意，“停顿”在契诃夫的剧本中是很有道理的，是契诃夫的表现手法之一。所谓含蓄、诗意和潜台词，都包含在契诃夫式的停顿中。

梅德维兼科　请问，大夫，您最喜欢外国的哪一个都市？

多　恩　热那亚。

特里勃列夫　为什么是热那亚呢？

多　恩　在那儿，街上人来人往的，真太妙啦。黄昏的时候，你从旅馆走了出来，整条街上的人挤得个水泄不通。你毫无目的地在人群里东倒西歪，游来游去；你和那些人生活在一块儿了，在心灵上已经和他们合而为一了，你几乎可以相信一种所谓世界的灵魂竟是可能的事情，正跟宁娜·查列奇娜亚在您的剧本里所表演的一样。说起来，查列奇娜亚现在到底在哪儿？她过得还好吗？

特里勃列夫　也许，还好吧。

多　恩　我听说她过着一种很奇特的生活。到底是怎么回事？

特里勃列夫　说来话长呢，大夫。

多　恩　那就长话短说吧。

〔停顿。

又一个停顿！我们想想，这里的停顿该有多少潜台词啊！

特里勃列夫　她从家里逃出去，和特利哥林发生了关系。这您是知道的吧？

多　恩　知道。

特里勃列夫　她生了个孩子。孩子死了。特利哥林厌倦了她，以后，正和可以预料到的那样，他又跑到他的老关系那边去了。不过，说老实的，他从来也没有和他的老关系断绝过，可是，他这种没有性格的人，当然新旧关系都是不肯完全脱手的。就我所知道的揣想起来，宁娜的私生活可以说是一个完全的失败。

多　恩　在舞台上呢？

特里勃列夫　好像，更坏。她在莫斯科近郊的一个歇暑地剧场里初次登台，以后，就跑外省了。那些时，我一直都注意着她，她走到哪里，我也追到哪里。她多半演些大角色，可是，她演得很粗糙，没有味儿，尖着嗓子叫，动作也有些过火。她有时候叫一声倒叫得很够味儿，死也死得很有才气，可是，那不过是有时候罢了。

多　恩　那么，她到底还有些才气？

特里勃列夫　这倒很难说。大概是有的。我去看过她，可是她不愿意见我，旅馆里的用人也不放我进她房里去。我了解她的心情，所以也没有坚持会见。

〔停顿。

注意，这个停顿用得多么好！所谓含蓄，全在这里。这就是所谓“契诃夫式”的新形式。特里勃列夫接着说：

我还能给您说些什么呢？后来，当我回家以后，我也接过她的几封信。信都写得很聪明、热情、有趣。她并没有诉苦，可是我却感觉到她是深深不幸的；字里行间都流露出她的神经是病态的、过度紧张的。她的想象好像也有点儿混乱了。她自己署名“海鸥”。在普希金的《美人鱼》里，那个磨坊主说他自己是只乌鸦，同样，宁娜在自己的信里也总是说自己是只海鸥。她现在就在这儿。

多恩　什么？在这儿？

特里勃列夫　在镇上，住在旅馆里。她已经在那旅馆里住过五天了。我去见过她，玛利亚·伊里依尼奇娜也去过，可是她谁也不见。赛米扬·赛米约诺维奇刚说，他昨天下午在离开这儿二俄里的田野里还看见她的。

梅德维兼科　是的，我是看见她的。她正朝那面走，往镇上去。我跟她打招呼，还问了她为什么不来看看我们。她说她要来的。

特里勃列夫　她不会来的。

〔停顿。

特里勃列夫　她父亲和后娘已经不认她了。他们已经派了人到处守着，连屋子也不让她走近一步。……大夫，做个哲学家，在纸上谈谈是多么容易，在实际生活里可又是多么困难呀！

索　林　她可真是个可爱极了的女孩子。

多　恩　什么？

索　林　我说，她可真是个可爱极了的女孩子。有一个时候，四品文官索林甚至爱上她了。

到这里，是一个段落。这里通过特里勃列夫和老医生的谈话，介绍了宁娜的遭遇。这个故事，如果拿到别人手里，是不会这样处理的。这段对话中介绍的宁娜的遭遇，差不多一般作者都要实写，而不会去虚写。人们都会去实写宁娜这样的场面：特利哥林欺骗了她，诱奸了她，又把她抛弃。于是，她痛苦，抱着孩子，深夜离开了家……这是一个多么富于戏剧性的震撼人心的场面！谁都不会放弃用明场表现的。当然，我不反对实写这些场面，但这个题材这样写容易落套，而且不容易写好。但契诃夫没有去实写，而是虚写，他将宁娜的遭遇通过特里勃列夫之口介绍出来——特别是这个介绍者是曾经爱她，而现在仍然怀念着她的人。这种场面是多么令人回味啊！这当中该有多少“意在不言中”的内容啊！要说含蓄，这才是真正的含蓄。如果一实写，那全都完了。

但，契诃夫这样处理的用意还不仅于此。我们再看后面，当特里勃列夫去见宁娜，站在观众面前的宁娜，又与特里勃列夫口中的宁娜不同，可以说是两个绝然不同的形象。因此，我们才感到，宁娜的遭遇在这里就非通过特里勃列夫的口介绍出来不可，这是与契诃夫如何表达主题和剧本的思想密切关联的。这种结构方法也是“契诃夫式”的。现在我们再看下面特里勃列夫和宁娜会见的那一段，我们就能悟到契诃夫为什么虚写这场戏的真正用意。

特里勃列夫一个人在台上，独白。注意，契诃夫的独白，也是很有特色的，它与莎士比亚式的独白也不同。

特里勃列夫　我成天说什么新的形式，可是现在，我感到，一步一步，我也陷进一种老套子里去了。……我越来越相信，问题并不在于新形式或者旧形式，而在于当一个人写作的时候根本不应当想到什么形式，只是让它从心灵里自然而然地流涌出来。

这也是代表契诃夫自己的意见。契诃夫正是要反对当时创作中有一种不顾内容而追求所谓“新形式”的倾向，但契诃夫的剧本却正是创造了一种新形式。他是为了表达新的内容而采取了新的形式的。这个意见在今天也还是值得我们考虑的。

过了半分钟光景，宁娜进来，头低着，脸伏在特里勃列夫怀中，泪流如雨……

特里勃列夫 （感动）宁娜，宁娜！是您……真是您……好像我已经有了预感似的，整天我的心可怕地痛苦着。（给她脱下帽子和披肩）啊，我的善良的，我的亲爱的，她到底来了！咱们先别哭，别哭！

宁　娜 这儿有人。

特里勃列夫 一个人也没有。

宁　娜 把门锁上，许有人会进来。

特里勃列夫 谁也不会进来。

宁　娜 我知道伊琳娜·尼古拉叶夫娜在这儿。把门锁上……

特里勃列夫 （先锁右门，然后走向左门）这门上没有锁。我拿把椅子来顶上。（拿一把靠背椅子将门顶上）别怕，谁也不会来的。

宁　娜　（凝视他的脸）让我好好地看看您。（环顾）这儿很温暖，舒适……从前，这儿是客厅。我改变了很多吧？

特里勃列夫　是的……您瘦了，您的眼睛也大了。

这是对生活对人观察得多么仔细啊，写得多好！特里勃列夫接着说：

宁娜，我现在还能看着您，该是多么奇怪呀。您为什么不让我去看您？您为什么这么许多时候都不回来？我知道，您到了这里已经快一个星期……每天，我一连几次跑到您那里，我像个乞丐似的站在您的窗子底下。

宁　娜　我怕您会恨我。每晚我梦见您望着我，可是不认识我了。您何尝知道啊！自从我来到以后，我不知有多少次在这儿走来走去……在这儿，在这湖边。多少次我走到了您的屋子旁边，但是怎么也没有勇气进来。咱们先坐下吧。

〔他们坐下。

宁　娜　让我们坐下，让我们谈谈。……我是一只海鸥……啊，不，不是。

特里勃列夫　宁娜，您又哭了……宁娜！

宁　娜　没有什么。哭一哭，我反倒轻松些……我已经有两年没哭过了。昨天，很晚的时候，我到花园里来，来看看我们的舞台是不是还在那儿。我们的舞台竟还立在那儿呢。两年以来，我第一次哭了，它减轻了我心上的重压，让我感觉轻松了很多。您看，我已经不哭了。（握住他的手）那么，现在，您已经成了作家啦……您是个作家，我是个女演员……我们两个，也一样给卷进这个漩涡里来了。……我是快乐地生活过来的，像小孩子似的——清早醒来，就唱着歌；我爱过您，梦想过光荣，可是，现在呢？明天清早，我就得去叶列茨，坐三等车……和农民们在一块儿；到了叶列茨以后，那些自命文明的商人们又会不断来给我献殷勤，来纠缠我了。人生的道路真是崎岖啊！

特里勃列夫 为什么到叶列茨去呢？

宁　娜 我已经接受了合同，在那儿演出一个冬季。这是该去的时候了。

特里勃列夫 宁娜，我咒诅过您，我恨过您，我撕过您寄来的信和照片，但是，每一分钟我都意识到我的灵魂永远是紧紧地依恋着您的。宁娜，抛弃爱您的念头，那是超出我的能力以外的。自从我失掉了您，自从我的作品得到了发表的机会以后，生活对于我就变得不能忍受——我苦恼死了……似乎是，我的青春一下子就给剥夺光了，好像我已经在世上活过了九十岁。我呼喊您的名字，我吻着您走过的土地；无论我朝哪一面看，我好像总是看见了您的脸，和那照亮了我一生最好的日子的温柔的微笑……

宁　娜 （迷乱地）他为什么这么说，他为什么这么说？

这个“他”字妙极了。

特里勃列夫 我是孤零零的，没有任何人的情爱来给我温暖，我好像在地窖子里一样地寒冷，无论我写什么，也全都枯燥、生硬、阴暗。留在这里，宁娜，我求您，或者，让我和您一同走！

〔宁娜急忙戴上帽子，披上披肩。

特里勃列夫 宁娜，这为什么？看在上帝的分上，宁娜……（看着她穿戴起来）

〔停顿。

宁　娜 我的马在门口等着我。不要送我，让我自己走……（含泪地）给我点儿水……

这些描写，懂戏极啦。这里，宁娜的台词并不是一句接一句，但多么真实。实在懂戏。我们来写常常是一句接一句。这是值得我们去细致体会的。

特里勃列夫 （给她水）您现在到哪儿去？

安　娜 到镇上去。

〔停顿。

宁　娜 伊琳娜·尼古拉叶夫娜在这儿吗？

特里勃列夫 在……星期四舅舅病得很厉害，我们打电报请她回来的。

宁　娜 您为什么说您吻着我走过的土地？我真该死呀！

宁娜在这里又重复特里勃列夫前面说的这句话，接着说“真该死”，下面就不再解释了。这才是真正的含蓄啊！如果再多说一点，就全露了底，全完了！“真该死”，妙极了！

宁　娜　唉，我是多么疲倦！如果我能稍稍休息……稍稍地休息一会儿啊！（抬起头来）我是一只海鸥……啊，不，不是的。我是一个女演员。嗯，是的！

这里说“我是一只海鸥……啊，不，不是的”。写得好极了。是真正懂得人物和戏的写法。

宁　娜　（听见阿尔卡金娜和特利哥林发出的笑声，她谛听，于是，跑向左门，从锁孔里窥望）他也在这儿……（转向特里勃列夫）啊，好的……没有关系……没有什么……他并不相信舞台，总是嘲笑我的梦想，一步一步地，连我也丧失我的信心，丧失我的热情了……以后，我受尽了爱情和嫉妒的折磨，并且，不但担心着我的小孩子……我变得琐细了，小器了，我的表演也变得毫无意义了……我不晓得怎么摆布我的手，我不晓得怎样站在台上，也不能控制自己的声音。您真不会了解，当一个人明知自己演得极糟的时候，那种心情该是多么难受。我是一只海鸥。啊，不，不是……您可记得您射死过一只海鸥？一个过路人偶然走来，看见了它，只是为了没有什么别的事好做，就把它毁了……真是一篇短篇小说的题材呢……啊，不是的……（揉揉自己的额角）我刚说什么来？……是的，我说的是舞台。现在，我已经不像先前那样了……我已经是一个真正的演员，我欢喜地、热情地演着，一走上舞台我就感觉着迷醉，感觉着自己的美。自从我到了这儿来，我常到四近散步，我走着，想着，我想着也感觉着我的精神的力量是一天比一天变得更坚强了……现在，我才知道，我才明白，在我们的事业里头——无论是演戏或者写作——科斯佳，要紧的并不是名誉，不是光荣，不是我以前所梦想的那一切，而是要知道怎么样忍耐下去。把自己的十字架背负起来，并且要有信心。我有信心，所以，这一切并不能令我伤心，而当我一想到我的天职，我也就不害怕生活了。

特里勃列夫 （黯然）您已经找到了您的道路，您知道您在朝着哪里走，可是，我呢，我仍然飘浮在梦境和幻想的混沌世界里，不知道这一切对于任何人会有任何用处。我没有信念，也不知道什么才是我的天职。

宁　娜 （倾听）嘘……我要走啦。再见。有一天，当我成为一个伟大的女演员的时候，您要来看看我。答应我吗？可是现在……（紧握他的手）啊，已经太晚了……

以下，宁娜走出，特里勃列夫走进房间里去。从后台传来了特里勃列夫自杀的枪声。

我们读到这里，感到站在我们面前的宁娜已不是前面在特里勃列夫口中介绍的宁娜了。特里勃列夫口中给她描绘的是这样一副形象：在私生活上完全失败，在演剧生活上也毫无成就，因此到处流浪，漂泊了两年多，是一个被生活完全毁掉而又无力自拔的女孩子。但现在出现在我们面前的宁娜，却是一个经历了种种生活磨难和痛苦，终于找到了一条新的生活道路的坚强的女演员，是一个能够从生活的重荷下勇敢地站起来的人。“我有信心，所以，这一切并不能令我伤心，而当我一想到我的天职，我也就不害怕生活了。”这是一种多么能鼓舞人的声音！这也正是契诃夫所想要说的话。所以这个剧本中海鸥象征谁呢？一般说法都认为是宁娜，但实际上却是象征那个青年作家——特里勃列夫。他不满当时艺术中的形式主义泛滥，痛苦彷徨，企图在艺术上找到一条新的出路，但他只从技巧、形式上去找出路，而没有从生活中找到鼓舞的力量，结果被生活压垮了——自杀了。因此，他与宁娜的对比中，表现了无限丰富的内容。这只被无意中打死的海鸥的象征意义，对生活达到某种哲理性的概括，是极其含蓄而又意味深长的。契诃夫总是把自己对生活的结论不直接说出来，而让观众去体会，自己去得出结论。

现在我们可以回头来看看前面为什么要通过特里勃列夫的口介绍宁娜的遭遇，而没有去实写。前面提到，如果一实写，不仅全露了底，不含蓄，而且这也是很笨拙的写法。现在经过特里勃列夫的口介绍之后，最后让观众看到宁娜是如何地在生活的风浪中锻炼出来了，是特别能够产生鼓舞力量的。所以，高尔基说能从契诃夫的剧本中找到一种鼓舞人的力量，是与契诃夫这种结构方法大有关系的。处理一个题材，什么地方应该实写，什么地方应该虚写；幕与幕之间，场与场之间，应该如何组织、如何安排、如何结构，这看来都是技巧性的问题，但实在是与表达思想和主题有密切关系。这，我们从契诃夫结构这场戏可以得到一些启发。

同时，还值得注意一点：宁娜一开始出现在我们面前，叫人觉得似乎确如特里勃列夫介绍的那样，没有使人有突然之感。特里勃列夫所介绍的，是真的又是不真的。真的是她的确是被生活压得透不过气来；不真的是她已经从不幸的生活中站起来了。这不是特里勃列夫的一个误会，也不使观众觉得这是一个误会，这当中衔接得很好，很真实。我们有时写正面人物，往往比较简单，一出场就叫人觉得他是正面人物，好像他要对观众说："你想错我了，我不是那个样子！"作者如果在这里也这样去写宁娜，那么，这种含义深邃的内容也就会大大地被削弱了。

另外，从这样的结构处理中，还可以看到第一幕与第四幕之间的互相照应问题。第一幕时，写特里勃列夫与宁娜二人同时在生活中谋求真正的幸福，到了第四幕，只有宁娜一个人对生活有信心，当中有起有伏，前呼后应的。

契诃夫这个剧本无论从内容到表现手法，都是具有很大的革新。他的剧本在十九世纪的当时，是一种新形式，与莎士比亚以及易卜生的话剧都不同。谈到革新，探索新形式，主要是要从广阔的生活知识中取得的，要从如何表现新的生活内容出发的。我们学习前人和别人的经验，主要是要学习如何表现生活和概括生活的"窍门"，如果抄袭别人现成的形式，如看了《伊索》抄一点，看了《中锋在黎明前死去》抄一点，就非砸锅不可。

但我不反对大家去探索新形式，我主张主要是要去研究运用新形式的“窍门”，如特里勃列夫说的：“问题并不在于新形式或者旧形式，而在于当一个人写作的时候根本不应当想到什么形式，只是让它从心灵里自然而然地流涌出来。”

再谈一谈写“透”的问题。举两个中国的例子，即汤显祖的《邯郸记》和《南柯记》。我们除了学习外国的，更要学习自己民族的东西。汤显祖是一个了不起的作家，他的思想在当时是属于进步的范畴，他的《牡丹亭》当然是一致公认的杰作，其他几“梦”在艺术上也达到了很高的成就。当然，汤显祖的思想也有局限性，他在《邯郸记》等几个作品中所表现的思想，我们今天是不能接受的。

《邯郸记》是从唐人小说《枕中记》衍变而成。现在我们来读读后面第二十九出“生寤”一出中的一段：

【金蕉叶】〔旦愁容上〕愁长恨长，天样大门庭怎放？就其间有话难详。天，天，天，怎的我老相公一时无恙？

事不三思，终有后悔。我老相公夫妇齐眉，极富极贵；年过八十，五子十孙；此亦人间至乐矣。以前止是几个丫鬟劝酒，老身时时照管，不致疏虞。近因皇帝老儿，没缘没故送下几个教坊中人，歌舞吹弹，则道他老人家饮酒作乐而已。谁想听了个官儿，他希求进用，献了个采战之术。三月以前，偶然一失，因而一病跷蹊。所仗圣眷极深，分遣礼部官于各宫观建醮祈祷，王公国戚依次上香，可谓得君之至矣。只恐福过灾生，未肯天从人愿。天呵，不敢望他百岁，活到九十九也罢了。

……

剧中写卢生梦里做了大官，朝中阁老都来问安，然身已沉疴不起，但还吩咐家人将身穿的朝服脱下，收在客堂之上，永远让子孙观看，然后叹了一声“人生到此足矣”，气绝而死。这是暴露当时的社会黑暗，挖苦名利思想，写得真“透”。汤显祖把那种醉心于向上爬的思想，通过黄粱一梦，揭露得淋漓尽致。由于把这一“梦”写“透”了，待卢生“梦”醒后，只一点：“唉，人生黄粱一梦！”就结束了。写戏有“透”也就有省略，不能面面俱到。汤显祖这种写戏的方法和路子，值得我们学习。我们写剧本往往是面面俱到，但都点到一下，不能写“透”。我们需要抓住一个地方写“透”它，才能激起观众的共鸣。

关于写“透”，前面举的是写反面人物的例子，下面举一个写正面人物的例子：《南柯记》。在《南柯记》第三十四出“卧辙”中，作者写淳于太守在南柯做了二十年的官，将要离任他去，当地老百姓不舍得他离开，大家到路上去卧辙挡住太守的车子，不让他走。这一出戏表现封建社会里那种被人民拥戴的好官，也是写得很“透”，很动人的。

【浪淘沙】〔扮父老持奏上〕少壮老平安，一群清官。贤哉太守被征还，百姓保留天又远，要打通关。

……〔父老〕淳于爷管府事二十年，百姓家安户乐，海阔春深。

一旦钦取回朝，百姓怎生舍得?〔丑〕这不干俺事。〔父老〕众父老商量，尽南柯府城士民南妇，签名上本，保留淳于爷再住十年。京师窎远，敢央及参军爷，拨下快马十数匹，一日一夜三百里，飞将本去。万一令旨着驸马爷中路而转，重镇南柯。但凭百姓们亲赍，恐不济事了。……

……

【懒画眉】〔生引众上〕一鞭行色晓云残，五马归朝百姓看。〔内作喊哭介〕俺的太爷呵！〔生〕拥路者数千人，因何至此?〔丑〕都是攀留太爷的。〔生〕原来是衔恩赤子要追攀，俺有何功德沾名宦？知道了，是百姓们厚意，他替俺点缀春风好面颜。

……

【山花子】〔生〕俺旧黄堂政事新人管，有一言叫俺同官：休看得一官等闲，也须知百姓艰难。……

【大和佛】〔众父老上〕脑顶香盆天也么天，天留住俺恩官。〔跪泣介〕老爷呵，你暂留几日待俺借冠长安，舍的便抛残。〔生泣介〕父老呵，难道我舍的？朝廷怎敢违钦限？俺二十年在此教我好不回还。〔父老〕俺男女们思量，二十载恩无算，怎下的去心离眼?〔泣攀卧介〕老爷呵，俺只得，倒卧车前泪斓斑手攀阑。〔生〕少不的去了，起来，起来。〔引介〕

【舞霓裳】〔众〕众父老拥住骏雕鞍，众男女拽住绣罗襕。〔生泣介〕车衣带断情难断，这样好民风留着与后贤看。司农呵，为俺把苍生垂盼。〔众泣介〕留不得，只蚤晚生祠中跪祝赞。〔生〕父老，我去也。

【红绣鞋】扶轮满路遮拦，遮拦。东风回首泪弹，泪弹。长亭外，画桥湾。齐叩首，捧慈颜。贤太守，锦衣还。

〔生〕众父老子弟们，请回了。〔众〕百里内都是南柯百姓送行。

〔生〕生受了。

【尾声】〔众〕官民感动去留难。〔生〕二十年消受你百姓家茶饭，则愿的你雨顺风调我长在眼。〔下〕

……

老舍先生说，写正面人物作家要有激情。当然，讽刺嘲笑反面事物也需要有激情。汤显祖在这里写的是真感情，戏写得真足，富于激情。这是他亲身经历的事情。汤显祖自己做过二十多年的地方官，深得老百姓的拥戴，因此这种场面写起来是深有所感的。封建社会中像杜甫、陆游、白居易、苏轼、汤显祖等都是这样的好官，这场戏写这种好官与老百姓的关系，词既写得好，戏又写得"透"，感人至深。

我再说一遍，学习古典作品，要掌握学习古典作品如何表现和概括生活的"窍门"。我们不是去模仿他们，而要去掌握这个"窍门"。如上面读的这几个剧本，看看他们是如何结构情节，安排人物和表现主题的。另外，戏的开头也很重要，今天已没有时间，不能多讲了。戏的开头，读读《哈姆雷特》会对我们有启发。莎士比亚这个戏真是一个杰作。《哈姆雷特》第一场写得好极了，它所创造的那种舞台气氛，就会一下子把观众带进戏里去。莎士比亚还有一个特点，他戏中的舞台气氛和环境，不是靠布景，而是从人物的对话中表现出来。人物的台词是真正规定情景中的语言。而我们有些戏，往往只能从舞台指示中才看得出舞台环境。《罗密欧与朱丽叶》《麦克佩斯》的开头也是写得好的。戏的开头与结尾，可学习《奥赛罗》。

戏要写得既丰富而又简练。丰富不等于不简练，简练不等于简单。这二者是统一的。戏的主题需要丰富，但又需要明确。明确不是简单的正确，不是一加一等于二。

戏要写透，但又不是一览无余，和盘托出。写诗词讲究韵味和含蓄，写戏也是如此。难就难在要“刚刚道出消息”。

做到这点，不容易。这要靠作者的修养，要多写多读，细细体会。但也不是全靠研究书本能做到的。

学习古典作品，我主张读透一家，再全面地读。不要浅尝辄止。读第一遍时，要全心以赴，待读到第三、四遍以至十几遍，你才会知其好处和不足。我们还要知道有当学和不当学的，不能全盘包下来。

学习别人的东西，要善于“化”，不能墨守成规。不要把别人学像了，把自己丢了，要学别人的“似”，不要丢掉自己的“真”。把自己的“真”丢掉了，留下的也就只有“似”了。

今天同志们写的戏都很好，我写不出。最近看了许多好戏，我不能一一都讲，以免挂一漏万。我觉得艺术创作都经历这么个阶段：由不经意到经意；再从经意到不经意。但我看到有些作品还常常停留在第一个阶段，很注意技巧，这很好，说明我们的作家很努力。但第一阶段还是容易达到的。达到第二个阶段不容易，创作只有到了第二个阶段，才能攀上高峰。有高度的艺术技巧，但又使人看不出技巧来，才是最高境界。写戏功夫有浅有深，有时写得浅不是一个大毛病，只要不安于浅，再加一把力，就能赶上去。如果浅而加以雕琢，就坏事了。矫揉造作是个大毛病。如表现恨，就非要咬牙、跺脚……这是表现作者的生活贫乏。所谓哲理、诗意，都不是雕琢出来的，而是自然流露出来的。这不容易呵，需要我们百尺竿头，更进一步！

【作者附记】这篇话是在一九六二年给一些写戏的同志们讲的。无疑问，有许多错处。我所讲的，只是一些写戏的技巧与借鉴，也可以说是我的一点体会。

我在这篇文章里，重点举了契诃夫的《海鸥》为例，说明一些写戏的方法。原意是为阐明“古为今用，洋为中用”。

契诃夫确是值得学习与借鉴的。高尔基曾称赞他说：“俄罗斯语言的形成，是普希金、屠格涅夫和契诃夫所创造的。”我国的老作家茅盾提到契诃夫的创作特征是“内容丰富而深刻，形式简洁而朴素”。我认为，这一评价是十分中肯的。

契诃夫的写作是将他的希望洒在了纸上。他曾说：“我们要为人们工作，从现在到老年，必须不辞辛苦。”“幸福与和平将会普及未来的人们。”他一生就是本着这美好的信念进行创作的。人民也了解了他，承认了他。

当然，同今天的无产阶级文艺作品相比，那么，《海鸥》一类的主题思想是陈旧的，执拗拘泥地接受他的思想便会有害；但是，我们有一个衡量的尺度，便是历史唯物主义。在十九世纪末，残酷、黑暗的沙俄时代，在那些死气沉沉或阿谀奉承沙皇统治的作品中，契诃夫是以他严肃的正义感、勇敢的进取精神、朴实无华的文笔，又充满发自衷心的情意，而成为伟大的文学家、剧作家的。

当时，契诃夫富有崭新的现实主义与乐观主义精神。他的写作艺术也和他的思想主题相辅相应。他非常仔细地体察生活，思索生活，从中悟出道理，产生他的构思。他的剧作在悲哀中孕育着希望，用对黑夜的挽歌来迎接光明。同时，契诃夫非常讲究文字的结构与准确性，他的语言简洁而打动人心。他还说过这样一句话："写作的艺术，实际上就是怎样把写得不好的部分删去的艺术。"这句话对于我们写作是很重要的，好的文章总是要不断修改，去粗取精。

中国有不少人喜欢契诃夫。鲁迅先生就是契诃夫作品的爱好者和翻译者。今日再读契诃夫，就是要用历史唯物主义的观点学习他的创作方法，而不是生搬硬套，我们借鉴于他的某些长处，而不是接受他的全部。

这样，于我们是有益的。

今天，在华主席为首的党中央领导下，祖国正在向四个现代化飞奔。我们文艺创作人员绝不能落伍。除了深入生活而外，必要的业务学习也是要下功夫的。我们必须刻苦生活，刻苦学习，刻苦写作，担负起时代给予我们的重任。

一九七八年三月二十日

革命的脊梁骨

中国文学艺术界联合会第三届全国委员会最近开了第二次扩大会议。这次会议开得好，说出了许久以来大家心里要说的话，进一步明确了斗争的方向。党向我们指出一条无产阶级的光明正确的革命文艺道路。与会的每一个人都振奋无比，热烈、坚决地响应党的号召：要加强革命文艺战线，反对现代修正主义。

我们大家看得很清楚，我们每一个人必须在长期复杂的阶级斗争中取得锻炼，改造自己，坚定地站在无产阶级立场上，做一个有远大理想的文艺尖兵。

今天革命的文艺斗争的新形势是怎样的呢?

正当世界局势对各国人民的革命斗争空前有利的时候，国际文坛上涌现出一股乌黑的逆流，一批现代修正主义文艺家，伏在斗争中的革命人民的背后，用冷箭、黑枪，向革命人民和无产阶级的革命文艺进行袭击。他们和帝国主义的文人学士、流氓警犬起了互相配合的作

【题注】载1963年6月30日《人民日报》。

用，他们所采取的手段，甚至更阴险、更恶毒。

在这些背叛者的眼里，凡是赋有崇高的共产主义理想的文艺便是“束缚艺术发展的公式主义”“概念化的结晶”“冷冰冰的政治说教”；为了集体利益而牺牲自我的英雄便是“机器”，是“傻瓜”，是“受了社会主义的束缚”的，“缺乏创造性”的，甚至于“缺乏性格”的“留声机”。他们说，“人生最高的目的”就是“追求个人幸福”和“无限的自由”。为了这样的目的，他们的“英雄”反对一切集体主义的精神和行动。崇高的革命理想和无产阶级的利益，都是毁灭“个人幸福”的毒药。这是剥削阶级用来迷惑、煽动人们离开革命队伍的思想细菌。我们认为个人利益与集体利益是一致的。无产阶级的战士永远把集体利益放在前面，而且当集体利益与个人利益有矛盾时，不惜牺牲个人的利益来完成革命集体的事业。这是生活的最高理想，是生活的快乐与幸福的源泉。当人人都这样想、这样做的时候，集体利益保证了，个人利益也保证了。我们坚决反对资产阶级的“个人幸福”观。然而这些现代修正主义的文艺老爷却宣传每个人都该不顾一切是非的标准，争取“个人的幸福”；都该像没有头的苍蝇，追求抽象的超阶级的“无限的自由”。这是一群虚无主义的老爷，他们不承认阶级的存在，更不要无产阶级的事业，他们所追求的仅仅是一个极大极大的“自己”。

在他们的作品里，对革命是充满了这样深的仇恨情绪：仇恨过去，仇恨将来，也仇恨现在，而他们的内心，据他们说，又是充满了悲哀的。他们看都不愿意看无产阶级群众的面貌。在他们的心目里，所有的人也和他们一样，不关心无产阶级事业，在生活斗争中都是无精打采的。他们说，他们“实在厌恶这个世界”，这是一个“令人恐怖的世纪”。就这样，他们又仇恨，又悲哀，又恐怖，一心追求着“个人的幸福”与“无限的自由”；不要革命，不想群众的事业，忘记了无产阶级，忘记了世界人民的革命斗争。

现代修正主义者放弃阶级斗争，我们就要拿起阶级斗争的武器。他们要与堕落的资产阶级文艺“积极共处”，同流合污；我们便要高举马克思列宁主义的旗帜，高举毛泽东文艺方向的旗帜，奋勇斗争，和反动的文艺誓不两立。他们要人屈服于卑下的资产阶级感情，我们便要教育人具有无产阶级的高尚品德。他们要用恶花毒草迷惑群众，使人忘记阶级与敌我的区别；我们便要用黄钟大吕，使人警醒，永远记住无产阶级的立场与敌我之间的大是大非。他们要制造修正主义的腐朽“文学”来涣散人民的革命意志；我们便要写出伟大崇高的无产阶级文艺作品，鼓舞全世界人民的革命感情。他们要走第二国际的革命叛徒的老路，说什么“条件变了”，今天的垄断资本国家可以通过什么“结构改革”“和平长入社会主义”了；我们则坚持列宁关于帝国主义的革命学说，认为今天帝国主义的危机的来临，只能证明帝国主义的灭亡的时刻更临近了。

一句话：他们存心不要革命，走上反对革命的道路；我们就要把革命进行到底，认为只有用无产阶级革命和无产阶级专政的武器，才能取消资本主义的剥削制度。

为了加强我们革命的文艺战线，我们不但应该揭露这些反动文艺的丑恶面貌，防止现代修正主义和资产阶级思想在人民内部的侵蚀，我们更应该拿出全部力量，从事于创造表现新的时代精神的伟大作品，积极反映无产阶级和劳动人民的革命斗争，决不回避无产阶级与资产阶级之间的斗争，社会主义道路与资本主义道路的斗争，以及公开的与隐蔽的各种形式的阶级斗争。过去，我们用无产阶级和阶级斗争的观点写出作品，反映我们的斗争生活，是有光辉的成就的。我们走过一条长长的、战斗的革命文艺的道路。我们披荆斩棘，一次一次打垮右派叛徒的进攻，和一切资产阶级的文艺毒草进行过不调和的斗争，并且团结了一切文艺的进步力量。我们对于反动文艺的斗争是有丰富的经验的。

目前，在我们文学艺术的辉煌的画廊里，广大的人民群众赞美着、学习着许多神采奕奕，充分表现共产主义精神的英雄人物。我们的文学艺术受到全世界被压迫民族和人民的欢迎，受到一切正义的、进步的人士的赞扬。我们的文学艺术中的英雄人物，给广大青年以深刻的共产主义教育，激励他们大公无私地建设社会主义，培养他们远大高尚的革命胸怀。我们的革命文艺工作者是以天下为己任，把全世界被压迫的劳动人民和阶级兄弟，看作是自己的骨肉，和他们一起向一切压迫人的剥削阶级做共同斗争的。我们的革命文艺工作者是“先天下之忧而忧，后天下之乐而乐”的，而不是看见生活里一只美国电气冰箱，便忘记亚洲、非洲、拉丁美洲千千万万正在向美帝国主义和新老殖民主义者做生死斗争的劳动弟兄的。

但是党告诉我们：我们要不断改造自己，要随时在国内外长期的复杂的革命斗争中锻炼自己。我们要与人民群众牢牢地结合在一道，既是工农兵火热的斗争中的一员，又是忠实、热情地以歌颂工农兵的态度，反映这火热斗争的。我们要时时刻刻认真学习马克思列宁主义和毛泽东思想，像雷锋一样，以毛泽东思想随时来检查自己，改造自己。一个严酷的教训摆在我们面前，一个文艺工作者不学习，不改造自己，不与群众长期地结合在一道，脱离了工农兵的火热的革命斗争，便会落后，便会蜕化变质，便有可能成为一个丑恶无耻的现代修正主义者。革命的叛徒往往是因为高高在上，不与人民群众一同斗争，泯灭了无产阶级的革命理想，逐渐蜕化变质而成的。

我们要加强革命文艺战线。我们认定，国内外的阶级斗争都会是长期的、复杂的。我们坚决地反对现代修正主义。我们相信，中国和全世界无产阶级的革命文艺，正和国际的共产主义运动一样，必然获得全世界性的胜利。

无产阶级的文艺工作者是有一条革命的脊梁骨的。我们有确信，不自欺。我们将积极参加国内外的阶级斗争，冲破一切革命道路上的艰难困苦，创造反映无产阶级革命时代的光辉灿烂的文艺作品。

坚定地走着马克思列宁主义的革命道路的党的伟大力量是无穷的。国际无产阶级的力量是无穷的。肥沃的土地必然会生长出滋养世界劳动人民和无产阶级的革命的文学艺术的果实。

世界无产阶级的革命文艺事业光辉万丈！

赞《激流勇进》

我最近看了《激流勇进》的演出，很兴奋。它给我留下深刻的印象。剧作和演出都是成功的。这不仅是上海人民艺术剧院的成功，也不仅是作家、导演、演员、舞台工作者的成功，更应该看成是学习和实践毛主席文艺思想的成功。

这个戏是胡万春、佐临、仝洛等同志根据胡万春的小说《内部问题》改编的，佐临导演。

多少年来，许多革命文艺工作者，在党的培养和教育下，努力为工农兵服务，为社会主义革命和建设服务。佐临同志是其中很有成就的一个。佐临有学识、有修养、有才华。从这个戏的思想和艺术成就看，这位老导演的政治生命力是强烈的，对新的生活是相当熟悉的，他的导演艺术有了更深的发展。这个戏是一个革命文艺工作者，他的政治、生活、艺术在更高的水平上的结合。

胡万春同志是一个有二十二年工龄的工人作家。一个有阶级觉

【题注】载《戏剧报》1964年第2期。

悟的钢铁工人，用他的智慧、顽强与斗争体验，写出社会主义壮丽的文章，只有在我们毛泽东时代才有这样的可能。社会主义制度培育出来的中国工农作家，今天逐渐多起来了，这是非常可喜的大事情。胡万春同志的写作态度是严肃的，他写了一些有影响的作品，受到广泛的欢迎。听说他从事写作也有十三年，但他从未脱离过生产实践。他现在每星期还去钢铁厂当一天工人，轧一天钢。一手拿笔，一手拿着钢钳，一心为社会主义革命服务。这是多么踏实的作风！他平时还在党委参加工作。所以，他写作，像在炼钢；他写的东西，思想内容扎实，人物语言生动真切；他的作品使人清楚地听到时代脉搏的声音，有概括性，能说服人，教育人。这是一位很有才能的作者，他的创作，是由于他长期参加了火热的斗争，才写出来的。从不脱离生产斗争，从不脱离工人群众，我们首先要学习他这两条。

这个戏演出上的最大的特色，是政治感情充沛。台上气势壮阔，热火朝天。看戏的时候，仿佛我们也置身在白热沸腾的炼钢炉旁。演员演得有真实感，像工人，不像是在演戏。石景山钢铁工人说："看了这个戏，就像我们也在那个车间里劳动、生活、思想、斗争一样。"时代情感这样强烈、生活气息这样浓，这跟参加演出工作所有的同志们的饱满的政治感情和熟悉生活，有密切关系。因此，有些场面真能打动我们，有些人物真能教育我们。

如何反映工业的生产斗争，这个戏有可贵的贡献，它走了一条新的令人折服的道路。

过去，我们有些反映工业生产斗争的戏，在对待发明创造这类技术改革问题上，往往是这样表现的：支持者是好样的，要支持到底；

反对者便是成问题的，也要反对到底。写支持者定要博取我们的同情；反对者至少是个保守派。因此，给人一种错觉，仿佛支持发明创造的人，一定是先进的，是促进派；不支持发明创造的人，一定是保守的，是促退派。不去追问用什么理由支持或不支持，不问是否经过调查研究。这个戏就不然。徐厂长开始支持“新字三号”的试验，后来又不支持。他的支持和不支持都是不正确的。因为他不调查研究，不考虑具体生产条件，盲目地支持。后来，试验失败，风头不对，他又无论如何不支持了。这种人缺乏革命责任感，是个很不小的“官僚主义”。这种作风固然误自己，但更可怕的，是它损害革命事业。革命事业中要是多了这样的人，是非失败不行的。王刚呢？开始支持，后来不支持立刻试验，最后又支持。他的支持、暂时不支持到以后的全力支持，都是正确的。因为他的不支持，不是根本不支持，而是从实际情况出发，有条件的不支持；后来支持，也是有条件的支持，是从调查研究、科学态度出发的。这是一种马克思主义的科学态度，老老实实的态度。

这个戏告诉我们：“科学实验”精神是什么，应该怎样解释。支持一种技术革新试验或者不支持，不完全是评价一个干部先进或落后的标准。积极进取的革命精神和实事求是、对革命事业高度负责的科学态度，才是任何革命干部要必须具备的品德。王刚之所以被称为“合金钢”，不只是因为他勇于进取，依靠群众，有组织能力，更因为他待人对事，都采取一个老老实实的科学的负责态度。当老实人，说老实话，做老实事。王刚有许多革命者的好品德，但他的科学的负责态度，在《激流勇进》一串动人心魄的场面中，射出特有的美丽的光辉。

过去，有些写工业斗争的戏里：谁要是提出技术革新，谁就是先进的，是正面人物，没有任何缺点，不需要改造了。其实，生产斗争总是离不开阶级斗争的。一个人能够在生产斗争里提出具体的好办法，在阶级斗争中还是需要锻炼与改造。阶级斗争往往在自己的思想感情里激烈进行着的。这个戏就深了一层。它创造了欧阳俊，这个青年技术革新者的生动形象。欧阳俊，是一个颇有深思余地的典型人物。他身上有今天朝气勃勃的青年人的共同优点：爱集体、爱劳动、肯钻研、有雄心壮志。但思想深处却隐隐沾染了一种可怕的东西——资产阶级个人主义。因此，经不起利己主义者丁副科长三番两次的煽惑，他忽然要“树立自己的威信”了，讲什么个人的“轰轰烈烈的抱负”了。“你为个人打算！”他听了他的好朋友黄萍这样批评他的时候，简直被“激怒了”。他毫无准备，他从不曾想到，也绝不能承认自己身上有这种可憎可鄙的东西。他原是一个青年科学家，一沾染了资产阶级思想，对自己一直钻研的科学试验问题——“新字三号”方案——也看不清楚了；一下子变成个傻瓜，忘记了科学的道理。他抛弃了他所崇拜的王刚，实际上，是抛弃了老老实实对革命负责的态度。他不管试验的科学的客观条件具备不具备，“平炉炉体有没有问题”，“煤气用量究竟高不高”，就急于请求早早试验。结果，试验失败了，烧坏了炉体，挫伤有些人对新方案的信心。

阶级斗争，在生产斗争中起着极大的作用，这不是明显的吗？事实上，在许多企业里，更多的阶级斗争，经常不是以“特务、定时炸弹”那样的敌我形式出现，而是在人民内部矛盾中，在某些人的思想王国里，以资产阶级思想与无产阶级思想斗争形式出现的。其斗争之激烈，并不下于敌我形式的斗争。从欧阳俊的头脑里发生的事情，很能说明这个问题。

戏里，问题解决得好，还是靠有革命干劲，又具有科学精神的王刚，发着高烧，和那些坚强、忘我、有经验、有智慧的老工人一道在现场想出办法，抢修了炉体，改低了煤气的用量。在这些必要的条件具备了之后，再试新法炼钢。试验成功了、推广了，大大提高了钢的生产率。

然而，这兜了多么大的一个圈子。革命事业，在可以不受损失的情况下，受了损失。如果欧阳俊没有沾染个人主义的资产阶级思想，坚持一贯的科学精神，这次事故是完全可以避免的。

党不允许欧阳俊这样发展下去，这是今天的青年比任何时代都优越的条件。在青年人身上，一发现有了资产阶级思想，党在这种思想的萌芽状态时，便教育他要用全力来歼灭，不使它有任何滋长的机会。方书记和王刚以后对欧阳俊的教育工作，是很细致的。那场戏很动人，有批评、有鼓励、有措施，指点出一个红色工程师的方向，使他继续沿着正确的道路继续前进。当然他是犯了错误的，但是这个青年技术革新者现在还有些“少不更事”，还不是一个完全成熟的革命家呢。

王刚写得真好。他站得高，望得远，做得踏实。有一种冲不垮、打不碎、磨不坏的稀有的韧性。他的韧性表现在他对同志们豪爽亲切的态度里，表现在说做就做的革命干劲里，表现在不留任何个人考虑的严格的科学态度里。一切从工作出发；一切为了他所热爱的革命事业。因此，他一肚子是坦坦荡荡的朝气。连他爱画的油画，也是为了“画进世界上最美好、最有力量的东西”。这个人物是理想化了吗？一点也不，今天祖国的社会里，遍地都是这种可敬可爱的人物，他们是建设社会主义的“合金钢”，是任何伟大的革命运动中必不可少的人。

至于徐厂长，大体上是写得令人信服的，就无须多说了。

整个说，这三个人物，写得有功夫，有味道。如果说还缺少点什么，那便是“更上一层楼”的问题了。在戏里，这三个人物似乎还没有完全写透，他们之间的冲突似乎还不够深，不够狠。他们的思想交锋，尤其是徐厂长，这个在原小说《内部问题》里作为泥鳅式的人物来描写的，没有尽情的表露一下。在动作上，似乎没有给他们足够的机会，让这三个人物扎扎实实地“斗”到底，让合金钢式的王刚，更显得出他的响当当的崇高的品德，让徐厂长和欧阳俊在生产斗争的激烈冲突里，更显出他们的“毛病”，使看戏的感情受到更大的震撼，使我们在思想深处受到更大的教育。全剧安排十四场，加上一个故事员，节奏流畅，自然合理，这确是一个煞费苦心，十分巧妙的艺术处理。但是在写作上，这个戏似乎照顾的方面广了一些，没有集中优势力量来挖掘主要人物的思想感情的冲突，有时还让一些次要的事件与描写，左右了剧中的主人。写戏如何集中，把力量完全放在写透了一两个或者两三个主要人物这个问题上，在这个剧本里似乎还是可以“更上一层楼”的。这里，我只想说我感到的那一点不够满足的地方。可能是不全面的，是不切合实际的。

另外有一个不成熟的想法。剧中故事员是一个退休老工人，他热爱集体，关心工厂，但究竟他还是“年纪大了，退休了”，似乎不可能日里夜里置身在工厂的火热的“激流”当中去了。所以，不管他是叙述故事，分析心理，或者鼓动情绪，他一出场，总像比“激流”的节奏缓了一拍。不如请一位正在“激流”当中奋勇前进的铁汉子来执行这个故事员的任务，譬如说昂扬奋发的周师傅，那就会更热烈、更有劲，与整个戏的情调更一致了。

《激流勇进》企图在不长的篇幅里，以特有的手法，真实有力的形象，把生产斗争、阶级斗争、科学实验和它们相互之间的关系，给广大的观众一次生动的教育。感谢参加这个演出的所有同志们，感谢你们的雄心壮志，你们在各自的范围内，已经做到不少了。

两出好话剧

——推荐《龙江颂》和《激流勇进》

我最近看了两出好话剧，一个是福建省话剧团演出的《龙江颂》，一个是上海人民艺术剧院演出的《激流勇进》；前一个戏写的是今天农业战线上的重大题材，后一个写的是今天工业战线上的重大题材。两个戏都是两个月前在上海举行的华东区话剧观摩演出的好戏。华东区话剧观摩演出的都是现代题材的话剧，都很有特点。我们在北京的观众很幸运，将会陆续看到这些好节目。我说的这两个剧——《龙江颂》和《激流勇进》——是华东的话剧队伍的先头部队，是急先锋。他们这头一仗就打得好。这两个戏的演出，得到北京千千万万的观众极其热烈的欢迎。我介绍大家去看一看，看了，也会和我一样受到深刻的教育的。

为什么说《龙江颂》和《激流勇进》这两个戏好呢？因为这两个戏，第一、剧本编写的好，把主要的思想、人物写得比较深、比较

【题注】载《剧本》1964年3月号。

透，能够感动人，振奋人。他们看到了我国社会主义建设中的重大问题，抓住了工业、农业目前火热的斗争中的重大题材，赞扬了许多有共产主义风格，有高度阶级觉悟的英雄人物。你看了这些人物所做的事情，听了这些人物心里所想的念头、思想，就不由得你要爱他们，敬他们，想学习他们，想从他们的所作所为，得到一些思想上的滋养。谁看了这些戏，谁都会这样想：毛主席的那句诗“六亿神州尽舜尧”，说得真对。今天，我们放眼一望，到处都是有共产主义觉悟，有共产主义风格的风流人物。这些人朝气勃勃，生龙活虎似地推动社会主义前进。这两个戏中的英雄人物不过是作者们从真实火热的斗争中提炼出来的更集中，更形象化，更容易看得明白的典型人物。因为这些人物是真实的，所以使你信服；是被提炼了的，更集中了的，所以使你感动，容易得到教育。

第二、这两个戏导演的好，表演的好，演出很吸引人，你一坐下，便再也不想走。你只有跟演员的呼吸而呼吸，跟着台上人物的斗争、发展，和他们同忧、同喜。在困难的过程中，你跟着他们着急；在克服了困难的时刻，跟他们同样感到喜悦。你不知不觉的也生活在他们当中，想为他们动脑筋，出主意。我体会到一种很有意义的看戏经验。我们说好戏能教育人，就是因为有这种潜移默化的力量。台上布置的环境很典型，很像那些故事、人物可以发生、生活和斗争的地方。大多数演员演得真实、自然、生动，真像那么一种人；说的话也都像他们自己要说的话，有真感情。为什么他们能够创造出这样动人的艺术效果呢？用文艺的用语来说，为什么他们的导演、表演、舞台装置、效果、灯光等等有一种动人的“艺术魅力”呢？那是因为这些同志（自然作者们也在内）认真、严肃地深入生活，了解生活，分析生活，和工农群众经常在一起，密切结合，较深的了解了工农群众，和他们产生了感情的缘故。

党号召我们为了社会主义革命和社会主义建设，积极参加三大革命运动：生产斗争、阶级斗争和科学实验。这两个戏可以说是在这三大革命运动中产生出来的。《龙江颂》和《激流勇进》都讲的是生产斗争和阶级斗争的大事，当然，它们所讲的阶级斗争只限于人民内部矛盾，是我们头脑里“资产阶级思想”和“无产阶级思想”的斗争问题。资产阶级思想和无产阶级思想的矛盾和斗争不是小事情。一个人的头脑里要叫资产阶级思想占了上风，那就必然损害革命事业，自己也就失去光明的前途。这两个戏虽然表面上都谈的是生产斗争，实际上，却大大发挥阶级斗争与生产斗争的血肉相连的关系问题。而《激流勇进》又进一步研究了科学实验、生产斗争同阶级斗争的结合问题。

福建省话剧团的《龙江颂》，是由江文、陈曙、丁叶、芗人等同志编剧，江文、陈曙执笔写成的。王昆生、向增、叶洪威导演。故事发生在福建的玉溪人民公社龙江大队。这个地区的庄稼长得好。可是福建闽南地区澄海一带七八个公社绝大部分的田地，遭到大旱。旱情严重，一百天不下雨，眼看五万亩面积的麦子快枯死了。这时县委指示，要龙江大队堵龙江江水，改道灌溉这五万亩受旱的田地，这样就要淹了龙江大队自己的三百亩就要丰收的好田。龙江大队支部书记郑强是一个有共产主义风格的人，他觉得这样做对。但是大队长林立本第一个便想不通，他想：“眼看拿到手里的粮食，现在要把它淹了，真是在我心头上戳了一刀！”想来想去，但他终于听了书记郑强的劝导，坚决执行县委的指示：堵江淹田，为了救出公社的受旱的田地。但这三百亩地是属于第四生产队的，队长郑阿摆，他虽然是个贫农，也还是想不通。而那满脑袋装满了自私自利，走资本主义道路的富裕中农钱常富，他的自留地也在被淹的范围里，就更不通了。当然，贫农苦水妈、贫农代表老人郑坚和钱常富的儿子钱新，还有其他许多社员都是拥护这个决定的。

这个戏写的好。好在什么地方呢？不只在于这种舍己为人的共产主义风格，很快地被很多的社员接受了，而在于那些个别的想不通的人是如何一步一步受党的教育，终于打通了思想，变成具有共产主义风格的社员。

看了这个戏以后，你会想到共产主义风格不是自天而降，生来就有的，是党一点一滴地苦心教育，提高人们的阶级觉悟，才会形成这样崇高的品格的。每个人有了这样的品格，社会主义事业必然会加速地建成，集体的前途、个人的幸福才有了真正的保证。

这个戏向我们提出几个非常深刻的问题，是我们大家在社会主义革命时代随时随地都要多想想的问题。第一、便是如何摆好个人、集体、国家的关系。戏中：当个人与小集体发生矛盾的时候，是个人重呢？还是小集体重呢？当小集体与大集体发生矛盾的时候，是小集体重呢？还是大集体重呢？这个问题仿佛很容易解答。每个人都会说出那个正确的答案。但是认识是一个问题，实践又是一个问题。而龙江大队的社员们，都是以行动来做正确的回答的。连那最落后的富裕中农钱常富，也要求改造一下自己的思想，觉得以前那种只知道投机卖谷，烧砖济私，反对堵江的坏行为不是味道了。剧中支书郑强对社员们说了一句很有意义的话:“要站在家门口看到天安门,站在天安门看到全世界。”“家门口”当然指的是自己的小“家门口”。从大集体的角度看,从国家的角度看,我们那个小“集体”不也是小“家门口”么?大队长林立本思想还不大通的时候,对郑强的劝导,生了反感:“你别讲了,‘我的!’‘我的!’我想的都不是我的,是集体的。”这岂不是任何本位主义者都会说出的话吗?在这个僵持、紧张的时刻,郑强平静地说了一句:“不错,是集体的,是这个小集体的。这只是一个点,我要你想的,是全局。”这句话说得多好,多么有斤两,多么值得我们想想。

第二、这个戏提出了一个“丢卒保车”的口号:就是说要丢小的、丢不重要的,保大的、保重要的;也就是剧中郑书记说的“点”与“全局”的问题。后来,等到全县的田地都有了水,保证了丰收,县委又提出一个“保车又保卒”的口号。这个思想,把主题大大挖深了一步。“保了车,又保卒”,那就是说,保住了大集体,也就保住了小集体,也就保住了“家门口”。社会主义的集体主义精神便在这里:不是保了车,就把卒搁在脑后,不要了;而是保住了大集体,那些家门口的个人的幸福,也就保住了。想想那个激动人心的场面:解除了旱灾威胁的公社,转来派自己最得力的、最有经验的社员带着良种来到龙江大队,帮助他们搞生产。这正是说明:共产主义风格人人都有,集体主义精神能摧毁天大的困难。“点”和“全局”、大集体与小集体是息息相关的,是血肉相连的,谁也忘不了谁,谁也要保住谁。戏的结尾,大家都获得大丰收。

第三、这个戏提出一个阶级觉悟问题和我们需要不断革命的问题。郑强、林立本、钱常富这三个社员代表三个不同的革命时期,也代表了农民三种不同的阶级觉悟。郑强是最先进的。钱常富还是土地改革后那种仅仅知道个人发家致富的落后思想的代表。而林立本在今天却是最有代表意义，也是写得最好的。这个人物，在目前的农村里，我们走进任何一个队部办公室里，都可以看见的了。他们热爱集体，日里夜里，又是劳动，又是计划。他们组织好集体生产，随时用自己的模范行动教育社员，影响干部。像林立本这样坚强、忘我，有组织能力，在群众中享有威信的好干部是人民公社的柱子，是共产党领导社会主义革命队伍的急先锋。这些人有千千万万，是数不清的。他们领头干到哪里，群众便会跟到哪里。因此，我们便更需要他懂得更多一点社会主义建设的大道理，需要他向郑强学习更高一点共产主义风格。昨天的郑强不就是今天的林立本吗？我们的广大的农村的好干部一心听党的话，不都是一天一天从党那里受了革命的教育，才一天比一天地提高了觉悟吗？明天的林立本不就会像郑强一样站在更高的角度看问题吗？至于那“喝水都是用刀切着喝的”钱常富，就更需要在他身上“革”一下“命”了。怎么革法呢？就是继续加强阶级教育，耐心说理，摆事实，使他明白资本主义道路走不通。告诉他：你已经落在时代后面很远了。摆出这三个鲜明的人物，清清楚楚地告诉我们，在亿万农民当中进行思想改造还是一个极其复杂的问题。我们只有不断革命，让大家一同前进，让落后的改变成先进的，让先进的更先进。

第四、《龙江颂》在戏的结构与主题思想如何结合上，提出一个可以学习的榜样。这个戏的主题之一，“丢卒保车”，是紧密和结构结合在一道的。发挥共产主义风格不是像送给人一包花生米那样容易。

要保住这个“车”，确实需要社员们拿出真正崇高的集体主义精神来。先淹了三百亩田，不能保住这“车”；后来把为副业烧窑准备的三万斤草，填进去了，还没有完全保住这“车”；直等又淹了大队自己七百亩田，才真正是保住“车”了，把县里的受旱田全部保住了。社员的觉悟是逐步提高的。为了挖掘主题和人物的思想感情，这个戏的结构安排得由浅入深，由低的阶段到高的阶段，使人物起变化，思想斗争有进展，主题的深刻性一步一步地显示出来。结构与主题，紧紧呼应，巧妙地配合，这确是值得我们学习的。

这个戏也有一些美中不足的地方，党支书郑强这个人物描写得还欠丰满、生动。戏的结尾采用了一般的章法，没能跳出旧有的框框，我觉得这些地方还可以再提高一步。

现在让我谈一谈上海人民艺术剧院演出的《激流勇进》。

这个戏的编剧是胡万春、佐临、仝洛三位同志，由仝洛执笔，是根据胡万春的小说《内部问题》改编的。导演是佐临。故事是讲上海一个钢铁厂里青年技术员欧阳俊，他钻研出了一种“新字三号”的炼钢法，请求厂组织批准试验。他是个好青年，参加劳动，也要求和工人群众打成一片，对炼钢的事业原是满腔热情的。但是充满了资产阶级思想的技术科副科长丁旺，为了自己获得名利地位，就利用了欧阳俊心里隐藏着的那点不纯正的东西，煽起了欧阳俊在思想深处埋着的那点“个人主义”，使得欧阳俊竟把青年人为革命事业“轰轰烈烈的抱负”，当作个人显身扬名的梯子，把能够为革命的钢铁事业起作用的“新字三号”炼钢法，变为“树立个人威信”的工具。欧阳俊想尽快进行炼钢试验，及时写出那篇炼钢新法的学术论文，扬名全国。但是深入实际，对革命事业有高度责任感的王刚副厂长和一些老工人，却反对在必要条件没有具备的时候进行试验。试验还是不试验呢？偏偏遇见了一位只知道忙于事务，天天下车间，就像“公共汽车靠站”、一停便走的徐厂长来处理这件大事。他没有对炼钢炉进行深入的调查，为了怕担上一个不支持革新试验的名声，就答应了马上试验。试验失败了，烧坏了炼钢炉。勇于负责、合金钢一般刚强的王刚副厂长，发着高烧，和那群顽强勇敢的工人一道抢修了炉体。最后，找到试验的缺点，改动了煤气用量，再试验，终于成功、推广，大大提高了钢产量。

《激流勇进》的剧本和演出都十分出色。石景山钢铁厂工人看了，都说：“看了这个戏，就像我在那个车间里劳动、思想、生活、斗争过一样。”也有的人说：“那些人物，徐厂长、丁科长、欧阳俊，尤其那位革命品质上真是当当响的王刚副厂长，简直和我们生活里常见着的人一样。”我同意他们的印象。谁都可以在这个戏里得到教育。今天的从事炼钢事业的同志们更可以在戏里得到鼓舞和启发。

我想就以下几点谈一下这个戏：

第一、《激流勇进》，在写工业的生产斗争的话剧中，确实达到一个新的相当高的水平。它处理主题思想有独到的深刻的地方。过去我们写工业生产斗争的戏，提到技术改革，凡是支持的人，便是正面人物，好样的。而且一定支持到底。反对技术改革的，一定是落后的，促退派，把他写得落后到底。因此给人一种错觉，仿佛支持、不支持都不需要调查研究。支持革新一定是先进人物，不支持革新一定是保守派，而不管他们是否采取了科学的实事求是的态度。这个戏就不然了。徐厂长开始支持新字三号的试验，后来又不支持。他的支持和不支持都是不正确的。因为他不调查研究，不考虑具体的生产条件，盲目的支持。后来试验失败，风头不对，他又无论如何也不支持了。这种人缺乏革命的责任感，是个很不小的官僚主义者。这种作风固然误了自己，更可怕的是他损害了革命事业。革命事业中要是多了这样的人，是非失败不行的。

王刚呢？开始支持，后来不支持立刻试验，最后又支持，他的支持、暂时不支持到以后的全力支持，都是正确的。因为他的不支持不是根本不支持，而是从实际情况出发，有条件的支持，是从调查研究、科学态度出发的。这是马克思主义的科学态度。这个戏告诉我们，科学实验的精神是什么？应该怎样理解？支持一种技术革新试验或者不支持，不完全是评价一个干部先进或落后的标准。积极进取的革命精神和实事求是对革命事业高度负责的态度，才是任何革命干部必须具备的品德。王刚被人称呼“合金钢”，不只是由于他勇于进取、依靠群众、有组织能力，更因为他待人对事都采取一种老老实实的科学的负责态度。他要当老实人、说老实话、做老实事。

还有，过去有些写工业斗争的戏，往往忽略这一点：谁要提出技术革新，谁就是先进人物。他就基本上没有什么缺点，不需要改造了。其实，生产斗争总是和阶级斗争结合的。一个人能够在生产斗争中提出具体的好办法，在阶级斗争中还是需要锻炼和改造。技术革新家的头脑里，有时也还在进行激烈的阶级斗争。这个戏生动的创造了一个青年技术革新者的形象。他很值得人深思，他身上有许多朝气勃勃的青年人共同的优点，但是也暗暗藏着一种可怕的东西：资产阶级个人主义。一个科学家，一沾染了资产阶级思想，便连眼前的科学问题——“有没有条件做这个试验”，都看不清楚了。真所谓利令智昏，科学家却失去了科学头脑。这个典型写得好，有深刻意义，有普遍性，可以教育我们大家。

第二、《激流勇进》有三个人物写得真好，那就是欧阳俊、王刚和徐厂长。欧阳俊和徐厂长都不用多说了。王刚确实写得可爱、可敬得很。他总是站得高、望得远、做得踏实。有一种冲不垮、打不碎、磨不坏的韧性。他的韧性表现在对同志的豪爽的态度里，表现在说做就做的干劲里，表现在不留任何个人考虑、严格的科学态度里。一切从工作出发，一切从他热爱的革命事业出发。他满怀坦坦荡荡的朝气，连他爱画的油画，也是为了画尽“世界上最美好、最有力量的东西”。王刚这个人物，是理想化了吗？一点也不。今天社会里遍地都有这样可敬可爱的人物。他们是建设社会主义的“合金钢”，是任何大革命运动中必不可少的人。

这个戏似乎有一点不够完美的地方，那便是这三个人物在主要的思想斗争上缺少强有力的交锋。战线太长，因此不能集中火力攻一点，把三个人物的思想写得更透一些。王刚可以写得更主动，他可以按照党的正确路线，向错误的行动和思想（包括徐厂长在内的）进行比现在更加顽强的斗争，让正确的与错误的两方面的特点显得更分明。那就更能教育我们。

第三、《激流勇进》的演出，充满了热火朝天的干劲。导演佐临是一位有修养、有才华、有饱满的政治情感的老导演。这个戏从头到尾燃烧着时代的情感。生活的真实气息是非常浓的。导演和剧作者佐临，用了十四场戏，在舞台上反映中国工业战线上火热沸腾的斗争。他冲破了舞台框框的限制，运用了多种多样的艺术表现的手法，表现主题，挖掘了人物内心思想，连接了多样复杂的场面，都运用的很好。第六场开会那场戏：欧阳俊参加新字三号讨论会，到了会场上，太早了，还没有人。他自己想，究竟坐在什么地方才合适呢？那真是细致极了。他为着挑选一张合适的座位，想得那么多，坐在这里怕太显眼；坐在那里，又怕不被注意。很平常的一件事开会，却对他变得如此复杂。一个青年人，忽然有了个人主义的歪念头，不想说老实话，不想做老实事，就会显得那么可笑，那么愚蠢。这个戏的演出，气势磅礴，有粗犷豪放的一面，也有细致微妙的一面。刚才说的欧阳俊挑座位就是这个戏的细致的一面。还有一些微妙可喜的东西，譬如说天下雨，欧阳俊打着伞去开会，他在路上走着，我们看不见天空中一滴雨点，但不住听到雨水打在伞上的声音，衬托出欧阳俊忐忑不安的心情。这很含蓄，有诗意，也很新颖。

第四、《激流勇进》是企图在一个不长的篇幅里，用特有的形式，简炼有力的艺术手法，把生产斗争、阶级斗争和科学实验的相互关系，对广大群众做一次生动的教育。感谢所有参加这个创造的同志们，感谢你们的雄心壮志，你们在自己的一定范围内，已经做到不少了。

福建省话剧团的话剧《龙江颂》和上海人民艺术剧院的话剧《激流勇进》，在北京都获得了很大的成功。现在正是一九六四年的春天，感谢华东话剧界同志们，你们为北京的观众们带来了好戏。让我们一道来迎接全中国社会主义话剧的春天吧。

迎接百花怒放的季节

在毛泽东思想的照耀下，全国人民热气腾腾，壮志昂扬，参加生产斗争、阶级斗争、科学实验三大革命运动，奋发图强，自力更生。大家都决心为一个有世界意义的社会主义革命事业奋斗到底。

一个空前的经济与文化的高潮就要到来。祖国从不曾有过这样一个气象万千的春天。

在这气象万千的春天里，现代题材的戏剧，尤其是话剧，呈现着一片欣欣向荣的景象。全国各地都在上演崭新的为社会主义经济基础服务的好话剧。

话剧事业正进行着轰轰烈烈的革命。

工人们看了说：现代题材的话剧，激动了我们的心，教育我们的思想、生活都革命化。这才是为我们服务的话剧，是社会主义的话剧。

【题注】载1964年4月1日《北京日报》。按，本文系曹禺为祝贺1963年以来优秀话剧授奖大会的召开而作。

农民、战士以及广大的青年、妇女、知识分子和革命的前辈，都是这样热烈地肯定它、拥护它。因为它响亮地唱出了人民群众的阶级感情，时代的气概，崇高的理想，反映了今天中国无产阶级的精神面貌。

这次文化部授奖给一九六三年以来优秀话剧创作和演出，标志了社会主义话剧，又踏上了一个更高、更充实、更与社会主义革命紧密结合的阶段。

为什么一九六三年以来出现了这许多优异的话剧剧目和演出呢？这不是偶然的。

首先，这些参加创作和演出的同志们，是遵循着毛泽东同志的文艺方向，扎扎实实地向前迈进的。

他们深入生活实际，参加火热的斗争。他们听毛主席的话，下决心不断改造自己，和工农兵密切结合。

参加《霓虹灯下的哨兵》《李双双》《千万不要忘记》《激流勇进》《丰收之后》《龙江颂》《南海长城》《一家人》《青梅》《母子会》……以及其他优秀创作和演出的同志们，不都是艰苦奋斗，在长期与工农兵一道的生活斗争里锻炼出来的吗？

毛主席说：“革命的或不革命的或反革命的知识分子的最后的分界，看其是否愿意并且实行和工农民众相结合。”我们都应该深入生活，与工农兵结合，做坚决革命的好同志，做最好的文艺尖兵。

其次，他们认真学习毛泽东思想，努力从毛泽东思想找立场、观点和方法，来观察、体验、研究、分析一切人、一切阶级、一切群众。

他们在实践、认识，再实践、再认识的反复过程中，是以毛主席指出的阶级分析的观点来考察一切事物，一切生活和斗争。

他们的创作是毛泽东思想指导下的优秀创作。

他们要求自己首先是无产阶级的革命家，其次是戏剧家。

他们继承着，也光荣的发扬着共产党领导的革命文艺的最好的传统。

第三，他们的艺术创造，表达出充沛的时代感情，写出来全国人民为社会主义革命和建设，蓬蓬勃勃的雄心壮志。

创作的主题、题材，多种多样；体裁、风格，丰富多彩。

有的写出个人、集体与国家的正确关系。

有的写出革命传统教育与革命前途教育的重要。

有的写出反帝、向反动派斗争的敌我矛盾。

有的写出农业战线上的阶级斗争。

有的写出日常生活中的巨大问题，在思想战线上的斗争。

有的写出教育革命接班人的严肃问题。

有的写出高级知识分子不断改造的重要意义。

有的写出在生产战线上比、学、赶、帮的运动中先进与落后的关系。

有的写出生产斗争、阶级斗争与科学实验的相互之间的影响和联系。

但最突出的贡献，是他们用最感人的艺术手法，写出今天的新人、新事、新风尚和伟大的共产主义风格。他们树立了许多鲜明、生动的英雄形象。

那些英雄人物，如《霓虹灯下的哨兵》里的鲁大成与赵大大，《雷锋》里的雷锋，《李双双》里的李双双，《千万不要忘记》里的丁海宽和季友良，《丰收之后》里的赵五婶，《激流勇进》里的王刚，《远方青年》里的沙特克，《年青的一代》里的萧继业以及其他正面人物，都是剧本与演出上显著的成就。他们都以动人的革命感情和崇高的理想，给我们以深刻的教育。

第四，这是可以着重提出的，他们指出在和平的社会主义建设环境里，阶级斗争是在我们生活中激烈地进行着。

他们大声疾呼：要提高警惕，要有一双无产阶级的眼睛，要看得清反动阶级企图复辟的敌我矛盾，要看得清资本主义与社会主义两条道路的斗争，要看得清意识形态上的阶级斗争。

优秀的剧目，如《霓虹灯下的哨兵》《千万不要忘记》《三人行》《第二个春天》《丰收之后》《龙江颂》《箭杆河边》《年青的一代》《小足球队》等，都强烈有力地表现了这一点。

第五，戏剧总是通过特定的艺术形式进行教育的。

这些受奖的优秀剧目，虽各有特点，但它们却都是通过真实鲜明的人物形象、严紧巧妙的结构与情节和生动、活泼、有思想、有感情、有性格特征的语言打动我们，启发我们的觉悟，提高我们的认识。

有一些可以说是十分优秀的剧目，是近年来罕见的佳作，是开始向“革命的政治内容和尽可能完美的艺术形式的统一”的标准，迈进了一步。

这些成就是和党的文艺路线，和党的高瞻远瞩、具体领导、一抓到底的方法分不开的。这次话剧的丰收，是党多年来，从人、从思想、从业务，不断地培育和教导的结果。

社会主义的话剧在大步前进。舞台上出现了无数的新英雄。戏剧战线上也出现了许多风流人物。

我们热烈地祝贺创作和演出这些剧目的同志们！

我们北京话剧界应该向他们学习！

他们的成就，给社会主义话剧迎来了春天！

一个百花怒放的季节就要来临了！

话剧的新收获

——《千万不要忘记》观后感

这两年，话剧又一次获得大丰收，出现了一系列反映时代精神、反映革命现实的剧本和演出。这些剧本抓住当前工农业生产斗争、阶级斗争的重大问题，写了适合工农群众需要的新题材。话剧作为一种上层建筑，现在更紧密地和工农兵结合在一道，更有力地为社会主义经济基础服务。戏剧舞台在普遍开花，各种戏曲，包括京剧，都出现了许多成功的写新题材、写当前斗争生活的剧本，呈现出欣欣向荣的新气象。这几年，戏剧阔步前进，是和我们最广大的人民群众一直坚定地高举总路线、大跃进、人民公社三面红旗，充分发扬自力更生，奋发图强的战斗精神分不开的。中国人民在党中央和毛主席的领导下，积极地向困难做斗争，全力投入生产斗争、阶级斗争、科学实验三大革命运动，获得了辉煌的成就。优秀话剧创作，正表现了我国工人、农民、部队和知识分子为无产阶级革命事业艰苦奋斗、勇往直前的精神。

【题注】载《文学评论》1964年第3期。

话剧舞台上出现许多令人感奋、有高度阶级觉悟、有共产主义风格的英雄人物。《霓虹灯下的哨兵》中的鲁大成和赵大大,《雷锋》中的雷锋,《李双双》中的李双双,《丰收之后》中的赵五婶,《年青的一代》中的萧继业,《远方青年》中的沙特克,《激流勇进》中的王刚,《千万不要忘记》中的丁海宽和季友良,《第二个春天》中的冯涛和刘之茵,《南海长城》中的区英才等,这些鲜明生动的形象给全国千千万万的观众以深刻的无产阶级的思想教育。他们都是从生活中提炼出来的真实人物,洋溢着饱满的革命精神,生龙活虎,大公无私,因此感动我们,也教育我们。

这些剧本不只是反映了当前的革命斗争,也提出了各种各样的重大问题,比如,个人、集体与国家的关系如何安排(《龙江颂》《丰收之后》);怎样教育革命的下一代(《年青的一代》《远方青年》《小足球队》);工业、农业战线上的人民内部矛盾如何处理(《激流勇进》《李双双》等);怎样才是科学实验中的实事求是、高度负责的态度(《激流勇进》);又如,生活中的无产阶级思想与资产阶级思想的严重斗争(《千万不要忘记》),向帝国主义和反动派斗争的敌我矛盾(《霓虹灯下的哨兵》《第二个春天》),工农业战线上的阶级斗争(《箭杆河边》等),生产战线上比、学、赶、帮的运动中先进与落后的关系(《一家人》),高级知识分子不断改造的重要(《三人行》),全民皆兵的伟大军事思想(《南海长城》)。这些问题在近来的优秀剧本中得到了比较深刻的反映。看了戏,我们更理解了今天的时代精神和我们在革命斗争中应站的位置。可以说,这些优秀的剧本是时代的号角,催动我们团结一致,昂首前进。

话剧能获得这些成绩，并不是偶然的。如果没有党中央多年来的教育和指示，没有八届十中全会给我们的思想武器，以阶级分析的方法来看当前的斗争，这次话剧创作的丰收是不可想象的。有了伟大的毛泽东思想做指导，剧作者们才开始从复杂多样的生活中看出问题，认识到问题的本质。他们才能体验、分析、研究一切阶级、人物和生活。第二个原因，这些年剧作者们深入生活，参加各种战线上的斗争，和工农兵一道进行社会主义革命和建设。他们从生活斗争的实践中获得了创作的源泉。第三，剧本的成功和当地党的领导，甚至更高的领导，有密切的关系。无论在题材的选择，人物的塑造，思想主题的酝酿，以至于台词的锤炼上，都或多或少依靠了党的指点。这是一个成功的指导创作的经验。由于党一直是高瞻远瞩，具体指导，一抓到底，许多剧本才有现在这样优异的成绩。另外，群众的智慧和帮助，也丰富了剧本的内容，提高了剧本的艺术表现。自然，作者的辛勤劳动和思想与艺术上的成就是剧本成功的主要力量。但是领导、群众、作者三结合的创作方法无疑地是一个行之有效的好办法。

看了这些优秀剧本，我得到了很大的启发。它们不只在思想上给予我们深刻的教育，在艺术上也是光彩夺目的。现在我仅就一个戏，哈尔滨话剧院丛深同志写的《千万不要忘记》，谈一谈我学习的感想。

一

《千万不要忘记》是一个很出色的剧本。我看了演出，读了剧本。

它使我震动，促我思考，叫我不能忘记身边一件严峻的事实：日常生活中，资产阶级思想意识正在隐蔽地或者露骨地和我们争夺接班人。

像剧中开鲜果铺的姚母一类的人，难道我们的身边没有吗？我们认识的年轻人的思想感情，不也有被这类三亲六故“下了蛆”吗？大规模的急风暴雨式的阶级斗争虽是基本结束了，毛主席却一再教导我们：“……无产阶级和资产阶级之间在意识形态方面的阶级斗争，还是长时期的，曲折的，有时甚至是很激烈的。”[1]资产阶级影响和旧社会的习惯势力远没有完全消灭。生活中有一些“姚母”，“用他们日常的、琐碎的、看不见摸不着的腐化活动”，涣散无产阶级的接班人的革命意志。这些人虽然在人口上比例不大，但一有机会，他们便影响人离开社会主义道路，走资本主义道路。这些人的思想，是和无产阶级敌对的，不能两立的。这些思想所及之处便有可能成为修正主义的温床。姚母这一类人还是属于人民内部的，但他们的恶言恶行，如果任其发展，必然会对无产阶级专政的基础有所损害。这些人，不管他们是否意识到，事实上是为资产阶级复辟开辟道路。

丁海宽这个人物向我们大喝一声：必须和这些病菌一样的东西进行针锋相对的斗争，这是一种容易被人忘记的阶级斗争，我们千万不要忘记！

这声警钟敲得响亮、及时。这出戏也有力地说明另一个真理：只要使大家认识了这种阶级斗争会长期存在，提高警惕，则无论资产阶

---

1 《关于正确处理人民内部矛盾的问题》，人民出版社，1957年版，第26—27页。——底本注。

级敌人如何隐蔽，如何进行腐蚀活动，他必然被指着鼻子拉出来，被看作过街的老鼠，被目光锐利、坚持真理的工农群众所铲除。

因此，作者所安排的环境和人物的关系是典型的、真实的。(有几个人物，如丁海宽、丁少纯、丁爷爷、丁母、季友良和小业主姚母等都写得很生动。）一台戏里，写了许多正面人物。这些生气勃勃的正面人物，有的可能犯错误，有缺点，但他们都是要为社会主义革命和建设积极贡献自己力量的人。这样写，便写出社会主义中国绝大多数人的心情，写出一个自力更生、奋发图强的时代风貌。大家有革命干劲，大家对前途有信心。

老工人丁海宽是清清楚楚地意识到新社会的巨大力量的。剧中的姚母，这个被识破了的过街老鼠，挎着包袱要下屯，找她在农村中的女儿的时候，丁海宽出乎儿子、儿媳意料之外，留住这个开过鲜果铺的亲家说："别走了亲家母！走到哪儿还不都是新社会呢？……"这一句话包含着无产阶级对革命的信念，仿佛他在庄严地对资产阶级思想宣判：资产阶级思想在新社会到处都站不住脚，早晚必然被消灭。"姚母"的思想哪里也吃不开。丁海宽正确地估计了这一场在思想领域中长期、复杂、激烈的阶级斗争的必然结果。

二

《千万不要忘记》的作者的阶级感官是敏锐的。他在许许多多日常惯见的小事情上，嗅到一种与无产阶级相敌对的东西。他下去做党委工作。他在一个电机厂里跟一位二十几岁的“老”师傅当徒工。他住在工人的单身宿舍里，和一些苦水里熬出来，政治觉悟高的老工人在一起；也和一些技术高，聪明伶俐，从戴红领巾，入青年团，一路顺风，一两句话就可以写完自传，但在政治上却显得十分幼稚的小师傅们在一起。他结识了不少先进工人。他们身上不带一分钱，整天爱钻图书馆，想革新，想改进。除了进车间，便是搞试验，他们创造很多新工具。许多单位来取经，他们不骄傲，还是勤勤恳恳，一心一意，干他们热爱的工作。他们不想任何享受、浮华，不盘算自己的工资高低。他们的心，整个地放在党的革命事业里。他们认为这样的生活、工作、研究便是一种崇高的快乐。别人提起生活上的享用，他们说：“想那些东西是无止境的，没什么意思！”这就是今天社会主义的典型的工人。

但是，作者在这一片欣欣向荣、如花似锦的工厂生活里，也看见一些旧的、不健康的东西。生活里偶然也露出一些不对头的思想、言语和行动。工人们的三亲六故谈笑之中，有的人表现出对浮华享乐生活的羡慕，有的人鼓吹投机取巧的行为。有个别思想幼稚，但也可以说是糊涂的青年工人，有时却对这些错误的言语、行动采取淡漠的态度，有时甚至受了影响。这些细小、琐碎、刚刚冒头的东西使作者不安、吃惊、焦虑、思索。他感到这些东西像水银泻地一般，哪里有空隙，哪里便要钻进去；不去提防，简直是无法封锁住的。

他被那些“小师傅”的姐姐、岳母、叔叔、大爷们给他们思想上的毒害，大大震惊了。有一个自小到大，一直受党的养育的青年工人，接触了恶亲坏友，便渐渐分不清是非，看不清美丑，竟和这些坏思想、坏意识和平共处，被他们牵着走上另外一条道路：羡慕高工资，要手头阔绰，居然想做取巧的事情了。作者感到这里有问题。但还摸不清这问题的实质是什么，它有多深、多广。当时一般干部群众正热火朝天地进行生产斗争，对我国社会中现存的阶级斗争还不像今天这样敏感。很多人还没有意识到敌对的资产阶级思想向我们进行“渗透”，进行“溶化”的危险。

直等到作者读了列宁的《共产主义运动中的“左派”幼稚病》。一再读了党的八届十中全会公报，深深体会了毛主席指出无产阶级和资产阶级在意识形态方面的阶级斗争以后，他才有了明确的认识。仿佛关在黑屋里摸来摸去，碰到些东西，不知是什么，一下子照亮了，才看见磕手碰脚的就是这些资产阶级的坛坛罐罐。有了毛泽东思想的指点，有了这个指路明灯，他准确地理解了他所接触的现实，更深地感觉到了阻碍人们前进的资产阶级思想的顽固性。原来，我们要向后一代“传”道理，“传”思想；他们也要向后一代“传”道理，“传”思想。正如毛主席说的：“无产阶级要按照自己的世界观改造世界，资产阶级也要按照自己的世界观改造世界。”[1]这是两条道路的斗争，是关系无产阶级大业兴废存亡的问题。

这个剧本给我的印象：作者是一个敏于观察的人。他能用毛泽东思想分析、研究自己所掌握的材料，而不被淹没在大量的生活素材里。他有深厚的革命感情，但是，只有当他用马克思主义的观点来理

1 《关于正确处理人民内部矛盾的问题》，人民出版社，1957年版，第27页。——底本注。

解事物的时候，他才能看清楚生活中那些有问题的现象，才能把感觉到的问题搞明白，才引起他更深刻的感受，才有可能产生抑制不住的革命的创作冲动。毛主席说：“感觉到了的东西，我们不能立刻理解它，只有理解了的东西才更深刻地感觉它。”[1]为什么《千万不要忘记》这个剧本指出的问题那样震动我们，教育我们，原因之一是作者的毛泽东思想和阶级感情在这部作品的创作里起了作用。

三

任何剧本都应该在思想、人物、结构、语言上见功夫。四者都见光彩，互相配合，互相呼应，为主题服务，才能使我们既受到深刻的教育，也能得到较高的艺术快感。写一部好作品是艰难的，需要作者既懂政治，又懂艺术，更需要他肯下工夫：实践、认识，再实践、再认识；不断地切磋琢磨，思索再思索，修改再修改，才能做到。好作品的标准是什么呢？就是“革命的政治内容和尽可能完美的艺术形式的统一”[2]。

《千万不要忘记》的作者是朝着这样的方向奋力前进，有了可喜

---

1 《实践论》,《毛泽东选集》第一卷，人民出版社，一九五二年，第二七五页。——底本注。

2 《在延安文艺座谈会上的讲话》,《毛泽东选集》第三卷，人民出版社，一九五三年，第八七一页。——底本注。

的成就的。它的结构自然、细致，人物真实、生动，语言丰富而且比较活泼。这些都经得住推敲，使人念念不忘。剧本首先要经得起剧场里群众的考验，其次要经得住群众仔细揣摩，经得住静下来细读。这类剧本不多，这个剧本似乎是一本既可演又可读的作品。

引人深思的人物和语言是这个剧本的一个特点。

我很喜欢丁海宽，这是一位踏踏实实、爱工作、爱革命、爱革命的后一代、洋溢着阶级感情的老工人。他说话很多，观众却非常愿意听下去。他有些话是大家知道的马克思主义普遍真理，却一经他说，便蕴藏着人物的思想感情。他肯用思想，严格要求自己，也严格要求别人。他的话是一个老工人的肺腑之言，又恰恰放在一个正需要他那样讲的“坎儿”上，你就爱听，非听不可。当作者把性格、结构、语言配搭得恰当的时候，富有思想的语言便显得自然、真实、逻辑，而不使人感觉造作、干瘪。

作者给丁海宽很多机会，激起他做父亲的责任感、做工人的阶级感，使他深思默想，使他时时刻刻忘记不了他对他的阶级、国家、社会应尽的责任和他在复杂生活中应站的位置。儿子——那个思想单纯可是政治上幼稚的年轻工人丁少纯，为了爱情，居然“根本不计较”人的阶级性了。他，一个工人家庭长大的，可以和他的朋友季友良同样成长为有共产主义风格的青年人，居然被那个开鲜果铺的岳母撺掇着打野鸭，卖野鸭，摆排场，讲究穿纯毛料子衣服了。他，一个正在和朋友创造革新，搞“科学实验”的青年工人，被只想“吃香的、喝辣的”、投机倒把的岳母煽惑，居然误了工了。最后，这个父亲放过多少年猪，祖父扛过三十六年大活的丁少纯，因为沾染了病菌一般的思想，竟在下线时马马虎虎，把钥匙掉在电机的槽子里，出了生产事故了。一件一件的事情安排得丝丝入扣，事理的逻辑一步一步引申发展，柳暗花明，曲折而自然，一直引到高潮。由身边琐事引到国家大事，由个人的生活思想小事引到集体的社会主义生产大事。问题解决了：返了工，拆开电机的槽子，取出来丁少纯的钥匙——那把标志了丁少纯一度沾染过资产阶级思想毒害的钥匙。谁不想知道这把钥匙会引起丁海宽，这位热爱革命的下一代的父亲，怎样想法呢？我们应该怎样看待这个开鲜果铺的老板娘呢？怎样认识她散布的思想呢？丁海宽如何处理这位亲家母的事情呢？是留下她来，还是让她走呢？这些问题暂时放下来，却使丁海宽先说出那一长段爆发出思想火花的话。这当口，观众里哪一个不想听下去，不愿意接受这场教育呢？

丁海宽对他的儿媳说："你以为把你母亲一送走你们就保险了？不，你们想得太简单了。这不是你母亲一个人的问题，这是一种旧社会的顽固势力，像你母亲这样的母亲，这样的岳母，这样的大姑、二姨、三叔、四舅，这样的老亲、故友、街坊、邻居，不是到处都有吗？他们那些有毒的旧思想，就像散布在空气里的病菌一样，无孔不入，常常在你不知不觉之间损害你的思想健康。党要把你们培养成无产阶级的接班人，可是他们，有意无意地总要把你们培养成资产阶级的接班人，这就是一种阶级斗争啊！这种斗争，没有枪声，没有炮声，常常在说说笑笑之间就进行着。这是一种不容易看得清楚的阶级斗争，可是我们必须学会看清它！这是一种容易被人忘记的阶级斗争，可是我们千万不要忘记！"

我想告诉作者：我们是忘记不了的！《千万不要忘记》，不只那些接班的年青人应该看，正在值班的父母们也很应该看。它告诉我们应该向接班人如何交班，也就是说，应该检查一下自己对阶级、社会、国家的关系摆得对不对，在曲折复杂的阶级斗争中，怎样随时随地地端正自己的位置。它告诉我们，今天的父母们应当怎样要求自己。

四

有人说，有些戏“议论”多了总不太好。我们并不赞成空发议论，无的放矢的。但是如果所指的“议论”（实际上他是指正面人物对错误的言行如何进行说服教育的话），不是应景的，不空泛，不浮夸，如果这些话是符合正面人物的性格，契合结构的安排，反映生活的真实，满足群众的需要，阐明了创作的中心思想，传达了时代的精神，那么，这样的话，只要它写得精练，是从生活中深刻体会出来的认识，它便是戏的重要的组成部分，有时甚至是戏的动作核心。戏并没有因为有了这些话而停顿下来，相反，往往因为有了这些富有思想意义的语言，节奏更流畅，动作更开展起来。

剧中第二幕第二场，在车间工作正热火朝天的时候，丁少纯因为打野鸭误了工。丁海宽心里闷着火，已经感到姚母和儿媳在儿子身上起了坏影响，不觉问道：“你们借了五十元互助金？干啥用了？”姚母，那个周身散发着市侩气的小业主，居然张口就是：“给你儿子买了一套毛料子衣裳。”

丁海宽：毛料子衣裳？花多少钱？

姚　母：一百四十八。

丁爷爷：一百四十八？一套衣裳？……买那么贵的干啥？

小业主心里瞧不起丁爷爷，顶了一句："你孙子稀罕，穿着好看，体面！"父子两代这才为了姚母在孙子身上的影响抬起杠来。台上只剩下丁海宽和他的老伴了。丁海宽那段陷入沉思以后的话："……是啊，我原来想得是太简单了！……"谁能不当作最好的戏看呢？谁能不当作最好的内心独白听下去呢？"在孩子们的脖子上系着红领巾的时候，就有人总想偷偷摸摸地给他们系上一条'黑领巾'！……"这话谁听了能不震惊呢？"咱们教育孩子不太得法，常常不能把好思想像刻戳子那样刻在他们心上，倒像往黑板上写粉笔字，……那些旧思想就像一些破抹布，三下两下就能给你擦得模模糊糊。"听了这些话，我们怎么能不向自己的四周看一看呢？

上面这段话不只教育我们，它在戏里起了和结尾那段话不同的作用。它打开观众的眼睛，要观众看清楚主要人物的思想斗争的中心是什么。有了这段话，各个人物在这场思想斗争的位置忽然明明白白地摆在我们的面前。它指点观众去注意人物在思想斗争中的变化，挑起我们的兴趣，使我们不禁要追问在这场新与旧、好与坏、正与反的思想斗争里，性格、情节如何发展，结果又是如何的？如果说剧尾丁海宽那段长话是戏的思想的总结，动作性已经没有多少了，那么这段话便正在强烈的动作当中，它推动了戏的动作，使无产阶级与资产阶级的思想斗争在观众心目中更明朗起来，开展起来。

五

丁少纯的内心是一块你争我夺的战场。在这战场上，资产阶级思想向无产阶级思想不断地袭击。姚母打着各种各样的黑旗：什么“会积极”“傻积极”“如今工作不容易”“好汉不挣有数的钱”“当伙计的比当掌柜的还省心”……向丁少纯进攻。丁少纯手里反击的武器不多，使人记得最清楚的，是他那一句“可也是”。这句口头语有性格特征，又有思想意义，选择得十分恰当，非一般写人物随意加上去的口头语可比。每当他和敌对思想针锋相对，相持到要见分晓的时候，他的“可也是”就使他败下阵来。他经常是这样打一仗败一仗，被姚母的思想长驱直入，占领了阵地。

然而这个人物塑造得好。他是和平环境中，工人家庭里长大的一种青年，还是个求进取，有理想，有抱负的好青年。他经历简单，思想单纯，性格软弱，没有在阶级斗争里锻炼过，一经姚母这样甜言蜜语，又看不出她对他的危害性，他就成了这个小业主的思想俘虏。幸亏他的基础厚，要连根拔，还拔不动。他的错误是失足，不是变质。他终于走上了正路。以后如何呢？戏里没有说，也没有肯定经过这次交锋后，丁少纯一生从此走上“又红又专”的道路。盖棺论定，丁少纯受了这次教训，对他我还是不能完全放下心来的。如果再遇见比姚母的“道理”厉害得多的思想“病菌”来侵袭，而且这种“病菌”更为隐蔽些，狡猾些，险恶些，伪装些，进攻的方法多一些，也高明一些，那么对丁少纯又是一场考验了。

这样说，不是要人想丁少纯是一个永远改不好的傻子，也不是说和资产阶级意识形态的斗争中，人必定要跌过许多次筋斗，受够了教训，才能确保安全，更不是说，资产阶级思想的侵蚀是防不胜防，终归会打败我们。不是这个意思。我们坚决相信资产阶级和资产阶级思想意识必然会被我们在地球上坚决、完全、干净、彻底地消灭掉。而是说，今天青年人与资产阶级的思想意识的斗争，是长期的、曲折的、复杂的斗争，不是打一次“防疫针”就可以终身免疫的。

丁少纯这个典型选择得好，写得比较深刻，是因为他这个人物使人有想象的余地。我们可以设想，在作者没有着笔写的场合里，他会如何行事的。大约，一个人物写活了，他就仿佛可以离开作者的笔下，有了独立的生命；我们可以随他到任何环境中，即使是作者毫没有想过的地方，似乎都可以预料他可能说出什么，做出什么。丁少纯被作者放在这样、那样的环境里，反应着，变化着，发展着，虽然不能说完全写活了，他毕竟给我们有想象的可能。他使我们可以设想，台上的戏虽然完了，他还要生活下去。

我们设想丁少纯还需要继续在思想斗争中锻炼，才能做到像季友良那样坚强，才能最后称得起过了关。作者是不是有意这样写这个人物的呢？我不清楚。但这个人物的深刻的教育意义在于：不是闭了幕，丁少纯的自我改造，他和资产阶级思想意识的较量也告终了，而恰是刚刚开始。他虽然比以前聪明些了，有经验些了，但他还需要在斗争的风浪里锻炼，再锻炼，而且时时都要拿出最大的警惕性来，不然还是要跌倒的。

好文章多半有听不尽的弦外之音，这个戏就给我这样的感觉，“言有穷，而情不可终”，好的作品应该如此。

但我不是批评家，片面的理解，单方面的揣测，是难免的。可能作者原来的企图并不是这样，丁少纯并非按我所说的那样的用心塑造的，因为作者对丁少纯的笔墨也没有点清他将来还有可能如何如何。丁少纯的这次事故固然使我们得到深刻的教育，但如果戏写得使我们更清楚地想下去，考虑到一个年轻人终身的道路：在丁少纯身上的兴无灭资的斗争并不能一次解决，而是长期的、曲折的、复杂的。提醒我们要和资产阶级思想意识一生周旋到底；要拿出最大的警惕性、最坚决的革命性，才能获得最后的胜利。那岂不也很好吗？

六

这个戏有一个使人惊心动魄的反面教员，那便是脸上甜蜜蜜，用心似乎也是在为儿女好，但在和新社会的关系上却总是格格不入的姚母。这个反面的典型选择得好，因为她在社会上是一个无足轻重的人，在家庭里似乎又是不能起多大作用的，但在她的小圈圈里，她却无时无刻不在起着毒害思想的作用。经济命脉已经不操持在她手里了，她是一个下了台的资产阶级。但是，仿佛在内心深处她还在觊觎着经济大权，如果她的周围不是丁海宽那类把关把得紧的人，而大都是丁少纯那类总在“可也是”的人，就在这工人家庭里她还是可以卷土重来，在某种方式下又当上“掌柜”的。这个反面教员可以说是写活了的，其完整性要比其他人物高。她自是、骄傲、浅陋、愚蠢、庸俗、狡黠，离不开享受，而总是自得其乐，在任何生活里，她都要安排得使自己满足，满足得叫人厌恶。她过得那样有滋有味，却是一种没有任何精神活动的低等动物的生活。然而这些还是她外面的表现，她内心里却藏着一种突出的、秘密的感情，那是一种和我们的社会的一切不相协调，却又不得不在新社会里活下去的抗拒感。这种抗拒感使她不住地、有意无意地放毒，像绿头苍蝇，到处下蛆。她看不见新社会有什么好，自己是怎样丑，也从没想过什么改造，而她成天做的却是如何“改造”别人。这是一个带着十足东北色彩的小业主，气质、语言、习惯，都有这样那样的特征。在小业主里，她也不一般，她确实像那种“卖个瓜果梨桃、烟酒汽水啥的，小鲜货铺子”的老板娘。买三种新牌子烟，一支一支地吸，“咱们娘儿俩品一品，看哪样好抽”，看来，只有有这样经历的小业主才能如此。

她的语言有强烈的阶级特征、职业特征、性格特征，几乎每句话都是打她心窝里蹦出来的。当她和丁爷爷聊家常的时候，谈起她家的历史，你听：

姚　母：玉娟她爸爸早年开个小鲜货铺子，卖个瓜果桃梨、烟酒汽水啥的。康德六年就归了合营了。

玉　娟：一九五六年！

姚　母：对，是一九五六年，我这嘴。

在她身上，新社会不发生任何影响，她的“灵魂”还活在康德六年。她的脑子是一个密封的铁罐，装的只有旧社会的东西。再听听：

姚　母：都说我们有点剥削，其实谁剥削谁呀？当伙计的比掌柜的还省心。

这是她心眼里的话。遇见一个顶真的对手，丁爷爷，她顾不得作假，登时暴露出一个小业主的嘴脸。

我喜欢人物嘴里似乎漫不经心，而又表现心情和性格的语句。丁少纯的母亲把捡来的煤核送给姚母烧，姚母说："哟，我可烧不好那玩意儿。"丁少纯因为爸爸当了车间主任，也不赞成妈妈捡煤核。一句话戳伤了妈妈的心，妈妈忍不住气愤地叙起家史来（这段家史叙得很自然，不勉强）：

丁　母：虚啥心？我偷人家抢人家了？纯粹是吃饱饭把你撑的一身毛病！我五岁的时候就跟着我爷爷奶奶去捡煤核，我过了门以后，你爸爸还时常去捡呢，到了你这儿嫌我们给你丢脸了？我告诉你吧，咱们老丁家的家谱上就没有你得意的"光彩"事儿！你爷爷的外号叫"丁麻袋片"，他给地主扛了三十六年大活，年青的时候穿不上裤子，无冬历夏腰里围着一块破麻袋片！你爸爸小时候给地主放牛，没穿过鞋……

玉　娟：（向丁母）妈！您别生他的气。

丁　母：（向丁少纯）你还不如玉娟懂事呢！（这句话也写得好，恰是她在这样的亲家母面前对着儿媳妇说的口气。表面上她

骂的是丁少纯，其实她已骂够了儿子，她现在指的是亲家母，是这母女两个。——本文作者）

姚　母:（一直坐在一旁咯咯地笑）我说亲家母，你真是个装钱的匣子！稀烂贱的煤，省那几个小钱犯得上吗？

这个小业主的神经仿佛油上了一道厚厚的保护漆，感觉不到任何新社会的东西。丁少纯的母亲谈着痛苦的过去，作者半天不让这小业主插一句话，却让她一直坐在那里咯咯地笑，最后才说:“我说亲家母，你真是个装钱的匣子!”可以想象得出她眉目间的那种自得，满足，藐视丁母的神气。实际上，她是站在自己的阶级立场嘲弄着丁家过去的痛苦。她永远不能理解丁母为什么看见煤核白扔了心疼，不能理解劳动人民对付出劳动、辛苦得来的东西那样爱护的心情。从她的眼睛看出去，一切仅仅是钱;“煤核”是小钱，值不得捡。“你真是个装钱的匣子”这一句话，把她那阶级的臭味都说出来了。这种对话不见雕琢，却那样丰满。

七

有些人感到反面人物容易写，就不去深深地观察和研究。有人说，画鬼容易画人难，其实反面人物本质上虽是鬼，但还是个人，因此要把他写好也同样需要下功夫，才能真像，才能激起我们比较深的愤恨。“正”和“反”是矛盾的两面，统一在一个戏里，都应该起教育作用。写反面人物首先要选择得恰当，要看哪一类人物最有典型意义，真可以当作正面人物放矢的“的”。如果选错了，便是无的放矢，正面人物也相对地减低了意义。其次，反面人物要写得真像，不然就像挽强弓，射纸人，射穿了，也并不显得“弓”有多强。

这几年来，塑造人物上有一个十分可喜的现象，戏剧中的许多正面人物显然地逐渐高大起来，精神扎实饱满，形象真实生动，整个说，从思想感情到言谈举止，都使人感到真是从生活中来的活生生的人物。因此，他们的崇高的理想和感情，我们能理解，也能教育我们。这是一个巨大的成就，解决了今天创作中的重要问题。但相形之下，反面人物似乎写得差了一些，像是没有给予足够的注意。

这个戏不然，正面人物和反面人物可以说是旗鼓相当的。假设《千万不要忘记》这个戏里没有姚母这个人物，而写一个远比姚母贫乏的人物来代替她，那么戏里面丁海宽、季友良、丁爷爷这些人物不仅是无从施展，也不可能写得像现在这样令人信服。“正”和“反”是互相依存的。必须树立起一个鲜明强烈、令人信服的正面人物的形象。但是在比例上适当、不违背时代真实的条件下，写出同样鲜明真实、激起人愤慨的反面人物形象，做正面人物的对手，这将增强正面人物的真实性，也增强作品的教育性。

八

《千万不要忘记》仿佛就是从一件毛料子服写起的，整个人物、事件都围绕着那件毛料子服安排下来，深刻的思想斗争也就从这件毛料子服一层一层地展开。这身料子服所代表的内容，自然、有深度，又一看便能明白，有故事，有思想，二者十分熨帖地结合在一起。这身“毛料子衣裳”的具体形象和思想内容是作者明确精练的艺术构思，要下很大功夫才可以获得的。

有一种戏的写法，是占有了材料，抓到新题材，不经深思熟虑，就写成的。虽然看起来也有结构、布局、人物等等，但读起来它总给人一种“走着瞧”的印象；仿佛写的时候心中没有数，仿佛队伍还没有排列整齐，就开步走了。这种戏不给人完整感，甚至常常写不出事物的本质，作者没有写出他所掌握的材料的最核心的东西。作者自己没有看清楚，也没有准确地感觉到那本质的、核心的东西是什么。作者不是踏踏实实地攻坚，在实践与认识的反复过程中，想“透”了，有了艺术构思再写，而是凭一个冲动硬写。他想出了故事，安上主题，但还不太清楚他究竟要写什么，要突出什么。我们听作者说出了主题，但感觉不到那个主题。这类戏很难深刻地打动人。它首先给人的印象，是笨重，舞台上塞满了一大堆事情和人物，其次就是空泛，说来说去，总没有说在“点儿”上。

好戏的主题一般说应该是简单明确，一句话便能说出来的；道理本身不复杂，但能启发人想下去。作者对他的主题有情感，有认识，有充足的生活，他可以穷追到底，可以不东拉西扯，以壮声势。

戏不好，不打动人，可能因为作品的思想水平不高，或者因为作者生活不足，但也有这样的可能，作者没有认真考虑过艺术构思。我们常说我是如何构思的，其实有时说的，常是一种创作过程，而不是艺术构思。艺术构思并不需要说一大堆才能明白。话多了，反而听不出用意究竟在哪里。它应该是一个精练的思想、感受和艺术形象融化在一起的结晶。有了这个东西，便知道如何从众多材料中取舍，有了它，才知道如何把结构、人物融合在一起，表现一个统一的思想。这里，作者马列主义的思想水平、生活实践、阶级觉悟、艺术修养都起着重要的作用，但更主要地，它是作者在这个基础上想“透”了的结果。作者已经不需要罗列许多事件来说明问题，他可以使人从他所选择的角度看他的题材，把原来众多、复杂的生活现象，理清楚，看明白，仿佛拿着望远镜对光，一下子对准了。看了他的戏，我们恍然大悟，明白了生活中原来藏着这样一个大问题，而这问题有时只是模模糊糊地知道，却不深知道，有时竟然是全不知道的。

有了这样完整的构思的作者，多半是已经找着了典型环境和典型人物的，他已经能够写出他所看到的、所感到的生活斗争的一个缩影。有了一个完整的构思，他写出来的剧本便容易感动人，而不使我们觉得作者硬要说服教育人，却自己还没有准备好。

作者要用脑筋，要思想，但最后还是要用形象把自己的思想传达给人，因此我们常说作家是用形象来思维的。在《千万不要忘记》里，这件“毛料子衣裳”看去很简单，但这是在感受、生活、思维、认识、复杂反复的过程中逐渐地，自然而然形成的一个清晰、明确的形象，其中有思想、有人物、有结构，是作者完成了艺术思维的工作才浮现出来的。大概这就是比较好的艺术构思的一个例子吧。

九

让我谈一点我感到不够满足的地方。这仅是个人的片面看法。每个作者都有他自己的创作过程，在他的创作逻辑里，总有他这样那样安排的道理。因此，有时别人指出的所谓“缺点”，常常不切合他的创作实际，甚至是无中生有的。艺术的完美，每个作者都有自己的具体的标准，这在他的写作中有时会表现出来，而且，都有它具体的基础。因此一谈到具体的剧本，尤其是这样一个优秀的剧本，别人就很难说得准确、恰当，是地方。我姑且说一说。其实，作者的甘苦常常不是他人能充分明了的。

有了一个完整的艺术构思，我想还是可以注意全剧运用对话的经济与凝练问题。整个看来，剧中的言论有的地方多了，显得重复；警句多了（一般的剧本是令人回味的语言太少了），反而有些抵消力量。仿佛一个善于说书的艺术家，一身功夫，拍惊堂木却不都是地方。在是“坎儿”的地方拍，不是“坎儿”的地方也拍，或者，安排的“坎儿”太多，老觉得他不断地在拍惊堂木。尽管这样还是引人注意，但总不若使用得经济一些、省略一些好。丁海宽的话大都很精彩，有说服力，但多了，就突出不了他在关键上议论的力量。丁爷爷的话就不大给我这样的感觉。确实，作者的语言的功夫很深，几乎句句都是从生活中来的，而且带着浓厚的地方色彩，因此特别有感染力。但有时戏里仿佛有一种忙于说服教育的痕迹，就显得整个语言的安排不够凝练。

其次，姚母的描画也嫌多了一点。描画多了，不等于写足、写透。譬如，姚母的二女婿邵永斌那一段回叙姚母的思想如何影响了外孙子的话。我以为对姚母已经写得很够了，不必再写这一段来刻画她（自然，这也可能是为了写邵永斌）。这类地方应该让出来，写和“毛料子服”的构思有关的事情，或者索性删去，也可以使戏短一些。

《千万不要忘记》中发生的事情都是真实而自然的。它以严谨的生活现实的逻辑，打动我们。邵永斌为了取电机，从北京来到了他的连襟丁少纯家，发现丁少纯的父亲却是他从前的师叔。丁海宽也认出他是从前的“小榔头”，现在当了工程师。生活里当然会有这样的事。但在这样的戏里，这种“巧合”，就显得和整个戏的自然、真实、妥帖的安排有些不太协调。尤其是因为作者在这一点上渲染得比较重。“巧合”在某一种戏里可用，但在这里，就有些不合适。

邵永斌仅仅作为丁少纯的连襟，也就够了，似乎无须要加上他与丁海宽又有什么关系。剧中那样安排，邵永斌可以一下子和丁海宽合拍，可以很快地就和丁海宽一道投入戏中正在进行的斗争里，确实有方便的一面。但是否也可以有另外一种写法：一个工人出身、由党培养起来的工程师，如果他和丁海宽是素不相识的，却也发现了丁少纯所犯的错误，这有可能对进一步刻画丁海宽的性格有好处。而现在丁海宽接触的都是他熟习的亲友。邵永斌作为丁家的来客，一个工人出身的工程师，他如何参加正在发生的矛盾，进行斗争。这也可能对刻画邵永斌的性格有些好处。

这样布置也许可以使某些地方翻起一些波澜，也许可以使邵永斌的形象更鲜明一些。但缺点是：搞不好，便是横生枝节，把简单的事弄复杂了，远不若原来的布置顺当，容易推动已定的戏剧动作。

一个缺乏工人斗争生活的人，妄加批评一本有深厚生活基础的剧本，容易从所谓“艺术”一面吹毛求疵。而写作的艺术常是与生活分不开的。上述可能都是片面的看法；没有了解作者的意图，才提出这些不恰当、不切合实际的要求。

《千万不要忘记》是话剧的新收获，然而这不是仅有的一个。像《霓虹灯下的哨兵》《李双双》《激流勇进》《龙江颂》《丰收之后》和《南海长城》以及其他优秀剧目，都是鼓舞人心、写出时代精神的好剧本。它们的出现说明了社会主义话剧有无限前途。话剧和话剧工作者正在进行着深刻的改造，党和人民要求我们更密切地和工农兵结合，要求我们更长期地深入生活，要求我们更深地学习毛泽东思想，为工农兵服务。今天的话剧事业正在革命化。在国内国外呈现一片大好形势下，出现了话剧的新收获，这是万分可喜的。但这仅是开始，是万里长征的第一步。中国社会主义戏剧的远景将比现在还要灿烂光明，它的创作和作者定会比今天在质量上还要优秀，话剧舞台上将会充满更高昂的革命精神，更多更有气派的英雄人物。社会主义话剧定会推动人民群众向社会主义的更高阶段前进。让我们高举毛泽东思想红旗，艰苦奋斗，创作思想性更高，艺术性更强、更完整的好剧本吧！

一场文化大革命

一场惊天动地的革命正在我们眼前进行着。那就是，京剧演革命现代戏。这是一次社会主义文化大革命。

北京举行的一九六四年京剧现代戏观摩演出大会，是一件有世界意义的大事。现在是一九六四年的夏天，将来我们会记住这个日子。

这次演出获得空前的成功。通过这次观摩演出，举世闻名的京剧，向全世界庄严地宣告：一个曾经被封建主义、资本主义深深毒害过的古老剧种，从此要彻底清除这些毒害，坚决走社会主义的革命大道。

它庄严地宣告：一定要进一步为社会主义革命和社会主义建设服务，不为资产阶级和封建势力服务；一定要进一步为广大的工农兵服务，不为少数剥削阶级服务；一定要为摧毁、消灭资本主义和封建势力的思想影响服务，一定要进一步为扩大、巩固无产阶级思想阵地服务。

这些天，北京的观众，人人都在谈论着京剧演革命现代戏，实在

【题注】载1964年7月15日《人民日报》。

好，实在教育人，吸引人，耐得住看。他们说：这是现代戏，又是革命戏，又是京戏。唱、做、念、打不但保留了京戏的精华，而且进一步把京戏发展了、丰富了、革新了。京剧演革命现代戏，一开锣便得到了观众的批准。

这个观摩演出已经进行一个多月了。热情的观众一清早就排列在售票处的门前。他们兴奋地讨论着每一个看过的剧目。他们歌颂、赞扬京戏舞台上出现的新气象。观众面的广泛，是从来没有的。值得注意的是一些老观众。这些人为数不多，有老有少，是一些不容易说服的京剧保守派，但是京剧革命现代戏的演出，给了他们一个出乎意料的震动。京剧舞台上居然出现了社会主义时代的英雄人物，不戴髯口，不穿高靴，不甩水袖，还能叫人喜欢看，这是他们过去不能想象的。可是通过改革了的京剧艺术形式，它优美、明快、昂扬、庄严，新英雄人物的思想感情征服了他们。他们被感动，受教育，他们开始在变。他们也在站排买票了。

然而最大的改变，是京剧剧场大量出现了新观众。这些观众过去从不看京戏，只看革命的电影、话剧和歌剧。他们无法欣赏过去京剧舞台上那些迈方步的古人和死去的语言。今天，无产阶级的雄风把帝王将相、才子佳人、牛鬼蛇神，一扫而空；取而代之的，是我们在斗争中和生活中看见的新风格、新风尚、新人物和革命历史英雄。广大的青年观众们高兴了，广大的工农兵群众满意了。他们拥进了剧场的大门，一晚上的京剧革命现代戏，就使他们成了京戏的拥护者。他们说：越看越爱看，台上演的正是他们需要的、想看的戏。革新了的京戏的音乐、舞蹈、做功，抓住了他们，他们一下子便爱上了京剧的革命现代戏。今天的京剧舞台下，是满场热情的新观众。剧场里出现了一种截然不同的革命气氛，它不再是传播不利于人民的思想的地方，而是广大工农兵欣赏优秀传统艺术，接受无产阶级教育的阵地。

剧目变了，观众也变了；有了革命的现代戏，就有革命的观众。京剧演革命现代戏，必然会一天比一天更完美，它在广大的人民群众里一定得到更热烈的拥护，一定起到更深远的影响。

剧目变了，演戏的人也变了。要演革命的现代戏，就要有革命的京剧演员和京剧工作者。京戏要为社会主义服务，京剧演员和京剧工作者必然要求自己革命化，首先是思想革命化。他们学习毛主席著作，深入工农兵生活，参加生产斗争和阶级斗争。我们看了很多好戏，像《奇袭白虎团》《黛婼》《智取威虎山》《六号门》《节振国》《革命自有后来人》《草原英雄小姊妹》《杜鹃山》《延安军民》《芦荡火种》《红灯记》《送肥记》《审椅子》等等，好戏太多，举不胜举。演员们把英雄人物的思想感情，真实动人、令人信服地表现出来。京剧工作者的卓越的成就，证明了他们听了党的话，首先下去向工农兵学习，在生产和阶级斗争中学习，然后认真严肃地创造革命现代戏，他们为革命的文艺事业的决心是我们应该好好向他们学习的。他们说：今后要再下去，长期地和工农兵一道生活，一道斗争，演一辈子的革命现代戏。

这次观摩演出的成功是巨大的。它是社会主义文化大革命的开场锣。它的响亮的声音，传遍了全国，传遍了全世界。我们的友人为我们的成功高兴。我们的敌人，帝国主义和修正主义者，热心地为我们喝“倒彩”，这证明我们是做对了。

革命风雷

一九四九年十月一日，占人类总数四分之一的中国人民站立起来，我们的伟大领袖毛泽东同志在天安门上向全世界庄严宣布中华人民共和国成立了。

十五年来，勤劳勇敢的中国人民，在伟大的中国共产党和毛泽东同志的领导下，掀起一个又一个轰轰烈烈的革命运动，建立起一个崭新面貌的国家。

中国人民无穷无尽的创造力被解放出来了，它像地下的洪流，一经掘出，便喷吐倾泻，汹涌翻腾，势不可当。中国的劳动人民以一种从未有过的主人翁态度，统治着这块广大美丽的国土。正如大寨大队党支部书记陈永贵同志说的：大寨人所以那样辛勤和忘我的劳动，不仅仅是为了“自己做饭自己吃”，而是要为社会主义打基础，为集体经济的发展、为社会主义的远大前途贡献力量。

陈永贵同志是亿万劳动人民中的一员。他这几句话和大寨人所走

【题注】载《红旗》1964年第19期。

的自力更生、艰苦奋斗的道路，鲜明地告诉我们：中国的劳动人民的心永远是热气腾腾的；中国人民不但有火红旺盛的革命意志，而且对未来的信心是坚定不移的。

十五年来各方面巨大的成就，是在激烈的阶级斗争中取得的。党和毛泽东同志一直领导我们高举着无产阶级革命大旗，进行着胜利的斗争。革命的风雷，轰轰隆隆，一直没有停过。我们同国内阶级敌人斗争，同帝国主义斗争，同现代修正主义者斗争。我们还同各色各样的资产阶级意识形态和旧社会遗留下来的各种习惯势力与影响进行斗争。

十五年来，我们经过了多少次革命运动，每一次运动都是一场激烈的阶级斗争。我们的社会主义革命，是一场解决社会主义和资本主义谁战胜谁的斗争，也是解决无产阶级思想和资产阶级思想谁战胜谁的斗争。

文艺战线上也是如此。今年夏天，在北京举行革命的京剧现代戏观摩演出，正是一场文化战线上的大革命。几百年来，帝王将相、才子佳人占据着京剧舞台，传播封建主义和资产阶级思想。广大劳动人民早已厌弃了这些旧东西，根本不去看它。而这些僵尸，阴魂不散，还赖在京剧舞台上。党领导革命的京剧工作者攻下这旧势力盘踞的顽固堡垒，工农兵的光辉形象豪迈地登上了京剧舞台。从此，京剧舞台上生气勃勃，崇高的共产主义革命精神和优美动人的艺术，一下子赢得了广大群众的喜爱。改革之后，京剧艺术更丰富了，更发展了。像其他革命的文艺工作者一样，革命的京剧工作者要求与工农兵紧密结合，他们上山，下乡，下连队，进工厂，要改造自己，彻底革命化。

在这场意识形态的斗争中，无产阶级思想打了一个大胜仗。近年来，话剧方面也出现了许多为工农兵服务的好剧目，这正是因为在尖锐的阶级斗争中，无产阶级思想占了上风的缘故。

这些年，中国人民写下多少光辉夺目的历史，应该说，没有一天不是在阶级矛盾和阶级斗争中度过的。新的力量向旧的力量斗争；社会主义和共产主义的力量向封建主义和资本主义的力量斗争。解决了旧的斗争，又来了新的斗争；解决了新的斗争，又来了更新的斗争。在这些革命斗争中，党和毛泽东同志领导我们从胜利走向胜利，我们才有今天这样一个飞跃奔腾的局面。

在社会主义的中国，经济革命、政治革命、思想革命，像拦不住的万匹骏马，向前猛进。我们人人都从这革命浪潮中受到了教育。人的思想意识变了，政治觉悟提高了。有些不革命的人要革命了；革命的人更是奋发有为，高瞻远瞩了。在农村和城市里，“爱家迷”变成为“爱社迷”“爱厂迷”。而受了革命教育的老一辈，更用社会主义思想和艰苦的劳动，教育着年青的一代。党告诉我们：不能忘记过去！个人的力量不过是星星之火，投进集体里才能燃起燎原的火焰。我们还是在创业的时代，要艰苦奋斗，永远不在困难面前低头。

正是这样的教育使中国的工人、农民、战士、干部和知识分子采取正确的对革命的态度。他们为集体，为社会主义的祖国，为全世界被压迫人民的解放事业，热烈地学习毛泽东思想，用阶级分析认识问题，在工作中走阶级路线，吃大苦，耐大劳，与贫农下中农紧密地连在一起，参加劳动，参加阶级斗争、生产斗争和科学实验。“从家门口要看到天安门，从天安门要看到全世界”，这句话是从一个人民公社社员口里说出的，但它却正确地、真实地道出亿万中国人民的革命感情。

共产主义精神在全国各地这样蓬蓬勃勃的发展，是十五年来党通过不断的革命运动，对人民群众进行革命教育的结果。

“四海翻腾云水怒，五洲震荡风雷激。”伟大的中国人民深刻地感觉到这世界革命的大好形势。英雄确有用武之地了。然而也有极其少数目光如豆的人，觉得在这革命时代里，风雷震耳，云水翻腾，时时都使他头晕目眩，便想停止在革命中流的岸上。他以为处在所谓中间的地位，“平平安安”，不站在时代的最前面，不站在革命的第一线，苟苟且且，自觉得计。仿佛这样，他便可以既不沾湿了鞋，也不算脱离革命，可以稳稳妥妥地长久如此活下去了。但是事实会告诉这种人，哪里有这样一种凝固不变的“中间”状态？因为，革命是不断向前发展的，形势逼人，到了最后，你必须决定走哪一条路：社会主义道路还是资本主义道路？马列主义的道路还是修正主义的道路？是革命还是反革命？是宝珠，还是烂石头？这就看得很清楚了。资产阶级思想意识浓厚，而又想在轰轰烈烈的革命风雷中混，是行不通的。

十五年来，毛泽东思想指引我们前进，中国一天比一天更加繁荣富强了。在全世界被压迫人民同帝国主义的斗争里，在无产阶级同资产阶级的斗争里，在马克思列宁主义同现代修正主义的斗争里，中国共产党都采取了最正确的道路和方向。我们国家的国际地位空前地提高了。这一切愈来愈好的变化，不正是说明顶天立地的中国人民，在伟大的中国共产党和毛泽东同志的领导下，坚决走革命的道路，才有了今天耀若朝辉的气象吗？

一九四九年，在解放战争即将彻底胜利的时候，毛泽东同志说：“夺取全国胜利，这只是万里长征走完了第一步。”“万里长征”是个遥远的路程。中华人民共和国成立后的十五年，虽然取得了光辉伟大的成就，树立了一个新的里程碑；但是，正如毛泽东同志所说的：“中国的革命是伟大的，但革命以后的路程更长，工作更伟大，更艰苦。”他又说：“我们不但善于破坏一个旧世界，我们还将善于建设一个新世界。”

因此，我们要坚决革命，非革命不可。有了革命，才有一切。一个人的政治觉悟是逐渐提高的。从革命，到不断革命，到革命到底，这样的阶级觉悟是在深刻的革命实践当中，才能获得的。我们每个人都应该有这样的阶级觉悟，坚决做一个革命派，艰苦奋斗，把祖国的社会主义革命、社会主义建设和全世界的革命事业的重担担负起来。

北京市的怀柔县一渡河大队，原是在一个十分穷苦的山区里。解放后十五年，党支部领导大家鼓足干劲，治山沟，整滩地，垒坝阶，闹好了水利，引来了电力。如今，沙滩上是一片片平整肥沃的良田，山坡上是数不清的垂实累累的果林。电灯、动力，处处都是。水上了山，过了岭，它的粮食去年已经亩产五百四十八斤，产量指标已经“过了黄河”。公路开进了山，公社的山货源源不断地运出去。过去，这个穷山沟，遇上荒年，连种子都收不回来。如今基本上实现了旱涝保收，社员们无论在生活上、文化上、政治觉悟上都大大提高了。

像一渡河这样由穷变富的地区，在全国可以说遍地皆是，不知有多少了。是什么缘故使我们这辽阔广大的土地上，起了这样翻天覆地的变化呢？一九六一年，那正是在我们连续受三年严重的自然灾害的困难日子里，我到一渡河，党和群众正以冲天的干劲向困难做斗争，我看到解放前扛了三十多年活的老贫农王振友同志，他和我谈了一夜，最后，他说："不能忘记党！不能忘记阶级！不能忘记革命！"这句话刻在我的心里，永不能忘。

今年三月，王振友同志逝世了。一渡河所有的老一辈人和青年人都在这位热爱集体、热爱社会主义的老党员的墓前，举行悼念会。当时，革命的新生力量已经在一渡河成长起来。他们继承前辈的革命事业，表示要记住王振友同志的话，他们说："千句万句，顶不上他这一句：不能忘记党、阶级和革命！"

革命的风雷，正以气吞山河之势，不断创造壮丽的史篇。几十年来，我们在革命的风雷里，锻炼、成长。今后，我们将使我们的下一代也在革命的风雷里，锻炼、成长。是革命的风雷，使我们和我们的下一代破坏了腐朽的旧世界，建设了人民的新世界！

现在，革命的风雷已经响彻五湖四海；今后，在全世界的每一个角落，都必将响彻革命的风雷！

更高地举起文化革命的红旗

今天，祖国歌声遍地，一片欢腾，正是我们伟大祖国的十五周年国庆。

十五年讲起来不短；算一算，也不过五千四百多天。

但在这五千四百多天里，中国经历了两千多年来未曾有过的大革命。在伟大的党和毛主席的领导下，中国劳动人民一跃成为国家的主人。我们把贫穷落后的旧中国送走，把繁荣先进的新中国迎来！

在这五千四百多天里，没有一天没有阶级矛盾；没有一天，我们不在进行阶级斗争。伟大的党和毛主席领导我们和各种不同的阶级敌人进行坚决的、不调和的斗争。我们是在不断的阶级斗争中成长起来的。我们在斗争中受到了锻炼，取得经验，争得了胜利，战败了敌人。

现在，全国正在进行一场轰轰烈烈的社会主义文化革命。全国的文艺工作者和戏剧工作者，都是精神振奋，斗志昂扬，投进这场革命

【题注】载1964年10月1日《北京日报》。

运动里。文化革命必然给祖国带来丰富多彩、繁荣昌盛的社会主义文化。我们的戏剧：京剧、话剧和各种各样的地方剧已经有了被广大人民欢迎的巨大成就。

今年，北京举行京剧革命现代戏的会演，就是文化革命的先锋。全国各地的京剧团聚汇在一起，大演革命现代戏，受到广大人民空前未有的欢迎。这是古老的京剧走向社会主义或者停滞在资本主义和封建主义的斗争，是关系以后京剧繁荣、发展或者没落、死亡的斗争。伟大的党提出京剧要为社会主义服务、为工农兵服务，革命的京剧工作者都热烈地响应党的号召。经过艰苦复杂的京剧革新工作，创造出一系列优秀的京剧革命现代戏。一声春雷天下响。从此帝王将相、才子佳人被轰下台去，英气勃勃的工农兵登上京剧的舞台。无产阶级思想在京剧舞台上打了一个决定性的大胜仗。

在党的领导下，革命的京剧工作者干劲高，热气大。他们把古老的京剧革命化了，京剧不再做封建主义和资产阶级思想的“奴才”“顺民”，它成了无产阶级思想的威武的战鼓。京剧艺术，有继承，有革新，有创造，有发展，从上到下，从里到外，焕然一新。它健康了，年青了，更优美了，虎虎有生气了。这是中国无产阶级文化史上值得大书特书的大事。

全国戏剧界出现了大演革命现代戏的十分活跃的局面。近年来的话剧也出现了许多优秀剧目。去年华东话剧观摩会演，是社会主义话剧史上的大事。那些思想性高和艺术性强的优秀剧目，就像艺术革命道路上的多少匹奔驰绝尘的骏马，遥遥领在前面。

在这以前，我们已经有不少刻画了社会主义时代风貌，充满了无产阶级感情的好戏。谁能忘怀得了《霓虹灯下的哨兵》和《李双双》呢？谁能不衷心赞美《千万不要忘记》和《南海长城》呢？

在华东会演之后，又出现了不少表现革命的英雄气概和工农兵群众的崇高理想的话剧。谁不想看看《龙马精神》《结婚之前》《山村姐妹》和《豹子湾战斗》呢？谁不想从中吸取激动人、鼓舞人的共产主义教育呢？

革命话剧的好剧目在前面领路，更多更好的剧目又一个一个地赶了上来！

文化革命的红旗鼓舞着我们，社会主义革命的战鼓召唤着我们；革命的话剧工作者进一步认识自己的时代使命，更好地发挥话剧的战斗作用。

祖国戏剧队伍的巨大潜力是挖不完的。文化革命号角响遍四方，全国地方戏曲工作者早已有了自己的生气勃勃的革命剧目，现在更以不断革命的战斗精神，创作出更新更好的剧目，并且互相移植，广泛传播，教育了全国各地的劳动人民。

首都的评剧、曲剧和河北梆子，已经有了自己的革命现代剧目，受到观众普遍的欢迎。就连为封建主义鼓吹了几百年的、满台才子佳人和牛鬼蛇神的昆曲，不也打倒了封建主义的“幽灵之塔”，走到群众中来了吗？首都的昆曲剧目《师生之间》，传播到了石家庄，也受到当地观众的热烈欢迎。

社会主义的舞台，是社会主义重要的思想阵地。我们的戏剧，只能为工农兵服务，为社会主义服务，不能为资产阶级服务，为封建主义服务。我们要在全国的戏剧舞台上，大兴无产阶级思想的雄风，消灭资产阶级思想的邪气。

广大的工农兵群众，举起双手，批准了社会主义文化革命前进中的初步成就，热情地拥护全国各地的革命戏剧。他们一致说：这才是我们工农兵要看的戏！因为这些戏，响亮地唱出新中国人民的阶级感情，时代的英雄气概，崇高的共产主义风格。

文化革命在戏剧战线上之所以取得成就，首先是和毛主席的文艺思想、党中央的领导和各级党的具体领导、一抓到底的方法分不开的；也是和全国戏剧工作者认真学习毛泽东思想，严格地进行自我改造的决心分不开的。

党经常教导我们，文艺工作者是教育者，就要先受教育。一要改变立场，要把自己的思想感情来一个变化，来一番改造；二要深入工农兵生活，参加火热的阶级斗争、生产斗争和科学实验的革命运动；三要学习马克思列宁主义、毛泽东思想。大家经过实践，深深感到深入工农兵生活是改变自己立场、观点、思想感情的重要环节。

今天，全国的戏剧工作者，都在上山、下乡、进工厂、下连队、参加锻炼，改造思想。在生产队里，他们和社员们打成一片，背土、修渠，耕地、点豆，下水田，修沟沿，盖房子，垒猪圈。贫下中农看他们放下架子，和自己一样艰苦劳动，爱护他们像亲兄弟一样，给他们讲家史、村史，讲阶级斗争，说他们“心里头真有贫下中农，这才是毛主席派来的人”！

在工厂、连队里，下去的戏剧工作者也是如此。

深入工农兵之后，大家才看见了工农兵的好品质。他们纯朴真诚，作风朴素，热爱劳动，勇敢坚强，对集体事业满怀热诚，对党和祖国赤胆忠心。他们是平凡而伟大的英雄，是中国的真正主人。下去的同志们说：生活中的英雄比舞台上的英雄还要高大得多！

深入工农兵之后，大家才发现过去自己真是井底之蛙，目光如豆。今天才开阔了眼界，革命的风从大地吹进了胸膛。

大家说："要演革命戏，先当革命人。"深入工农兵，才迈上了做革命人的道路。

轰轰烈烈的文化革命正在进行；祖国的文艺工作者正在自觉地革命。我们要艰苦奋斗，定将文化革命进行到底！

在国庆节的今天，我们满怀欢畅，壮志昂扬！

我们向伟大的祖国献出我们这一片深入工农兵、和工农兵密切结合的决心；献出我们这一片要把自己彻底革命化的决心；献出我们这一片把文化革命进行到底的决心。

让我们更高举起文化革命的红旗向前迈进！

文化大革命万岁

全国的文学艺术工作者，热烈响应党的号召，正在一批一批地上山、下乡、进工厂、到连队。有的准备住上一年半载，有的三年五年，有的便是安家落户。戏剧和艺术团体也纷纷下去。留下来的文艺工作者，除了有任务、一时下不去的，也都有了下去的准备。下去的目的是什么呢？就是要切切实实解决一个为工农兵服务、为社会主义服务的问题。

这是中国文学艺术界的一件有历史意义的大事，是文化战线上一场大革命。如果我们文艺界，为了祖国的社会主义革命和社会主义建设，为了世界人民的革命斗争，要做出什么贡献的话，今天大家决心深入工农兵的生活，决心和工农兵的思想感情打成一片，决心把自己彻底革命化，便是给伟大祖国和世界革命人民最珍贵的献礼。

我们是革命者，是毛泽东思想培育出来的文艺工作者，是工农群众在文学艺术上的代言人。我们必须充分反映社会主义现实生活的斗

【题注】载1964年10月17日《人民日报》。

争，努力表现社会主义时代的工农兵群众。今天，在我们祖国，遍地是英雄、先进人物。人民群众的政治觉悟迅速提高了，朝朝日日出现各种新人、新事、新思想、新风气。我们应该热情地歌颂它，创造出更多、更高大的英雄形象，教育广大群众，使更多的社会主义英雄人物成长起来，加速社会主义的建设。

但我们当中，我不是例外，确实存在“某种轻视工农兵，脱离群众的倾向”。有的爱“洋”，有的爱“古”，有的甚至爱“鬼”。有的只爱自己的身边琐事。有的爱中间人物，有的只知道坐在书斋里、坐在办公室里，坐在排演间里创作“有人民性的好作品”。而我们都是信仰马克思主义的。

二十二年前，毛主席对文艺工作者说过：“我们说的马克思主义，是要在群众生活群众斗争里实际发生作用的活的马克思主义，不是口头上的马克思主义。”

这句话何等深刻。今天，我们应该怎样严肃地想一想。

我们正在进行无产阶级和资产阶级两条道路、社会主义和资本主义两个方向的斗争。这是一场你死我活，没有任何可能调和的尖锐斗争。如果在今天光辉灿烂的社会主义社会里，文艺工作者脱离工农兵，只会写为资产阶级，为有资产阶级思想意识的人们欣赏的东西，做不到为无产阶级，为广大的工农兵群众服务，那么，我们的文学艺术就会很快地腐化堕落，走上修正主义的道路，传播资产阶级的思想意识。它还算什么社会主义上层建筑，它就成了为资本主义复辟的上层建筑了。

无产阶级培育着我们，社会主义的经济基础托载着我们，人民群众的血汗灌溉着我们。我们的文学艺术，只应该是为工农兵服务，为社会主义服务。我们的作品，应该对推动社会主义的历史迅速前进起有益的作用。这样，它就被广大人民群众热烈欢迎。否则，便不如一只烂草鞋，有什么可重视的？

我们生活在一个万马奔腾，一跃千里的时代。历史的车轮正以空前的速度迅猛前进。全国文化大革命已经轰轰烈烈的开始了。有志气、有出息的文艺工作者，都生气勃勃，如龙似虎的投进这场文化大革命中去，没有一个肯做回避革命的人。这是怎样一个局面啊！古往今来，谁曾见过这样一支气吞山河的文化大军，开进人民群众思想意识的阵地里？谁能估计这千千万万受了毛主席文艺思想教育的人们，在人民群众的生活里、火热斗争中，千锤百炼之后，将变成多少个锐利、发光，可以成为党的眼睛、阶级的器官、人民的钢刀一般的文艺战士啊！

但是为了投入这场伟大的斗争，在斗争里取得胜利，我们都要严肃认真地解决两个重大问题。一是立场问题，我们究竟要站在哪方面？是无产阶级方面，还是资产阶级方面？更确切地说，是保留自己的旧立场，还是改变自己的旧立场？问题很清楚，一定得使自己的思想感情起个变化不可，一定要叫自己由一个阶级变到另一个阶级不可。毛主席说：“我们知识分子出身的文艺工作者，要使自己的作品为群众所欢迎，就得把自己的思想感情来一个变化，来一番改造。”我们必须扎扎实实地站在工农兵这一边，一丝一毫不动摇。不然，怎样空想“我爱工农兵”，那也是爱不起来的。没有工农兵的立场，就没有工农兵的感情，那怎能写得出工农兵群众所喜爱的作品呢？

第二，是深入工农兵的生活的问题，这是我们有些文艺工作者自己（我也是一个）唠叨了多年，急于解决，却总没有真正解决的问题。我们是要以今天的革命的英雄形象教育人激励人的。但如果我们，一没有接触过劳动人民、先进人物；二没有参加过今天工农兵的阶级斗争和生产斗争；三没有在共同劳动中体会出他们的革命干劲和共产主义风格，又如何能创造出工农兵群众顶天立地的英雄形象呢？

让我们把毛主席《在延安文艺座谈会上的讲话》里的一段写下来，再认真地读几遍吧。

“中国的革命的文学家艺术家，有出息的文学家艺术家，必须到群众中去，必须长期地无条件地全心全意地到工农兵群众中去，到火热的斗争中去，到唯一的最广大最丰富的源泉中去，观察、体验、研究、分析一切人，一切阶级，一切群众，一切生动的生活形式和斗争形式，一切文学和艺术的原始材料，然后才有可能进入创作过程。否则你的劳动就没有对象，你就只能做鲁迅在他的遗嘱里所谆谆嘱咐他的儿子万不可做的那种空头文学家，或空头艺术家。”

这段话我们都是读了无数遍的。各人体会不同，有的体会得深，有的体会得浅。但是今天看来，只有真正这样长期下去，与工农兵紧密结合，认真实践了毛主席所指示的道路的人，才能说出其中深刻的思想，才真能对人说：我是一个中国的革命文艺工作者。

国庆前夕，我收到一个同志的信，他是在农村中扎了根的。他的信上说：“……下去越久，便越感到过去那套资产阶级货色，越无法忍耐，我就越感到脱胎换骨，改变自己的立场是非做到不可的。这是一个艰难、曲折、长期的过程，但是一定要做到。我体会到，一旦有了感情上的变化，生活在劳动人民当中，才会如鱼得水，如蜂吮蜜。有了工农兵的立场，那就仿佛登上了高峰，一切事物的是非，历历在目，看得比以前清楚得多了。可以写的东西多起来了，往往人物、感情、思想，奔骤而来，不可抑止。过去所看到的形形色色的事情和人物，都浮现在眼前。……我写了一点东西，总是念给社员们听。大家你一句、我一句的议论。我一次一次的听他们提意见，一遍一遍地修改，直到他们点了头，说‘不错了’为止。当然，这样的作品远不能说是完美的。但是群众的心血、智慧，和自己的劳动这样融合在一起，哪怕是十分微小的作品却也得到社员群众的赞许，说‘这对咱建设有利’。我就高兴。我才觉得我开始为工农兵服务，我身上有点革命化的味道了。一句话，自觉的革命，自觉的学习工农兵，这才有可能用文艺这个武器为工农兵服务。”

他这封信给我极大的鼓舞，它说明了毛主席教导我们深入生活参加火热的斗争的重大意义。今天的文学艺术必须革命化，但是首先要使从事文学艺术工作的人革命化。要自觉地革命，要不怕一切斗争中的艰难困苦，在自己身上求彻底革命化。

今年春天，我从河北省宝坻县向南走，沿着去年的抗洪区，一直进了太行山。沿途农村里，欣欣向荣，全是一片兴旺景象。人民群众的社会主义觉悟普遍提高了，许多村子、许多大队，都出现了许多新人、新事、新风气。我见到了不少热爱集体、奋不顾身的英雄人物。这些同志，正如董加耕说的：“身居茅屋，眼看全球；脚踩污泥，心怀天下。”这才是真能统治祖国九百六十万平方公里的主人。但是在这里，我只想提一两个我在那里认识的下乡、回乡的知识青年。我觉得他们的经历和思想感情，跟我们文艺工作者在某些地方很相似。因为我们都是知识分子。

我在河北的一个生产大队遇见一个下乡知识青年。他原是一个喜欢研究哲学的人，他响应党的号召下了乡。为了锻炼自己，住在猪场里，烧锅做饭，冬天半夜三点就起来打苇子，坚决和农民一样。他挑河泥，学种稻；学饲养大牲口，学喂猪，学兽医；学农民的语言，学如何鼓舞群众，学做党的工作，学严格按照党的政策办事。他长期地和一个老贫农饲养员住在马棚旁边的土炕上，学习老贫农的好品质，学习如何向地富反坏斗争。他在生活习惯、思想感情上和贫下中农完全打成一片，他在农村里这样生活了七年，他成了贫下中农最爱的一个青年。他结了婚，有了家。我在他家里住过，我看他从里到外是一个道道地地的新农民。他遇到的困难是数不清的。他笑着说："困难就像弹簧。你硬，它就软；你软，它就蹦回来。我从来不怕它！"那里的贫下中农对我称赞他，说："这真是根好苗！"

我在他身上看见一种蓬蓬勃勃的革命精神，那便是一种高度的革命自觉性。

在冀南农村，我见到一个衡水的姑娘。这个坚强敏锐的年轻人，在去年夏天洪水围村的时候，和群众一道，在水里苦斗了三天三夜，保住了村子。她也是个知识分子，在学校学习成绩很好，当了俄文教员。两年前，她响应党的号召，坚决回乡生产。回来正赶上生产队盖窑烧砖，她和大家一道，从早到晚向窑上挑土。肩压肿了，磨破了，痛得一夜一夜地不能睡。大家劝她休息，她不肯。她坚持了二十七天。砖窑盖成了。大家看见窑顶上冒出一股一股的黑烟，全村老少高兴得几乎忘记了做饭。她欢喜地和大家登上高高的窑顶，四下一望，豁亮极了。她对大家说："我们站得多么高啊！这里有我们的劳动！"后来，她对我说："糖，谁都知道是甜的；没吃过它，就不知道是怎么个甜法。劳动是快乐的；不下力参加劳动，就不知道劳动的快乐。"

这是一个有社会主义精神，敢想敢干的姑娘。有一阵子，村里团的工作开展得不算好，大家正没有办法。在团支部改选的时候，她在会上"毛遂自荐"，说："同志们，我当书记可以。试我半年，不行了，再选。"大家选了她，团的工作就开展起来了。这个姑娘平均每月劳动二十七天，还种着两亩试验田，每天还挤出两小时学习毛主席著作。

从这个姑娘，我看见了什么呢？我又看见火焰一般的高度自觉的革命精神。

一个老农民曾经指着脚下那几畦肥壮的秧苗对我说："不要看这些秧苗黑青黑青的，里头可也有稗子。稗子长得跟稻秧一个模样，不易看得清。可这坏东西比秧苗细根多，扎在土里深，土肥地气都叫它给吸了。它长好了，稻秧就毁了。我们就是要保秧苗，薅稗子！"

有志气、有出息的革命文艺工作者，谁都决心做革命的种子，吐革命的秧苗，为人民群众增添革命的粮食。谁也不想白白吸了土肥地气，做伤害革命的稗子的。

今天，伟大的党把我们每一个人都当作革命的种子，把我们撒在工农兵群众肥沃的土地里。有毛泽东思想的阳光照着，有社会主义文化的东风吹着，只要我们自己努力改造，加强锻炼，这每一粒撒下去的革命种子，必然会成苗吐穗，壮大起来，为祖国的文学艺术，为无产阶级的文学艺术，为广大的工农兵群众，创作出有高度思想性和高度艺术性相结合的作品。

社会主义的革命越向前发展，越要深刻。革命的道路是艰苦的，但也是最幸福的道路。我们是立志为工农兵服务，为社会主义服务，坚决走上深入工农兵生活，彻底革命化道路的人。我们将勇敢地越过一座一座高山。我们精神振奋，斗志昂扬。

无限风光在召唤着我们！

社会主义文化大革命万岁！

文化革命的新风气

自从去年在党中央的领导下，全国掀起文化大革命的浪潮以来，革命的文化运动出现了一片大好形势。毛泽东文艺思想已经在全国扎了根，为无产阶级服务的工农兵文艺显露了头角。许多文艺上的新事物立刻为广大群众热烈欢迎。不久以前，内蒙古自治区乌兰牧骑的演出，指出了专业文艺工作的方向。他们带着一颗红心，经年不断地在草原上散播革命的种子。不管严寒酷暑，过草原、走沙窝，翻山涉水，到处送歌献舞。他们同牧民同吃同住同劳动。他们是党的宣传员，不把自己看成什么艺术家、歌唱家。哪里困难哪里去，需要做什么就做什么。他们是专业文艺工作者，又是劳动者；他们是知识分子劳动化的模范。它说明专业文艺工作者必须放下架子，改造思想，坚决为工农兵服务，把革命文艺送到广大农村、工矿、牧区、山区，必须从资产阶级思想的枷锁下完全解放出来，做革命者，做一辈子像乌兰牧骑那样忘我的革命文艺战士。

【题注】载《戏剧报》1965年第3期。

最近，我们又以万分兴奋的心情迎接了三种工农兵的革命文艺创举，那便是：

战士业余文艺演出；

全国少数民族群众业余艺术观摩演出；

华北区话剧歌剧观摩演出会上的业余演出。

这三种演出受到广大群众的赞美，看过这些演出的人都说："这真使人长革命的志气。个个演出都生动活泼，充满了社会主义的昂扬奋发精神。"这种文艺创举不仅是一个文化革命，而且是一个社会革命。它革了资本主义、封建主义思想的命，也革了资本主义、封建主义艺术的命。

对我们这些干文艺工作的人来说，仅仅赞美他们是不成的，我们要全心全意向他们学习。

我们学习什么呢？

一　认真实践毛泽东思想

在毛泽东思想的光辉照耀下，文化革命正在轰轰烈烈地进行。全国各地工农兵的业余演出已经蓬蓬勃勃地开展起来，这是文化革命的新风气。

少数民族的业余文艺观摩演出，就是文化革命新风气的一面旗帜。全国五十多个少数民族在首都的舞台上展现了革命的文化艺术成就，获得广大观众的赞美。他们从不断的生产斗争和阶级斗争中熟悉广大的劳动兄弟姐妹们的思想感情，懂得群众的需要。他们善于运用群众心爱的民族形式来反映各民族劳动人民的革命感情和革命要求。他们是劳动者，又是文艺活动者。他们创造的艺术是真正从群众中来，又能回到群众中去的。这正是毛主席经常教导我们搞文艺工作的人应该走的道路。

我们无法忘记解放军战士业余演出的革命精神，个个人都是生龙活虎，昂扬奋发。在舞台上那种雄健壮丽、勇敢坚强、爱憎分明的革命感情，使每个人都受到深刻的教育。我每次看完，就止不住的兴奋、感激，感激党训练出这样一支伟大的人民军队，感激毛主席培养出这样一种有革命思想，有保卫祖国和全世界被压迫人民决心的战士。他们的演出在观众心里引起革命化的要求，使大家感到丑恶的资产阶级思想必须清洗掉，伟大的共产主义的大公无私的风格必须树立起来。这样感染人的演出是部队战士们努力学习毛主席著作，方向明确，思想、生活、锻炼都过了硬的结果。

最近华北区话剧歌剧观摩演出会上的业余演出，出现了很多优秀剧目，是工农兵反映了今天社会主义火热斗争生活的好剧目。如，北京部队战士业余演出队的《五十大关》《向高峰前进》《路遇》，内蒙古自治区的《售票所里的故事》，山西省的《我们都是同志》，河北省的《哥仨红》《新社员》，北京市的《竞赛中的故事》，等等，这些剧目都反映了新人、新事、新思想、新风貌，热烈地歌颂今天热火朝天的革命生活和斗争。他们的戏，充满了浓郁的生活气息和强烈的阶级感情，无论剧本、演出和表演，都真实、自然、朴素，同时又洋溢着社会主义时代的革命乐观精神。几乎所有的戏里都生动地塑造了在毛泽东思想下成长的共产主义新人。

华北区业余演出队的剧目有特点，有风格。作者和演员们在生活中是英雄，是好战士、好社员、好民兵、好工人、好干部。他们要求迅速地反映当前社会主义建设中的迫切问题。他们都能抓活思想，塑造多种多样的真实的正面人物，及时配合中心任务，演出戏来，为生产服务。他们都是实实在在地认真实践毛泽东思想。

二　充分发挥革命艺术的战斗性

上述的三种演出都有一个共同点，就是深入生活的火热斗争里，当前有什么问题便写什么问题，处处战斗化、群众化。文艺，在他们手里，真正成了兴无灭资的武器。他们从革命的实际出发，要点燃群众心中的革命火焰。不管什么形式，只要能够为中心问题服务的，就敢于拿来，用进去，边加工，边创造。他们不断学习，不断修改，使他们的每一个节目成为一种新型的创造。

这些演出有一个特点是：从难、从严、从实生活出发，反复修改，磨不出革命思想的光芒来，永不满足。如战士演出的《烧煤问题》《五十大关》《一百个放心》《路遇》，都经过反复的修改。

要革命、要斗争的业余戏剧工作者，他们在生活中是主人，在舞台上也是主人，因此，他们在艺术表现上勇敢、大胆，敢于创新，头脑里没有专家们那些条条、框框。他们创造的形式，总是短小精悍，轻便易行，下乡、下厂、下部队，无论在什么地方，说演就演。明确深刻的思想，新鲜真实的语言，生动活泼的演出，简单洗练的装置，这一切，给我们展示一种崭新的工农兵喜闻乐见的戏剧样板。

拿《烧煤问题》来说。人物，一共只有三个；事件，从过去烧煤浪费，直到改装炉灶，节约用煤，炉子更好烧了，菜饭做得更好吃了；景，一时在伙房，一时到电影院，一时在宿舍，一时又返回伙房。剧本很短，时间又是从头天晚晌到第二天早晨，但他们演起来一共仅用了二十五分钟。他们不要任何布景，只用了一张桌子，三条板凳，就把那些复杂的小事（炒萝卜、称煤、看电影、睡觉、改装炉灶等），尖锐的矛盾，崇高的思想，一步一步地、鲜明生动地演出来。他们用话剧，也用押韵的顺口溜。表演上，用的是民族形式的、群众接受得了的方法：绕桌子转一圈，就算到了电影院；彼此背靠背坐着，就算睡了觉；凳子放在桌上，便成了炉灶。整个演出的一点一滴，看得出他们在用脑筋，想新办法，用短小灵活的形式迅速反映当前问题。这才看出他们全心全意为革命群众服务的战斗性。

工农兵业余演出真可以称得起丰富多彩。那些雄健、豪迈、欢快的演出是千百枝花朵，吐出令人奋发的英气。他们的小演唱、小歌剧、快板剧、对口词、小话剧、滑稽戏、独角戏、报道剧、活报剧、广场剧、戏曲、洋片，都是革命的创造，是思想革命化、生活革命化、艺术革命化的结果。

我们要不断地、反复地学习、研究工农兵业余演出，向业余戏剧工作者学习，从他们吸收由群众中来的养料，把自己充实起来，丰富起来。要研究他们为什么那样及时地反映出阶级斗争、生产斗争中的迫切问题，为什么那样敢于创新，采取任何适宜于表现革命内容的新形式。原因就是：他们是工农兵，他们的阶级感情比我们深厚，他们的生活比我们的经历丰富，他们迫切地要求表现今天的火热斗争。这其间，有个切身的痛痒问题，他们比我们更关心当前的斗争。他们有生活的基础，他们不为烦琐的旧形式所累，只求能真实有效地反映思想，采取为他们自己喜闻乐见的形式，这里面就有无限宽阔的创造天地。

自然，专业戏剧工作者应该在有些方面帮助他们，辅导他们。但更主要的是，专业工作者要向工农兵业余文艺工作者学习。太原市话剧团演出了太原干部和工人业余创作的四个小戏。《下班前后》《不是小事》《俩师徒》《十七号房间》。他们深入工人的生产斗争，邀请老工人们教他们演戏，在导演、装置各方面提意见改进工作，成绩很大，演出得到首都观众和戏剧工作者的衷心赞美。专业戏剧工作者诚心诚意地在戏剧创作上做工农兵的小学生，我们看，这是一个好榜样。

部队、少数民族、华北区业余演出队的演出和全国各地的业余演出都告诉我们，广大工农兵群众有一个强烈的要求，要掌握革命的文艺武器，推动社会主义前进。这是伟大的文化革命的新风气。我们要向业余戏剧工作者学习，更要和他们一道把这种新风气在有利于当前生产的条件下，推广发扬，使我们文化艺术更普及，更能发挥作用，更有益于革命。

欢迎日本话剧界战友

我们久已等待的，以泷泽修团长、东野英治郎和杉村春子副团长为首的日本话剧团，终于到了北京。中国戏剧界的朋友们都感到难以形容的喜悦。在北京和暖的春风里，大家满心欢畅，迎接来自远方的同行。那天，在首都车站上，锣鼓，鲜花，愉快的会见，热情的握手，欢腾的歌声，比火还炽热的友谊，洋溢着一片中日两国人民团结友好的战斗感情。在北京的林荫大道上，我们手挽手、肩并肩地欢呼，游行。我们一道奋臂高呼："美帝国主义从日本滚出去，从台湾滚出去，从越南滚出去，从亚洲滚出去！"这是响彻云霄的正义呼声！是中日两国和亚洲人民不可动摇的神圣决心！

五年前，你们在北京成功的演出，历历在目。这次，又是一次日本话剧界的大团结、大联合，是十五个剧团组成的一支战斗队伍，代表了日本话剧界反美爱国的进步力量。在你们的队伍里，我看见相识多年的老一辈有贡献的艺术家们，我也看见更多有才能的年青人，迈

【题注】载1965年4月22日《人民日报》。

着坚决有力的步伐，在战斗的道路上前进。

你们来自一个山青水绿、樱花盛开的国度，你们也来自一个风起云涌、人民正在显示伟大力量的国度。你们的人民是勤劳勇敢的人民，是坚强智慧的人民，是伟大的人民。无论美帝国主义在日本怎样横行霸道，无论军国主义者怎样一意孤行，日本人民已经团结起来，展开了不屈不挠、坚决打垮一切反动派的斗争。反对美帝核潜艇进驻日本，反对美帝在日本设立军事基地，反对美帝扶植日本军国主义势力。一幅一幅壮丽无比的历史图画，展示出日本人民的无穷威力。美帝国主义一定会被赶出去！一切反动势力一定会被摧毁！

我想起一九六〇年，日本话剧界积极参加日本人民反对日美“安全条约”的正义斗争，并且用生动有力的戏剧形式，记录下这个英勇的场面。这个喷火一般的演出——“反对日美‘安全条约’斗争的记录”，在中国各地，感动了千千万万的观众。今天，我们又看见日本人民反对美帝国主义扩大侵略越南的战争，反对“日韩会谈”，以及粉碎日美反动派和现代修正主义对日本文化界的侵蚀和破坏的斗争。日本话剧界的朋友们不但参加了这些斗争，并且冲破反动派的重重阻挠，带着富有战斗精神的剧目，来到中国。这一切都说明：伟大的日本人民是好样的，你们——亲爱的日本话剧界的朋友们，也是好样的。

这次日本话剧界的朋友们带来了四个优秀的话剧剧目。有现代剧《日本的幽灵》，历史剧《郡上农民起义》，童话剧《竹子姑娘》，近代剧《除夕》。这些剧目丰富多彩，中国观众将从中看到日本进步话剧的优异成就，中国戏剧界也必然会从这次演出中学到许多宝贵的经验。我们相信，这次演出将获得巨大的成功。中日文化交流是我们两国人民和两国话剧界的衷心愿望，是任何反动派阻挡不住的。

中国人民和日本人民是并肩作战的人民，我们和你们是志同道合的朋友。我们有一个共同的“志”：打败美国侵略者及其一切走狗；我们有一个共同的“道”：通过尖锐有力的戏剧武器，扩大、团结反美爱国的一切力量。是这样的“道”和“志”，使我们能面对一切困难，而无所畏惧。

九年前，我参加禁止原子弹、氢弹世界大会，到过美丽如画的日本。那时，日本人民已经在美帝国主义给予的重重压迫、灾难下，万众一心地行动起来。记得我到达东京的时候，正是天朗气清。在飞机上望见洁白的富士山，真像我的一位老朋友告诉我的：“像一把蓝天里倒悬的玉扇，像一顶盖满了雪的斗笠。”我忽然想起他念给我听的一位日本诗人的诗句：

> 愤怒吧，富士，
> 要真心地愤怒，
> 我们民族的山呀！

如今，日本人民真是愤怒地站立起来了。我们已经看到这个巨人真正愤怒的神色，他将一拳击倒盘踞在日本国土上的美帝国主义，一拳击倒日本军国主义者和垄断资产阶级。愤怒的日本人民是不可抵挡的。

欢迎你，来自愤怒的日本的战友！

伟大时代的颂歌

——学习华北区话剧歌剧观摩演出的体会

华北区话剧歌剧观摩演出是一次很有成绩的演出。

这次演出，不仅检阅了华北各省、区、市话剧、歌剧近年来为工农兵服务、为社会主义服务的光辉成就，也检阅了我们话剧、歌剧队伍与工农兵结合、改造思想、提高阶级觉悟的空前成绩。

剧目多种多样，题材和体裁丰富多彩，大、中、小型剧目都有。有大量优秀的专业创作，也有大量优秀的业余创作。有工人、农民的创作，也有部队的创作。这些剧目在来京之前，已经获得广大工农兵群众的热爱与赞美，首都的人民群众看了之后，都很激动，一致认为：这是我们戏剧战线上的重大收获。他们说：这是继京剧革命现代戏观摩演出之后的又一次大成功，话剧、歌剧在前进的道路上打了一次有重大意义的胜仗。

为什么给人如此深刻的印象呢？

【题注】载1965年4月30日《北京日报》。

这次绝大部分的剧目，无论在剧本、演出与表演上，都有鲜明的阶级感情，饱满的革命干劲，深厚的生活底子，丰富的思想内容，充满了共产主义的乐观精神。真是：“与天斗争，其乐无穷；与地斗争，其乐无穷；与人斗争，其乐无穷。”整个的观摩演出是对我们伟大社会主义时代赤诚的颂歌。它歌颂伟大的党、伟大的毛主席、伟大的人民、伟大的国家、伟大的军队，道出全国人民的共同感情：我们是最幸福的人，因为我们生活在毛泽东时代，为不朽的社会主义建设事业奋斗、革命、不断革命！

这次观摩演出的剧目，抓住了当前的重大题材，强烈有力地表出了三大革命运动轰轰烈烈的进展，气势磅礴地画出来中国人民自力更生、气壮山河的精神面貌。这是马克思列宁主义的戏剧。它告诉世界：在共产党的领导下，中国人民定要把革命进行到底，这是任何敌人、任何困难，吓不倒、拦不住的。

这次观摩演出的成功，是华北大批戏剧工作者，在创作道路上诚诚恳恳听毛主席的话，扎扎实实实践毛泽东文艺思想的结果；是深入工农兵，在群众生活的斗争中获得创作源泉的结果；也是全国文化大革命进一步深刻化的结果。全部剧目，无论是专业的和业余的，长了无产阶级的雄心壮志，灭了资产阶级的邪气歪风。

国内外正呈现一片大好的革命形势，随着革命形势的发展，话剧、歌剧在党所指出的道路上，正在向前跃进。

我们边看边学，受了教育，得到启发，姑且把学习的体会在这里说一说。

一，一个伟大的主人

任何阶级社会总有一个阶级是主人，而不是统治者和被统治者都做主人的。天上没有两个太阳，地上不能有两个主人，做世界主人的不是奴役劳动人民的剥削者，便是翻了身的劳动人民。毛主席说："阶级斗争，一些阶级胜利了，一些阶级消灭了。这就是历史，这就是几千年的文明史。"

在党和毛主席的领导下，经过尖锐、复杂、残酷的阶级斗争，这个伟大的主人——无产阶级已经登上了历史舞台。它不仅成为中国政治经济上的主人，也成了一切生活斗争中的主人。它有无限的生命力，它要完成历史赋予它的任务——改造世界，达到共产主义。因此，塑造这个伟大主人的形象，刻画工农兵群众的英雄人物，歌颂他们的崇高精神和伟大业绩，便成了我们戏剧工作者的首要任务。

能否树立工农兵高大的英雄形象，把他们的理想、抱负和大公无私的道德品质，比较完美地表现出来，便成了衡量今天社会主义戏剧的标准。

这次观摩演出有一个突出的成就，在许多优秀剧目里，我们清清楚楚地看见这个伟大的主人形象。它像山一般高，海一般深，像太阳一般地炽热，共产主义的理想在它身上射出耀眼的光辉。

历史留下来许多"好戏"，这些"好戏"之所以被当时称为"好"，不只是因为它们有动人的情节和场面，更主要是因为有了生动的"英雄人物”，那些“英雄人物”符合于当时统治阶级的利益和愿望。因此，在劳动人民还是饥寒交迫的奴隶的时候，舞台上的主人不是剥削者，便是剥削者下面的奴才。他们和他们的阶级道德被歌颂、被赞扬。过去的帝王将相和才子佳人，在舞台上一直是被捧到天上的，他们的“嘉言懿行”是被描绘得天花乱坠的。当时谁也指不出这些“英雄”的本来面目：他们都是靠剥削、靠劳动人民的血汗活着的寄生者。奴隶社会的舞台上的“英雄”，封建社会的舞台上的“英雄”，资本主义社会的舞台上“英雄”，都是如此。

今天，我们舞台上出现了主宰自己命运的伟大主人——无产阶级。它之所以伟大，不仅因为它不剥削人，也不仅因为它摆脱了剥削的锁链，更因为它具有共产主义世界观，要革命到底；有共产主义者的理想，要解放全人类。他们对党、对阶级、对人民无限忠诚。他们为社会主义建设，为社会主义革命，为三大革命运动，为党和阶级的事业，能够献出它自己的一切。

它是普通劳动者，又是出色的英雄。它在平凡的工作岗位上做出出色的成绩。它能和群众一道，担负起党所交给的任务。这些英雄人物有立场，有理想，可以领导群众改造世界，在改造世界中，改造自己，也改造了别人。

我们的时代英雄，像《战洪图》的丁震洪，冀家庄的支部书记。他为了保卫天津，扒堤分洪，把国家与社会主义的利益放在集体与个人的利益之上。他身在冀家庄，眼望全世界。他不但自己有这样崇高的思想，也用这样共产主义的思想教育了群众。

我们时代的英雄，像《代代红》的部队战士张志成，在党和革命先辈的培养下，成了一个具有共产主义世界观的革命接班人。他把任何普通工作都看成革命事业的一部分，他决心当好革命的“马刷子”，顶住流言蜚语，敢于向任何不正确的思想做斗争。他真正学到了毛泽东思想，在一切行动中放出激动人心的思想火花。他为人民献出自己的生命。

我们时代的英雄，像《包钢人》的朝鲁。他，一个翻了身的蒙古族贫苦牧民，为了建设祖国的社会主义，刻苦钻研，成为蒙古族的第一代炼钢工人。在党和毛主席的领导下，他掌握了自己的命运，成为大有作为的创造者。

我们时代的英雄，像《青松岭》的老贫农张万有，坚决兴无灭资，走社会主义道路，从漏斗富农手里夺回车鞭，大喝一声：“要让大车走正路，我不掌鞭谁掌鞭！”把集体的大车赶回社会主义的道路。

我们时代的英雄，在工业战线上，像《飞雪迎春》中的青年工程师韩雪梅。她，一个工人阶级的知识分子，有革命干劲，又有科学精神。她和工人群众一道进行新产品的试验，与资产阶级的设计思想做不调和的斗争，克服重重困难，制成了内燃机车的重要机件新型合金轴瓦，突出地表现了中国人民奋发图强、自力更生的精神。

我们时代的英雄，像《矿山兄弟》的矿工出身的工地支书李老三。他为了执行党的“多、快、好、省”的社会主义建设总路线，坚定不移地向资本主义的经营思想展开尖锐的斗争。他是一个普通劳动者，又是一个出色的组织者，他坚决依靠党、依靠群众，充分发挥工人阶级的积极性，为开发祖国矿藏事业，做出了值得赞美的贡献。

我们时代的英雄，像《山村姐妹》的回乡小学教师祁金雁，胸怀壮志，参加家乡的艰苦复杂的生产斗争与阶级斗争，和山区的革命人民一道，改变了海棠峪的落后面貌，终于使群众在思想和生产上获得双丰收。

我们时代的英雄，像《刘胡兰》中的刘胡兰。她立场坚定，敢于和阶级敌人做坚决的斗争，对党和人民无限忠诚。她生的伟大，死的光荣，永远做我们学习的榜样。

我们的时代英雄，像《一颗红心》的模范饲养员许老三。他爱社如家，对集体的牲畜看成像自己的孩子那样。许老三，凭他共产主义的风格，给我们看到今天的时代英雄形象。他是一颗永不生锈的螺丝钉，他的心整个和伟大的革命事业紧紧扣在一起。

华北区话剧、歌剧观摩演出，还给我们展示了许多高大美好的英雄人物，像《园林好》的葵花、《山村花正红》的沈健、《鄂伦春新歌》的博布金与乌纳罕、《煤店新工人》的张经理、《太行高风》的杨丙宽、《青年支书》的田耘山等。在这次演出中，像这样的英雄人物是难以数尽的。

这些年来，在毛泽东的文艺思想指导下，我们的戏剧中出现了许多印象深刻的革命英雄人物。这次演出更为英雄的画廊增添了光彩。就是这无数生动、真实的高大英雄形象，教育人，鼓舞人，使广大的群众前进，使历史前进，使革命前进，使我们看见时代的伟大主人无产阶级在推动全世界的革命，朝着不可回避的方向——最合理、最进步、最完美的共产主义世界进行。

二，两个不寻常的数字

伟大的毛泽东思想的教导使这次演出大放光芒。大家都比较深入地学习了毛主席著作，实践了毛泽东文艺思想，下乡、下厂、下连队，深入了工农兵生活。因此，许多优秀的剧目，无论在剧本、导演、表演、设计上，思想性强了，艺术性高了。每一个优秀剧目都有一段曲折、复杂、充满了战斗性的创作过程。在创作中，从党中央、华北局、省委、自治区委、市委、县委和各级党都给了具体的指导。这是一场改造思想、提高创作水平的战斗。战果是辉煌的。

有两个数字颇不寻常，它叫我们联想今天的革命戏剧工作者学习了毛主席著作以后，如何克服困难，热情饱满地工作。它引人深思，使人振奋，使人坚信我们革命的戏剧道路是光明大道。

第一个数字是指《战洪图》的作者们，为了写好这样一个大气磅礴、概括时代精神的戏，他们不断得到省党委正确、具体的指示，六次深入生活，与群众一同抗洪，一同生产；他们在各个地方与当地的水利干部、大学生、基层干部、部队、贫下中农开了四十多次大型座谈会，文艺界的座谈会还不计算在内。创作一个剧本，光各种座谈会就开了四十多次，这个数字便不寻常。

第二,《代代红》的作者们创造了这样一个思想深刻、风格朴素、人物极其真实生动、把毛泽东思想代代传下去的伟大意义说得这样透彻的戏，也是经过一段十分艰苦巨大的劳动。同样，他们在部队党委不断的具体指导下，多次深入生活，和群众紧紧地结合在一道，创造一台可爱的英雄人物。他们在创作中，一共修改了四十几遍。他们吸取领导和群众的意见，开门修改，其中大拆大卸，重立提纲，等于重写，有七遍。就是演出中，也不断修改，几乎每天都有改动，有提高。他们提出："大改分阶段，小改不断线。"修改一个剧本到了四十多遍，这四十多遍又是一个不寻常的数字。它和《战洪图》的那个不寻常的数字都告诉我们：今天的戏剧工作者决心要革命化，要群众化，要民族化，他们创造一个为工农兵服务的剧目，是多么严肃认真，下了多么大的苦功夫！

说回来，这两个不寻常的数字，也很寻常。不寻常，是说它代表了我们今天的创作方法是和任何时代创作方法不相同。说它寻常，是因为这两个数字正说明这次演出和所有今天的优秀的革命剧目一样，都经过了同样的创作过程。在这次演出中，如《刘胡兰》，前后写了六年；《包钢人》《矿山兄弟》《山村姐妹》的作者、导演、演员、设计们下工厂、下乡、下矿许多次，开门排戏，听取群众意见，大改小改很多遍。《青松岭》和《一颗红心》更是如此。《飞雪迎春》《山村花正红》《青年支书》《太行高风》也无不如此。

历来，严肃认真的艺术家们是不少的，但是他们和我们理想不同，服务的对象不同，写作的目的不同，创作方法也因而不同。我们是无产阶级的戏剧工作者，我们的创作道路和方法和他们大不一样，因此这两个数字便显出不寻常的意义。

这两个不寻常而又寻常的数字，说明什么呢？

一，它说明了今天的戏剧工作者在不断学习毛主席著作，活学活用，身体力行，提高了阶级觉悟，对表现伟大的时代和时代的伟大主人有强烈的责任感。所以，深入生活，严肃认真，不怕艰难，反复修改。领导的指示和群众的意见不仅是创作的镜子，更是提高创作的主要关键。他们认真对待来自上下左右的批评、指点、帮助、鼓励——加以研究分析，消化吸收，把所有的正确、有益的意见化为明确的思想、人物、结构、语言，构成了创作的筋骨、血肉。

想写高大的英雄人物是一回事；写出来，写得好，又是一回事。从在生活中看见了时代的伟大主人，到把他们的精神面貌写得跃然纸上，这需要艰巨的熟悉和创作过程。尤其是对一些有热情，但还缺乏感性认识的作者们，这更需要下决心，下劳力。我们社会主义的时代是意气风发的新时代，我们的工农兵英雄是有共产主义的理想、道德、品质的新人。因此，过去不熟悉的题材现在要熟悉，过去仅在理性上认识的人物，现在要到斗争中去认识、理解，并且和他们发生深厚的感情。大家都说，这次华北观摩演出的优秀剧目，出色地反映了今天壮丽豪迈的时代和英雄，同时也反映出戏剧工作者自己的努力。学了毛主席著作，大家认清了正确方向，看清了自己的缺点，长了革命志气，添了自我改造、克服困难的精神。在创作过程中，大家勇于删去自己认为很生动、很得意的语言、场面、穿插、人物，甚至整个舍弃，大破大立，从头写起，也从头排起，从头演起，从头设计起。大家不知疲倦，不知困难，推倒了重来，不疲沓，不畏惧。剧目达到了一定高度的水平，还是不自满，从头到尾，贯注着新鲜饱满的创作情绪。大家只知道从党和阶级的要求出发，而毫不从什么个人喜爱和个人的什么其他目的出发。我们看，这就叫作忘我的劳动。这是什么精神？这是任何时代的艺术家们不可想象的社会主义集体精神，是大家学习和实践伟大的毛泽东文艺思想，提高了阶级觉悟，才会出现的神采焕发的革命面貌。

二，这两个不寻常而又寻常的数字，也说明大家对质量的充分重视。工业战线上有句口号：“质量是命根子。”文艺战线也是一样。我们要数量多、品种多，也要质量高。质量高，就要讲究内容和形式的统一。作品的思想性要强，要通过高标准的艺术手段，才能表现出来；艺术性要高，也需要深刻的思想，作为它表现的内容。好作品总是“革命的政治内容与尽可能完美的艺术形式的统一”。

但知道高标准的重要，是一回事；认识什么是高标准，又是一回事。创作的标准是在实践中提高的，也是从实践中认识了的。我们心目中的高标准往往不是很明确的，实际上，一写出来，常是落后于领导与群众的要求。写到一定的水平，自己有时也确实看不出更高的标准在哪里，但是党的领导和群众的意见提供了达到高标准的条件。参加这次观摩演出的戏剧工作者们之所以获得这样的成就，不只因为他们有提高质量的要求，更因为他们做到了认真听取领导和群众的意见。

“行远必自迩，登高必自卑”，优秀剧目像《战洪图》《代代红》《包钢人》《飞雪迎春》《一颗红心》《青松岭》《矿山兄弟》等，都是万丈高楼平地起，一步一步在实践中提高起来的。

三，这两个不寻常而又寻常的数字，说明了今天大家运用的创作方法——领导、专业、群众三结合，是十分正确的。创作上的三结合其实就是创作上的群众化。这是因为党的领导最能代表工农兵的根本利益，工农兵群众的意见又最能帮助我们扩大眼界，提高认识，帮助我们表现工农兵的火热斗争。这里包括充分发挥集思广益的精神。“众人拾柴火焰高”，群众议论出来的意见总是最好的意见，工农兵的主意首先是最能代表他们切身利益的主意，也是最能代表他们思想感情的。

伟大的社会主义时代飞跃前进，英雄辈出。中国无产阶级的精神世界是崇高而深刻的，学习了毛泽东思想，六亿五千万人民树立起更高更大的雄心壮志，各条战线无不出现具有改天换地、创造新世界的决心和能力的英雄豪杰。要能表现出这样的人物、这样的时代，无论多么有生活、有才能的作者和创作集体，凭已有的那点才能和经历是远远不够的。

工农兵群众富有创造性的意见和思想，不只补充作者认识的不足，也不只帮助作者认识的提高，有时甚至改正了作者错误的认识，使我们准确地反映了革命阶段中的革命阶级的需要。因此我们要做工农兵的小学生，向他们请教，使工农兵群众也参加到我们的创作中来。

对文艺工作者来说，三结合是过去任何阶级社会都不可能出现的有利条件，但做好三结合，不可缺的一点便是文艺工作者的革命化。因为领导抓得再紧，意见再好，群众的帮助再积极，遇到没有革命化的作者，什么样的好条件都是空的。只有认真学习毛主席著作，在实践中与工农兵结合起来，提高阶级觉悟，这才有可能吸收群众的智慧，充分利用像今天这样的有利条件。

今天的优秀剧目，是大学毛主席著作获得的丰收，是步步听党的话获得的丰收，是采取三结合获得的丰收。优秀剧目《山村姐妹》的作者说，三结合使他能用一分为二的观点看待作品，不至于看到缺点就气馁，看到优点就满足。三结合使他步步得到党的指导，扎根于工农兵群众中，这就保证创作方向永远不至于走错。这话对极了。

三,三个全力以赴的过硬

三过硬，是指思想、生活、技巧的三个过硬。这次全部剧目，专业的和业余的，都力求过硬。有的是全力以赴，达到过硬。有的虽然全力以赴，还没有达到过硬。但对三个过硬，大家都是全力以赴的。

思想过硬，是指无产阶级的世界观对创作的指导作用的过硬。它包括无产阶级的立场，包括辩证唯物论的思想方法，因此也就包括我们对工农兵的生活和斗争如何认识、如何表现。戏剧工作者的思想总落实在创作上。主题、人物、矛盾、语言，都反映作者对生活的认识，反映作者的立场和思想，所以思想高，戏便高，思想矮，戏便矮。思想是主宰一切的。比如,《太行高风》的作者是敢于向一个十分艰难巨大的题材打硬仗的，这个戏终于有值得赞美的成就，首先是因为有思想高的好处。《太行高风》要在舞台上体现出翻天覆地的大寨精神：奋发图强，自力更生。把这样的思想明确起来，成为戏中有血有肉的主题，就很不容易。剧中金石沟大队支书杨丙宽，面对暴雨山洪、房倒田塌的空前灾难，不要国家救济，硬把困难变成好事，创作了美好生活，锻炼了社员群众。更重要的是，他“给后辈子孙做了好样板”，老一代教育后一代如何对待困难。这主题便使《太行高风》高了一大截。

《代代红》是一个异常感人的戏。张志成这个平凡而伟大的战士写得极真实、极朴素（整个演出也是令人满意的）。但据说一开始，张志成这个人物还写得不像现在这样高大。他有一些小缺点，如对说他怪话的人顶不住，要发脾气，斗争性还不够强。作者反复认真学了毛主席著作以后，思想开了窍，张志成就写成了现在这个样子：斗争性很强，而又能亲切耐心地对讥讽他的人做思想工作。这些都帮助作者塑造一个既平易又崇高的形象，可见思想高，人物就高了。

《战洪图》在结构上，作者因为思想提高，就勇于大拆大改，重新安排。他删去了旧本《风雨同舟》里丁震洪的那些家庭关系和新旧社会对比的场面，突出了他作为今天伟大的时代里一个胸怀壮志的共产党员，如何扒堤分洪、保卫全局的共产主义风格和气派。这个戏，开幕就显出大跃进的时代风貌，结尾是全国人民支援下的大丰收场面。整个结构和矛盾安排，看出来作者要强烈有力地表现时代精神和充沛的乐观主义。它说明思想高，便能使结构、矛盾更理想、更集中地表现生活。

观摩演出的优秀剧目使我们感到，这些戏都具有深厚的生活底子，生活是创作的基础。学了毛主席著作，全国的文艺工作者深入工农兵生活。华北的戏剧工作者就是踏踏实实地走了这样的道路。观众们看得清清楚楚，台上的演出那样深刻感人，惊心动魄，是因为创造这一台一台戏的人们有了真正的工农兵生活，有了真正的改造，有了工农兵的思想感情。没有这一切，就不能使人感觉到这样浓郁的生活气息。许多生活中的正面人物，被塑造成活生生的英雄形象。提过的不再说了,《园林好》的葵花,《鄂伦春新歌》的博布金和乌纳罕,《煤店新工人》的孙经理,《生活的彩练》的蓝淑芬和许多剧目的次要的正面人物，如张永奎夫妻和老根爷爷（《代代红》)，张大勇（《战洪图》)，宋师傅、胡师傅（《飞雪迎春》)，高海水、老宋头、老疙瘩（《青年支书》）等，都很真实生动。还有，有些反面人物也塑造得比较成功，如钱广（《青松岭》)、栓柱娘（《代代红》)、叶茂（《战洪图》)、潘发家（《一颗红心》）等。

没有深厚的生活基础，要创造这次观摩演出的优秀剧目，是不能想象的。

这次观摩演出的剧目，也告诉我们今天的戏剧工作者在技巧上也肯下功夫，有了相当大的成就。很多戏里，结构、语言，人物的刻画，矛盾的安排，都有独到之处。如《战洪图》的矛盾是一层一层提高上去的。先是人与洪水的斗争，从“誓保丰收”到“誓保天津”，发展成为个人、集体与国家利益的思想斗争。思想境界一层一层高上去，戏剧矛盾也一层一层紧起来。题材所表现的范围广，概括性大，写出党的领导伟大，人民公社伟大，我们的部队伟大和全国人民伟大。它之所以能表现今天伟大的时代，原因之一是因为它具备了写作上、演出上、表演上的成功的技巧。

又如《代代红》之所以那样感动人，一部分也是因为它塑造张志成，老党员张永奎夫妻，运用的手法高明。全部戏的结构谨严，首尾两幕别出心裁，尤见功夫。人物的语言是提炼的、真实的。很多地方显出来作者写人物，安排矛盾，获得很高的成就。他从生活中的爱民英雄谢臣短短一生里所做的一千多件好事，选出“喂马”这一件事情，贯串全剧，发挥主题的高度共产主义精神。作者用了大部分的精力，集中在“马”上，发展矛盾，表现性格。写张志成从羊倌，到当驭手驯马，引到第三幕中被栓柱娘骂为“马刷子”，使张志成在戏的矛盾的顶点上，说出阐明主题思想，一段十分感动人的道理。这一连串的安排，有节奏，有逻辑，又自然，又有戏剧性，看得出作者掌握了戏剧创作上的技巧。

然而这些成就不是个别的，许多优秀剧目在不同的方面，都具有和《战洪图》《代代红》同样的艺术成就。如同《一颗红心》的“探槽”、《青年支书》第五幕开社员大会那场戏、《青松岭》的张万有这个洋溢着贫下中农阶级感情的人物的塑造等。像这样一些艺术上成功的例子，那是说不尽、道不完的。

这些艺术成就是怎么得来的？参加创作和演出的工作者们说，是从生活中来，从学习中来，从领导和群众的帮助中来的。

学习这许多优秀的剧目以后，我们得到这样的体会。技巧是表现思想和生活的手段。但技巧不是从关门提高得来的，主要是从生活中来，从领导和群众的帮助中来，其次从学习前人和今天别人的创作经验中得来的。其实，“技巧”二字可以拆开看，“技”是“技”，“巧”是“巧”。“技”是一般需要遵循的表现法则，如同“冲突”“高潮”“铺排”“伏笔”“重复”“对比”等，所包含的“规矩”。“巧”指的是在某一个创作中运用这些“规矩”来表现内容，到了很恰当、很圆满的水平，也就是说，把这些“规矩”用“活”了。“巧”总是寓形于具体作品之中；离开具体的作品而谈“巧”，是不可能的。古人说：“大匠能予人规矩，不能予人巧。”它说明“巧”是有创作者（个人或创作集体）独到的东西。因此“巧”是创作者不断以创新的精神，运用技术，表现生活和思想才获得的。我们通常说“熟能生巧”，这就需要戏剧艺术家们不断学习、实践，用创新的精神学习、实践，这才能获得我们所需要的表现生活和思想的手段——“技巧”。

技巧应该包括创作者（个人或集体）独到的东西，但也包括时代影响的成分。京剧里面有些技巧是为表现帝王将相、才子佳人的生活的，表现封建时代的生活的，在社会主义时代，要演革命现代戏，就必须扬弃，必须创新。自然，有些可以继承下来，推陈出新。戏剧写作上也是如此。新的时代精神不只要求创作内容起变化，也要求创作形式随之变化。因此，技巧的某些部分可以继承、发展，有些部分因为需要最准确、最恰当、最圆满地表现时代政治内容和现实生活，就需要来一个变革、创新。（这里，创作者的努力、创作者的才能和新技巧的发展有密切关系。）

归根结底，技巧不是从生搬硬套中来，不是把别人的经验归纳为若干条条、模仿地运用中来，而主要是从表现思想和生活的实践中得来的。技巧，一旦脱离了思想和生活的依据，便堕落为陈规陋习，成了束缚创造的累赘，那就是今天我们常说的“框框套套”。今天我们要百花齐放，就需要在形式和内容上都推陈出新，要推封建主义、资本主义之陈，出社会主义之新。我们可以批判地吸收过去中国和外国的一些优秀作品的技巧，但更重要的是，为了表现今天新时代精神、新英雄人物，就不可能仅仅因袭从前的老套子，而需要我们大家自己闯，肯定下我们的艺术成就，从当前的好剧目、好演出中，具体地研究、分析、体会适合于表现这个伟大时代生活的艺术技巧。我们需要努力探索表现今天伟大的主人、伟大的时代的方法。这些方法，前人是不可能给我们都提供出来的。因此，我们要担负起创新的任务，担负起发展社会主义戏剧的任务。我们要靠自已闯，要靠互相学习，在具体的剧目里看见了三过硬的成功经验，肯定它、研究它，体会那种得心应手，表现了时代和英雄的独到的“巧”处。表现今天的时代的艺术技巧，就在我们今天的成功的作品当中，不能从过去的戏剧作品里找到完全合用的方法。我们要谦虚，不应该自满于已有的成就，但又必须肯定我们的作品已经包含许多表现新时代的艺术技巧、艺术成就。我们不只是在建设社会主义，我们也在树立社会主义艺术的好榜样。华北话剧歌剧观摩演出大会之前，已经有许多可以称得起为社会主义戏剧榜样的剧目，如今，在这次演出里，又出现了若干可以称得起三过硬的剧目。过硬的标准是随着时代的前进而发展、提高的。我们将看见更高的过硬标准，创作我们更好的革命戏剧。我们正在积累着可以称为时代的镜子的戏剧财富。

伟大的毛泽东思想教育我们、鼓舞我们不断革命，革命到底。因此我们首先还要把毛泽东思想学到手，随时随地学习毛主席的著作，按毛主席的话不断深入工农兵生活，参加火热斗争，树立无产阶级世界观。我们还要百花齐放，在戏剧艺术上，创社会主义之新，我们要力争上游，以忘我的劳动使社会主义的伟大主人在戏剧舞台上大放光彩，鼓舞亿万人民向共产主义社会前进。

越南人民必胜

“越南人民必胜！”

“美国侵略者必败！”

英勇伟大的越南人民，用战斗的烈火，在全世界天空上，写出这两句熊熊燃烧着的标语。我们引颈[1]遥望南方，全中国人民和全世界人民一同举手怒吼：我们誓以全力支援你们！

“越南人民必胜！”这是英雄的越南人民十年来抗击美国强盗，愈打愈强，战斗出来的真理。“美国侵略者必败！”是美国强盗在越南南方愈打愈弱，在全世界都碰得头破血流，日暮途穷，已到末日的真理。

不管美帝国主义者如何叫嚣它拥有“非人的头脑所能理解的”、多么吓人的军事力量，事实摆得很清楚，在越南南方连吃败仗的不是保卫国土的南越人民武装，而是穷凶极恶的美国屠夫。美伪军队被消灭，军事基地被摧毁，“战略村”被捣光，大使馆被炸掉，美国官兵

【题注】载《人民文学》1965年第5期。

1 “引颈”底本作“引领”，当作“引颈”。

被打死，“特种战争”整个垮了台。在郁郁葱葱的南越椰林、竹丛和翠绿的田野上，到处都是美国强盗的葬身之所，到处都飞着南越人民复仇的子弹。美国侵略者在越南南方花了数十亿美元的庞大军费，不过使自己成了血肉横飞的活枪靶。数以十万吨计的大量军火只有一个用场：为南越人民添了武装。

美国强盗眼看着要完蛋了，它只好加大赌注，扩大侵略战争，在越南北方滥施轰炸。但是它又打错了主意。越南北方人民和南方的弟兄一样，都是钢铸铁打的英雄。打得又狠又准的越南部队和民兵，把数百架强盗飞机像乌鸦一样地击落下来。威武的北方人民：工人农民、男女老少，汇集成为愤怒的海洋，个个都握紧了枪，投入到抗美救国的伟大战斗里。美国的所谓“非人的头脑所能理解的”军事力量，在三千万英勇绝伦的越南人民的眼睛里，不过是微不足道的泡沫。

英勇爱国、义薄云霄的越南人民，他们那种翻江倒海、粉碎一切的力量确不是侵略者的头脑所能理解的。决定战争的胜利，不是什么美国现代化的武器，而是愤怒起来的越南人民，这一点也不是侵略者的头脑所能理解的。

美帝国主义及其走狗们镇压越南爱国人民，是极其残暴的：剖腹、掏肝，挖心、穿耳，集体屠杀，焚烧村落，毒死庄稼，奸杀妇女，种种灭绝人性的方法，他们想尽用光，连希特勒之类的法西斯匪徒都比不上他们那样凶狠恶毒。

有着光荣的抗暴传统的越南人民，对这些野蛮的屠夫深仇极愤，立誓报仇，定要夺回每一寸祖国土地，取得解放和统一。真是“拔刀誓天天为怒，眼中於菟小于鼠”！在愤怒的越南人民眼里，这只残暴的老虎比一只鼠还渺小，美帝国主义那点点武装力量早已被越南人民打得现出了纸老虎的原形。

在越南南方，在边和，在波来古，在归仁，在槟椥，在湄公河畔的丛林，在邦美蜀的山地，在西贡的闹市，在岘港的海滩，遍地都是抗美救国的英雄，惩罚、歼灭那些践踏着他们祖国的美国强盗。越南南方人民从赤手空拳，在极其困难的条件下，用石雷、竹桩、弩弓、陷阱，天天消灭敌人，愈战愈勇，壮大成为拥有现代武器的强大的人民武装。他们已经解放了四分之三的土地，三分之二的人口。气壮山河的越南人民用行动告诉全世界：美帝国主义是个纸老虎。范文同总理说得真好："在这个时代，无论在越南，或者在世界任何地方，美帝国主义的衰弱和失败已经成为规律了。"

最残暴的敌人到头来总是最怯懦的敌人。美伪军士气低落，不肯卖命，逃亡多，起义多。美国顾问逼着一营军队在丛林地带向前进攻，六十二小时只前进了六十五公尺。美帝国主义者多次计划肃清西贡周围，派去的美伪军却有去无还，愈肃愈不清。人民武装对他们的包围圈愈缩愈小，有的战斗离西贡只有十几公里，人民武装已经逼到美伪的大本营——西贡的大门口。美帝侵略军无论在越南什么地方，都是坐在弹药库上，顾问总部被炸毁，军官大楼被轰塌，大小城市的爱国人民天天在向他们举行示威。岘港周围风声鹤唳，草木皆兵。他们炮轰枪打，把自己的兵打死，自己的飞机扫射轰炸自己。美帝国主义的不义之战，使他们的军队胆小如鼠，昼夜心惊肉跳，如他们自己所说，"连一个空的火柴盒子落地也会惊跳起来"。

打不过，只好用毒气；毒气不能取得任何微小的胜利，倒引起世界舆论的谴责。美帝国主义失道寡助，国内国外空前孤立。印尼、日本、东南亚、非洲、欧洲、拉丁美洲的人民都起来支援越南，百万人的集会，高喊：“美帝国主义滚出越南！”连华盛顿以及美国各大城市，美国人民都举行着反对侵略越南的惊天动地的大示威。约翰逊政府脖子上的绞索已经被全世界人民拉得紧紧的了。

打不过，只好运用和平骗局，兜售“无条件谈判”的陈货。但是英勇的越南人民要解放，要统一，要美帝国主义滚出去。这骗，又骗不成。

骗不成，只好再用战争讹诈，增兵南越，轰炸北方，像一个越输越想翻本的赌徒。但是，这套战争讹诈的把戏非但吓不倒越南人民，反而使美国参议员忧虑重重，担心着：增兵南越，只能使他们“睡在棺材里回来”。美国反动当局一面扩大侵略，一面是一片惊慌混乱。战争讹诈，吓不倒正义凛然的越南人民，却吓倒了虚弱的反动派。

打，打不过；骗，骗不成；吓，吓不倒。但是，侵略成性的美帝国主义又不甘心撤退。约翰逊政府说，美国军事基地遍布全世界，丢了一个，别的也会摇摇欲倒。他们应了中国一句老话：“骑虎难下。”美帝国主义侵略越南，它是爬上了虎背，下不来了。

中国人民和越南人民是亲如骨肉的兄弟，是并肩作战的战友。我们有共同的敌人——美帝国主义者。我们同恨同仇，同休戚，共患难。你们的伟大的抗美救国事业，也就是我们自己的事业。你们狠狠地打败了世界人民的头号敌人——美帝国主义，这就是对亚非人民的支援，对全世界爱好和平的人民的支援，也就是对我们的巨大支援。我们定要和你们共同战斗，粉碎美帝国主义对越南的侵略。

胜利在望，越南的解放和统一的伟大时刻不远了！

文艺战线上的尖刀

——看兰州部队某部业余九人话剧组演出的小话剧有感

中国人民解放军兰州部队某部业余九人话剧组给首都观众送来一台小话剧。九位精神饱满的战士，四个短小精悍的话剧（在此次来京演出中，还有兰州部队战斗文工团话剧队的一个小戏《刺刀见红》，与他们合作演出，戏也很好），服装道具随身带进剧场。轻装来，轻装去，一场戏演下来，满座春风。观众们在会心称意的笑声中有了启发，受到教育，在息息相关的笑声中能够深思，能够回味。

这几个小话剧确实很短，有的演出时间不过十分半钟。但这些戏都能迅速地反映生活和工作中的问题，配合政治工作的需要。作者、演员是五好战士、神枪手、神炮手、技术能手。他们能文能武，以业余时间，利用轻便易行的文艺形式作武器，对准工作中的活思想，一枪中靶。他们心无杂念，根据“需要”和“可能”搞文艺宣传。他们做到了为革命写戏，为革命演戏。这就说明为什么他们的小话剧发挥

【题注】载1965年10月12日《人民日报》。

了如此强大的战斗作用。

不面壁虚构，从实际生活寻找创作的根据，有的放矢，是这些小话剧特点之一。这个部队单位一向保持艰苦朴素的作风。他们的篮球代表队和别人赛球，也穿的是打了补丁的球衣。他们就依据这段生活实际，写出《球衣问题》。他们调查研究过去有些队员的思想情绪，联系有些业余球队不重打球而重球衣的作风，创造出一个不肯穿补丁球衣的队员——杨光大。全队战友们的革命风气启发了杨光大的觉悟，老首长补缀多次的背心推动了杨光大的转变。十分半钟的《球衣问题》，歌颂了革命部队中重锻炼、重实干，不重排场的思想，以小喻大，也宣传了在一切革命事业中必须发扬艰苦朴素的优良传统。

毛主席说："研究问题，忌带主观性、片面性和表面性。""没有调查就没有发言权。"小话剧《先别肯定》中的高大牛，一片好心，可闹出不少笑话，只因为他"粗枝大叶地看到一点矛盾的形相"，就一味地"我敢肯定"，结果主观主义地把事实"肯定"颠倒了。吹唢呐重要，还是放电线重要？把矛盾的真相调查清楚了，全面地深入地研究了，就不会冤枉苦练军事基本功的新战士于林，明白了于林吹唢呐也是革命工作的道理。断事看人，要全面，要客观，《先别肯定》把这个思想深入浅出地表现出来了。

四个小话剧有强烈的感染力。它们反映了人民内部矛盾中几个普遍存在的思想问题。有的是全面与片面的思想方法的矛盾，有的是重实干与重外表的思想斗争，有的是全心全意为人民服务和头脑里还保存着个人主义的思想差距（《驾驶执照》）。可以看出，作者严肃地对待每一件小事，通过小事件，说明大道理。因而，他们提出的问题有普遍意义，在各条战线的斗争中都可能存在，都能得到共鸣。所以台上一声警钟，观众的思想也随之震动，台上台下，此呼彼应，起落相承，戏中人解决了思想问题，观众的认识也跟着提高了。

这几个小话剧，具有鲜明的阶级立场，洋溢着充沛的阶级感情。它们一面热情饱满地歌颂了军民之间军爱民、民爱军的骨肉相亲的关系（《灵活处理》）；一面正确地解决了人民内部矛盾的问题。为了达到更高的团结，更好地完成革命任务，就必须帮助个别战友克服缺点，进行必要的斗争。从爱护同志、团结同志出发，进行深刻细致、令人心服的启发与教育，在革命的春风化雨中，大家取得统一的认识，采取了统一的行动。每个戏都流露出海一般深的战斗友谊，每个戏又都是妙趣横生的喜剧，新颖活泼地运用了“团结—批评—团结”的解决思想矛盾的方法。

他们在艺术上勇于革新，敢于创造。紧紧抓住一个问题，一个活思想，一抓到底，不贪大求全。在小而精的范围里，写得有曲折，有起伏，不单薄，不呆板；不故作深奥，却深入浅出，把一个问题辟得透彻；开门见山，矛盾提出得快；解决矛盾的方法却委婉有致，生动感人。真是一个坑，下一颗种，颗颗种都开放出春光照人的鲜花。这些戏是战士们学习毛主席思想的重大收获。从内容到形式，体现了伟大的毛泽东思想，闪耀着人民解放军“团结、紧张、严肃、活泼”八个大字的灿烂光辉。

小话剧，是文艺战线上的尖刀，这把尖刀既灵便，又锐利，可以比较迅速有效地解决问题。小戏比起大型戏，可以写得快，写得多；反复不断，锐意加工，更可以写得好，写得精。像兰州部队的小话剧，用人不多，演出简便，容易送到群众中去，也容易被群众掌握，也就容易发挥出更广泛的业余的革命文艺的力量。

小话剧和戏曲小戏一样，是使革命文艺能够普及的一个重要形式。我们要多写、多演革命的小话剧与小戏。兰州部队某部业余九人演出组的小话剧，给我们提供了一个很好的榜样。

一心一意为革命

——读王杰同志日记

王杰同志日记是伟大的革命者一生的记录，是时代英雄的辉煌诗篇，是帮助我们戏剧工作者提高觉悟，不断改造的有力武器。

王杰同志是一九四二年生的，正是毛主席发表《在延安文艺座谈会上的讲话》的那一年。从那时，到他为革命毫不犹豫地献出自己的生命的时刻，不过二十三年，然而这二十三年，他过得多么充实，活得多么崇高，思索得多么深刻，行动得多么坚决。这是一个真正的革命者的一生，是全心全意为人民服务的共产主义者的一生，是一时一刻没有虚度的最幸福的一生。

王杰同志说："通过毛主席著作的学习，我懂得了革命就是我的理想，斗争才是真正的幸福。"

王杰同志日记充满了为无产阶级革命赤诚的献出一切的伟大精神。他一丝不苟地做到了一个毛主席的好战士的典范。他严格要求自

【题注】载《戏剧报》1965年第11期，署"中国戏剧家协会副主席曹禺"。

己“干什么工作都要一心一意，言行一致，表里如一，埋头苦干，踏踏实实”。他读毛主席的书，力求深刻领会毛主席著作的精神实质，老老实实地把毛主席思想贯彻到一切行动中去。

我仔细地读了他的日记，他那沸腾的革命感情、坚定质朴的语言、纯洁无私的思想，使我激动，使我感奋。我放不下它，读到深夜，不能入睡。在我脑海里浮现出一段段活生生的英雄画图：王杰同志是怎样在滚滚奔腾的洪水中抢救人民财产，是怎样在战友们都熟睡了的深夜为他们烤干一件件被雪打湿了的衣服，是怎样节约一滴油、一个螺丝钉、一寸导火索，是怎样在铁硬的坦克跑道挖雷坑苦练埋地雷的本领，是怎样在右手被沥青烧伤的时候，仍然坚持用左手写学习毛主席著作的心得，又是如何在政治上高标准要求自己，在生活上低标准要求自己。

王杰同志说：“革命是永远不会满期的。”他正是这样一个永远不放下枪杆的伟大的革命战士。他的行动光辉地解释了毛主席的教导：“我们这个队伍完全是为着解放人民的，是彻底为人民利益工作的”，这句话中的“完全”和“彻底”的意义。

革命的戏剧工作者要认真做到像王杰同志那样毫无杂念，心中只有“革命”两个字。王杰同志是决心彻底革命，革命到底的。他一不怕苦，二不怕死，世界上还有什么敌人、什么困难能阻挡这样的革命者前进呢？

我们是为工农兵服务的戏剧工作者，工农兵在哪里落脚，我们便应该在哪里落脚。工农兵为社会主义建设和世界革命，在各个岗位上吃大苦、耐大劳；我们也应该以同样行动到工农兵最需要我们去的地方，为他们服务，在那里认真锻炼自己，条件越困难，我们越要把工作做好，越要把反映伟大的毛泽东时代的戏写好演好。我们有许多戏剧队伍，上山下乡，不分昼夜，无论严冬酷夏，为大搞三大革命的农民送去革命现代戏。他们边劳动，边演戏，一双草鞋走遍千村万户，一副扁担挑满了全国革命戏剧工作者为人民服务的决心。在祖国的边疆和高原、矿山和海防，乌兰牧骑式的小分队都以高度的革命热情、革命干劲，为工农兵演出，得到工农兵群众的称赞。这些同志之所以能与工农兵密切结合，得到群众的爱护，正因为他们心中燃烧着“革命”这两个字。

但是今天的革命戏剧工作者的点滴成就，比起广大人民的需要，比起王杰同志那种处处担当革命马前卒的精神，那种无坚不摧、勇往直前的行动，还是沧海之一粟，远远不及的。王杰同志说：“为了党，我不怕进刀山入火海，为了党，哪怕粉身碎骨，我也心甘情愿。”“一切难以忍受的我都能忍受下去，为了党和祖国、为了人民我坚决努力到死！奋斗到死！”这是坚固如钢铁、炽热如火焰的革命者的气概，也是今天所有王杰式英雄的气概。

王杰同志坚定的步伐是我们戏剧工作者应该走的步伐，王杰同志走向无产阶级革命的道路是我们戏剧工作者应该紧紧跟上的道路，王杰同志为人民服务的一生，是我们戏剧工作者应该永远学习的榜样。

社会主义革命和国际无产阶级革命事业必须经过尖锐、曲折、复杂的阶级斗争，才会达到最后的成功。这里，坚定不移的立场，对党、对毛泽东思想、对无产阶级革命事业的胜利至死不变的信念，是使我们在一切狂风暴雨、惊涛骇浪中永不迷失方向的保证。

让我们再听听王杰同志是怎样说的：“真正的革命者就要准备在斗争的过程中迎接万难，排除万难，不怕困难，经受住各种各样的风浪考验，哪怕是刮起十二级台风来，也要站稳脚跟，坚定不移地前进。”在千变万化的阶级斗争中，人民是多么敬重这样一个敢于“迎接万难”的人、“排除万难”的人，在十二级台风中，还是站稳脚跟坚定不移地前进的人！这样的人就是我们的好同志，就是使一切帝国主义、现代修正主义和各国反动派胆战心惊的好战士。在十二级台风面前，我们戏剧工作者也必须要经得住复杂的阶级斗争的考验，要坚持戏剧为工农兵服务，为社会主义服务，决不动摇。写好、演好革命的现代戏为工农兵服务，是我们戏剧工作者的命根子。为了使工农兵群众看好戏，为了使革命戏剧永远占住阵地，我们一定要迎接万难，排除万难，苦练各种基本功，为不断提高革命现代戏的质量，做到思想、生活、技巧三过硬。平时我们是不怕艰苦，不怕困难，深入工农兵群众的戏剧工作者，一旦帝国主义、现代修正主义和各国反动派胆敢把战争强加在我们头上的时候，我们就是不怕危险、不怕牺牲的坚定的革命戏剧战士。

在王杰同志的日记中有不少篇章记下他看了革命戏剧和革命电影的感受。看了电影《雷锋》，他写下他坚决学习雷锋活学活用毛主席著作的思想，学习他毫不利己专门利人的共产主义风格。

看话剧《年青的一代》，他说他要像萧继业那样，革命意志旺盛，不怕艰难困苦，经受风吹雨打，前进在又红又专的大道上。看京剧革命现代戏《红嫂》，他说今后一定要按毛主席的话去做，每到一处都要把群众关系搞好，要关心群众，帮助他们解决困难。无论从电影和戏剧里，王杰同志都从英雄人物的优秀品质得到教育。他表示要像李玉和那样为革命视死如归、要像《昆仑山上一棵草》中的共产党员惠站长那样服从祖国需要，党叫在哪里，他就在哪里。

他写了一段对我们戏剧工作者有深刻教育意义的话：“看一场电影，听一次戏，我们不是学习反面人物的低级趣味，也不是学他们的生活方式。我们看电影听戏，要用阶级分析的方法从中找有益于我们学习的东西，认清敌我，增强斗志。”

伟大的王杰同志从革命戏剧、革命电影吸收营养，化为他坚韧不拔的革命精神的一部分。这更加强了我们戏剧工作者的革命责任感。我们一定要写好革命戏，演好革命戏，使戏剧真正成为“团结人民、教育人民、打击敌人、消灭敌人的有力的武器”；使戏剧真正能起到帮助群众“认清敌我，增加斗志”的作用。王杰同志的日记使我们更加认识到，戏剧反映社会主义革命和建设，宣传社会主义和共产主义风格，塑造和歌颂英雄人物的重要意义。

王杰同志之所以能成为伟大的革命战士，正是由于他学习毛主席著作，切实在“用”字上下功夫，真正做到学用一致，身体力行。他说：“要老老实实地为人民服务，当好人民的勤务员，完成党交给的工作任务，没有别的窍门或捷径，唯一的只有读毛主席的书，听毛主席的话，按照毛主席的指示办事，永远做毛主席的好战士。”这是中国人民在党和毛主席的教导下前进的方向、行动的指针。

王杰同志为我们总结了一条颠扑不破的真理，“毛主席怎样说的，我就怎样做！”这句伟大的格言铸成了他一不怕苦，二不怕死，一心一意为革命的崇高的伟大的一生。

他要做革命的“良种”，他正是革命的“良种”，这革命的“良种”撒遍祖国壮丽的山河，使千千万万王杰，一代接一代的成长、壮大！

永远铭记毛主席的教导

伟大领袖毛主席和我们永别了！在这极其悲痛的时刻，回忆我几次见到伟大领袖毛主席，他老人家的光辉形象像青天一样永远不老，天天看得见，时时铭刻在心上。

我第一次见到毛主席是在一九四五年。那时候毛主席为了中国革命和中国人民的利益，为了团结和教育广大群众，揭穿蒋介石假和平真内战的阴谋，来到了重庆。毛主席的到来，使整个山城为之沸腾，使整个国民党统治区的人民看到了光明和希望。那时候，我也是喜不胜喜，同时又担忧不止。喜的是我亲眼看到毛主席以无产阶级革命家的气魄和胆略，采取的这一伟大行动，受到全中国各界人民的欢呼，真是使人无比崇敬。忧的是看到蒋介石一贯卑鄙无耻，什么流氓手段都使得出来，使毛主席此次重庆之行，潜在极大风险。然而转念想到毛主席如此置个人安危于不顾，更加感动不已。

就在这个又喜又忧，心中激动难平的时候，伟大领袖毛主席接见

【题注】载《人民戏剧》1976年第5期。

了我们。

我们来到毛主席当时所在的上清寺的一座二层楼房。一路在街上看到许多便衣特务，在门内又看到楼的四周站满了持枪的国民党宪兵。这一切，更使人替毛主席的安全担心，同时想到毛主席在这种环境下，在百忙之中，还关心我们这些在国民党统治区工作的文化工作者，请我们到他这里来，真是更想快快见到我们无比崇敬的领袖毛泽东主席。

那天，我是最幸福的人——坐在毛主席的身边。毛主席的精神好极了，爽朗地笑着，和我们一一握手。我看到毛主席这般雄伟的气概，一股振奋之感充溢周身，心中说不出的高兴。毛主席对我说，你正年轻，要好好工作，好好为人民服务。毛主席的谆谆教诲，多少年来，我一直一字未忘地记在心里。毛主席还请我们到延安去，他说，你们可以到那里去看看，就是吃的差一点，吃小米饭，没有白面，要受点苦。毛主席正是在给我们指路哪！让我们走向人民！走向革命！走到工农兵群众之中去，刻苦改造自己。

见到伟大导师毛主席，听到了毛主席的亲切教导，对于我这样一个当时还没走上革命道路的人，真像是拨亮了心上的一盏灯啊！

正是靠这盏灯引路，使我能在一九四九年十月一日的开国大典上，在天安门城楼又一次幸福地见到我们的伟大领袖毛主席。

那时我站在离毛主席几步远的地方，亲眼见到，亲耳听到毛主席庄严地向全国、全世界宣告：**“中华人民共和国诞生了，中国人民从此站起来了。”**毛主席亲手按了电钮，五星红旗冉冉升起，高高飘扬。在经过美蒋反动派压迫统治的黑暗岁月，今天，仰望着鲜红鲜红的五星红旗，我觉得自己是新生了！腰杆挺起来了！那会儿，真是千言万语并成一句话：毛主席万岁！万万岁！没有毛主席，就没有新中国。没有毛主席，也就没有我的今日。我要听毛主席的话，好好为人民服务。

以后我又曾几次幸福地见到过毛主席。尤其激动人心的是，一九六六年，在毛主席发动伟大的无产阶级“文化大革命”之际，我陪同亚非作家在武汉，看到毛主席畅游万里长江。当时我无比激动，和外国朋友一起向着毛主席高呼万岁！心中祝福毛主席万寿无疆！毛主席他老人家红光满面，向我们频频挥手致意。**“不管风吹浪打，胜似闲庭信步”，**毛主席的伟大形象我一辈子也忘不了。

每一次见到毛主席，我都觉得自己变得年轻了，身上充满了力量。毛主席给予我们的教导、鼓舞，是说不完、道不尽的。

现在，伟大领袖和导师毛主席离开我们了。在长青的灌木丛中，毛主席慈颜安卧。回想一次次幸福的会见，瞻仰伟大领袖毛主席的遗容，热泪难收。

是毛主席给我指引了光明大道，教我懂得了一些革命道理，使我这样一个知识分子能够加入中国共产党，走上革命的道路。毛主席的恩情我永远铭刻在心。

我决心化悲痛为力量，继承毛主席的遗志，以阶级斗争为纲，坚持党的基本路线，坚持无产阶级专政下的继续革命，继续批邓、反击右倾翻案风。我一定要认真学习马克思主义、列宁主义、毛泽东思想，刻苦改造世界观。我一定要永远铭记毛主席的谆谆教导，好好为人民服务。

亲切的关怀　巨大的鞭策

周总理关心我们。我们因此感到无比幸福。这种幸福伴随着我们度过了多少日日夜夜。

我们忘不了每一年的春节。在灯火通明的大厅里，我们北京话剧团的所有同志，聚在一起。屋中洋溢着盎然的春天气息，每个人的脸因兴奋而红通通的。时钟已打过夜十一点、十二点，但是，没有一个人舍得离去。大家都在等，等着我们敬爱的周总理来临。年复一年，多少个春节，他从来未让我们失望过。哪怕已过午夜，他也会赶来看望我们。

我们知道，他不光是到我们这一处。春节之夜，他总要到很多地方看望群众。而我们这里往往是他最后一个地点。所以大伙总是扶老携幼，合家等候着。

当总理出现在我们眼前时，我们顿时觉得满屋都变得更加亮堂。总理亲切地和我们谈话，谈过去一年的工作，谈新的一年的任务。他

【题注】载《人民戏剧》1977年第1期。

关心我们每个人的生活、工作，还抱起我们的孩子们说笑，并且一起合影。尤其让我们高兴的是，他和我们一起吃剧院自己做的糖葫芦。望着周总理慈祥的面容，听着周总理爽朗的笑声，大家都觉得周身充溢了新的生命力，我自己也觉得是年青了好几岁。

最后，周总理总是提议和我们一起唱歌。他最爱唱的是《东方红》《大海航行靠舵手》《南泥湾》，还有《洪湖水，浪打浪》。他亲自指挥，器宇轩昂，激越有力！而大家也因和总理一起唱歌，声音格外地宏亮。连我这个五音不全的人，也禁不住跟着放声唱起来。

敬爱的周总理所过的团圆年，从不是和家人，而是和人民群众一起过的。

总理心中装着多少革命大事呀！可他却不忘关心我们这些文艺工作者。他经常来看我们演戏，演出之后，总是召集一些同志谈话。他常常对我们说，要到工厂、农村去，把戏送到老百姓家里。他时刻在用毛主席的革命文艺路线武装我们的头脑。有一次，谈话之后已是深夜十二点多了。总理忽然提出要去看我们的宿舍。大伙听了别提多么激动了。最使人感动的是，周总理步行从首都剧场到史家胡同——我们剧团的宿舍。同志们簇拥着他，边走边说，就像一家人簇拥着自己亲爱的长辈。

总理到了史家胡同，进到我们的宿舍。有的小学员早已进入梦乡了。当他们睁开眼睛，一下看到敬爱的周总理站在床前，而且知道这并不是做梦，而是真的时候，心中真是说不出的幸福啊！总理和我们讲，你们的条件很好，要更好地为人民服务才对。

总理就是这样无微不至地关心着我们，从生活到思想。他的一言一行时刻都在激励我们向前迈进。

那是在一九五四年。周总理看了我写的一个戏之后，他对我说：你头脑里有没有资产阶级思想啊，不会没有吧！你做个检查，讲的时候通知我，我来听。后来我按照总理的指示做了检查。但当时我想，总理太忙了，自己这样一个小小创作人员检查思想，怎么好请他来，占用他宝贵的时间呢？总理没有听到我的检查。这件事是我终生内疚、后悔的。

敬爱的周总理，不仅关心我国文艺工作者，同时也关心一些外国的文艺工作者。

一九五八年时，日本的一些戏剧工作者来华访问。其中有个小姑娘叫真山美保。当时，周总理在中山公园招待过他们，亲切地和他们一一谈话。周总理逝世后，日本新制作座又来到中国，真山美保是团长。在招待会上，她谈起周总理在她头一次来华时同她的谈话。现在他们这个剧团之所以经常下到工厂、乡间，为广大群众演出，也正是按照当初周总理讲话去做的。她说，没想到这次来，竟然再也看不到周总理了。说到这里，她流下了眼泪。

是啊，我们谁能想象到永远失去了周总理呢?!

今天，总理离开我们已经一年了！这一年中，我们饱尝了无比的悲痛，也经历了巨大的喜悦。周总理虽然闭上了眼睛，但是毛主席亲自开创的，总理为之奋斗毕生的无产阶级革命大业，已经后继有人了！我们的英明领袖华主席率领我们一举粉碎了“四人帮”，挽救了革命，挽救了党。“四人帮”被粉碎了，人民大众心情无比畅快，大家自然而然地想到敬爱的周总理，他老人家的骨灰在祖国江河大地中蕴育着的生机，此时定会勃勃滋长起来。

今天，在敬爱的周总理逝世一周年之际，我要向他老人家保证：在以华主席为首的党中央领导下，我要将自己的余年，好好为人民做点事情。

我们心中的周总理

敬爱的周总理离开我们已经整整一周年了。

今天，正当我们举国上下，万众一心，团结在以华国锋主席为首的党中央周围，一举粉碎“四人帮”反革命集团的胜利之日，在为实现周总理在四届人大提出的“把我国建成现代化的社会主义强国”而流血、流汗，苦干、大干，努力奋斗的时候，我觉得我们敬爱的周总理还活着，和我们在一起。三百六十天里，这一深切的信念给了我无穷的力量。

敬爱的周总理啊！你没有逝世，你不过是闭上眼睛，略略休息一下。

我认识敬爱的周总理，是在一九四〇年白色恐怖下的重庆。那一天，浓雾经常笼罩着山城，忽然晴朗起来。“周先生请你来做客。”想一想吧，听到这个消息，真是喜从天降。那是在重庆的一个地

【题注】收录北京师范大学编:《敬爱的周恩来总理永远活在我们心中》第四集，1977年版。

方，在一间简朴的房子里，我见到了他。他那炯炯的目光，仿佛整个屋宇洋溢着无限的生气；他的亲切的态度，使我像见到自己的父兄一般。

话刚谈了几句，刺耳的呜呜的警报声响了起来，山上已经高高挂起两个黑色竹编球笼。周总理从容不迫地领我和他到一个山脊上。这时，日本鬼子的飞机已经向山城飞来，投下黑色的炸弹。一声巨响，一股股浓烟腾空而起。面对眼前的屠杀，我胸中郁闷悲愤得说不出话来。我望着总理，总理的脸色是严峻的、无畏的。他指着狂轰滥炸的地方，怒斥日本帝国主义的凶狂，说，我们一定要团结起来，一致抗日，不能像国民党蒋介石反动集团真反共，假抗日，当时我很有感触，尽管国民党统治的重庆，没有一声高射炮的回击，听任敌机肆意轰炸，可是总理的话像万炮齐鸣，向日本帝国主义猛轰。

从那天起，总理的光辉形象，在我的心里生了根。

后来，我们常被邀请到八路军办事处，多半是为了聆听中共代表如何与国民党反动派斗争，揭露蒋介石背信弃义的丑恶嘴脸。那时，八路军办事处搬到曾家岩。那里上下，左右，前后都是国民党特务，总理的一举一动经常被那些特务注视着，但总理视他们如鼠兔，大无畏地与他们斗争。总理看我们生活很清苦，常常饿肚子，便邀我们到曾家岩去吃便饭。总理看我们身上的衣裳单薄，就送给我一块延安纺织的灰色粗呢，而他自己的穿着也并不比我们厚些。总理虽然很忙，可他从未停止对文化工作者的关怀。

总理对我们的关怀，绝不仅仅是表面上的衣食住行，而更深刻的是于我们思想与品德。《在延安文艺座谈会上的讲话》发表以后，总理多次对我们谈到这一光辉著作，并教导我们文艺工作者一定要树立为人民服务的思想。

建国不久，我们负责一次宴会的组织工作，由于缺乏经验，客人来后，足足有半个小时，才就座。总理也静静地等待了半个小时。会后，他把我和另一个负责同志找去，问及此事。我回答："这件事不是我办的。"总理一听，严厉地说：革命工作分什么你我，出了问题应当大家承当，大家负责任。这句话确是一针见血，当时我觉得羞愧，事后却越想越亮堂。总理的批评，使我觉得自己要好好改造。对革命工作不能有一丝马虎，更不可以推脱责任。

另一次是全国现代戏会演之际，总理在看演出之前，和全国一百多位文艺工作者谈话，他真是谦虚、谨慎，亲切而平易近人。他对我们每个人的姓名，性格，思想都摸得十分清楚。当时，我坐在总理身边，有一位领导进来，我连忙起身让座，总理忽然问我："你这是干什么？"我很不好意思，便说："领导嘛！"总理立刻不客气地向我指出："这就叫庸俗，你还是旧啊！"是啊，总理对我的教诲是多么中肯，对我们的关怀真是胜过亲人。他总是以毛泽东文艺思想不断地教育我们，使我们遵循毛主席文艺思想的航向前进。

记得，在一九五四年以后，在全国进行知识分子改造运动后，我写了一个反映旧知识分子的崇美、亲美、媚美、恐美的思想意识形态，并对此作了一些批判的剧本。他看了演出后，对我们谈起那个政委（指一位从抗美援朝前线回来，一只眼睛因手术中受了污染而失去视力时，那位政委对那个负责医治手术，却出了错误而非常难过的年轻的医务工作者说：你不要因为这次医疗事故而那样地难过，以至于丧失工作的勇气。我失去了一只眼睛，我还有另一只眼睛来为人民服务。只要你能从这次事故在我身上吸取教训，用来日后为人民服务，我失去了这只眼睛，也是值得的——大意如此。）写得比较好。总理说，听了那位政委的话，很受感动。

当我们正在进行学习毛主席《关于红楼梦研究问题的信》的运动时，总理问及我院知识分子思想改造进行的如何？同时对我提出，“你脑子里有没有资产阶级思想啊？我看，还是有的。你做一个检查。通知我，我来听。”后来，我做了检查，当然做得不好。但是当时因为想到周总理日理万机，工作太忙，不要因为我个人的检查而占据他的珍贵的时间，终于没有通知他。今天，我再也不能听到他对我的批评和教诲，这是我终生内疚，遗憾终生的事情！

以后，在一九五七年的“反右”运动后，我一次偶然地遇见了敬爱的周总理。我提起那个关于知识分子思想改造的剧本，我没有把那个反面人物写成为一个右派，这是一个错误。总理说：你不能这样地看问题。要实事求是。那时正在进行抗美援朝运动，还没有搞“反右”运动，你怎么能预先写出那样一个右派人物呢？你们写东西，要历史唯物地看问题。还是实事求是才好。总理又给我上了一次课。

我是一个戏剧工作者，从旧社会出来，确实带了不少的旧东西，但当我每进一小步，总理便充分肯定；有了错误，便率直而痛快地指出，使我在革命的航道上有所遵循。作为一个伟大的无产阶级革命家的周总理，我所了解的，仅仅是沧海一粟。我还想再提一件小事。

平日总理常到首都剧场看戏，每次几乎都是我陪着他。总理看戏，只要两个座位，他自己坐一个，我在旁边坐一个，周围都是群众。起初，总理在场灯未暗时进来，群众都起立鼓掌，欢呼。总理看到这样做，不便于开幕。以后，便改在场灯暗下之后进来，让大家能看好戏。总理是多么爱接近群众，又多么关心舞台戏剧工作者的工作！总理总是很高兴作为一个普通观众来看戏，和群众联系在一起！相比之下，反革命“四人帮”，他们每走一步，都要前呼后拥，对广大人民群众，他们怕得要死。他们若敢置身于人民的海洋之中，八亿人民每人吐一口唾沫，就把他们淹没了。

我们的总理走到哪里，那里的人群便成了一片深情真挚的海洋。

我从心里爱我们的总理。

“四人帮”陷害总理的罪行，使全国人民与世界革命人民怒火万丈，我们必须对“四人帮”进行追究，斗争到底。

周总理对我们革命人民与无产阶级以及全世界无产阶级和革命人民的阶级深情，使我们永世难忘，我们必须用革命行动来报答他的阶级深情。

总理逝世不久，我们接待来自日本的戏剧工作者们，其中包括“新制作座”的戏剧工作者。这个剧团的负责人，真山美保在我们举办的招待会上，致答词，提起了总理。她说前次来北京，见到了总理。周总理对日本戏剧家们，谈到从事戏剧，一定要为人民服务，要到工厂、到农村中演戏，为他们服务。她觉得这次来京再不能与周总理会面，报答周总理对戏剧工作者的关怀。这是她和她一道来的日本戏剧工作者，都是极为悲恸的事情！

敬爱的周总理啊，你没有逝世，你不过是闭上眼睛，略略休息一下。

总理的一生不谋私利，廉洁奉公，对伟大领袖毛主席无限热爱，对无产阶级革命事业无限忠诚。他是我们做人的楷模。

他的伟大的革命精神，像苍天一样，万古长存。

奋起金棒驱迷雾　好锄大地种新花（节选）

——戏剧工作者座谈纪念“百花齐放、百家争鸣”方针发表二十周年

【题注】载《人民戏剧》1977年第3期，据以排印。又载《文教资料简报》总第64期（1977.5），南京师范学院图书馆、中文系资料室合编内部刊物，题名《拿起笔来创作新作品》，兹以通校（校注称“文教资料本”）。文教资料本文后附注：“摘自《人民戏剧》1977年第3期。标题为本刊所加”。按，人民戏剧本文前“编者的话：今年二月，是伟大领袖和导师毛主席《关于正确处理人民内部矛盾的问题》光辉历史文献发表二十周年，在这篇光辉著作中，毛主席提出了‘百花齐放、百家争鸣’这一促进我国艺术发展和科学进步的根本方针。二十年来，这一方针遭到刘少奇、林彪的歪曲和破坏，王、张、江、姚‘四人帮’对这一方针更是十分仇恨，他们开设‘帽子工厂’和‘钢铁工厂’，肆无忌惮地践踏‘二百’方针和党的文艺政策，扼杀革命文艺作品，在文艺战线搞资产阶级专政。为了纪念毛主席发表‘百花齐放、百家争鸣’的方针二十周年，批判‘四人帮’及其同伙破坏‘二百’方针的罪行，讨论如何在戏剧园地贯彻执行毛主席提出的这一方针，本刊编辑部于三月一日召开一次戏剧工作者座谈会，先将这次座谈会上的几个发言，摘登如下”。座谈发言先后有曹禺（剧作者，北京话剧团）、吴雪、王朝闻、姜则善和李洪洲。文教资料本总题《在深入揭批“四人帮”的战斗中重新学习〈讲话〉》，摘载草明、欧阳山、周巍峙、曹禺、巴金、王朝闻、杨沫、浩然、李学鳌、黄钢、马可、郭兰英文章。文前编者说明：“在粉碎‘四人帮’以后的第一个红五月里，广大文艺工作者以欢欣鼓舞的心情迎来了毛主席《在延安文艺座谈会上的讲话》发表三十五周年。许多文艺工作者——包括一些在‘四人帮’迫害下多年未发表过作品的老作家，纷纷在报上发表文章或谈话，畅谈重新学习毛主席光辉著作《讲话》的体会，回忆《讲话》发表以来文艺战线的两条路线斗争，控诉‘四人帮’无耻背叛《讲话》精神，疯狂破坏和扼杀无产阶级革命文艺的罪恶，展望文艺革命欣欣向荣的大好形势，心情异常振奋。大家表示一定要在英明领袖华主席为首的党中央领导下，认真学习《讲话》，贯彻抓纲治国的战略决策，继续搞好文艺革命，为繁荣社会主义文艺作出新的贡献。现将一部分文艺工作者文章摘载于下。”

毛主席提出“百花齐放、百家争鸣”的方针已经二十年了。毛主席提出的这一方针，是促进艺术发展和科学进步的方针。二十年来资产阶级和反党野心家歪曲和破坏这一方针，刘少奇把“百花齐放、百家争鸣”歪曲成资产阶级自由化的方针，让大量毒草出笼，而“四人帮”竭力反对这一方针的执行，他们甚至连“百花齐放、百家争鸣”这八个字都不提了。“四人帮”的狗头军师张春桥说什么“百家争鸣，一家作主”。他所说的“一家作主”，实际上是“一帮作主”，他们一小撮作主。这些年来，文艺就是他们说了算，他们把持了文艺创作和创作人员的生杀予夺大权。江青说一句“这个人很坏”，“这个作品是大毒草”，“这个人是黑线人物”，这个人和这个作品就要遭殃。“四人帮”陷害[1]多少好同志，扼杀了多少好作品！他们就是一伙希特勒。由于“四人帮”的反对和破坏，毛主席提出的“百花齐放、百家争鸣”的方针一直得不到执行，这一点我们戏剧界感受最深，有切肤之

1 “陷害”文教资料本作“陷害了”。

痛。这几年戏剧界被“四人帮”压得喘不出气来。“四人帮”是非常仇恨毛主席的“百花齐放、百家争鸣”方针的，他们要当太上皇，搞资产阶级专政。江青说什么话剧死了。话剧什么时候死了？不就是江青要把话剧卡死的吗？她说要救活话剧，[1]是想把话剧变成他们篡党夺权的工具。江青破坏“百花齐放、百家争鸣”的罪行累累，恶果是很明显的。她指鹿为马，把好人当坏人。她搞的毒草影片《反击》把老干部丑化得很厉害，就是要揪从中央到地方的党政军负责同志。她不要“百花齐放”，而是要“一草独长”。[2]

现在形势大好，以华主席为首的党中央一举粉碎了“四人帮”，走向天下大治。现在文艺和戏剧欣欣向荣，大家喜气洋洋。许多被“四人帮”扼杀的电影、戏剧又重新和观众见面了，许多新作品正在创作。我们戏剧界真有“第二次解放”之感。过去受“四人帮”压制的创作力量都解放出来，大家都为繁荣社会主义文艺积极贡献出自己的力量。毛主席提出的“百花齐放、百家争鸣”的方针又得到贯彻执行了。华主席在第二次全国农业学大寨会议上的讲话中指出：“深入开展揭发批判‘四人帮’的伟大群众运动，是一九七七年的中心任务。”当前我们的中心任务是揭发批判“四人帮”，批判“四人帮”破坏毛主席革命文艺路线、破坏党的文艺方针政策的罪行。只有把这个工作做好，才能真正贯彻好“百花齐放、百家争鸣”的方针。[3]

1　此处文教资料本有“实际上”。

2　“江青破坏‘百花齐放、百家争鸣’的罪行累累”以下文教资料本无。

3　“华主席在第二次全国农业大寨会议上的讲话中指出”以下文教资料本无。

要在戏剧上执行“百花齐放、百家争鸣”的方针，繁荣社会主义的戏剧舞台，要花大力气。打倒“四人帮”，大家心里高兴，但只是高兴还不行。要振奋起来，拿起笔来创作新作品。过去人民群众所[1]喜爱的地方戏，有的被他们一棍子打死了，应当编写新戏上演；过去老一辈的创作人员被他们打成黑线人物，应当为人民大胆写作。我们有些同志虽然年纪大了，但都想拿出力气来做一点事。我们一定要在以华主席为首的党中央领导下写东西，听党的话，说老实话，办老实事，做老实人。我们还要牢记毛主席提出的区别香花和毒草的六条政治标准，团结起来，努力反映社会主义革命和建设，写出更多好作品来。

1 文教资料本无“所”。

寄给远方的同志

我亲爱的同志：

托付拂动大地的春风，我要带给你们一个最好最好的信息——我们心中的工程毛主席纪念堂落成了！

欢呼吧！同志们，遥遥千里，我听得见你们激烈跳动的心声，看得见你们双眸中泪水晶莹。

当我走向壮丽的天安门广场，望着宏伟的毛主席纪念堂，从那一砖一瓦，我都仿佛看到你们的汗水在闪光。从那一花一木，我都宛如感到你们的生命在跃动。而那温暖的春风，又似乎是从祖国的塞北江南带来了你们火热的深情……

大渡河畔的各民族兄弟们，你们的家乡，是红军长征路过的地方，我们的毛主席曾在那里留下了穿草鞋的脚印。而今，代替冲锋号音的是凌空飞来的铿锵锤声。是你们攀缘绝壁，一凿凿取下刚毅的花岗石，取下比红霞还要炽热、深沉的色彩，让这彩石的虹桥飞向北

【题注】载1977年9月17日《北京日报》。文末附注："北京人民出版社供稿。"

京，让远隔千山万水的人们都能踏上它去见毛主席！

延安城的英雄儿女们，在奔腾不息的延水旁，你们曾留下多少甜津津的回忆，毛主席来河边散步，音容笑貌永远留在你们心中！而今延水长流，滋润着大地高山，万年长青的松柏呵郁郁葱葱！你们精选了十三棵青松，象征毛主席在陕北的十三年战斗岁月，再伴上十三壶延河的水，点点滴滴是毛主席的恩情！你们选出最信赖的代表，把这十三棵宝树献送到北京，青松披红又挂彩，夹道的人群，送出一程又一程……

北京的贫下中农同志，你们送来了红果树。清明时节，我看到了它那如雪的白花。你们告诉过我，它还有更美的时辰，那是在金色的秋天里，它将结出鲜红的果实。洁白的花，鲜红的果，动人地寓意着永志的怀念和继承毛主席遗志，建设美好的明天的赤心！

呵，我还看到一株株小小的樱花树苗，它们生长在祖国的宝岛台湾。我苦难的同胞呵！我从这樱花上感到了你们炽热的心愿！隔着山山水水，你们托樱花给毛主席带来了心中的话——尽管这樱花现在还小，没有绽开蓓蕾，但是请放心吧！在祖国明媚的春天，在毛泽东思想的阳光下，它一定会开出殷红的花朵！樱花在和风中摇曳，同胞呵，我分明听到你们的声音：我们要回来，我们要回来，回到祖国母亲的怀抱里！同胞们，我们相信这一天定将来临！

呵！看到了，我还看到了毛主席故乡的红土，天山上的雪莲花种，贵州百年的香樟木，南京市明净的雨花石……祖国各地的亲人呵，你们把最珍贵的、最美好的礼物，都送到了这圣洁的地方。然而，最珍贵的是人民对伟大领袖毛主席如海的深情！最美好的是人民为实现毛主席遗志而奋斗的如山的雄心！

呵，最后，我们向纪念堂工地的同志们致敬！这伟大的工程有八亿人民的代表在这里施工，他们是最幸福最光荣的人。当我来到这些建设者之中，望着这日夜不息的崇高劳作，看着这心血和汗水浇灌的工程，我就感到心中充满了不尽的幸福和光荣！还有那些义务劳动大军，从祖国的每一平方公里土地奔来，红心突突，脚步匆匆！两鬓如霜的将军同志，边疆海防的普通士兵，长白山林的工人师傅，云南边寨的白族弟兄，啾，大庆会议的代表同志，普及大寨县的先进典型……古往今来，何曾有过如此惊天动地的伟大工程！听吧，我们的工人同志说得好：“这个工程的特点就是一句话——毛主席的纪念堂！”

面对着我们心中的纪念堂，我们有千声万声：毛主席呵，我们永远跟您在一起！这是最光明的地方，在这里我们瞻仰您的遗容，缅怀您的丰功伟绩，重温您的伟大教导，吸取无穷的力量。这是最壮丽的地方，在这里，亿万人民的泪水已化作千钧力，为实现四个现代化的宏图，我们宣誓：把全部汗水倾注在社会主义！这是最辉煌的地方呵，在这里您的接班人，我们的华主席挖了第一锹土，他是为这伟大的工程奠基，也是为继承您的遗志，建设美好的共产主义祖国开始了新的长征。而我，和同志们一样感到幸福呵，因为我已托付建筑工人们，把我的一颗心镶嵌在砖石上了，和那亿万颗心紧紧相连！一起跳动！

我们就是这样地守卫在敬爱的毛主席身边，守卫着他老人家为世界革命和中国革命操劳后的静静的休息。当然，我们要向他老人家报告我们的喜讯。把大庆乌黑的油花，大寨金黄的谷粒，献给他伟大的永生的思想。我们要为实现他老人家的遗志而斗争，把“四人帮”深揭猛批，建成现代化的社会主义强国，让胜利的捷报冲天而起，告慰九天上的英灵！

我亲爱的同志，我还有很多的话想说，要说，但是，该搁笔了，因为我知道新的战斗正在召唤我们。那么让我们相约在落成的毛主席纪念堂前见面吧！在那里，我们将紧紧握着手，走向我们的亲人伟大领袖毛主席，我们将高举着他那光辉的旗帜，从纪念堂迈步，跟着英明领袖华主席，向着新的胜利大步前行……

“从此旧剧开了新生面”

——赞京剧《逼上梁山》

革命京剧《逼上梁山》，是一九四三年冬延安中央党校的同志学习毛主席《在延安文艺座谈会上的讲话》后演出的。这出戏从第一次演出到现在已经三十四年了。最近，北京市京剧团和北京京剧团在北京分别演出这出戏，使我们能看到这出经过伟大领袖毛主席肯定“开了新生面”的革命京剧，心里感到无比的兴奋！这是毛主席革命文艺战线的胜利，是华主席为首的党中央粉碎“四人帮”，高举毛主席的伟大旗帜的胜利。

我先后看了北京市京剧团和北京京剧团的两次演出。我目不转睛，用心观看一幅有声有色的北宋末年多灾多难的流民图，一幅古代人民武装暴动的历史画卷，像是一块顽铁被晶莹的磁石吸引着，吸引着。在整个演出过程中，我始终被剧中反映的尖锐的阶级斗争的画面所激动。

【题注】载1977年10月12日《人民日报》。

在一九四三年的延安，伟大领袖和导师毛主席亲自发动和领导了京剧革命。《逼上梁山》演出，毛主席先后看了两次，并于一九四四年一月九日亲笔给延安平剧院写了一封信，信中指出：“历史是人民创造的，但在旧戏舞台上（在一切离开人民的旧文学旧艺术上）人民却成了渣滓，由老爷太太少爷小姐们统治着舞台，这种历史的颠倒，现在由你们再颠倒过来，恢复了历史的面目，从此旧剧开了新生面，所以值得庆贺。”毛主席还指出：“你们这个开端将是旧剧革命的划时期的开端。”毛主席的这封信揭开了无产阶级京剧革命的序幕，并为无产阶级京剧革命指明了方向。可是“四人帮”却篡改历史，胡说江青“领导”了京剧革命，“开创了无产阶级文艺的新纪元”。《逼上梁山》的重新演出，有力地戳穿了“四人帮”这些无耻的谎言。

粉碎了“四人帮”，文艺得到解放。在华主席为首的党中央的领导下，许多过去遭到“四人帮”扼杀的优秀剧目都先后上演。广大人民群众是多么希望得到毛主席肯定的、开了旧剧新生面的优秀剧目《逼上梁山》重新上演呵！北京市京剧团和北京京剧团的文艺战士怀着对毛主席革命文艺路线的无比热爱，以冲天的干劲，排练了这个戏，使这出群众翘首盼望已久的革命京剧终于在北京正式演出了。

《逼上梁山》在文艺革命历史舞台上，是一只光辉四射的彩凤，可是它在“四人帮”统治文艺舞台的时期是飞不起来的。因为“四人帮”为了把叛徒江青打扮成京剧革命的“旗手”，是不可能让《逼上梁山》在舞台上重新演出的。现在这只彩凤飞舞起来了！在粉碎“四人帮”一周年的时候，在一片锣鼓喧天、欢天喜地的气氛中飞舞起来！在百花吐艳的祖国大地的上空，这只彩凤自由翱翔，迎春风，舞万里。

我喜欢这个戏，也看到群众喜欢这个戏。两个剧团演出两台《逼上梁山》的时候，满场观众都有强烈的反应。不断的掌声，台上台下融成一片。八百五十多年前伟大人民反抗反动统治阶级的斗争，今天仍然得到广大观众强烈的共鸣和呼应。这是历史唯物主义观点的胜利，是毛主席制定的"古为今用"，"推陈出新"伟大方针的胜利！

革命京剧《逼上梁山》这出戏不同于《水浒传》和同一题材的传统戏曲剧目。它不是只描写林冲个人的苦难遭遇，而是通过林冲在遭受种种迫害之后投奔梁山的情节，反映了北宋末年人民群众在封建制度压迫下，掀起的如火如荼的反抗斗争的革命形势。作者以马克思主义思想为武器，历史地唯物地观察和分析历史事件和人物，生动地反映了人民群众和封建统治阶级尖锐的阶级斗争。这个戏在延安演出起了"团结人民、教育人民、打击敌人、消灭敌人"的作用。这次北京市京剧团和北京京剧团演出的《逼上梁山》，都对原本做了修改和加工，场次虽然减少了，但都保留了原本的主要内容，如捕李、释李、菜园、定计、白虎堂、长亭、野猪林、借粮、山神庙、上梁山等重点场次。在结构的集中、严谨方面，都有了不同程度的提高。

"人民，只有人民，才是创造世界历史的动力。"《逼上梁山》反映人民群众和封建统治阶级的斗争，人民群众是主导方面。两台《逼上梁山》的演出，对人民群众的反抗都有了突出的表现。人民群众不仅反了贪官，而且反了皇帝，这和同一题材的小说《水浒》不同。剧中描写造反的农民"不怕官司不怕天"，"反掉它残民无道赵宋王朝"。他们在斗争中认识到，"要把乾坤再造，还须得枪对枪来刀对刀"。在农民典型人物的塑造上也是比较成功的，比原本有了加强和提高。

林冲是北宋末年特定的历史时代典型环境中的典型人物。北京市京剧团在塑造林冲这一典型人物上比较真实细致。林冲这个八十万禁军的教头，遭受高俅及其爪牙陆谦多番诬害，妻子遭欺凌，自己受酷刑，在发配沧州道上又遭受残酷的折磨，几乎在野猪林里被杀死，这时他虽痛恨高俅，但并没有想到要造反，他抱着不切实际的幻想逆来顺受。但是，“忍辱求全难自保”，高俅派他的爪牙陆谦把林冲看守的草料场在雪夜中烧了。林冲在山神庙里遇见仇人陆谦，一刀杀了陆谦之后，才毅然加入群众的队伍，杀败了官军，投奔了梁山。林冲从一个统治阶级的有正义感的军官，到与人民群众一起反抗朝廷，是经过曲折的过程的，这是林冲所处的特定历史时代的典型环境，和他出身的阶级的特性所决定的。

《逼上梁山》表现林冲与高俅在政治上的矛盾，主要是在花石纲问题上。北京京剧团的改编本在序幕、抓丁等场突出表现封建统治阶级在花石纲一事上对农民残酷的压迫和剥削，到了“官逼民反，不得不反”的地步。林冲遭受高俅迫害的个人遭遇与农民在花石纲问题上遭到反动官吏的横征暴敛是一致的。林冲作为统治阶级的有正义感的军官，所以能上梁山参加起义，一方面是受到高俅的逼害到无路可走的地步，另一方面也是看到人民群众对统治阶级的反抗，受到人民群众的教育和革命形势的推动的结果。

这次北京市京剧团和北京京剧团演出的《逼上梁山》都是根据一九四三年延安中共中央党校俱乐部的演出本改编的。他们贯彻执行“百花齐放、百家争鸣”的方针，在艺术上做了不同的处理，可以说是各有千秋的。北京市京剧团在剧本上保留了原演出本中较多的场面和情节。遭受压迫的人民群众不仅反了贪官，而且表现他们也反了皇帝。结尾处，林冲和李铁等群众投奔梁山的场面比较有声势，看出当时投奔梁山的群众不是几个人，而是大队人马上梁山。北京京剧团的演出本比较精练，从花石纲、释李等场开始，直接展开了戏剧矛盾。在唱词上也做了提炼和加工，有诗意。这两台《逼上梁山》在舞台美术上也都有不同的处理，显示了不同的风格。

据我了解，无论是北京京剧团还是北京市京剧团，对目前的演出都不满足，还要在演出中不断听取意见，不断加工，使这个优秀的革命京剧更加完善。我想，他们这样做是完全应该的。这个京剧革命的第一个成果，经过不断加工，一定会放射出更加夺目的光彩。

攻关的人们

××：

你的剧本写得怎么样了？大约快定稿了吧？

你爸爸现在正参加全国自然科学学科规划会议，由于工作关系，我也来到这个会上。所以，你写给你爸爸的三封信，都是由我念给你爸爸听的。你爸爸的脾气，你是知道的，他总是不动声色。你写的那样热情，他总是一言不发，最后，他告诉我，让我给你回封信，告诉你他现在的情况。

你爸爸真正是个科学家，他从早到晚三班开会、研究、搞规划。每天早上，几乎是天刚亮他就起来跑步、打太极拳，简直不像一个七十五岁的老人。有一次我参加他主讲的学术报告会，他滔滔不绝，说个没完，像把心里的话都说出来了。你知道，他早年在国外留学，为了爱祖国，回到了家乡，当了教授。他说，他从来没有想到就因为这一点，“四人帮”的爪牙就把他打成了特务，受尽了折磨。说他是

【题注】载1977年11月15日《人民日报》。

"臭老九"，说他"知识越多越反动"，好像知识也成了罪恶。他告诉我，这些不必跟你讲，讲了你会难过的。其实，我想你早已知道了。

我们住的这个地方，周围有许多大院子，有许多参天的杨树，还有许多果树，像海棠、柿子、核桃、梨等等都有。现在已是深秋了，早起有些凉，有些树的叶子已经黄了，可是有的树还开着红花。这里离城很远，一点噪音也没有，静极了。一早起来，太阳从东方升起，一束一束的阳光，从树缝中射下来，美极了，空气也特别新鲜。许多白发苍苍的老科学家和中、青年科学工作者，在树荫道上散步，聊天，是那样的高兴。他们像是完全投身到向科学进军的伟大战斗中了。你知道，这场战斗，是我们的英明领袖华主席指挥的，是邓副主席亲自动手抓的，叶副主席还为科学家们写下了《攻关》诗，这对科学家们是何等的鼓舞呵！我隐隐觉得他们的心里像有一团炽热的火，都想在今后的二十几年里，把全部的精力献给祖国，献给全人类，在华主席抓纲治国战略决策的指引下，把中国建设成为现代化的社会主义强国，实现毛主席、周总理的遗愿。

他们都是全国的精华。他们当中，年长的已有八十二岁的高龄了，最小的比你还要小两岁呢。为了参加这个科学界的盛会，他们当中有的人是带着医生，带着氧气袋来的，甚至有人身患癌症，仍坚持来参加会议，这真叫人感动，钦佩！中国人民是有志气的，只要领导得好，那股革命干劲，任何人都想不到会有多大。我在他们面前非常的惭愧，可以说是个科学盲。每当看到他们，我就想起了伟大领袖和导师毛主席说的："社会的财富是工人、农民和劳动知识分子自己创造的。"现在他们不臭了，而是很香。我们，包括你，也不臭了，香起来了。你爸爸让我告诉你不要翘尾巴，对谁都不要翘尾巴，要永远记住我们是党和毛主席培养的知识分子。

我们俩都是搞宣传的，为了迎接全国科学大会的召开，我们要把工作做好，这是我们的责任。

信写到这里，夜已深了，透过窗帘的灯光，想必你爸爸还在研究科学，起草规划。

听说他们这些老一辈的科学家，还搞起了竞赛呢！你爸爸表示要在他的余年，带出十个研究生来。你应该为中国有这样的科学家而骄傲，为你有这样的爸爸而骄傲。我相信，在华主席为首的党中央领导下，有了他们和全国人民的努力，我们的国家一定会更加繁荣富强起来的。在今后的二十三年里，我们一定能赶超世界科学技术的先进水平，正像毛主席说的：我们的目的一定要达到。我们的目的一定能够达到。

你要把这封信一字一句地念给你妈妈听，告诉她你爸爸身体非常好，还是那个坏毛病，不好写家信。我看这也好，让他把时间用在科学研究上去，你妈妈也会高兴的。

昨天，我到你爸爸住的屋子里，看见书桌上有一页诗，原来这位老科学家现在忽然变成诗人了！

> 年已七十五，又来征长途。不知岁月短，岂惧攻关苦！死也拼老命，必置国强富。昼短苦夜长，分秒必争度。烈士虽暮年，老马犹识途。攻关是攻尖，赶超绘新图。转瞬二千年，当惊世界殊。

你看我这位老朋友真有意思，连平仄都不懂，现在却兴致勃勃地吟起诗来了。我正在看时，你爸爸进来了，他连声说："不通，不通，实在不通。可我实在抑制不住自己，非抒一通怀不可！你把这首诗也抄给我女儿看看吧。"

走向春天

我在北京的街道上向前走着。冬日的晴空蓝得醉人。阳光真太好了。我走着，我的步履是十分有力的，因为我是去参加我们北京市人民的代表大会。

我满心欢喜。但我却不能忘却那“四害”横行的日子。

人民的权利被“四人帮”凶残地剥夺了。我们不是盲人，却要做哑巴；我们有思想，却要做傻瓜；我们有自己的意愿，却只能埋在心底！我，一个上了年岁的文艺工作者，在那时，真是感到一种生命的枯竭。没有空气，更没有春天。心中的郁闷是深重的。我想过，如果让人民来讲话，那么亿万人民所共同的，就是对“四人帮”的仇恨和讨伐！但是，在那个日子里，这是根本不可能的。

我和北京的人民，和全国的人民一起熬着，盼着，积聚着心中的愤怒，相信这阴云是不能长久蔽日的。

我们的心愿实现了。这一年来的欢乐，说也说不完。

【题注】载1977年11月26日《北京日报》。署“市七届人代会代表、剧作家曹禺”。

今天，在华主席和党中央的领导下，在我们国家飞速向前的大好形势下，我们北京市第七届人民代表大会召开了。这是喜上加喜！“四人帮”不倒，不会有这个北京人民的盛会！“四人帮”倒了，我们真正做了主人！

我作为一个文艺界的代表，我将欣喜不已地指点出满园的香花，观看新创作的和曾被“四人帮”禁锢、现在又得到解放的剧目放出夺目的光彩。这使人感到，我们挣脱了枷锁，获得解放的振奋与力量。这正是毛主席“百花齐放”的文艺方针，又一次为我们带来了新的生命！

面对眼前的繁荣，我高兴，但我还不满足。

几天以前，在全国自然科学学科规划会议上，我见到一些老科学家。他们兴致勃勃地对我说：你是做文艺工作的，应当写出好的作品，我们来看。我想，这简单而诚挚的几句，岂是对我一人的托付，这是对我们所有的文艺工作者的要求。这又岂是几位科学家的心愿，这是几亿人民所盼望的！

在我们社会主义祖国豪迈向前的步伐中，我们是不能，也不会落后的！我们要和全国的工人、农民、解放军、知识分子一同，为实现毛主席、周总理的遗愿，为了我们的四个现代化，而勤奋地生活、工作！我想，这就是我为北京市人民代表大会准备好的心里话！

当“四人帮”横行时，我把自己闷在家里。现在，我在街上大步地行走，明晃晃的城市迎着我展开它的眉目。我越走越暖，仿佛已经从冬日走到了春天。

是啊，一个无限美好的春天来了！

“黑线专政”论抹煞不了毛主席、周总理的丰功伟绩

我们是深受“四人帮”的“文艺黑线专政”论之害，也深知其恶的。这是“四人帮”篡党夺权的一把刀子，一条绞索，一个令箭。“四人帮”用这把刀子砍杀文艺工作者，使他们政治上抬不起头来；用这条绞索绞杀所有无产阶级文艺作品，大造十七年甚至一百年来文艺的“空白”论；用这支令箭指使“四人帮”在文艺界的死党和亲信们，

【题注】载《人民戏剧》1977年第12期。按，文前编者说明：“自从以华主席为首的党中央领导我们揭露了‘四人帮’在教育战线炮制‘两个估计’的阴谋，也揭露了‘四人帮’炮制文艺战线的‘黑线专政’论的阴谋以来，文艺界群情振奋，斗志昂扬，决心进一步揭露批判‘四人帮’篡党夺权的罪行，彻底砸烂精神枷锁，甩开膀子大干社会主义。本刊编辑部于十一月二十八日召开了揭批‘文艺黑线专政’论座谈会。参加会议的有老一辈戏剧家、长期从事戏剧部门领导工作和戏剧教育工作的同志曹禺、张庚、冯牧、赵寻、李超、刘厚生、张东川、史若虚、胡沙，以及解放后培养的京剧演员刘秀荣等。与会同志以切身经历愤怒控诉、批判了‘四人帮’炮制‘文艺黑线专政’论对抗毛主席革命文艺路线、扼杀革命文艺的罪行；热情歌颂了伟大领袖毛主席、敬爱的周总理对戏剧工作的亲切关怀和辛勤培育。大家表示要在华主席为首的党中央领导下乘胜前进，为社会主义戏剧的新繁荣贡献自己的力量。现将会上的部分发言整理摘登如下。”座谈发言总题《砸烂“文艺黑线专政”论的精神枷锁》，曹禺发言排在第二位。

打击、诬蔑、迫害广大文艺工作者，大搞江氏天下，搞阴谋文艺。顺帮者昌，逆帮者亡。“四人帮”正是有了这黑论点，叛徒江青才得以以“旗手”自居，“开创”文艺“新纪元”。“四人帮”才能为所欲为，篡夺党的文艺领导权达十几年之久。

我是一个近七十岁的文艺工作者，是愿意在毛主席革命文艺路线指引下为人民写作的。可是“四人帮”却把像我这样一批作者打成“文艺黑线人物”“反动权威”，使我们有嘴不能讲，有手不能写。那时我只能闷在家里，成了没有活力的人。“四人帮”用“文艺黑线专政”论窒息了多少人啊！

文艺界真像“四人帮”所说的十七年来被一条反党反社会主义的文艺黑线专了政吗？不！我们十七年来有很多反映工农兵斗争生活的革命戏剧，有许多好电影、诗歌、小说、音乐和画。打倒“四人帮”后，开放了很多十七年来创作的好作品，为群众喜闻乐见，足以说明十七年文艺工作是有成绩的。

“四人帮”炮制“文艺黑线专政”论，矛头是对着毛主席革命文艺路线的，也是对着周总理和其他中央领导同志的。一提起周总理，我们文艺工作者感到无比亲切。他关怀和了解我们，时刻引导我们沿着毛主席的革命文艺路线前进！周总理是宣传、贯彻、捍卫毛主席革命文艺路线的最忠诚的人。十七年来文艺工作的成绩是和周总理亲自领导、关怀分不开的。

周总理非常关心无产阶级的话剧事业，北京人民艺术剧院十七年来演出了许多优秀的现代戏和历史剧，周总理几乎每一个戏都来看。只要有时间，他总是到后台和作者、导演、演员与一切舞台工作者见面，并详细地询问，提出意见。而且非常谦虚，总是问我们这个意见对不对？合不合乎实际？周总理来北京人艺看戏，我经常有机会陪他看。他对每个戏都全神贯注，有时亲自指导这个戏如何安排。他经常问我：这位演员的台词说得怎么样？他告诉演员要重视台词，要叫人听得见，听得清楚，因为这是话剧，首先话要说得好。周总理还经常教导我们要深入劳动人民的斗争生活中去，要学好毛泽东思想。指示我们，不能让演员们总在这个剧场演戏，应该把戏送到工农兵群众中去，为他们演戏，接受他们的批评和教育，要坚持执行毛主席的文艺路线。

无产阶级戏剧事业是在毛主席、周总理和其他老一辈无产阶级革命家的关怀下发展的，“四人帮”炮制“文艺黑线专政”论和“空白”论不仅抹煞了毛主席《在延安文艺座谈会上的讲话》的伟大影响和毛主席多年来对文艺工作的指示的教导作用，也抹煞了周总理多年来坚决贯彻毛主席的革命文艺路线与政策的丰功伟绩。

在英明领袖华主席的指引下，我们批判了“四人帮”炮制的“文艺黑线专政”论，砸烂“四人帮”强加在我们头上的精神枷锁，文艺界的百花盛开的春天到了！过去在“四人帮”统治下，我觉得自己是一台被他们扔进仓库的破机器，现在我觉得自己好像是加了油的机器，又可以为社会主义、为人民运转了。

我相信，我们的无产阶级文艺园地将是霞光灿烂，万紫千红！

(《曹禺选集》)后记

在黑暗的旧社会里我挨过了半生。这本选集中的《雷雨》《日出》《北京人》，就是那时留下的。

人民文学出版社要重印这本选集，并要我写个后记。我感到为难。面对自己三十年代的旧作，该说些什么呢？我想，把它们拿到今天来看，必然有许多的缺陷和谬误，因为它们都是在没有太阳的日子里的产物。

那个时候，我是想反抗的。因陷于旧社会的昏暗、腐恶，我不甘模棱地活下去，所以我才拿起笔。《雷雨》是我的第一声呻吟，或许是一声呼喊。在《日出》中，我想求得一线希望，一线光明。我深切地感到，这个社会没有阳光，需要阳光，向往着“日出东来，满天的火红……”，但是，哪里是太阳？太阳又怎样出来？我不得而知。写

【题注】据《曹禺选集》所载排印，人民文学出版社1978年版。按，《曹禺选集》，人民文学出版社，1961年5月第1版。1978年，人民文学出版社重印，增添本篇后记。该版有两种开本，第一种大32开，1978年4月北京第3次印刷，新华印刷厂印刷；第二种小32开，1978年4月辽宁第1次印刷，沈阳市第一印刷厂和第二印刷厂印刷。

《北京人》时，我的诅咒比较明确些了。那种封建主义、资产阶级是早晚要进棺材的！他们在争抢着寿木。而这个人世，需要更新的血液和生命。

可是在我的这些作品里，却没有一个无产阶级的人物，甚至连象征光明的人都没有在舞台上露过面（只是在《日出》中，作为一种暗示，安排了幕后工人唱的《打夯歌》）。观众（读者）看到的只有残暴的、丑恶的、虚伪的金八、潘四、周朴园、曾皓……和腐朽的、寄生的周萍、曾文清、陈白露……之类的人物。对另一些人像方达生、愫芳、瑞贞等我是寄予了同情，我希望他们能逃出快要压上盖子的棺材。但是，路在哪里？我非常渺茫。也许在写《北京人》的时候，我朦胧地知道革命在什么地方了，但严格地说，那时我仍还根本不懂得革命。

所以说，这些剧本，只是让人感到腐朽的恶势力必然将死去，而且非被埋葬不可。它们自然也反映了我当时思想上的苦闷、徘徊以至犹豫，因此它们就没有，也不可能明确地指出活着的人的生路（这大约也是那个时期不少作品的通病）；其所以在今天还能存在的仅有的一些理由，无非就是在于它们记载和暴露了黑暗、丑恶的旧社会，使今天的读者了解一些过去，从而更加热爱我们的新社会，如此而已。

即使这样，如今重印这本选集，却总还为我带来一些不安，我唯愿读者们认真地、批判地、历史唯物主义地对待它们。

这些年来，"四人帮"肆意地践踏党的文艺政策和毛主席的革命文艺路线，他们把解放后的无产阶级文艺都一笔抹杀，更何况这些

“五四”以来的作品。是英明领袖华主席重又为无产阶级文艺事业带来了“百花齐放”的春天。伴随着全国人民抓纲治国，为实现四个现代化而进行的忘我劳动和战斗，我深信，今后定将会有更多、更新、更美的作品出世。

为此，我由衷地欣喜。

一九七七年十二月四日

不容抹煞的十七年

在欢乐中，时间过得飞快，转眼间粉碎“四人帮”已一年多了。

【题注】载1977年12月7日《光明日报》。按，文前“编者按”：“在教育战线揭发批判‘两个估计’的同时，文艺界也展开了对‘文艺黑线专政’论的批判。这是揭批‘四人帮’反党集团第三战役的重要组成部分。‘文艺黑线专政’论流毒极广，危害很大。不批，不足以平民愤；不批，无法砸碎这个精神枷锁；不批，不能正确地贯彻执行毛主席的革命文艺路线！‘文艺黑线专政’论，是叛徒江青伙同野心家林彪捏造的。教育和其他战线的所谓‘黑线专政’论，其源盖出于此。‘文艺黑线专政’论，是一个彻头彻尾、彻里彻外浸透了毒汁的阴谋口号，其目的是先搞乱文艺战线，然后搞乱其他战线，否定‘文化大革命’前十七年的伟大成就，颠覆无产阶级专政，以便由他们取而代之，‘改朝换代’，复辟资本主义。十七年的文艺战线，黑线是有的，这就是刘少奇的反革命修正主义文艺路线。这条黑线，对我国文艺事业确实有过相当严重的干扰和破坏。但是，总的说来占主导地位的是毛主席的革命文艺路线。在毛主席革命文艺路线的指引下，电影、戏剧、新诗、民歌、美术、小说的创作，都取得了许多成绩。‘四人帮’捏造‘文艺黑线专政’论，是对毛主席的指示的恶意篡改和猖狂对抗，是对党领导的文艺事业的全盘否定，也是为打击迫害广大文艺工作者制造舆论准备。最近，华主席、党中央领导我们揭穿了教育战线‘黑线专政’论和‘文艺黑线专政’论的反革命阴谋，广大文艺工作者和广大的教育工作者一样，感到心情舒畅，斗志昂扬。他们决心砸碎这个精神枷锁，深入揭批‘四人帮’的反革命修正主义路线，肃清其流毒和影响，为繁荣社会主义文艺做出贡献。本报编辑部最近邀请文艺界人士举行了座谈，并从今天起陆续刊登他们的发言。”座谈发言总题《打好文艺战线揭批“四人帮”的第三战役》，曹禺发言排在首位。

一年里，胜利一个接着一个。俗话说得好："人逢喜事精神爽"，教育界愤怒声讨"四人帮"炮制的"两个估计"，今天我们又来批判"文艺黑线专政"论，我心里真是由衷地高兴！"四人帮"把"文艺黑线专政"论作为他们的一把刀，一条绞索，绞杀无产阶级文艺事业，残酷迫害文艺工作者，最终是为了实现他们篡党夺权的阴谋。

在"文艺黑线专政"论的精神枷锁下，这些年，文艺界的很多同志，被扣上"反革命""黑线人物""反动权威"等等帽子，有的被他们夺去了"生命"。多少人有嘴不能说话，有脑子不敢思想，连大气都不敢喘呀！我是一个话剧工作者，许多年来，也不断地学习毛主席《在延安文艺座谈会上的讲话》，总想为无产阶级的文艺事业尽一点力，为人民做点工作。但是"四人帮"横行之时，我这么一点小小的愿望也不能实现。我看到我的朋友和同志动不动就被关起来，有的长期被监禁，有的被逼死。对我们这些上了年岁的文艺工作者，"四人帮"张口就是"镇压"，闭口就是"枪毙"。对巴金同志，他们就说过："不枪毙就是落实政策！"面对着这种残酷斗争，无情打击，我觉得真是无理可讲。在那些日子里，我整天忧心忡忡，哪里还谈得上创作欲望，谁又能违心地拿起笔呢？尤其是当我们失去了伟大领袖毛主席和敬爱的周总理的时候，我心里真有百念俱灰之感。现在真相大白了，是"四人帮"炮制了"文艺黑线专政"论，它像一条锁链，把我们的思想捆绑住了。他们利用这条锁链，大搞文化专制主义，棍子帽子满天飞。正因为捏造了这个"文艺黑线专政"论，"四人帮"就否定了十七年的一切，大造"空白"论，叛徒江青才得以自封为"旗手"，"四人帮"在文艺界的大小喽啰们才可以大搞帮天下，无产阶级的文艺成果也因此被砍杀一光。

十七年是否像“四人帮”所说的一团漆黑呢？十七年，尽管有刘少奇的修正主义路线对文艺事业的干扰和破坏，我们工作上也存在这样那样的缺点和错误，但毛主席的革命文艺路线是占主导地位的，成绩是主要的。伟大领袖毛主席和党中央一直很重视和关怀文艺工作。在这里，我只想说说我们敬爱的周总理对我们革命文艺事业和革命文艺战士的关怀。为了宣传、贯彻、捍卫毛主席的革命文艺路线，敬爱的周总理真是操碎了心。周总理离开我们已经有一年多了，我一想起他，就止不住热泪盈眶。这深沉的悲痛与怀念是难以用任何文字来表达的。每次我见到周总理，他总是教导我一定要好好学习毛泽东思想，要我把资产阶级世界观改造成无产阶级世界观。

在这里，我想提几件事。

一九五五年春节前夕，周总理在他日理万机之余，来看我写的关于知识分子思想改造的剧本《明朗的天》的演出。散场后，时间已经不早了，周总理同所有的演员、导演和工作人员在一起座谈。那时，正是毛主席发表《关于红楼梦研究问题的信》，号召大家批判资产阶级知识分子毒害青年的错误思想。北京人民艺术剧院的群众把这个批判运动搞得热火朝天。敬爱的周总理当着大家的面对我说：“曹禺，你想一想，你脑子里有没有资产阶级思想？我看是有的。你应该带头检查一下（当时，我是北京人民艺术剧院院长），你做个检查，通知我，我来听。”当时我觉得非常光荣，又有点害怕。我怕我讲不好。那时我不懂得什么“自我批评”，怕说不好，会惹周总理生气。后来，我硬着头皮讲了。我自己觉得这个检查很不像样，群众也不会满意。

检查之前，就没有通知周总理。我是想，周总理日日夜夜忙于中国革命、世界革命的大事，这点小事不要麻烦他了。现在回想起来，真是后悔莫及。我太好面子，终于没得到敬爱的周总理的进一步的教诲！假如那时我告诉了他，他来听过后，也许会批评我一通，但那对我是多大的教育，又是多大的幸福呀！这是我终生引以为憾的事。

敬爱的周总理对无产阶级文艺事业的重视和关怀是说不完、道不尽的。就拿我们北京人民艺术剧院来说吧，几乎每一个戏，他都来看，而且只要有时间，他总是到后台和作者、导演、演员，以及所有的舞台工作者见面，详细地询问，提出极其宝贵的意见。我们大家都衷心地敬佩他的意见。因为他十分懂文艺，而且他的意见都是经过深思熟虑的。而他，一位国家的总理，又是那样发自内心地谦虚，经常问我们："这个意见对不对？合不合乎实际？"他总是勉励我们深入到劳动人民的生活和斗争中去，一定要学好毛泽东思想。

周总理来北京人艺看戏，大半总是我陪着他。使我非常惊讶与敬佩的，是他对每个戏所表现出的全神贯注。有时他还亲自指导戏如何排。他经常问我；"这位演员的台词说得怎么样？你听得清楚吗？"有时他还亲自指导演员，一句台词应怎样说才好。周总理真是一位最好的观众，他不光自己看戏认真，而且还想到其他的观众。以前，他总是在闭灯前入座。群众一发现敬爱的周总理和他们一起看戏，楼上楼下便一同起立向他鼓掌、欢呼。他总是摇摇手，让大家安静下来看戏。以后，总理改变了习惯，他等着场灯刚闭，幕还未开的时候入场，为的是不妨碍群众。可是，当他前后左右的观众忽然发现他们身边就是敬爱的周总理，看到他那么安详地和大家一起看戏时，大家止不住激动，悄声转告，分享着这种又幸福又亲切的会见。在舞台的灯光下，我看得见观众的眼睛，闪烁着异样夺目的光彩，因为他们和自己的总理度过了一个晚上。

和普通的观众一样，总理从来是购票入场的。他如有事来晚了，总是站在最后一排，或是等到幕间休息时，再静静地入场，宁肯少看一会儿戏，也不愿惊动群众。平日，剧院有什么新戏要上演时，一般我总是早些时候被通知说总理要来看戏。有一次，总理实在太忙，晚到了一会，我就通知后台晚一点开幕。总理来到剧场得知这个情况以后，他生气地批评我："到时间就开幕，为什么要等我？这是旧习惯，一定得改，以后再也不许等我！"从此以后，我们都按时开幕，再也不等任何人了。

敬爱的周总理对首都的每个剧场都十分熟悉。首都剧场就是在周总理的亲切关怀下盖成的。盖成后，他来到剧场，说，这个剧场是不错的，但是不能让演员们总在这个剧场里演出。你们应该把戏送到工农兵群众中去，为他们演戏，接受他们的批评与教育，要坚持执行毛主席的革命文艺路线。此后，我一想到周总理对各种戏剧（尤其是话剧）的关怀和他的简朴、平易近人的作风，便联想到"四人帮"及其党羽看戏时的"排场"。总理看戏只留两个座位，而他们，人还未到便先空出七八排最好的位置。等他们来了，才能开幕！一到便前呼后拥，招摇入场，大声说笑，惊动全座，这真是在人民头上作威作福呀！一帮猪狗一样的东西。

在这里，我还想提一下和陈毅同志的一次见面。一九五八年，我因身体不适，在颐和园的一个角落养病。忽然，有一天，陈毅同志找我来了。他兴致勃勃，精神爽朗。当时，我十分高兴，也很激动。陈毅同志对我认真地说："你不要以为我是到这里来玩的，我是特地来找你的。"他谈到当时轰轰烈烈的"大跃进"运动，人民群众热火朝天的干劲，劝我不能总住在这里养病，应当走出去，去写那些干革命的人！临走时，他还一再说："你要写东西啊！"陈毅同志走了，他的一席话，永远留在我的心上。他对革命文艺事业的关怀，是我永远不能忘怀的。

谁说十七年是"文艺黑线专政"？这不仅抹杀了十七年毛主席的文艺路线、方针、政策指引下所取得的成果，也抹杀了周总理和中央其他领导同志忠心耿耿地贯彻执行毛主席文艺路线的丰功伟绩。十七年，在毛主席革命文艺路线指引下，文艺舞台和文坛上都取得了很大的成绩，单从话剧来说，就出现了《霓虹灯下的哨兵》《雷锋》等一大批优秀剧目。在"四人帮"长期封锁之后，今天这些剧目，还有不少电影、小说，又和人民重新见面了，受到群众的热烈欢迎，说明十七年的成就是抹煞不了的。

当前形势一派大好。为了使党的文艺事业更加欣欣向荣，我要拿起笔写反映社会主义革命和建设的剧本，追回被"四人帮"夺去的光阴。

迎接霞光灿烂的文艺春天

最近，以华主席为首的党中央领导我们批判“四人帮”炮制的“两个估计”，批判“文艺黑线专政”论。我作为一个文艺工作者，非常兴奋！这不仅是关系到发展和繁荣社会主义文艺的大事，而且是关系到解放亿万人民建设社会主义的创造力，实现四个现代化的大事情！

建国以来，在毛主席“希望有更多好作品出世”号召的鼓舞下，出现了许多好的和比较好的文艺作品。虽然刘少奇修正主义路线对文艺工作有干扰和破坏，但毛主席一直领导我们进行了有力的斗争，广大的文艺工作者努力坚持文艺为工农兵服务的方向，毛主席的革命文艺路线始终是占主导地位的，绝不是“四人帮”所说的“黑线专政”。

建国以后的十七年中，毛主席的文艺思想始终照耀着社会主义的文艺创作。毛主席一九六三年和一九六四年关于文学艺术的两个批示，对当时文艺战线的成绩和存在的问题做了全面的评价，是我们批

【题注】载1977年12月17日《北京日报》。

判刘少奇修正主义路线的有力武器，也是对文艺工作者的教育和鞭策。在当时，广大文艺工作者在毛主席的教育和鼓舞下，上山下乡，深入工农兵生活，创作了一批优秀作品。一九六四年全国京剧现代戏会演就涌现了一批好剧目。伟大领袖毛主席亲自看了《沙家浜》《朝阳沟》《霓虹灯下的哨兵》《红嫂》《江姐》等许多优秀剧目，这是对广大文艺工作者的极大鼓舞！可是叛徒江青却伙同野心家林彪抛出“文艺黑线专政”论，对毛主席亲自看过和肯定的一些戏加以否定。她攻击《朝阳沟》是“写中间人物的戏，还不算太下流”，扼杀《江姐》，不许演出，把毛主席发出两个批示以后出现的一批优秀剧目都扼杀了，用心是多么险恶啊！

在毛主席革命文艺路线指引下，原北京人民艺术剧院从建国以来上演了一百多出剧目，有反映社会主义革命和建设题材的剧目，如《龙须沟》《红大院》《明朗的天》《女店员》《春华秋实》《烈火红心》等；有以历史唯物主义观点进行创作的历史剧，如《蔡文姬》《胆剑篇》等；有优秀的外国剧目，如《伊索》等。这里应当特别提到，原北京人民艺术剧院的演出剧目，一直得到周总理的关怀。周总理是执行毛主席革命路线的光辉榜样，他关心我们思想和业务上的进步，在百忙中经常来看我们的演出，一再教导我们到工农兵中间去，为工农兵演出。

当然，我们的工作也存在缺点和错误，那是刘少奇修正主义路线的干扰所造成的，是由于我们觉悟低，没有完全执行毛主席的革命路线和周总理的教导所造成的。毛主席严厉地指出：“至于戏剧等部门，问题就更大了。”对于毛主席的批评，我们要永远记住，吸取教训，把工作做好。

“文艺黑线专政”论是强加在广大文艺工作者身上的精神枷锁，是扼杀革命文艺的绞索和刀子。“四人帮”实行资产阶级文化专制主义，把文艺工作者打成“黑线人物”“修正主义苗子”，对优秀作品随意砍杀，制造“空白论”，给文艺工作带来空前浩劫，造成一帮独霸，万花纷谢，“一家作主”，万马齐喑的严重局面。许多我们熟悉的同志如郑君里、孙维世同志都被他们害死了。在“四人帮”的统治下，我心情很不好，心灰意懒，觉得自己像被扔在仓库里的一台没有用的破机器。现在华主席一举粉碎“四人帮”，我就心情舒畅，精神焕发，觉得自己是一台添了油的机器，又能够为社会主义、为人民开转了！现在，大家精神振奋，斗志昂扬，文艺界百花盛开的春天到了！我相信，粉碎了“文艺黑线专政”论，我们无产阶级文艺园地将是霞光灿烂，万紫千红！

重看《龙须沟》

春节，火爆极了。一年一度的这个节日，今年格外喜庆。街上热烘烘的，家中热烘烘的，人的心里更是热烘烘的。这是因为，又一个新春来了。

我爱谈春天，爱写春天，而今春更值得我赞美。作为一个文艺界的老兵，我分明是看到了满园的百花，争相吐艳，美不胜收。其中有这样一朵，就是根据老舍同志的同名话剧改编的影片《龙须沟》。

十多年了，我又一次看到了《龙须沟》，十分激动。我还清楚地记得第一次看北京人民艺术剧院上演话剧《龙须沟》时的激动心情，相比之下，今天竟甚于往日。我想，这是因为粉碎了“四人帮”的桎梏，把“文艺黑线专政”论的大棒扔进了垃圾堆，一大批文艺作品重见了天日，一大批文艺工作者吐出了闷气。老舍和他的《龙须沟》就是其中之一。

真是畅快！真是欢欣！“四人帮”横行时，这是想也不敢想的事，

【题注】载《人民电影》1978年第2—3期。

而今日，华主席领着我们做了。我们济济一堂，我想，如果老舍同志还在，他也会和大家一样欣喜的。

《龙须沟》是老舍同志在解放初期写的。在这个剧中，我看到的是一条有生命的龙须沟。因为生活在龙须沟两边的人们，他们的命运和这条沟紧紧地系在一起。这条肮脏的臭水沟，就像是那肮脏的旧社会，而龙须沟的人又是挣扎在社会底层的人们的缩影。

我们常常说：度过严冬，才更喜爱春天。当我们看到《龙须沟》中的程疯子、娘子、小英子和他们所生活的小院子中的苦难生活，我们是多么地压抑，悲愤。人不禁要发问：这样的世道难道还能继续吗？只能有一个回答：不能了！当我们随着剧中的人物迈进了我们新的社会主义社会，我们又是多么地欢畅、幸福。我清楚地感觉到这喜气充满了周身，心中暖了。人们情不自禁地要欢呼："共产党万岁！毛主席万岁！"在旧社会的阴云雷雨之下的污浊的龙须沟，在新社会的阳光里变成了一条欢乐的街。龙须沟的命运，也就是我们人民的命运。这一点老舍同志是深深地感受到的，我们也深深地感受到了。

我想老舍同志写《龙须沟》意义正在于此。

老舍同志是我的前辈了。我和他相识很早。在重庆时，他就曾经受到敬爱的周总理的教诲，后来也是这样。一九四九年解放时，老舍正在国外。记得周总理曾对我指示说，给老舍写一封信，让他回来吧，回来写作。我遵照周总理的指示，给老舍同志写了信，他一得知周总理叫他回国，就立刻起程，很快地回到了祖国的首都北京。祖国的巨变，北京的巨变，使他振奋不已，欢喜不已。拿起笔来歌颂它吧，我相信，这就是《龙须沟》的创作动机。

老舍同志热爱社会主义，他经常用他的笔配合党领导下的历次政治运动。在他身上，我们可以看到，由旧社会过来的老作家，新社会焕发了他的精神，所以人们常说老舍是个多产的作家。应当说：他还是个风趣、热情的老人。记得我女儿小的时候写了一首小诗，他看到后，高兴得很，打趣地赞扬说：结识了一位小诗人。并且在他谈写作时还提到。说到这儿，我想到，他对业余文艺创作者也是大力帮助的，热心地教他们如何写作，这种精神是我应当学习的。同时，我非常敬佩他的辛勤劳动，他很少让他的笔停下来，我想，作为一个文艺创作者，是应当具备老舍同志的这样一股干劲的。

老舍同志生前写了大量的作品，许多是为人民喜闻乐见的。可是，这些作品和其他作品一样，被“四人帮”踩在脚下，不让生存，更谈不上和观众见面了。“四人帮”以为他们可以一手遮天，甚至一手为天，抹杀一切。然而，历史否定了他们！真正为人民所欢迎的作品是有生命的。今天在华主席为首的党中央领导下，这些作品又焕发出青春的光彩。

所以说重看电影《龙须沟》，我喜悦、激动，思绪万千，为了这个好的作品，为了我的朋友老舍，为了我们的春天。

一九七八年二月十四日

献给周总理的八十诞辰

三月五日，是敬爱的周总理八十诞辰。他生前，我们不知道他的生日，即使知道，他也不允许给他祝寿；今天，他不在了，我们可以向他老人家祝寿了。在这个时候，我想说：总理，我们的好总理，你活了八十岁了，你的寿命是没有止尽的，你是一位永远活着的人。

此刻，春风与你相伴，你奔忙在祖国的大地之上。工人在想着你，农民在想着你，……在这大好的春天，你该不是要来了吧！从工厂的大门走来，从绿油油的田野上走来……碧空里，一架银色的飞机远去，我竟觉得，那是你又去出国访问了。这样的痴想，是如此地真切，它……

我常常独自地这样想，有人说，这是因为上了年纪的缘故。也许是这样吧！但是孩子们说，他们也有这样的感觉。我们伟大的周总理啊！我们永远忘不了的周总理啊！

我认识周总理将近四十年了！这四十年里，和周总理的每一次见

【题注】载《北京文艺》1978年第3期。

面，谈话，都是我人生道路上光华的时刻。每次回想起来，就像有一团火，炽热着我的心。

当年，白色恐怖的重庆，有两座煌煌火城，那就是红岩村和曾家岩。我就是被吸引，被温暖的人。

我终生不忘那一天——“周先生请你去做客”。

到了曾家岩，我由人领着走进一间简朴的屋子，迎面碰上总理炯炯的目光。国统区是阴沉的，但周先生所在的地方却阳光明丽。话谈到一半，防空警报响了！总理让我和他一起上山。当我们登上山顶时，日本帝国主义的飞机已经向山城扔下了许多炸弹，一股股浓烟腾起。面对这样的屠杀，我郁闷地说不出话。我望着总理。总理的面容愤慨而严峻。他指着火光起处，痛斥日本帝国主义的凶残，告诉我中华儿女必须团结一心，奋起抗日。虽然在当时的重庆，听不到反击的炮声，但是总理的话使我坚强，给我力量。我相信共产党是坚决要抗战到底的！从那时起，我靠近了党。

见过周先生，总想再见他，总想常见他。而我们敬爱的周总理也总是在繁忙中抽出时间和我们谈话，教诲我们。那个时候，只要是去曾家岩，走起路就脚下生风。心里头也畅亮极了。一踏进曾家岩的小门，就觉得把国民党陪都的污浊都撇在了外面，在这里能呼吸到新鲜的空气。一眼看到周总理亲切的微笑，阳光就照进了心中。那时，像我这样的知识分子是很穷的。有时吃不饱肚子。周总理知道了，邀我们到曾家岩和他一起吃饭。重庆的冬天，十分阴冷，周总理看我穿着单薄，送给我一块延安纺的灰色粗呢，让我缝衣御寒。

后来，我向总理提出想到延安，想离开国统区的丑恶和阴暗。周总理谆谆善诱，要我留下。他说：这里需要人，国统区也一样有重要的工作要做。后来，我逐渐看清了，笔就是一种用来战斗的武器，我应当握着它，为祖国、为人民、为无产阶级而写。这也正是周总理所希望于我的，也是我要终身来做的。

一九四九年全国解放后，我到了北京，这使我能有更多的机会见到周总理。

周总理十分关心文艺界，他常常到首都剧场看戏。每次我都被通知来陪他。总理看戏总是买票，从不马虎。多少回啊，我看到人们忽然发现周总理竟坐在他们身旁，那惊喜万分的目光，饱含着深厚的感情和敬意。总理热爱人民，他在任何场合，都尽可能地和群众打成一片。他的心是和人民息息相通的。

总理熟悉文艺界，对艺术十分在行。他认真地看戏，并且对剧本、对表演，甚至细到台词，都提出自己的意见。他曾说：演员的台词一定要让观众听清。演员表演应是：眼中无人，心中有人。谈到创作，他说，要深入生活。应当是长期积累，偶然得之。只要他不忙，他时常在看戏之后就到后台看一看，和演员亲切地谈话。有一次演出结束后，总理又到了后台，那已是十一点多了！他问起同志们的生活、工作、学习，最后问道：你们住在哪儿？当他听说北京人艺的宿舍离剧场不远。他就说，走，我们去看看！就在灯市口那条马路上，五月的风迎面拂来，芬芳而温和。街上已经没有人了，敬爱的周总理和演员们一起走着，当他看到灯下一位清洁工人正在打扫马路，他立刻走上前去，握住他的手！说：同志，你辛苦了。多么好的总理啊，他对每一位为社会主义祖国辛勤劳动的人，都怀着极深厚的感情。

总理来到史家胡同人艺的宿舍，学员们从睡梦中醒来，看到总理站在床头，揉了揉眼睛，再揉揉眼睛，他们才相信这是真的。周总理对我们说：你们在城市太舒服了，应当下去，到工厂、农村，为工农兵演出，和他们打成一片。周总理就是这样地时时刻刻用毛主席的革命文艺路线来教育我们。

那是在一九五四年，周总理看了我写的一个戏之后，在和演员谈话时，他对我说："你头脑里有没有资产阶级思想呀，不会没有吧？你要检查检查，检查的时候通知我，我来听！"我按照周总理的指示，做了检查。但是，当时我想，周总理那么忙，我个人做检查，怎么好占用他宝贵的时间呢！思来想去，没有通知他！周总理没有听到我的检查，当时，如果周总理听了我的检查，一定会帮助、教育我，指导我迈进一步。这件事使我后悔终生。

总理的关怀和教育是说不尽的，他对人的批评尖锐，同时又很中肯！

有一次总理和我谈到我写的一个剧本《明朗的天》，当时我想到剧中的一个反面人物，应当把他写成右派。总理立即指出，"反右"斗争那时还没有开始，作者应当实事求是。

每一次见到敬爱的周总理，我都从心里感到欢畅。我为能时常听到他的话，得到他的教诲而感到幸福。

"文化大革命"以后，我再也没见到他，我是多么想念他，多么挂念他啊！

一九七三年，我失去了伴侣。一天，忽然一位多年不见的老朋友来到我家，她告诉我：总理让我来看看你。听到这句话，我不禁激动得老泪纵横；她还告诉我，总理想给我安排一点社会工作，使我分散一下思想，帮助我振奋精神。总理啊，你那么忙，可还记挂着我。事后我给总理写了一封信，向他表示，我愿意用自己的余年为党多做工作！那时候周总理已经病了，而且，“四人帮”也在凶残地迫害他。他和邓大姐让秘书给我回了信，教诲我要好好学马列，读毛主席的书，保重身体！

一九七五年，在四届人大的主席台上，我终于看见了总理！他向我们，向全国人民做了政府工作报告，那是我最后一次远远地望见他。一望见他那熟悉的身影，我的眼睛模糊不清了，并不是因为眼睛昏花，而是被泪水遮盖了。我是多么地想走上前去，挨近地看看他，问候他的身体，对他说上几句话啊！……

周总理离开我们已经两年多了！两年里我们的祖国发生了巨大的变化。当他八十寿辰的时候，我们可以尽情地向他报喜了，我们的祖国前进了！我们的人民意气风发，我们的党愈加坚强！

敬爱的周总理，你活着，在我们的心中活着吧！你会和我们一起看到祖国美好的前景，你会和我们的子孙后代一起看到共产主义的壮丽未来。

而我们，曾经亲身受到过你的“耳提面命”的人，永远是幸福的。

纪念易卜生诞辰一百五十周年

挪威很遥远，它远在北欧。我不曾到过那个风景绮丽的国度，但是它对于我并不陌生。我和挪威、挪威的人民相识很早，沟通我们的桥梁就是亨利克·易卜生（一八二八——一九〇六年）和他的杰出的剧作。

一八二八年三月二十日，挪威的这位伟大的戏剧大师诞生了。多少个年月过去了，亨利克·易卜生的名字并没有随着他的生命逝去，而是深深地留在挪威人民心中，也留在中国人民和世界人民心中。

挪威政府和人民正在隆重地纪念易卜生诞辰一百五十周年。在这样的日子里，我作为一个中国的戏剧工作者，遥寄我的敬意和纪念之情。

我从事戏剧工作已数十年，我开始对于戏剧及戏剧创作产生的志趣、感情，应当说，是受了易卜生不小的影响。

中学时代，我就读遍了易卜生的剧作。我为他的剧作谨严的结

【题注】载1978年3月21日《人民日报》。

构，朴素而精炼的语言，以及他对资本主义社会现实所发出的锐利的疑问所吸引。我至今还清楚地记得，早在本世纪二十年代，当我还是中学生的时候，学校里就曾演出过易卜生的名著《玩偶之家》。还记得，当年我们演出易卜生的另一部名著《国民公敌》的时候，曾被当时的反动军阀压制过。

对于易卜生的熟悉，不仅限于我个人。“五四”时期，易卜生的作品就已经被介绍到中国，在人们中流传了，在当时我国反对封建主义的斗争和争取妇女解放的斗争中，起到进步的作用。鲁迅先生在他所办的《奔流》刊物中，曾发过易卜生的特辑，向中国人民推荐这位挪威作家。早在一九〇七年，鲁迅先生在《摩罗诗力说》一文中，向中国人民介绍了易卜生，说他是“愤世俗之昏迷，悲真理之匿耀”。鲁迅还曾以“娜拉走后怎样”为题发表了演说。在易卜生的名著《玩偶之家》一剧中，女主角娜拉出走了，这正是易卜生所提出的尖锐的社会问题。娜拉对于宗教、道德、法律、婚姻的怀疑，也正是作者想要启发于观众的。然而娜拉的出路是什么，易卜生却没有给予答案。鲁迅先生在他的讲演中给了“娜拉”以深刻的评价和分析。

易卜生的早期作品，充满了爱国主义热情。他的剧本大多取材于民间的传说和英雄的故事，富有浪漫的色彩。当他的作品逐渐显示出现实主义倾向，而他成为一位“问题剧”的作家，向读者提出种种社会问题时，他遭到了当时反动势力的攻击。易卜生愤而出国，直到一八九一年才回到他自己的祖国。

易卜生鄙视旧社会制度的腐朽、虚伪。在一个时期，他的剧本向人们提出许多社会问题，引起广泛的社会影响。如《社会支柱》《玩偶之家》《国民公敌》《巨匠》等等。他所反映的是挪威社会广泛阶层人们的思想和生活，因而使得观众们跟着他剧中的人物去思考、讨论、质问。在这之中，易卜生是在努力地挖掘当时社会的病根。当然，易卜生的作品也不可避免地受着当时社会条件和他自己思想的一定限制。

易卜生是世界上有独创性的戏剧家之一。他在创作的内容和技巧上都开辟了一个新的天地。他是挪威戏剧史上的里程碑，他的影响遍及全世界。

恩格斯在一八九〇年给保·恩斯特的信中，谈到了易卜生，谈到了挪威的文学。他写道："挪威在最近二十年中所出现的文学繁荣，在这一时期，除了俄国以外没有一个国家能与之媲美。这些人无论是不是小市民，他们创作的东西要比其他的人所创作的多得多，而且他们还给包括德国文学在内的其他各国的文学打上了他们的印记。"恩格斯还指出，易卜生的戏剧不管有怎样的缺点，它们却反映了一个世界，在这个世界里，人们还有自己的性格以及首创的和独立的精神。学习恩格斯的这封信，使我们懂得了如何使用唯物辩证法的观点来了解易卜生，并汲取他的艺术精华。

今天，在挪威，易卜生这个名字依然在闪着它的光辉。我的一位朋友，不久前到挪威访问过。他告诉我：挪威的人民说，易卜生的剧本所反映的是地道的挪威的人物，挪威的环境，挪威的特点。易卜生被认作是挪威的光荣。当我的朋友对他们说，中国人民也很熟悉易卜生时，他们感到由衷的欢欣。

从二十年代，我读易卜生的剧本，到今天听我的朋友告诉我，挪威人民对于中国人民的热情与友好，我深深地为中挪两国人民之间的情谊所感动。中国解放以后，从五十年代初期，挪威就同中国建立了外交关系。从此，中挪两国的交往与日俱增，两国之间的文化交流频繁起来了。我们两国人民在感情上有了更深刻的相互了解。中挪两国的友好合作关系日益发展，两国人民之间的友谊日益深厚。

易卜生，这位全世界的戏剧巨匠，播下了文化艺术的种子，友谊的种子，这种子终于抽芽含苞，必将在中挪两国人民之间结出丰硕的果实。

他永远存在人们的心中。中国第八世纪伟大诗人杜甫吟泰山说："会当凌绝顶，一览众山小。"在易卜生的时代，易卜生是戏剧创作天地中的高山流水，人们的知音。他是挪威人民的骄傲，是人类文化宝库中的一颗璀璨的珍珠！

红杏枝头春意闹

我的眼前是一片明丽的阳光，窗外的杏花在阳光中争相吐艳。

去年秋季，落叶如金的时辰，我参加了全国自然科学规划大会。在那个时候，我见到了、相识了无数攻关的人们。今天，在盛大的科学大会上，我又无比兴奋地与我们时代的这些英杰们重逢了。古人曾经有这样一句诗，叫作“红杏枝头春意闹”。这真是对我们今日的一个美妙的比喻。

在我们祖国的大气中，春意已然不是在荡漾，而是在闹着，在叫着，在渗透着我们的周身。

如此的春意，不是大自然所能带来的。这是英明领袖华主席为首的党中央，高举毛主席的伟大旗帜，焕发了人民心中的光和热，使我们发烫的心，扑在实现四个现代化的战斗中。

在全国科学大会上，华主席和邓副主席的重要讲话，方毅同志的报告，好比一声春雷，震撼着大地，振奋人心。“提高整个中华民族

【题注】载1978年4月13日《人民日报》。

的科学文化水平。”何等气派，何等英明啊！亿万只手举起来了！整个民族都欢呼了：“真好啊！这太好了！”亿万只眼睛闪耀着灿烂的光彩，我们一定要完成这伟大的历史使命。

科学技术是生产力——马克思主义历来的观点，在打倒“四人帮”后的今天，在中国的大地上，又付之实践了。大寨人说得好，他们劳动最初是用提篮和铁锹，后来是小炮加手车，再后来，就是大炮加推土机了。工具改革一次，劳动效率就提高一步，使一冬干的活，赛过以往五个冬天的成果。这些说明是再生动不过的了。科学技术的发展，对于我们的社会主义建设事业，是力大无穷的。人民需要科学，人民热爱科学。向共产主义的伟大理想迈进，也是不能离开科学的。而万恶的“四人帮”，他们妄想愚化我们勤劳智慧的民族，扼杀我们祖国的文明，妄想让人民当刀耕火种的奴隶，而他们却做穷奢极欲的奴隶主。他们不懂做工，不懂种田，更不懂科学！他们是一伙不学无术的专搞阴谋诡计的复辟狂。今天，这一切倒行逆施，彻底地清算了！被他们毒化的空气，澄清了！人民被压制的力量，创造性，喷薄而出。仿佛一霎时，我们的国家突然出现了数不清的人才。群英满堂，实在喜人。

在科学大会期间，我听到了科学界的老、中、青，各条战线的代表们热烈的发言。有这样一种说法：“科学家是理性的化身。”其实，哪里呀！他们为祖国的繁荣富强而忘我工作的热情，实在是文学家的笔都难以形容的。应当说，他们是脚踏实地的实干家，然而他们每个人的生活，又都是一首激情的诗章。

有多少年过古稀的老科学家，他们兢兢业业，为祖国献出了他们毕生的精力。他们为人民创造了巨大的财富，其实，他们自己正是中华民族的无价之宝。他们为祖国赢得了荣誉，其实，他们自己就是中国的骄傲。

我曾读过介绍种棉能手吴吉昌同志事迹的通讯，我感动地流下了眼泪。“为了周总理的嘱托”——这是多少人在遭受林彪、“四人帮”迫害时，至死不渝的信念呀！

我还反复读了《哥德巴赫猜想》那篇文章，陈景润同志的形象，竟是那样深深地印在我的心中。在全国科学大会上，我见到了这位众人瞩目的数学家。当他走进房间，我仿佛觉得屋里豁然一亮，并非他是什么神人，而是他所具有的美好的内心世界对于人的感召。

他向我们大家鞠躬，称我们为“各位老师”。而我们这些年纪大的人，着实是万分惭愧的。他仅有四十二岁，但是身体虚弱，面带红潮。他患着肺病，医生让他全天休息，可是他不肯。当我们问及他的身体时，他回答说：“我每天睡得很少，人家说我不听医生的话，但我只有这样了。我要革命加拼命，拼命干革命，有命不革命，要命有何用！”陈景润同志是这样做的，为了数学研究，他确是达到了忘我的境地。他为社会主义的科学事业做出了重大的贡献，这就是红与专的统一。

我们有多少这样勤奋、坚韧的科学工作者，实在举不胜举。听着他们认真而尽兴的发言，尽管我们不懂得那些学术性的问题，但是我感受到了发言中的节拍，那就是要突飞猛进。我也感受到了其中的决心，为实现四个现代化献出余生。

我想到了一句古话：“书到用时方恨少。”由此，联想到学习之重要。今天，以英明领袖华主席为首的党中央非常重视教育事业，重视对青少年的培养，重视培养人才。这正是在为我们人才辈出，群星灿烂的新时代奠基铺路。

有一次，我散步，碰到一群小朋友正在读书。我走过去问："你们在读什么?"他们异口同声地回答："我们在学德文。"我吃了一惊！一个十岁模样的小姑娘问我，"爷爷，你会德文吗?"我说："我年轻时会读的，现在都忘记了。"她接着又问："爷爷，学了外语，我们就可以学习外国的好东西，是吗?"望着她稚气的小脸，我又吃了一惊。我说："是的！"孩子们笑了，又开始朗读起来。

听着那清脆的童声，我的心跳得急促起来，我很激动。我分明感觉到一股股新的生命力，在祖国的大地上勃勃滋生。向前看，更光明！今天，在这"红杏枝头春意闹"的日子里，我要向老一辈的、中年的以及青年的科学工作者，还有那些未来的科学家们，表达我最深的敬意。我们现在所做的，就是建设一个新世界的伟大事业。

我要说：陈景润用他手中的笔，计算出了世界称誉的"陈氏定理"。我也要用我手中的笔，唱出一曲曲时代的颂歌。为了四个现代化的实现，为建设成社会主义的现代化强国，为了这伟大的历史使命，让我和你们一起奋斗！

在新的长征的道路上（节选）

我参加第五届全国人民代表大会，被选为人大常务委员会委员，这是党和人民给我的极大的信任和荣誉。我的感激和振奋的心情是难以形容的。

回想在“四人帮”横行时期，我们这一些老的戏剧工作者被诬为“文艺黑线”人物，把种种莫须有的罪名强加在我们头上。有的被“四人帮”迫害致死。英明领袖华主席为首的党中央，根据伟大的领袖和导师毛主席的遗愿，粉碎了“四人帮”，砸烂强加在我们身上的精神枷锁，现在又率领我们开始新的长征，为在本世纪内把我国建设成为

【题注】载《人民戏剧》1978年第4期。署“人大常务委员会委员、剧作家”。按，文前编者说明：“在抓纲治国一年初见成效后的绚烂春日里，我们伟大的社会主义祖国，顺利地召开了第五届全国人民代表大会和第五届政协委员会。戏剧界参加这两个历史性盛会的部分代表和委员，热情地为本刊撰稿或发表谈话，畅谈参加这次盛会的兴奋和激动心情，深切怀念伟大领袖毛主席和敬爱的周总理，讴歌英明领袖华主席和党中央，愤怒揭批祸国殃民的‘四人帮’，表达为实现四个现代化贡献力量、繁荣社会主义文艺、进行新的长征的雄心壮志。下面是他们的文章和谈话的摘编。”发言总题《在新的长征道路上》，曹禺发言排在首位。

伟大的社会主义现代化强国而奋斗。

在这次代表大会上，我亲聆华主席的政府工作报告和叶副主席关于修改宪法的报告，还参加了发展国民经济十年规划纲要的讨论，我浑身有使不完的劲。我今年六十八岁，如果和广西壮族自治区的代表百岁老人冉大姑相比，我应当算是年轻的了。冉大姑一百零五岁还坚持参加农业劳动，我要学习这种精神，争取活到二〇〇〇年。在这二十多年中，每年每月，每分每秒，都要努力为人民写作，歌颂工农业战线上的光辉业绩，为实现四个现代化做出贡献。

我现在正在写敬爱的周总理生前要我写的一个剧本《王昭君》，已经写了两幕。我争取近则在几个月内完成，晚则在本年内完成。写完这个剧本以后，我还要写反映社会主义时期的三大革命运动的剧本。

前些日子，我参加科学规划会议，访问了一些科学工作者。科技战线有无比生动而丰富的先进事迹，需要我们文艺工作者去反映。

华主席领导的新的长征开始了，我们戏剧工作者应当动员起来，为完成新的发展时期的总任务，贡献我们的一切力量！

看《最后一幕》

闭幕了，掌声渐渐平息。从剧场走出来，观众都兴奋而活跃。我也是同样的激动。我要说《最后一幕》确是一出好戏。

《最后一幕》，歌颂了我们敬爱的周总理，是他为了更广泛地开展白区的革命工作，亲自建立了十个抗敌演剧队，宣传抗日主张，宣传团结进步，唤起民众，打击反动势力。演剧队热情地为人民大众演出，他们是一支不拿枪的战斗队伍。

在这支队伍里，有我们党的地下工作者，有进步的青年们，有多少人在这场斗争中成长起来，成为坚强的革命战士，又有多少人在他们的影响下，加入革命的行列。

正因为如此，小小的演剧队，才被国民党视为洪水猛兽，派来“向世仁”之流，妄图控制演剧队，围剿革命力量。

对于这样的一支队伍，国民党恨得要死，江青也恨得要死。她污蔑说，演剧队是国民党的别动队，在与一个外国记者的谈话中，她特

【题注】载《人民戏剧》1978年第4期。

别提到《最后一幕》，她大打出手，将这个剧定为“反动剧目”。并且迫害作者兰光及演剧队的同志。过去国民党迫害演剧队，江青竟继承了他们的衣钵。

江青和国民党一样，这样仇恨演剧队，这是因为演剧队一直是在周总理的亲切关怀下成长、战斗的！周总理的教诲时时鼓舞着和温暖着演剧队同志们的心。他们努力工作，是我们党的一支得力的宣传队。

正因为如此，多年来，《最后一幕》被“四人帮”列为“禁戏”“反动戏”，不得见天日。感谢英明领袖华主席，一举粉碎了“四人帮”，砸碎了“四人帮”的桎梏，《最后一幕》才得以再次登上舞台，与观众见面！这个戏也是一枚炮弹，有力地轰击了“四人帮”及他们的“黑线专政”论。

广大工农兵群众欢迎这个戏的演出，一方面是因为这个戏的政治意义，一方面是因为这个戏是真正的话剧，一反“四人帮”所谓“三突出”的原则，向我们展现了活生生的人物和他们的斗争生活。

江青无耻地说：要救活死了的话剧。话剧并没有死过。[1]《最后一幕》就是话剧的历史生命中一个健康、美好的细胞。这样的好戏多得很，举不胜举。

反之，“四人帮”控制下的剧本创作，倒是僵死的，不可信的，脱离生活的！因为他们的那套创作原则，完全不从生活出发，不深入生活，而是主观臆想的，违背唯物辩证法的一派胡言。

1　此句论戏剧本作“历史告诉我们：话剧从不曾死过。”。

《最后一幕》的创作与演出是对“四人帮”的“三突出”原则的有力批判。

剧中的正面人物有血有肉，栩栩如生。因为他们都是时代的产物，是当时的生活与斗争的产物。人们首先信任了他们，自然就关心他们的命运，而戏也就会引人入胜了。

剧中的众多人物并非是来陪衬什么“一号英雄人物”的，他们都是在这场斗争中的各种不同身份、不同思想的人。他们之中并没有绝对的、“完美无缺”的所谓“一号英雄人物”，但是，我们却可以在那些热情、正直的革命青年身上，看到某些自己过去的影子。而青年人也会在他们的思想、感情中找到相近之处。因此当他们成长了，进步了，坚强了，我们也就受到了教育。当他们的斗争胜利了，我们也感到由衷的喜悦。我想，剧本就是应当这样地作用于观众的。[1]

“四人帮”出于篡党夺权的阴谋，按他们的需要编他们的戏，什么“走资派”“臭老九”，什么“反潮流的战士”“高大的英雄”，对这一套，人民早已反感万分，厌恶万分！那时人们不能多讲，便说：这样的戏，看了前便知道后，实在不用看了。可见，人们不光对“四人帮”的反动本性看透了，而且对于他们公式化的作品，也早已看够了。

《最后一幕》，写的是演剧队在一九四八年斗争的一幕。这斗争正是由许多的人物来组成的！在这之中，每个人物都展开了他的思想及活动。应放、大姐等党的工作者，用自己的革命热忱和党的原则，

1　此句论戏剧本作“我想，剧本就是这样感动了观众，鼓舞了观众。”。

团结起演剧队的青年们，与国民党针锋相对地展开斗争！为了坚持不演反共戡乱戏的政治原则，他们有勇有谋，利用合法斗争形式，进行抵抗，弄得国民党无所措手足。剧中蒋暇这样的专做上层工作的地下工作者，也利用演剧队的身份，积极活动，为党工作。剧中还有另一条线，石秘书，他是我们党打入国民党军队中的地下党员。他不露声色，稳扎稳打，在关键时刻帮助演剧队顺利返回解放区，给人以很深的印象。

国民党派来的队长向世仁，活灵活现！他是个愚昧的、自大的反动官员。剧本中以他的失败为结尾的写法巧妙、精彩！这个剧本是从生活中来的，从斗争中来的，所以生动真实。剧本的结构也很生动，一环扣一环。四幕的结尾都很有戏剧性，绝非帮气十足的亮相结尾可比。[1]

作为话剧，语言十分重要。语言枯燥贫乏的话剧，一定不会是好的话剧。因为话剧重要的艺术手段是通过语言来表现人物及主题的，与电影、戏曲都有所不同。

语言首先要是具有人物性格的语言。《最后一幕》正是如此。每个不同的人物有不同的语言，反映出他们不同的思想感情。比如剧中苏力与白灵虽然同是青年，又爱好艺术，而且在相互恋爱，但是他们的思想不同，所以说出的话也不尽相同！表现出他们以前各自不同的生活道路，及对面前所发生的一切的不同态度。

语言的性格化在《最后一幕》中得到了体现！语言的性格化，来

1　此句论戏剧本作“四幕的结尾都很有戏剧性，很有神采。”。

自于人物的性格化，而人物的性格化又来源于生活！演剧队中的众多青年，各有各的脾气、性格，也各有各的语言。他们有理想，有幻想；有志气，也有稚气。相形之下，“四人帮”的帮文艺，语言贫乏，人物苍白无力，标语口号充塞。仅仅是这种“手法”，就绝然没有艺术的感染力，只是艺术的僵尸。

文学艺术要有热情，有理想，有感染力。又要忠实于生活，从生活出发，创造典型。毛主席早就指出：“革命的现实主义与革命的浪漫主义相结合。”这就是我们文艺创作要遵循的唯一正确的创作原则！

十多年后又一次看了《最后一幕》，突出地感到“四人帮”的“三突出”原则实在是骗人的鬼话！人民对于这个戏的欢迎、喜爱就是最好的证明。

华主席最近在五届人大的政府工作报告中指示我们要整顿文艺工作，扩大文艺节目，丰富文化生活。现在已有各种形式各种风格的革命文艺作品与群众见了面，还有许多正在创作之中。我们的社会主义文艺日渐繁荣起来了！我们要加倍努力地工作，不辜负毛主席、周总理生前对我们的关怀与期望，让我们祖国文坛更加放射光芒。

看话剧《丹心谱》

苏叔阳同志创作的、北京人民艺术剧院上演的《丹心谱》，是一个很好的话剧。我曾看过联排，彩排和演出，每一次观看，心中都十分激动。我想，使我激动的原因是很多的，但主要还是剧中的人物给予我的深深的感触与感召。

作为一个戏剧创作人员，多年来，我倾心于人物。我总觉得写戏主要是写"人"；用心思就是用在如何刻画人物这个问题上。而刻画人物，重要的又在于揭示人物的内心世界——思想和感情。人物的动作、发展、结局，都是来源于这一点。《丹心谱》，正是努力地在刻画人物上下了功夫的。

我曾和许多人一起看过这个戏。有逻辑思维的科学家（当然，他们也用形象思维而且有丰富的感情的），有饱经风霜的老干部，还有我年轻的孩子们。我和他们一起落下了感动的泪水。我想，这就是因为剧中的人物，从各个不同的角度，触动着、震动着、激动着我们的

【题注】载1978年4月19日《光明日报》。

心，从而教育了我们。之所以能达到这样的境地，首先，这些人物是在我们的生活之中。也就是说，真实。我相信，有许多老科学家会在老医生方凌轩的身上看到自己的影子。方凌轩的独白，正是他们的所思，方凌轩的经历，正是他们曾走过的路。而方凌轩又是更加强烈地，鲜明地，集中地表现了他们，这些为社会主义祖国的科学事业献出终生的人。

方凌轩，这位老知识分子，他作为剧中的主人公是成功的。他耿直，刚强，纯洁。他心不存私念，敢于直言，认真不苟。性格表现的很突出。这位老医生深深地爱他之所爱，他心中的圣火与光明——敬爱的周总理。他卑视那些丑类，并且，决不以轻蔑了之。当他洞察了“四人帮”及其亲信的阴谋，他凭着自己正直的心，奋勇地迎上去，给以痛击！他并不感到自己是英雄，他是在行他的路，而这条路，正是毛主席、周总理为他指出的。

作为方凌轩的女婿庄济生，那又是另一番“功夫”了。这是一个伪君子！他从政治上投机，到科学上撒谎，从出卖原则，到出卖灵魂，而这一切都来自他极端的利己主义！说他是一个“风派”人物，我觉得很合适。庄济生并不张牙舞爪，丑态百出。他是在他的生活中，或说在戏剧的发展中，逐渐地暴露了他污浊的内心。他自以为精明，在政治大搏斗的旋涡中，不被吞没，最好是扶摇而上，他是什么都干得出来的，以至背叛人民，用他卑劣、渺小的心胸，对待人民无限崇敬和爱戴的周总理。然而他有着伪善的面孔，一个“孝顺的女婿”，一个“忙碌的党委委员”！谁能说，我们的生活中没有这样的人呢？“四人帮”的社会基础正是这样一伙为自己而活着的丑恶小人。

耿直的方凌轩终于真正地认识了他！戳破了他空虚的内心！方凌轩怒斥庄济生那一段戏是很精彩的。剧作者只用了简练而有力的几句话："滚！"又一声："让他和我划清界线！锁上大门！"让人们感到斗争如此地切肤相关，又如此地惊心动魄！

这样的一对翁婿，从思想上的水火不容，而发生深刻的矛盾，剧烈的冲突。正是通过这点，推动了戏剧情节的发展，直至最后的决裂一场！夫妻、母女、翁婿，曾是血肉相连的人物之间，发生了深刻的不可调和的斗争！庄济生被同志、家人、历史所唾弃！然而方凌轩最后对他说："在你面前还有两条路：一条路，彻底毁灭；另一条路，改过自新。只要你能走上自新之路，我们方家的大门还是为你敞开的！"但得到的回声，是庄济生因空虚、孤立而发出的歇斯底里的"笑"，这些都是对于人物内心世界很好的披露！试看，如若没有这些笔墨，人物无力，那么再曲折、离奇的情节，也难以触动观众的心。

《丹心谱》一剧中，人物是有力的！除了方凌轩和庄济生之外，其他人物也十分生动。

其中方凌轩的至友，对当时的政治情势爱发个"牢骚"的老中医丁文中，就很有独特的个性。他有一副锐目，看人入骨三分，又有尖利的喉舌，与"风派"人物每见必战，击中要害！人物的语言痛快、淋漓，令人不忘！

再有，方老的学生郑松年，我觉得他像一株质朴的树木，根扎得深，因而立得牢，邪风不染，污泥不沾，可亲而又可爱！

方老的家人，妻子吴愫心，女儿方静淑，也给人以很深的印象！她们母女二人，一个爱丈夫，一个爱父亲。然而她们不仅是做妻子的爱，做女儿的爱，她们是爱方凌轩的心，这样一颗火热的心。所以她们患难与共。在方静淑与她的丈夫庄济生关系的处理上，毫不生硬。人们完全能够理解这样一对夫妇决裂的结局。并且为方静淑离开了耻辱而宽慰！

院党委书记李光，这个人物我也认为是成功的。他的每段戏，都不妨称之为恰到好处。他没有慷慨陈词，也没有绵绵话语，然而作为一个党的工作者的形象，是感人的！他不以激昂、强勇而耀人耳目，而是以平静、沉着、真诚而动人肺腑，正是他引导方凌轩认识了斗争的实质，并吸取了力量！剧中其他的人物，报社记者梁晨，方凌轩的侄孙女吴丽芳及退休工人老赵等等，都是活生生的，各有特色。甚至连没露几次面的那位“贾宝玉”陈新生，也如同小火花，闪出了亮光！

我对这些人物很有兴趣。正是因为作者成功地通过对这些人物的刻画及他们之间的矛盾冲突来揭示作品的思想意义，满腔热情地歌颂周总理，歌颂忠心耿耿为人民、坚持科学研究的医务工作者，无情地鞭挞“四人帮”及其亲信。写戏在塑造人物上，是要下功夫、费心思的。因为剧本的成功与失败，思想、内容表达的深刻与肤浅，我认为是取决于人物的刻画。

必须说，在《丹心谱》这个戏中，还有一位没有出面的人物，那就是我们最敬爱的周总理。他没有走上舞台与我们相见，然而，他是深深地走进了我们的心中。在方凌轩的身上，在李光的身上，在郑松年等等的身上，我们都看到了周总理教诲的力量！“〇三”新药的试制是一场激烈的斗争，然而以死相争，保卫周总理，这才是最最激动着我们的！在那些冰封雪冻的时辰中，正是周总理的心，温暖着我们的心！深夜，周总理给方凌轩老夫妻打来电话，关心“〇三”新药的试验，关怀他们一家，让人万万也想不到。然而，再一深思，总理正是这样的啊！我们有这样的总理是多么、多么的幸福！当方凌轩的医案印得，新药试验成功，准备向周总理汇报喜讯的时候，哀乐传来！他离开了我们。但是他的精神，他的理想，他的一片丹心，永远鼓舞我们去生活、斗争。

《丹心谱》的意义正在于此。

最后，我想提一下,《丹心谱》是北京人民艺术剧院恢复名称后的第一个戏，如果说《丹心谱》还有另一层的意义，我的感觉就是，她焕发了这个剧院的青春！周总理曾亲切地关怀过北京人民艺术剧院的许多演出，和同志们促膝交谈，谆谆教诲。今天，在华主席为首的党中央领导下，被“四人帮”压制的话剧事业又挺起了胸膛！北京人民艺术剧院排演《丹心谱》，就是要继承毛主席和周总理的遗志，加倍努力地工作。这是又一个长征的新的起点。让我们为这伟大的时代放声歌唱，让我们为人民贡献出艺术生命，让我们为实现祖国的四个现代化用尽心力，让敬爱的周总理望着我们前进吧！

曹禺同志开幕词

同志们：

今天我们大家很高兴能参加这次戏剧创作座谈会。召开这样一次戏剧创作座谈会是大家盼望已久的。现在经文化部党组批准，由《人民戏剧》编辑部组织这样一次座谈会，把全国各地几十位剧作家请来，欢聚一堂，许多多年没有见面的老朋友又见面了，大家一起学习毛主席、周总理、华主席对戏剧工作的指示，一起批判“四人帮”，一起交流创作经验和讨论戏剧创作问题。这对于提高我们的思想，进一步肃清“四人帮”的流毒和影响，繁荣戏剧创作，是非常有益的。我预祝这次创作座谈会开得成功！

【题注】收录《人民戏剧》编辑部编印：《戏剧创作座谈会文集》，1978年版。按，该书前言称：“为了总结一年来戏剧创作的成绩与经验，本刊编辑部于五月十七日至三十日，在北京举行了戏剧创作座谈会，有全国各地的近百名剧作家出席。会上，文艺界、戏剧界的同志们欢聚一堂，畅所欲言，深入地揭批了‘四人帮’的滔天罪行，探讨了当前创作中的问题，很有收获。现将这次座谈会上的讲话、发言，汇编成《戏剧创作座谈会文集》，供戏剧工作者学习、参考。这些发言，都是根据记录整理的，未经本人审阅，请勿外传，请勿引用。”

如果没有华主席领导我们粉碎“四人帮”，要召开这样一次戏剧创作座谈会是不可能的。大家都还记得，一九六二年春天，在敬爱的周总理和陈毅同志的直接关怀下，我们剧作者曾在广州召开了一次话剧、歌剧、儿童剧创作座谈会。那次会议尽管在具体工作中有某些缺点错误，但总的说来是对繁荣戏剧创作起了积极的推动作用的。毛主席教导我们，艺术和科学中的是非问题，应当通过艺术界、科学界的自由讨论去解决，通过艺术和科学的实践去解决。那次会议就是遵照毛主席的一贯教导，通过讨论去解决艺术上的是非问题，就是为贯彻毛主席“双百”方针和周总理对戏剧创作的指示而召开的。叛徒江青勾结林彪炮制“文艺黑线专政”论，煽动“怀疑一切，打倒一切”，把罪恶的矛头指向敬爱的周总理，为此，他们蒙蔽群众，蛊惑人心，竟把对戏剧创作的发展有益的广州会议诬蔑为“广州黑会”。在这里，我们要把这段被颠倒的历史颠倒过来，给广州会议平反，恢复名誉。

在“四人帮”横行的时期，戏剧界的同志和朋友们真是老死不相往来。因为“四人帮”的文化专制主义和禁锢政策压得大家喘不过气来。那时不用说是开会交流创作上的经验和体会，就是几个老朋友偶尔串门、拜访，也会被扣上“反革命串联”“黑线回潮”“搞裴多菲俱乐部”等等大帽子。“四人帮”把新中国成立以后十七年间产生的一大批话剧、歌剧和地方戏曲的优秀作品横加摧残，而且把不少优秀的剧作家、戏剧家迫害致死，像老舍先生、孙维世、海默同志等，当年都曾经和我们一起座谈戏剧创作问题，一起奋发工作，现在他们不在了。今天，当我们在这里欢聚的时候，不禁想起他们，想起许多遭受“四人帮”迫害的同志。他们可以瞑目了。“四人帮”欠下的血债都将一笔笔清算！我们广大的戏剧工作者已经砸烂“四人帮”强加在我们头上的精神枷锁，今天我们又在北京召开戏剧界的大会，这就标志着，“四人帮”疯狂破坏戏剧事业、迫害戏剧工作者那样一种局面已经一去不复返了。我们的戏剧事业已经开始呈现出一个满园春色的光辉灿烂的前景了。

当前文学、戏剧战线也和其他各条战线一样，形势大好。华主席和党中央非常重视戏剧事业和整个文化艺术事业的繁荣发展。去年十二月，华主席为《人民戏剧》题写刊头，同时又为《人民文学》题词，最近又批准全国文联和各个协会恢复活动。文联全国委员会将在最近几天召开。这一切都体现了华主席和党中央对戏剧事业和广大戏剧工作者的巨大关怀，体现了党中央对整个文艺事业的殷切期望，焕发了我们戏剧工作者心中的光和热。粉碎“四人帮”一年多以来，戏剧舞台出现了一派生气勃勃的景象。《人民戏剧》编辑部的同志们统计了一下，一年多来，全国戏剧舞台上新的大型剧目已有七十多台，其中有塑造领袖和老一辈无产阶级革命家的剧目，有揭批“四人帮”的剧目，其他种种，不胜枚举。除此以外，还有一大批小型剧目。特别是深受“四人帮”破坏的话剧也挺起了胸膛，焕发了英姿。这一切都说明了戏剧创作开始繁荣了，抽枝结果了！说明大家鼓足了干劲，怀着一个信心——把“四人帮”造成的损失夺回来！工业、农业、科技战线如此，我们文艺工作者也是如此地大干！我们有了数量，更要讲质量。我们要使戏剧创作更加蓬勃，更加活跃，更加富有思想性、战斗性；同时要加强艺术性、戏剧性，跟上我们伟大的时代，歌颂我们伟大的时代，无愧于我们伟大的时代。

今天参加这次戏剧创作座谈会的同志，在这一年来对戏剧创作的繁荣和发展都出了力，做了贡献。许多同志写出了新的作品，有的同志正在写或将要写出新的作品。我们可以充分利用这次座谈的机会，一起畅谈粉碎“四人帮”后无比振奋的心情，总结和交流一年来的创作经验，探讨我们在创作中遇到的问题，特别是塑造领袖形象和老一辈无产阶级革命家形象，揭批“四人帮”和发展不同形式、风格的戏剧作品方面所遇到的问题。总之，围绕着如何贯彻执行毛主席的革命文艺路线，执行“百花齐放、百家争鸣”方针和繁荣戏剧创作，进行充分的交流和探讨。我们要畅所欲言，各抒己见，认真讨论。这样我们的这个会议就一定能取得很好的成果！对今后的戏剧事业也会大有益处！

当前，我国社会主义革命和社会主义建设正进入了一个新的发展时期。这个新的发展时期的总任务，就是要坚决贯彻执行党的十一大路线，坚持无产阶级专政下的继续革命，深入开展阶级斗争、生产斗争和科学实验三大革命运动，在本世纪内把我国建设成为农业、工业、国防和科学技术现代化的社会主义强国。全国人民当前正在进行新的长征，我们的戏剧要为无产阶级政治服务，就要配合新时期的总任务，为完成这个总任务做出贡献。我们的戏剧创作应积极反映新的长征，歌颂新的长征中工农业等各条战线的英雄人物和光辉业绩。粉碎“四人帮”以后一年多来的戏剧创作虽然取得很大成绩，但和党对文艺工作的要求，人民对我们的期望，时代赋予我们的重任，还是相差很远的。我们还需再鼓干劲，更加振奋精神，积极投身到三大革命运动的第一线去，创作出更多更好的作品。

我们要遵照华主席的指示："坚持毛主席的革命文艺路线，贯彻执行百花齐放、百家争鸣的方针，为繁荣社会主义文艺创作而奋斗！"华主席在党的十一次代表大会上号召我们："应当动员起来，立大志，鼓干劲，遵照毛主席的遗愿，认真搞好各个文化领域的革命，坚持为无产阶级政治服务、为工农兵服务的方向，努力创作具有革命政治内容和尽可能完美的艺术形式的，丰富多彩的文学艺术作品。"我们批判了"四人帮"的文化专制主义和禁锢政策以后，许多被"四人帮"所扼杀的优秀的戏剧作品上演了，一些优秀的历史剧目和传统剧目也陆续和观众见面了，这是十分可喜的现象，也在一定程度上满足了广大群众对文艺生活的要求。但要完成华主席的要求："迅速改变'四人帮'破坏造成的缺少各种文艺作品的状况，扩大文艺节目，丰富文化生活。"我们一定要发奋创作，刻苦创作。这也是攻关！我们都要做努力攻关的人！华主席还指示我们："文艺创作的题材要多样化，以现代革命题材为主，特别要反映社会主义时期的三大革命运动，也要重视历史题材和其他题材。"在这一方面，我们要有一个规划，采取积极的措施，在题材上既做到多样化，又保证以现代革命题材为主。特别要努力反映社会主义时期的三大革命运动！各地方剧种要充分发挥各自的特点，绝不应削弱！充分运用各种艺术形式，为工农兵服务！

华主席在五届人大政府工作报告中号召我们："我们的文艺工作者应该有雄心壮志，努力创作出反映毛主席、周总理、朱委员长和其他老一代无产阶级革命家光辉业绩，反映我们党领导下的人民革命斗争的战斗历程的优秀作品。"华主席交给文艺工作者的这个任务是极其光荣的，这也是党和人民在新的发展时期对戏剧的要求。广大群众热烈期望戏剧舞台出现老一辈无产阶级革命家的光辉形象，出现反映党领导下的人民革命斗争的战斗历程的优秀作品。但“四人帮”打着反对写“真人真事”的幌子，反对文艺作品歌颂老一辈的无产阶级革命家。许多反映革命斗争历史的优秀作品，或是被诬蔑为“给错误路线翻案”，或者为某人“树碑立传”，要追查作品的创作背景等等，极大地扼杀了创作人员的积极性。华主席在五届人大对文艺工作者的这一号召，是对“四人帮”的谬论的有力批判，而且它将极大地鼓舞我们更努力去塑造领袖的光辉形象和反映革命斗争的战斗历程。这次参加座谈会的许多同志，近一年来通过创作实践已做了大量探索，积累了丰富的创作经验。我们希望在这次座谈会上能充分交流这方面的经验，探讨这个新的问题，使将来舞台上出现的领袖形象更加光辉。

戏剧战线和其他战线一样，现在的首要任务仍然是揭批“四人帮”，彻底肃清“四人帮”的流毒和影响。“四人帮”在戏剧创作方面的流毒和影响绝不可低估。由于“四人帮”是从盗窃戏剧革命成果起家的，长期插手和严密控制戏剧战线，散布了大量修正主义谬论，所谓“三突出”、“主题先行”论、“从路线出发”不从生活出发等等，对戏剧创作的影响很大。要肃清“四人帮”在戏剧创作上流毒和影响，除了继续揭批“四人帮”，批判“四人帮”反革命修正主义路线外，还要认真学习马列主义，深入生活，学习运用革命的现实主义和革命的浪漫主义相结合的创作方法。最近戏剧舞台上出现的一些好戏所以真实动人，较深刻地刻画了人物，揭示了人物的内心世界，就是因为作者有丰富的生活积累，有真情实感，从生活出发进行创作；也是因为作者运用了革命的现实主义和革命的浪漫主义相结合的创作方法的结果。我们希望这些作品的作者能在这次座谈会上介绍他们的创作经验。

生活是创作之源。除此而外，创作也要有基本功，要学业务，练业务，在研究戏剧创作上下一些功夫。这就包括借鉴、学习。

同志们！明年是建国三十周年，我们戏剧工作者要向党和人民献礼。文化部有一个初步设想，明年从五月至十月，各省都要拿出更多的优秀的作品。形势逼人，形势喜人。我们相信明年庆祝三十周年时，戏剧舞台上会百花竞艳，肯定比今年更加繁荣。为了创作更优秀的作品，我们应当深入工厂、农村、部队，到三大革命的第一线，有条件的同志可以去安家落户，年老体弱的作家可以走马看花，或下马看花。我们应当真正解放思想，彻底砸碎“四人帮”强加给我们的精神枷锁，大胆进行创作。成功时不要骄傲，失败时不要气馁。我们相信我们是可以拿出优异的成绩献给党和人民的。党和广大群众希望我们全体同志认真地探讨创作问题，交流创作经验，共同把这次创作座谈会开好！

我再一次预祝这次创作座谈会开得成功！

团结全国戏剧工作者，高歌猛进！

在华主席、党中央的亲切关怀下，在中央宣传部的直接领导下，中国文学艺术界联合会全国委员会扩大会议胜利召开了！我代表全国戏剧工作者向全委会表示热烈的祝贺！

这次全委会正式宣布中国文联、中国作协和《文艺报》恢复活动，并就各协恢复活动问题交换意见，这是十分令人鼓舞的大事，对今后我国社会主义文学艺术事业的发展必将产生积极的推动作用。[1]

我完全同意黄镇部长在全委会上的讲话，完全拥护黄镇部长对建

【题注】收录《文艺界拨乱反正的一次盛会——中国文学艺术界联合会第三届全国委员会第三次扩大会议文件发言集》，人民文学出版社1979年版，据以排印。又载《人民戏剧》1978年第7期，兹以通校（校注称“人民戏剧本”）。按，底本书前附注：“本书包括中国文学艺术界联合会第三届全国委员会第三次扩大会议的讲话、决议和大会、分组会的部分发言及书面发言。部分发言在汇集出版时曾有删节或修改。”人民戏剧本文下编者注：“曹禺同志的这篇文章以及后面袁雪芬、康濯同志的文章是他们在中国文联全委会扩大会议上的发言，发表时本刊作了删节。”中国文学艺术界联合会第三届全国委员会第三次扩大会议于1978年5月27日—6月5日在北京召开。

1　此句人民戏剧本无。

国以来文学艺术工作的估计及对今后文艺工作的五点意见[1]。正如黄镇部长所指出的，中华人民共和国成立以来，我国广大的文学艺术工作者，在毛主席革命路线指引下，努力实践文艺为工农兵服务的方向，取得了巨大的成就。这些成就是有目共睹的，是“四人帮”所抹杀不了的。

一年多来，文艺界在华主席、党中央的亲切关怀和领导下，拨乱反正，呈现出令人鼓舞的新气象。戏剧战线也是这样，出现了一派生气勃勃、欣欣向荣的景象。[2]一年多来，我们戏剧创作的成绩是巨大的。尽管叛徒江青给话剧判了死刑，叫作“死了的话剧”，但是，粉碎“四人帮”后[3]，话剧一马当先，成为揭批“四人帮”的先锋队。据统计，一年多来全国上演的大型话剧近一百台，其中有塑造领袖和老一辈无产阶级革命家的剧目，有揭批“四人帮”的剧目，有反映三大革命[4]斗争的剧目，题材丰富，形式多样，数量和质量都有很大的提高。戏剧工作者挺起了胸膛，焕发了英姿，怀着对“四人帮”的深仇大恨，决心把“四人帮”造成的损失夺回来，为完成新时期的总任务，为提高整个中华民族的文化水平贡献自己的力量。[5]

1　人民戏剧本无“完全拥护黄镇部长对建国以来文学艺术工作的估计及对今后文艺工作的五点意见”。

2　人民戏剧本无此句。

3　人民戏剧本无“尽管叛徒江青给话剧判了死刑，叫作‘死了的话剧’，但是，粉碎‘四人帮’后”。

4　此处人民戏剧本有“现实”。

5　人民戏剧本无此句。

在塑造领袖和老一代无产阶级革命家形象的戏剧中，我们看到已经上演的有九台话剧：出现毛主席形象的有《秋收霹雳》《杨开慧》；出现周总理形象的有《转折》《报童》《城下城》；出现贺龙同志形象的有《曙光》；出现陈毅同志形象的有《东进！东进！》。甘肃省话剧团和西安市话剧团的《西安事变》都同时出现了毛主席、周总理、朱总司令的形象。[1]一年多来，我们剧作者在塑造领袖和老一代无产阶级革命家的光辉形象方面已经迈出了可喜的一步，从不敢写到敢写，从一两句台词到成为戏剧的主角，领袖形象越来越生动，越来越丰富。每当舞台上出现毛主席、周总理、朱委员长和其他老一辈无产阶级革命家的形象时，观众情绪都非常激动，往往热泪盈眶、掌声不断。这种情绪反映了我国广大人民对革命领袖及老一辈革命家的深厚革命感情与深深的怀念，我们在演出中自己也受到深刻的教育和巨大的鼓舞。这些剧目的出现，标志着我们的戏剧创作已经进入了一个新的阶段。

一年多来，戏剧创作的另一个突出的成就是出现了一大批反映我党第十一次[2]路线斗争、揭批“四人帮”的剧目。已经上演的有《丹心谱》《峥嵘岁月》《悲喜之秋》《决战》《红旗飘飘》《枫叶红了的时候》等等。这些剧目揭露了“四人帮”篡党夺权的阴谋，热情歌颂了以华主席为首的党中央率领亿万军民一举粉碎“四人帮”的伟大胜利。许

1 此处人民戏剧本有“已经上演的戏曲中，西安的秦腔《西安事变》、南京的越剧《报童之歌》都出现了周总理形象。”

2 “第十一次”人民戏剧本作“十一次”。

多剧目抓住了亿万人民最关心的主题，紧密配合了当前的政治斗争，发扬了我国话剧的战斗传统，抒发了人民群众对党的热爱和对“四人帮”的痛恨的感情，因而受到了广大群众的热烈欢迎。

一年多来[1]，特别值得注意的是有不少剧目从不同侧面歌颂了英明领袖华主席、党中央。话剧《银河曲》《他们特别能战斗》都以一个侧面歌颂华主席的英明领导，体现了亿万人民的崇高愿望。

戏剧舞台上[2]取得的[3]巨大成绩是华主席提出抓纲治国，一年初见成效，三年大见成效的号召在戏剧战线上的具体体现。戏剧创作所以能够取得这些成绩，首先应当归功于华主席为首的党中央。[4]粉碎了“四人帮”[5]，推翻了“四人帮”在文艺界的文化专制主义和禁锢政策，把被他们颠倒的路线是非、思想是非、理论是非颠倒了过来。多少年来，“四人帮”炮制了各种各样的清规戒律、条条框框和创作模式，设置了种种创作上的“禁区”，散布了修正主义的流毒和影响，大大束缚了我们的手脚。今天，[6]戏剧工作者思想得到了解放，精神枷锁砸碎了，[7]长期被压抑的创作生产力一旦被解放，像开闸的洪流，喷发的

1 人民戏剧本无“一年多来”。

2 人民戏剧本无“上”。

3 人民戏剧本无“的”。

4 人民戏剧本无此句。

5 “粉碎了‘四人帮’”人民戏剧本作“华主席为首的党中央粉碎了‘四人帮’”。

6 “把被他们颠倒的”以下人民戏剧本无。

7 人民戏剧本无“精神枷锁砸碎了,”。

火山，发挥出意想不到的力量，[1]创造出前所未有的成就。我们还要更加扩大战果，在揭批“四人帮”的第三战役中[2]，进一步从路线上、思想上、理论上分清是非，发展戏剧路线的大好形势[3]，进一步解放戏剧创作的生产力，正确贯彻党的“百花齐放、百家争鸣”的方针，放手写，放手演，放手进行各种新的探索和尝试，以新的成就向国庆三十周年献礼。

戏剧创作之所以能够取得突出成绩的另一个原因是我们有一支经得起严峻考验的好的戏剧创作队伍。尽管“四人帮”挥舞“文艺黑线专政”论的大棒，把大量的优秀作品打成“毒草”，把大批文艺工作者打成“黑线人物”，进行政治陷害和打击，有的甚至被迫害致死。但是，我们这支队伍是毛主席、周总理亲自培养和哺育的，是经过“文化大革命”严峻考验的，是打不垮、砸不烂的队伍。[4]我们这支队伍无论是老一代的优秀戏剧家，还是建国以后培养起来的青年戏剧工作者，绝大多数同志是热爱党、热爱社会主义、热爱伟大祖国的。在第十一次路线斗争中[5]，向“四人帮”卖身投靠或甘当鹰犬的是极少数，大多数戏剧工作者都对“四人帮”的阴谋采取不同方式进行不同程度的抵制。即使在“四人帮”横行霸道时期，我们许多戏剧工作者都没

1 “发挥出意想不到的力量，”人民戏剧本作“就会”。

2 人民戏剧本无“在揭批‘四人帮’的第三战役中”。

3 人民戏剧本无“发展戏剧路线的大好形势”。

4 “尽管‘四人帮’”以下人民戏剧本无。

5 人民戏剧本无“在第十一次路线斗争中”。

有停止深入生活、苦练基本功，没有脱离群众。相反，由于[1]的生活体会和斗争经历，由于共同对老一辈无产阶级革命家的热爱和对“四人帮”的仇恨，我们的戏剧工作者和广大人民群众在思想上联系得更紧。他们在生活中有真情实感，和亿万人民心心相印，感情相通，因而能在粉碎“四人帮”后短短的一年多的时间里，演出大量歌颂老一辈革命家[2]、暴露[3]“四人帮”的优秀的戏剧作品[4]。一年多来，创作和演出的近百台优秀戏剧作品表明，我们的戏剧队伍不仅压不垮、打不散、整不掉，而且越战越壮大，越战越坚强。

当前，我国社会主义革命和社会主义建设正进入了一个新的发展时期，全国人民正在进行新的长征。我们的目标是在本世纪内把我国建设成为工业、农业、国防和科学技术现代化的社会主义强国。[5]我们的戏剧要配合新时期的总任务，完成时代赋予我们的重任。粉碎“四人帮”以后一年来的戏剧创作虽然取得很大成绩，但和党对文艺工作的要求，人民对我们的期望相比，还是相差很远的。要完成华主席的要求：“迅速改变‘四人帮’破坏[6]造成的缺少各种文艺作品的状况，扩大文艺节目，丰富文化生活”，我们一定要发奋图强，刻苦创作，努力达到革命的政治内容和尽可能完美的艺术形式相结合，使戏

1 此处人民戏剧本有“共同”。

2 人民戏剧本无“革命家”。

3 “暴露”人民戏剧本作“揭露”。

4 此处人民戏剧本有“来”。

5 人民戏剧本无此句。

6 此处人民戏剧本有“所”。

剧创作水平能有新的突破。这也是攻关，我们都要做努力攻关的人！

要繁荣戏剧创作，提高戏剧创作水平，我们一方面要积极投身到三大革命运动的第一线去，一方面[1]还要努力学习马列主义、毛泽东思想，提高艺术修养，刻苦钻研技巧。我们要苦练基本功，学业务，练技巧，在研究戏剧艺术上狠下功夫。这里我们要提倡戏剧家剧作家之间互相学习，交流艺术经验，讨论创作问题。召开创作座谈会是一种交流创作经验和讨论创作问题的好方式，对于繁荣和提高戏剧创作很有益处。但是，在“四人帮”的压迫下，不用说召开会议，连老战友之间的往来也成为罪状。一九六二年春天，在敬爱的周总理和陈毅同志的亲切关怀和直接领导下，[2]文化部和中国戏剧家协会在广州召开了一次话剧、歌剧、儿童剧创作座谈会，这次座谈会对繁荣戏剧创作起了积极的推动作用。广州会议之后，在华东话剧会演、京剧现代戏会演、中南戏剧会演以及各地的戏剧演出中，出现了大批反映当前三大革命运动斗争生活的优秀剧目。但这次对戏剧创作的发展起过有益作用[3]的广州会议，竟被“四人帮”诬蔑为“广州黑会”，我们应当把这段被颠倒的历史颠倒过来，给广州会议恢复名誉。他们诬蔑广州会议为“广州黑会”的反革命目的，不过是为了借此要把一大批参加会议的优秀剧作者打倒，进一步把矛头对着周总理和陈毅同志，以达到他们篡党夺权的目的。今天，这一反革命阴谋已大白于天下，成了

1 人民戏剧本无“一方面”。

2 此处人民戏剧本有“中央”。

3 “起过有益作用”人民戏剧本作“有益”。

“四人帮”反党的又一罪证。

最近经文化部党组批准，由《人民戏剧》编辑部召开了一次戏剧创作座谈会，来自二十七个省、市、自治区和部队的近百名剧作者聚集一堂，结合自己的亲身经历和感受揭批了“四人帮”的罪行和谬论，探讨当前戏剧创作上的重要问题，经过十多天会议，参加会议的同志普遍感到[1]收获很大。对今后戏剧创作的繁荣和发展将起到积极的作用。希望今后经常举行这一类[2]业务交流和学习讨论的活动。

组织文艺工作者进行学习和讨论，这原是各文艺协会的经常工作，自从协会被迫[3]停止活动以后，这项工作[4]已长久没有进行了。“四人帮”用对待敌人的方式，强行砸烂了各协会，下放了各协会的工作人员。戏剧工作者十多年来不能召开戏剧创作座谈会自不待说，就是偶然交流创作问题或串门、拜访，也会给扣上“复辟”“回潮”等大帽子，进行残酷迫害。陶钝同志就是因为去拜访了一下曲艺界的同行，就造成了所谓“陶钝事件”，“四人帮”以此要大整一大批协会及文艺界的老干部。现在根据华主席、党中央的批示，宣布中国文联、中国作协和《文艺报》恢复活动，并对其他协会恢复活动问题交换意见，这是多么鼓舞人心的大事。我们中国戏剧家协会也要积极准备，争取在最近期间正式恢复活动。

1 此处人民戏剧本有“参加这次座谈会”。

2 此处人民戏剧本有“的”。

3 人民戏剧本无“被迫”。

4 “这项工作”人民戏剧本作“这种活动”。

中国戏剧家协会和文联各协会都是在党中央、毛主席和周总理的关怀下成立的。十多年来，一直是在党中央、毛主席和周总理的领导下工作的。它们在团结各条文艺战线上的同志参加历次的政治运动中，在组织文艺界的政治学习与业务活动中，在国际文化交流中，在编辑文艺刊物的工作中，在组织创作和评论中，都起过积极作用，有过[1]重大影响。事实说明，文联及各协会的活动对繁荣社会主义文艺事业是有益的，是必要的。当前恢复中国戏剧家协会的活动，是党的需要，人民的需要，也是戏剧工作者的迫切需要。这是刻不容缓、势在必行的事！同志们！让我们团结全国戏剧工作者，在华主席、党中央的正确领导下，高歌猛进，为建成社会主义现代化的伟大强国而努力奋斗！

1 “有过”人民戏剧本作“和”。

郭老活在我们的心里

郭老逝世了。

我的心极其沉重、悲痛。我想，这种感情也许只有我及和我同辈的上年岁的人所有，而像我的孩子们那样年轻人的心，大约是不可能感受得这样地深切。因为，在我们这些人一生的路途上，郭老是撒过种子的。他浇灌过，滋养过；并且结出了果子。

郭老是我景仰的人。不论我认识他之前或之后，他都是我的老师。而像我这样的学生，是千千万万个的。

我在十几岁的时候，读了他的《女神》。我被震动了。《凤凰涅槃》仿佛把我从迷蒙中唤醒一般。我强烈地感觉到，活着要进步，要更新，要奋力去打碎四周的黑暗。我吟诵着这些诗，心中拜下了他这位老师。是他启迪了我。当时，我还是一个少年，从郭老的诗文中，我感觉到文学的力量，我领悟到文人的笔可以去刺破沉沉黑夜。我第一次想到效仿这位伟大的诗人，以笔为生，用笔开拓生命的大路。

【题注】载1978年6月20日《光明日报》。

在我年轻的时候，我一直是郭老主办的《创造季刊》的热心读者。当时，这个刊物在反动势力猖獗的北方，很难弄到；弄到后便欣喜万状。在那些进步的革命的文章中，我找到了反抗和叛逆的勇气。我懂得了当时的社会是不能与之共存的，否则只有被吞噬、死去。

我真正认识郭老是一九四〇年左右，在重庆。国民党的陪都一片腐恶，真是“前方吃紧，后方紧吃”，我们这些倾向进步的文化界人士，心中痛苦得很，郁闷得很。重庆天官府郭老的家，他那简洁朴素的屋子，常常是我们聚首的地方。在那里，我们可以说真话，可以骂国民党反动派，骂特务，可以痛快一番，更重要的是可以得到郭老的教益，这是我们所珍贵的。

郭老的心是属于党的。这是他生命的炽点。这也成为我们生活的楷模。他对毛主席、周总理真诚地热爱。当时八路军办事处就在重庆，敬爱的周总理在那里，郭老无比信赖、敬仰周总理，事事同周总理求教、商议，以至文章诗稿都要请周总理指正。周总理懂得他，尊敬他，给他以真挚的友情，这革命的情义温暖了郭老的心，为他生命的炽点加了热。

当时郭老所主持的第三厅被国民党反动派攻击为共产党在国民党里面的“租界”。郭老奔走，讲演，写作，在一片阴霾中，他成为我们党在国统区的一面进步的旗帜，招展着，呼唤着，聚集着各方各界的人们，团结抗日！

国民党恨他入骨，想迫害他而又不敢下手。因为他的名字不光是写在报纸上，写在书面上，而是写在了千千万万人的心上。

郭老为人谦逊，同时又那么热烈、坦白。凡是朋友，他总是来者不拒。他在重庆的家很少清静，我有时也被留在他家吃饭，一边吃着一边听着他娓娓的言谈。那时候郭老和我所谈的具体内容我记不大清了，但是他的正气和风采，我闭上眼睛便能看到。我更忘不了他诵读自己所作的诗章时的情景，他的声音慷慨激昂，抑扬顿挫……郭老真是一位少见的巨人，一位真正渊博的人。

我深知郭老学识之广博，但是我一直只知他是一位诗人，而不知他还是戏剧家。一九四二年在重庆，我第一次看到他所写的戏《屈原》的上演。真是一声雷霆，劈向国民党魔怪的嘴脸。我兴奋不已，振奋不已，重庆的群众也同样感到意气酣畅。但是同时，我们却担心着郭老的生命安全。可他是全然不顾的。他骂了蒋介石，骂得那样痛快，那样淋漓，又那般巧妙！郭老是一个诗人，外表文雅沉静，而他的心是一团多么炽烈的火啊！

“火，你在天边，你在眼前，你在我的四面，我知道你就是宇宙的生命，你就是我的生命，你就是我呀！我这熊熊地燃烧着的生命，我这快要使我全身炸裂的怒火，难道就不能迸射出光明了吗？”

“炸裂呀，我的身体！炸裂呀，宇宙！让那赤条条的火滚动起来，像这风一样，像那海一样，滚动起来，把一切的有形，一切的污秽，烧毁了吧，烧毁了吧！把这包含着一切罪恶的黑暗烧毁了吧！”这挟着雷电的诗句，正是这位无畏的无产阶级文化战士的心声。

新中国的诞生使郭老更加焕发，更加勤奋了。他身兼数职，对革命有利就去做。他的声望飞出疆土，他的成就是世界瞩目的。

郭老博大精深的学问，有许多虽我所不懂的，如科学、史学、考古学、甲骨文……有的是我能懂的，那就是戏剧。郭老一生写了很多剧本，有的演出了，有的没有上演，他的剧本都有自己的风格，那便是豪放、热烈，富有浓厚的革命浪漫主义色彩。他的戏饱含着丰富的情感，正如他多情的诗，也正如他热情的人。郭老把诗和戏糅成了一体，别开了生面。

“文化革命”前，我们曾到郭老家向他求教，为北京人民艺术剧院索取剧本。每次郭老慨然应允，并且在短时间内把剧本给了我们。郭老写戏被称之“神迅”，确实如此。有时，他几天就写出一个剧本。这样的神迅，并非是“神”的作用，用我们创作人员的话说，他的底子太厚了！他的文学修养，他的文采，以及他对历史的研究，都不愧是我们中华民族的大师！然而，他绝不失治学的严谨。记得有一次他请我到他家去，那时他正准备写《郑成功》，在他那里，我看到一个本子，上面密密麻麻的小字写得满满的，全部是有关郑成功的各种资料。他做学问一丝不苟，不是用笔墨，用的是他的心血。

我听到郭老逝世的消息时，北京人艺正在上演他的历史剧《蔡文姬》。晚上，我到剧场去了，我是禁不住地要去看一看。记得过去他曾看过我们演出《蔡文姬》，他非常激动，他一边看一边流泪。他对我说：“蔡文姬是我用心血写出的，蔡文姬就是我。”不久前他在广播中又一次听到了当年《蔡文姬》演出的录音，他老泪滂沱，喜从中来。他是为他个人而喜吗？不！他是看到了祖国的文艺事业的前景而喜，他终于又能为祖国、为人民、为党服务了！

在“四人帮”横行时，郭老的著作是被禁的。江青那一伙不会种田，不会做工，不学无术的野心家，他们哪里懂得郭老，又哪里容得了这样的巨人。他们无视郭老，摧残郭老，真正是恶毒已极！

如果不是“四人帮”的迫害，郭老会不止活八十六岁，而是九十六岁，一百零六岁，看到我们祖国的四个现代化实现！我想，这一定是他衷心向往的。万恶的“四人帮”，害死了我们多少好同志啊！

英明领袖华主席惩办了这“四凶”，解放了人民，也解放了郭老。他是我们中华民族的骄傲。在他逝世前不久，他还带病参加了全国科学大会。华主席关怀他，劝他去休息，那时多少人流下了激动的眼泪！这是中国人民的幸福啊！

郭老八十六岁了，中国有句古话，“人过七十古来稀”，但是我仍然深深地感到他过早地离开了我们。提高整个中华民族的科学文化水平是多么需要他，实现四个现代化又是多么需要他！我们的青年人需要如此博学的前辈指引，我们国家的大厦需要这样杰出的人才支撑！

但是他去了！他辞别了我们！然而他留下了他的一颗心，《科学的春天》《衷心的祝愿》这两篇文章是献给他终生所献身的事业——科学与艺术的，也是献给我们这些还活着的和后来的人的。他嘱咐我们努力地奋斗！

在《衷心的祝愿》一文中，郭老说他自己是文艺界的一个老兵，其实，他是个“元帅”。正如真正的元帅会打仗，他驰骋于他工作的领域，为我们树立了一个无产阶级学者和作家的崇高形象。今天，我相信，在华主席为首的党中央领导下，祖国蒸蒸日上，人民生气勃勃，郭老永远和我们在一起，鼓舞我们前进！

我们敬爱的老师、卓越的无产阶级文化战士郭沫若同志，你安息吧！

郭老给予我们的教育

郭老逝世了。

北京人民艺术剧院正在演出他的历史剧《蔡文姬》，晚上我到首都剧场去了，我实在禁不住要去看看。去看什么呢？郭老是不可能再在那里看戏了。他已经与我们长辞了。然而当大幕庄严地拉开后，我渐渐地觉得他没有死，他的生命还在舞台上，他还在我们中间。

郭老与北京人民艺术剧院的关系是很深的。一方面他是戏剧界的大师与领导者，另一方面他的新作常由北京人艺演出。他的剧本的演出陶冶了北京人艺的风格，同时，培养了演员和戏剧工作者。

我曾和北京人艺的同志到他家里去，请他为我们写剧本。他总是慨然应允。一次我们准备排他过去的剧本，他听到后，不大赞同，接着他便爽快地说：我给你们写一个吧！我们真是喜不自禁。有时他留我们在他家中吃饭，往往餐中就想出了题目。《武则天》《蔡文姬》都是应我们的请求写的。郭老写戏常常在几天里一气呵成。这样的气派

【题注】载《人民戏剧》1978年第7期。

在写戏的大剧作家中是罕见的。然而，我相信他的腹稿是多的，我们远远望尘莫及。用一句专业的话说，他的底子实在是太厚了。郭老博学强记，文采洋溢，他的戏大气磅礴，热情奔涌，富有浓厚的革命浪漫主义色彩，同时不失其思想的深刻。在科学上他是冷静的，在文学上他是热烈的。他是以他胸中的情感，用笔蘸着心头的热血在写。

郭老为人热情，但是又十分谦逊。每次他把剧本交给我们时，他总是说，剧本交到你们手里，你们可以改动。而我们有时为着方便演出，少许地动了一下时，他总是欣然同意。

郭老曾到我们剧院诵读他的剧本！我们永远也忘却不了，他那激情与风采。他的声音抑扬顿挫，跌宕有致……郭老真是一位少见的巨人，一位真正渊博的人。

“文化大革命”以前，郭老看过我们演出《蔡文姬》，他非常激动，一边看一边流下了眼泪。他对我说过:《蔡文姬》是我用心血写出的，因为蔡文姬就是我。

当时，我们敬爱的周总理也看了《蔡文姬》，看后还对演出做了指示，提了意见。有时回去后还要打来电话，把想到的问题告诉我们!《蔡文姬》最后一场文姬穿大红色的袍子，就是总理的意见。这不仅是总理对北京人艺的关怀，同时，也是总理对郭老的尊重与关切。

不久前，郭老在广播中又一次听到了当年《蔡文姬》演出的录音，他涕泪滂沱，喜从中来，他是为他个人而喜吗？不！他是看到祖国的文艺事业的美好前景，而他的作品又在为党、为人民服务了。

《蔡文姬》重新上演后，我们一直盼望着郭老能来看，他没有来，我们又希望于立群同志代他来看，也因病没有来。我们听说郭老住院了，大家心中担忧着，同时盼他早日好转。当电视台准备录像时，同志们很高兴，因为这样，郭老便能在医院中看到《蔡文姬》的演出了。在录像过程中，郭老的秘书王廷芳同志来过电话，问什么时候能够录完映出？大伙更加努力地工作着，为着让郭老早一天看到，并且希望他能满意。然而，晚了。郭老于一九七八年六月十二日离开了我们！《蔡文姬》在六月十七日晚上播出，郭老没有能看到，这是多么沉重的一件憾事。但是人民群众看到了《蔡文姬》，郭老如果没有逝世，一定会因此而欣喜的。

郭老逝世的噩耗传来，剧院的同志们演出前在后台开了一个小型的追悼会，寄托哀思，然后振奋精神走上舞台。我在侧幕旁看着演出，我非常激动，郭老把他的心血留给了我们，我们必须珍惜，保持和发扬起来。

郭老病逝前不久，我们曾用郭老的字合成“北京人民艺术剧院”几个字，得到了郭老的首肯，现在我们用金丝楠木，刻上了这一郭老的题字。郭老一生题过许多字，这大约是他最后一幅。他是在鼓励我们，期望我们，让我们为繁荣社会主义的文艺，为祖国的四个现代化加倍地工作，我们懂得郭老的心愿，我们会努力去做的。

安息吧！卓越的无产阶级文化战士，郭沫若同志！

沉痛的追悼

郭老逝世了。

几天来，我向他的遗体告别了，参加了他的追悼会，见到了他的夫人和子女们，我多少次地流下了眼泪，至今我每每想起他，便是止不住地悲从中来，老泪盈眶，孩子们不大理解我，她们劝我不要过于哀痛，伤了身体。但是，我又怎么能不悲不痛呢？在孩子们眼里，郭老是国家的领导人，科学院院长，中外闻名的大学者、大诗人。在我心里，郭老是我最尊敬的老师，是我人生路途上的一位引导者，我的启蒙老师。

在我上初中的时候，我买到一本郭老的《女神》，我兴奋地读了，一霎时我觉得自己的胸襟开阔起来，鼓满了热情和希望。当时我们中华民族充满耻辱，亡国论者也大有人在，仿佛一切都在无望、毁灭之中。郭老飞笔如椽，刺破浓浓的黑暗,《凤凰涅槃》一诗中，凤凰在死之中得到新生，而新的凤凰又是那样美妙，光芒四射，这不是我们

【题注】载《人民文学》1978年第7期。

新的中国吗？中国也是要新生的。我惊喜中国有这样伟大的诗人，我感到幸运，在那个时候，我就曾想到，旧时传说天上有主持文运的星宿文曲星，郭老就是那颗文曲星，他放着光辉。今天看来，那光是红色的，革命的光辉。

从那时起，我虽然没有见过他，也见不到他，但是我却时时留意他的行踪。

北伐开始时，我还在南开中学读书，仅仅是个十七岁的少年。我不了解共产党，更不懂共产主义。但是我知道北伐军是一支新的革命的军队。“打倒列强，除军阀！”我听说我们崇敬的郭老参加了北伐军。之后看到他腰挎着手枪，穿着军装的照片，我非常兴奋。我盼望北伐军胜利打到北方，而我也能见到我的老师了，我经常读郭老主办的《创造季刊》，从中受到许多革命者的启发和教育，我是多么想见到郭老呀！

后来，郭老到日本去，在那里他在对殷墟甲骨文的研究方面获得了极高的声誉，日本人敬佩他，我更感到自豪，他确是祖国的骄傲，祖国的珍宝。

七七事变后，我在报纸上看到郭老从日本返回祖国，参加抗日。我激动万分。国民党反动派想拉他，利用他，但是他不为所动！他的心属于共产党的，他热爱毛主席，热爱党中央。

在重庆，我终于见到了我的老师。在他的天官府的家中，我多少次受到他的教益。他的家经常是宾客满堂，想见他的人很多，而他又是从来不拒绝朋友与后辈的。我还曾多次听过郭老的讲演。他的正气与风采至今仍在脑海之中。他为党的抗日民族统一战线终日奔忙，工作，他把他的生命像火炬一样地点燃着，聚集了各方各界的人们，为人们照亮通向革命的路。

那时郭老知道我们大多很贫困，便时常留我们在他家里吃饭，他热情坦白，待我们似亲切的父兄；他博学多才，思想纵横驰骋，他是我们尊敬的老师；而他又那样地正气凛然，挺身在前，他又是我们景仰的革命者。

一九四二年左右，听说郭老要写《屈原》，我们的心都激动起来，热切地期待着这一声雷鸣！郭老用了十天工夫写出了剧本，很快就排出来。我去看过《屈原》的排练，演员们一个个都热血沸腾，连旁观者也是同样。大家都觉得这是一场战斗。我还感到空气中孕育着风暴，国民党不是傻瓜，他们会在剧中看到他们魔鬼的嘴脸，他们也许要围剿……

果真啊，《屈原》的演出，如霹雳落到了国民党反动派的头上。革命民众无不拍手称快。国民党反动派恨得切齿，但又无法下手，因为他们抓不到把柄。《屈原》震动了国统区，这是一个胜利。郭老用他的笔对国民党、蒋介石打了一个胜仗！

当时我们敬爱的周总理在重庆，他与郭老有着深厚的革命情谊！郭老无限地热爱这位伟大的人，他时时向周总理求教商议。周总理尊敬郭老，懂得郭老，把革命的重任一桩桩交给他。而郭老不辜负周总理的信任，把终生献给了祖国的科学文化事业。

解放后，郭老更忙了。他是博大精深的学者，他的学问有许多是我所不懂的，如科学、史学、考古……他的成就是世界瞩目的。但同时他仍在写戏。他的戏大气磅礴、热情奔涌。他写戏往往在几天之内一气呵成，这样的气派在写戏的巨人中是罕见的！然而，我相信他的腹稿之多又是任何人追不上的！他博闻强记，文采洋溢。在科学上他是冷静的，在文学上他是热烈的。他是用笔蘸着他胸中的激情和心头的血液在写。

我曾和北京人艺的同志们到他家里去，请他为我们写剧本，每次他都慨然应允。有一次我们准备排他过去写的剧本，他听到后，不大赞同。他爽快地说：我给你们写一个吧。有时他留我们在他家中吃饭，往往餐中就想出了题目。《武则天》《蔡文姬》都是应我们的请求写的。他把剧本交给我们时，他说，剧本交到你们手中，你们就可以改动。而我们有时为着方便演出少许地动了一下时，他总是欣然同意。郭老为人之平和谦逊，使我们感动，也教育我们。

在北戴河疗养时，我经常见到郭老。我常去看他，有时他也散步到我住的地方。我曾问他：甲骨文好学不好学。他笑了，说，好学，如若用心钻，三四个月便可以了。在他面前我常感到自己是个小学生，甚至像孩子。而他对于后来者又是非常关切的。记得有一次，天气不好，五六级的大风。我忽然心血来潮，想下海去试一试。海浪如小山般涌着，我游了一段，一回头，忽然发现岸上有一个人在拼命地挥着手，大声地呼喊……我不知他有什么事，但我还是游回岸边。我这才看清那便是郭老，大风吹起他的头发和衣襟，他面色激动，责备我说：你为什么这样轻率，在这种天气下海是很容易丧生的，你不应该这样做。当时我感动极了，我是多么感激他的关怀。

我看到过郭老游泳，我永远也难以忘怀。他仰卧海面，仿佛随着海浪一体，他仰望着蓝天白云，大气与阳光都吸进他的胸中，那时他已是七十高龄，却是那样地安康。

“文化大革命”十年我没能见到郭老。当我听到“四人帮”迫害他时，我悲愤异常！这样的巨人尽被那帮小人所欺，我痛苦极了。郭老的书被他们禁了，郭老的名字被他们骂过，但是在我心里，郭老仍是我的师长。他的业绩是抹不掉的，我深信这一点。

英明领袖华主席解放了我们，整个中国拨乱反正了。郭老又是我们的郭老了。他坚决拥护华主席和党中央，他写诗、写文章，痛斥“四人帮”，欢呼祖国科学的春天，文艺的春天。我们深受鼓舞。我又见到了郭老，在宣传工作会议上，他坐着推车来了，我急忙上前问候他老人家的身体！我问郭老还记得我吗？他笑着点点头：怎么不记得？记得，记得。

今年三月间我去看望过郭老。他同我谈起曹雪芹，告诉我最近在一个人家发现了一个曹雪芹用过的书柜，他说这对研究曹雪芹大有益处。我没到他家之前，曾听说郭老身体情况不大好，甚为担心！见到他仍能这样地谈古论今，我很感欣慰，向他告辞时，我再三地祝他多多保重。

没想到这竟是最后的一面。

郭老逝世了！正如所有伟大的人物，死仿佛在表面上征服了他们，其实是他们终于征服了死。郭老也是如此，他的研究，他的成就，他的著作，继续着他的生命，在人民之中活着，为祖国的四个现代化做贡献。

我想郭老是希望他后继有人的。我们要努力奋斗，请郭老放心吧！

曹禺谈《雷雨》

我对剧中人和事熟悉

《雷雨》《日出》《北京人》这三个剧本，都是我青年时期写的。写完《雷雨》是二十三岁,《日出》是二十五岁,《北京人》是三十岁。那时我为什么能够写出这种作品呢？还是毛主席说的：生活是文艺创作的唯一源泉。这句话千真万确。当然，我这里所说的生活，不是我们常讲的工农兵的斗争生活，而是我那时所接触、了解到的生活。我对自己作品里所写到的人和事，是非常熟悉的。我出身在一个官僚家庭里，看到过许多高级恶棍、高级流氓;《雷雨》《日出》《北京人》里出现的那些人物，我看得太多了，有一段时期甚至可以说是和他们朝

【题注】载《人民戏剧》1979年第3期。文前编者说明："去年九月，王朝闻同志拜访曹禺同志，请他谈谈创作《雷雨》的经过，曹禺同志作了两小时的长谈，内容殊为可贵。本刊征得曹禺同志同意，将记录作了整理，并经他亲自核正，发表于此。文中段落提示，为编者所加。"文末附注"王育生记录整理"。又收入曹禺《论戏剧》，改动繁杂，兹附录于后。

夕相处。因此，我所写的就是他们所说的话、所做的事。说实在话，那时候我对阶级呀，半殖民地的社会性质呀这样一些概念并不很清楚。比较准确地反映我的思想的是这样一句话：“时日曷丧，予及汝偕亡。”对旧的社会制度和统治者，我是痛恨的，什么时候你们完蛋了，我跟着一起死掉都心甘情愿。统治者，就是周朴园、金八、潘经理，甚至曾皓[1]，这样一些腐败、专制的人物和寄生虫们。这三部作品里写的，几乎都是这些家伙，而很少有正面人物。因为当时我很少接触到工农群众；不是完全没有接触，但的确了解很少。

不劳动者不得食是我的主导思想

旧的必然要灭亡，新的会是什么样子？谁又代表着新生的力量呢？我当时不能回答得很好。但也并非全然没有希望，没有寄托。在《雷雨》里我写了一个鲁大海，这是一个工人，当然写得很不像样子、很不成熟，但我是同情这个人，甚至佩服这个人的。《日出》里我没法子写一大批劳动者，所以写了一群幕后的打夯工人——黎明的太阳升起的时候，黑暗必将逝去，在黑暗里生活的“动物”们，也必将随之消灭，而这些打夯工人，却在为建设新的大厦打基础。他们边劳动边唱着夯歌：“日出东来满天大红，要想吃饭就得做工。”——不劳动者不得食。你说它朴素也罢，粗鲁也罢，浅薄也罢，这么一个基本的

---

1 “曾皓”底本作“曾浩”，当作“曾皓”。

概念、感觉，正是我的主导思想。我在这些剧本里所抨击的，正是那一群不劳而食、不劳而获，把劳动人民踩在脚下的荒淫无耻的坏蛋，以及依附于他们，同样过着寄生生活的“帮闲”们。“五四”以来的进步的知识分子，总希望找到一个出路，但出路是什么，又不很明确。在我的作品里，虽然也有看见光明前途的人物，但基本上还是体现了这么一种倾向。

我和戏剧的接近

我执笔写《雷雨》只用了半年时间，但写作之前，已经构思了五年。有写这个剧本的想法，是早在十八岁的时候。我用了整整五年时间构思剧本和琢磨人物。因为我想酝酿得尽量成熟些，写得集中些，而不愿意零敲碎打，写写改改。这费了我很大劲儿。

作为一个作者，具备广泛的文学素养很重要，从幼年我就喜欢阅读古今中外文艺作品。我开始接近戏剧是在十五六岁的时候。那时刚上中学，我参加了“南开新剧团”，距现在半个多世纪了。那时我们演了德国作家霍普曼（Hauptmann[1]）的一个戏，叫《织工》，是写工人罢工，最后失败了。这个戏给了我很大影响。这之后还演过易卜生、莫里哀等人的戏，也常常演“南开新剧团”自己编的戏。一直到我二十几岁以前，每年都参加演戏，从未间断。这些演出活动对我很有

1 “Hauptmann”底本作“Hautman”，当作“Hauptmann”。

好处。使我晓得了观众喜欢看什么，不喜欢看什么，需要看什么，不需要看什么。戏剧要教育观众。但演戏、写戏的人首先要懂得观众、了解观众。当然罗，戏剧是一种文艺形式，缺乏感人的艺术力量，光喊口号是不行的。要使人从作品反映的生活中慢慢悟出道理来。生活有无比的丰富性，你尊重生活、深入生活，就会看到许许多多真实的人，就会发现鲜明的人物性格，这才能塑造出典型来。譬如周朴园，并非真的有那么一个姓周名朴园的人，但生活中确实有许许多多张朴园、王朴园、赵朴园、李朴园，他是这个人的鼻子、那个人的眼睛，又一个人的事情……总之是一个大坏蛋。

周朴园坏到了连自己都不认为自己是坏人

周朴园这个人可以说是坏到家了，坏到连自己都不认为自己是坏人的程度。他自己，在当时社会上当然是“名流”“贤达”，他认为他的家庭也是个“最圆满，最有秩序”的“理想家庭”，他教育的儿子周萍，也是个好儿子，“健全的子弟”，其实已经腐烂透顶了。三十年前，周朴园为了和一个门当户对的阔小姐结婚，把遭受他凌辱、迫害并为他生了两个孩子的丫头鲁侍萍，在大年三十晚上，硬是从家里赶了出来。大儿子他留下来了，这就是周府大少爷周萍；二儿子才生下三天，病得奄奄一息，就让侍萍抱走了。可以想象得到，那情景是多么凄惨。无依无靠、走投无路的侍萍急得没法，只好跳河。跳河而又不死，连孩子也被救起，这就是后来的鲁大海。周萍和鲁大海，同父同母的亲兄弟，由于社会、阶级地位和生活环境的不同，走上了完全不同的两条路，再也没办法相处在一起了。鲁大海对周朴园，怀着极端强烈的憎恨。这不只是他一个人的家族仇恨，而是阶级的仇恨。不知道为什么，当时我鼓捣出了这么一大堆东西来。可能是因为常看报纸的关系。那时的确常常闹罢工。我听到过一件真实的事情，一个资本家在哈尔滨修一座江桥，他故意让江桥出险，使几千个工人丧生。他是承包商，从每个工人身上扣二百块钱。我所写的周朴园就是这样发了一笔昧心财、血腥财，从此他才阔起来。这样一个人，你说他没道德，他可觉得自己高尚得很哩，觉得自己最崇高、最了不起了，他又是那么“多情”，那个被他糟蹋过的丫头，都被他升格为“前妻”了，甚至连他和这个丫头胡搞、后来生了孩子的那间房子，房子里的摆设，他都一直保持原样，不准别人动一动。他自以为是好丈夫、好父亲，正人君子，其实是个在外杀人如麻、在家专制横暴的魔王。他这个人永远觉得自己是正确的。当三十年后侍萍又来到他家见到周萍时，他让周萍跪下，说：不要以为她出身低下，却是你生身之母，不要忘了……多么冠冕堂皇！他竟然没有一点自愧自疚。他对侍萍的怀念，可能是真的。因为他自和侍萍分别后，结过两次婚，第一次是个阔家小姐，抑郁而死；第二次就是和蘩漪。两次婚姻都不如意。他也花天酒地地放荡过，但从来也没有尝到过什么是幸福。回想起来，还是和侍萍相处的日子，在他罪恶生涯中多少给他留下了些美好的记忆。他对侍萍的思恋、怀念，便成了他后半生用来自欺欺人、经常咀嚼的一种情感了。这既可填补他那丑恶空虚的心灵，又可显示他的多情、高贵。

所有人物都在第一幕里交了锋

在第一幕，差不多所有的人都交了锋，见了面，种种矛盾冲突都聚拢一起、爆发开来。周朴园与鲁侍萍见面一场，我用了点技巧。从与蘩漪的谈话中，侍萍已经知道，自己最怕的事，终于发生了，而且比自己所能想象到的还要坏。她之所以没有马上站起来就走，是因为自己整整受了三十年苦，万万没有想到，阴差阳错今天又回到了这个家，碰到了这个人。既来了，她想看看这个人的心到底有多黑。一开始，周朴园错把她当成了家里新来的仆人，大不高兴，责备为什么又把窗户打开了等等……似乎对昔日的侍萍，充满了无限的柔情和哀思。继而又命她向太太去要衣服；当侍萍接口回答：是不是那件烧了一个小洞又织补上，并在上面绣了一个“萍”字的旧绸衣？这时他才感到诧异。当他知道，站在自己面前的，竟然就是他三十年来一直标榜着念念不忘、被他始乱终弃、投江自尽的侍萍时，他惊呆了，脱口而出的话就是：“你来干什么？”和“谁指使你来的？”这和以前完全不一回事了，刚才那满天的怀念呀，眷恋呀，柔情蜜意呀，全都无影无踪了。“命，那不公平的命指使我来的。”这句话出在侍萍身上，是很自然的，旧社会像她这样一个妇女，怎么能没有一点宿命论思想？今天人们可能不理解：你受了这么大委屈，他还问你干什么来了、谁让你来的，你该骂他，怎么这么软弱？我说这是生活，是真实，是悲愤。“你自然想不到，侍萍的相貌有一天也会老得连你都不认识了。”

此时的周朴园再装不像了！“好！痛痛快快的，你现在要多少钱吧！”他开了一张支票。登时，赤裸裸的金钱关系出来了。伪善的假面具被扒下后他是那么冷酷无情。而且他也感到幻灭：当初那么可爱的一个女孩子，今天怎么老成了这个样子；而且成了对他的社会地位的一种严重威胁。所以，非再次把她赶走不可。他的阶级本能使他没有任何考虑，而马上做出这种决断。侍萍心想，我这些年所受的痛苦，绝不是你这几个臭钱所能算得清的。对此，周朴园简直不能理解，而且生气了：“你还要怎么样？”“我就是想看看我的孩子。”这不能不给她看，因为她一闹就更不得了。下面就又是属于技巧的东西了，鲁大海也来了，周萍也来了，鲁妈也在这儿，碰到了她的两个儿子，一个变成了资产阶级少爷，一个成了罢工工人的代表，正在反对他的父亲——外国煤矿的资方代表。周朴园告诉鲁大海：在你离开煤矿以后，其他代表已签字同意复工，你们罢工失败了，你已经被我开除了。鲁大海悲愤不过，大骂周朴园，把他最丑的事抖了出来。周朴园虽然很气，但还能硬撑着。周萍这个“孝子”却上前打了大海两巴掌。侍萍再也没有想到会看到这样的场面，自己的儿子竟成了这样一个鬼东西，她连一声“萍儿”都叫不出口了：“你就是萍，——凭——凭什么打我的儿子？”母子、兄弟，成了这样阶级对立的关系。为了把事情掩盖起来，周朴园立刻解雇四凤、鲁贵，和他们断绝一切关系。他怕得很，直到第四幕，他还要寄钱给鲁妈，不是为了慈悲，而是因为他不放心，非用钱堵他们的嘴不可。鲁妈很有骨气，钱她不会收，但她信命、认命。周朴园这个人物，是比较难于分析的。鲁妈也是写起来比较费劲的一个人物。

还有一个人物就是蘩漪生的二少爷周冲。他很天真，是个同情鲁大海的小知识分子，受过高中教育，受到过“五四”以来新思潮的影响，看过一些进步刊物。这是“周府”上比较可爱的人物。但他毕竟出身在这样一个家庭里，当第三幕鲁大海从家里撵他出门时，他说了一句话：我没想到我父亲说的话，还是对的。不但老大说他父亲的话是对的，连老二这个开明的知识分子，遇到阶级跟阶级碰头的当口，他也想不开。在写《雷雨》的时候，我还不懂得工人阶级，但我渺茫地觉得还是工人们干净，工人们了不起，而有钱人的钱，全是血腥气的。而且这帮人伪善到了极点，他们吃素，是因为吃荤吃得太多了；他们念佛，是因为坑人、害人、杀人太多了，想要拯救灵魂，死后好上天堂——还是利己的目的。

“三一律”和巧合

“三一律”不是完全没有道理。《雷雨》这个戏的时间，发生在不到二十四小时之内，时间统一，可以写得很集中。故事发生的地点是在一个城市里，这样容易写一些，而且显得紧张。还有一个动作统一，就是在几个人物当中同时挖一个动作、一种结构，动作在统一的结构里头，不乱搞一套，东一句、西一句弄得人家不爱看。这说的都是“三一律”在艺术上的好处。不过，后来我感到，戏老是这样写法也不行。我一直认为，无论写什么戏，下一个一定要和上一个不一样。《日出》和《雷雨》写法不一样，《北京人》又力求从写法、结构、人物种种，有所不同，有所创造。

戏总得让人家愿意看，看了第一幕想看第二幕、看了第二幕还想看第三幕。老实说，一部《雷雨》全都是巧合。明明是巧合，是作者编的，又要让人看戏时觉不出是巧合，相信生活本来就是这样，应该是这样。这就要写出生活逻辑的依据以及人物性格、人与人之间关系的必然性来。还拿周朴园与鲁妈相见一场来说，他们的语言、行动、反应，必然都是这个样子。从一开幕周朴园不许开窗户，到教训周萍：你知道你为什么叫萍这个名字吗？总之在人前把他的这位“前妻”神圣化得厉害。到后来的突然一变，正是这个人物本质、人物个性的必然表现。他做了对不起人的事、缺德事，还硬要往自己脸上贴金，表现自己如何了不起，如何崇高、伟大。换一个张朴园、王朴园，也可能就不这样。这正是他最坏、最可恨的地方。正因为写了这一点，人家觉得真实，可信，是这么回事，就不会再认为事巧合、偶然。

重视舞台气氛

关于《雷雨》的舞台气氛。这是我写戏很注意的一个问题。也就是把自然界的现象，和剧情的发展联系起来，用以表现人物、人与人之间关系，有时可以起到很大作用。《雷雨》的第一幕，既没有雷，也没有雨。我把剧本里的八个人都放到雷雨之前的令人窒息的空气里，闷，热，一丝风都没有。鲁贵满脸油汗地絮叨着客厅“闹鬼”，向女儿勒索钱用；四凤则为母亲的即将到来而烦躁，显得心不在焉；

蘩漪出场后非要打开窗户，尽管盛暑时开窗户反而会更热，但她实在忍受不下，非透一口气不可；周朴园则依然君临一切地施展他的淫威，逼着关窗户，当众逼着蘩漪吃药。这是在同一气候条件下，写出各自的心情、性格，使人们认识这个家庭的种种矛盾和混乱，获得危机即将爆发的预感，把沉闷、压抑、窒息、紧张传染给观众。有时需要滚过天边的一串闷雷，有时需要瓢泼大雨，当蘩漪到杏花巷，从外面把四凤家窗户关死时，是一道闪电照在她鬼样的惨白的脸上。而当侍萍逼着四凤起誓：今后再不和周家人来往时，头顶响了一声撕魂裂魄的炸雷。我要感谢北京人艺搞舞台音响效果的冯钦同志，他跟《雷雨》这个戏的演出，不下百场，对剧本理解得很深，在设计音响效果、传达剧本精神上，很有研究。

对第一幕周朴园逼蘩漪喝药一段戏，我琢磨得时间比较长。蘩漪年轻时非常漂亮，会画画，写一笔好字，受的旧式教育，又加上一点“五四”以来的新思想影响。她本来也是有许多憧憬的。为了门当户对，受“父母之命、媒妁之言”，稀里糊涂嫁给了周朴园。周朴园在德国留过学，在本身的封建专制主义上又加上了德国威廉二世式的专制主义。蘩漪最不堪忍受的，是当着孩子们的面受屈辱。周朴园为了表现自己的话在这个家里就是法律，偏要她给孩子们做个“服从的榜样”，硬逼着没有病的蘩漪喝下按他的命令熬的药。蘩漪一再反抗，他一再进逼。最后当周朴园要和她发生过不正当关系的周萍跪在地上，叫她“母亲”，“劝”她喝药时，她真被逼得要疯了，她受不住这一跪呀。第二幕蘩漪和他闹翻时，说了一句：“你！你忘了你自己是怎样一个人了啦！”这些地方，我把气氛搞得很浓。“吃药”一场，也是写人，写周朴园，写蘩漪，也写了四凤、周冲和周萍。

写戏应该有大纲

写戏应该有个大纲。我搞了五年，就是反复地在想这些人物，想各种各样的人物性格，想他们的历史，要把这样一些人物凑拢在一起，使他们发生关系，让他们在一种规定情景下碰见，而时间又不能超过二十四小时，这都使我费了好大好大的劲。因为不把这一切想好，更容易返工。写作中常常发生非推翻你原来结构不可的事情。什么道理呢？因为写着写着把当初没想到的地方想清楚了，把人物心灵深处的东西挖出来了，情节再这么搞不行了，就不像那个人了，于是结构非改不可。所以事先要尽量想好，有个大纲，把一切想深想透。然后是不是一定要从头写起呢？那倒不一定。回想起来我最先写的是第三幕周萍和四凤推窗户的一段戏，再就是第一幕吃药的那一段，而不是按我的大纲的顺序写的。那时我在清华大学读书，躲在图书馆一个专门搁外国杂志的屋子里头，只有我一个人，从早到晚不停地写。因为把结构搞好了，人物在脑子里都活了，他们的一切我都清楚极了，这时候写戏真是一种快乐。那半年之内我简直不知过的是什么日子，是天堂还是地狱。这可能和打仗一样，指挥员把一切都部署好，知己知彼，稳操胜算，就可去抽烟了。剩下的不过是人物性格有时要改一改，结构多少变一变，大架子不会不再动了。创作是非常艰苦的事。但也是一种愉快，而不能是受罪。

人物和人物关系的复杂性

我想再谈谈人物，谈谈人物的复杂性，人物关系的复杂性。拿蘩漪来说，这个人物从第一幕到第四幕，一直是发展的，流动的，从未停止在一点上。她当然是个资产阶级的太太，许多人觉得她又坏又狠，但她基本上是个受害者；她地道地是她那个阶级的人物，但她没有自由，渴望自由。现在的观众很难理解这个人物，因为他们不懂得旧社会。我年纪很轻的时候，就听到、见到过许多这类事情。旧社会女的没有机会同男人接触，有钱人家后娘和前妻之子发生暧昧关系的事，实在太多太多了。蘩漪是统治阶级营垒中的一员，但在周宅这座牢狱里，又是个受囚禁者。你看她对侍萍的态度，完全是个官太太。她要把四凤撵走，可是说得又多么巧妙。她只能说假话，因为真情是绝不能说出口的——她和四凤在争夺同一个情人。她在四凤面前、侍萍面前，在周朴园面前、周萍面前以及在自己的儿子周冲面前，表现出了各种不同的复杂的心情和态度。即以她和周萍的关系说，第一幕她表现为不在乎的样子，外松内紧，暗中加紧种种部署。第二幕对周萍就带威胁性了："你不要把一个失望的女人逼得太狠了，她是什么事都做得出来的。"第三幕那一手，可以说是非常狠的报复喽！但第四幕在最没有办法的时候，在这个家里一分钟也活不下去的时候，在她刚刚亲眼看到周萍与四凤发生关系之后，她又只能转而恳求她所卑视的周萍，把她也带走。蘩漪这个人有不能令人容忍的地方，也有值得同情的地方。其他人物也都是在发展之中，流动之中。这样才曲折有致，才是真实的人物。

周萍这个人物太混账，太卑鄙了，演这个人，对他的“坏”要让观众慢慢觉得才好。细想一想这个人简直坏到没有一点人味了。这个家里“闹鬼”，是他主动勾引的蘖漪。家里搅了这么乱七八糟，明天就要走了，还要跑到四凤家去玩一通，而又不预备带她走。这个人太可怕、太糜烂了。他接触、玩弄女人之多，绝不只是台上的两个。他玩弄四凤，又甩不掉她，因为四凤太爱他了。对四凤有人也不理解，觉得她给工人阶级丢脸，巴结阔少爷。这太简单化了。四凤是个很纯洁天真的少女，但常年在周家帮工，慢慢也沾染上了这个家里的习惯和趣味，多少沾染上了“奴仆性格”。四凤对周冲这个年轻孩子并不欣赏，把他看成个小牛犊，认为他不懂得爱情，觉得倒是老大有一套，衣着、风度、神态，有一种病态的美，对女人会来事。周萍花天酒地的生活和乌七八糟的事，正是他父亲过去经历过的那一套。周朴园留学回来，也是终日这么鬼混。过了五十岁，才忽然“改邪归正”，变成典型的“慈父”和“模范家长”了。有一点不知大家注意了没有，就是周朴园这样一个铁腕人物，这样一个刚愎凶恶的人，也会感到寂寞和幻灭。第四幕一开始，已是深夜两点，周朴园忽然孤独得要命，找谁也找不到。他当然可以去嫖妓女，寻欢作乐，但这套早玩腻了。家里面，老婆不喜欢他，谁也不亲近他，他忽然希望得到点家庭的温暖，感觉到人生无常。特别是经历了白天的事情，怎么也摆脱不了空虚幻灭。他知道大儿子不可靠，难以继承父业，还是小儿子好一些，所以一反常态地对周冲表示：“你找我么?”“快活么?”“你今天早上说要拿学费帮一个人，你说说看，能答应的总是要答应的。”谁知白天周冲早已尝够了他的味道，再不肯说什么。过一会儿蘩漪回来了，浑身水淋淋地。“你上哪儿去了?”蘩漪望着他，一字一字地吐出：“在你的家里！……在花园赏雨。”这真是刺痛他哟，使他感到这个家里空气的可怕。为什么这段戏要这样写？是要显示周朴园这个人另一部分的性格。有人问是不是你同情这个资本家了？不是，因为这是一个人物，他必然有这一面。总之，从这些人物身上可以看得出来，他们的性格是有层次的，有发展的，有两面性的。当然，并不是每一个人物都如此，鲁贵就没有什么发展，只是一味地坏。这要看戏剧结构是否允许写出他性格发展的层次来。只能重点地写、重点地给；每一个人都写、都给，是不可能的。写人物写出发展来，并不那么容易。

知道无产阶级的历史是重要的；知道点资产阶级的生活、历史，也是必要的。它可以帮助你了解，旧社会是一种如何复杂的社会。非常可惜的是我对工人阶级、对革命斗争知道得太少，有人可以写这类作品写得很成功，我就不能；知道不能，也就不写了，除非今后再好好地深入生活。《雷雨》这样的东西我写得出来，就因为我对这种生活太熟悉了。之所以还是用了五年时间，是因为《雷雨》的结构太费事。周萍自杀的手枪，原来写成是矿上的，是鲁大海给的，就不合适，后来改成是他临走之前他父亲给他用来防身的，就很自然了。其实周萍是不会轻易自杀的。这个人既卑劣又怯懦，尽管他已经是个活厌了的人，要不是这么多事凑在一起，一时冲动，他也不会去自杀。周萍、周冲都太软弱，都继承不了他父亲的事业。这是个必然灭亡的阶级。

从生活中挖出来

写戏的人接受前人的经验很重要，要“古为今用，洋为中用”。拿我个人体验来说，读外国剧本、中国剧本，真有好处。人们常说“千古文章一大抄”，“用”就得“抄”。但这种“抄”绝不能是人家怎样说你怎样说，而要把它“化”了，变成你从生活中提炼出来的东西，借鉴与抄袭的界限就在于此。譬如后母与前妻之子发生关系，或是女人遭遗弃而复仇的故事，从古希腊起，一直为各种戏剧一再表现。能不能说凡是写了这样的事件就是抄袭呢？这要看你写的题材，事件，人物等等，是从你的生活中挖出来的，还是从人家书上抄下来的。作品的主题是从作品所反映的生活中流露出来的，归纳出来的。它反映作者对生活的认识、理解，美学思想和社会思想。我写《雷雨》时，没有任何人告诉我，要我写什么，但我终于写了，非写出来不可，非写成这样不可。这可能就是时代的脉搏和精神吧。那个时代、那个社会，我实在受不了了，还是那句话：“时日曷丧，予及汝偕亡。”非要把这个社会毁掉了算，《雷雨》《日出》《北京人》都是这个样子。我感觉这个旧社会要动，要变，再不变不得了，什么人都要毁掉了。至于变成什么样，我说不出来，非要我说就要了我的命了。提出问题容易，开方子就很难。现在研究新文学史的人很多，常有人来找我，引马克思、恩格斯的话论证我写的剧本。他们的分析不是不正确，但当时我并没想到这些，经他一引，竟和马克思说的一样。其实我哪儿有那么多马克思主义，我不过是一个普通的、有正义感的知识分子，又生在那么个鬼环境里，就写出这么个东西。如果得到我的一句话，就作为考据的依据，用来说明自己的见解是正确的，这不一定科学。因为今天我所说的，已经不完全是当时所想的了；可能已经在合理化，在掩饰当时一些不对的地方了。尽管是我的话，也并不都是靠得住的。还是真正用马克思主义的观点做认真的、客观的分析，或许能看出点合乎道理的地方。

剧本的生命在于演出

我认为剧本跟小说不一样。小说可以定稿，剧本永远定不了稿，因为它的生命在于演出。剧作家的创作，仅是戏剧创作的一个重要的部分，此外，它还需要导演、演员、观众共同完成。剧本的修改，最靠得住的，是演出之后的修改。演员改、导演改、观众改，使它慢慢好起来。剧本是活东西，只要这个剧本还在演出，还有生命力，它就得不断创造，不断地改。我对我的剧本，就是这个态度，大家随便演，随便改。但我不能老跟着一块改，我得抓紧时间搞点新的东西，属于我的时间已经不多了，我要抢时间，尽可能把所有的力量拿出来，多写几部戏，为“四个现代化”贡献点力量。

附　录：

曹禺谈《雷雨》

我对剧中人和事熟悉

《雷雨》《日出》《北京人》这三个剧本，都是我青年时期写的。我为什么能够写出呢？毛主席说：生活是文艺创作的唯一源泉。我说的生活，是我那时接触、了解到的生活。我写到的人和事，是熟悉的。我出身在一个官僚家庭里，看到过许多高级恶棍和流氓；《雷雨》《日出》《北京人》里出现的那些人物，我看得很多了，有一段时期甚至可以说是和他们朝夕相处。因此，我写他们说的话、做的事。那时我对阶级，半殖民地的社会性质，这样一些概念并不清楚。比较准确地反映我的思想，是这样一句话："时日曷丧，予及汝偕亡。"旧社会制度和统治者，我痛恨，什么时候你们灭亡了，我跟着一起死掉都心甘情愿。统治者，是周朴园、金八、潘经理，甚至曾皓，这样一些腐败专制的人物和寄生虫们。这三部作品里写的，几乎都是这些人，很少有正面人

【题注】收入《论戏剧》，四川文艺出版社1985年版，据以排印。

物。当时我很少接触正面人物；不是完全没有接触，但的确了解很少。

不劳动者不得食是我的主导思想

旧的必然要灭亡，谁代表新生的力量呢？我当时不能回答。但也并非全然没有寓意。在《雷雨》里我写了鲁大海，一个工人，当然写得很不成熟，但我同情他，佩服他。《日出》里我写了一群幕后的打夯工人。——黎明后太阳升起时，黑暗必将逝去，在黑暗里生活的“动物”们，也必将随之消灭，而这些打夯工人，却在为建设新的大厦打基础。他们边劳动边唱着夯歌：“日出东来满天大红，要想吃饭就得做工。”——不劳动者不得食，这么一个基本的概念、感觉，是我的思想。我在这些剧本里所抨击的，是那群不劳而食、不劳而获，把劳动人民踩在脚下的荒淫无耻的统治者，以及依附于他们，过着寄生生活的“帮闲”们。“五四”以来的进步的知识分子，总希望找到一个出路，但出路是什么，不明确。在我的作品里，虽然也有看见一点光明前途的人物，但基本上仅仅是体现了这么一种倾向。

我和戏剧的接近

我写《雷雨》用了半年时间，写作之前，构思了五年。写这个剧本的想法，是早在十九岁的时候。我用了较长时间构思剧本和人物。

酝酿得成熟些，可以写得集中些，不想写写改改。

幼年我喜欢阅读文艺作品。我开始接近戏剧是在十五、六岁。那时刚上中学，我参加了“南开新剧团”，距现在半个多世纪了。那时我们演了德国作家霍普特曼（Hauptmann）的一个戏,《织工》，写工人罢工，最后失败了。这个戏给了我影响。以后还演过易卜生、莫里哀等人的戏，也常常演“南开新剧团”自己编的戏。一直到我二十几岁以前，每年都参加演戏，从未间断。这些演出活动对我有好处。使我晓得了观众喜欢看什么，不喜欢看什么，需要看什么，不需要看什么。戏剧要教育观众。但演戏、写戏的人首先要懂得观众、了解观众。戏剧缺乏感人的艺术力量，光喊口号，是不行的。要使人从作品反映的生活中悟出道理来。生活是无比的丰富，尊重生活、深入生活，就会看到许许多多真实的人，就会发现鲜明的人物性格，才能塑造出典型来。譬如周朴园，并非真的有那么一个人，但生活中确实有许许多多这样的人。

周朴园不认为自己是罪人

周朴园自己从不认为自己是恶人。他在社会上是“名流”“贤达”，他认为他的家庭也是“最圆满，最有秩序”的“理想家庭”，他教育的儿子周萍，也是“健全的子弟”。三十年前，周朴园为了和一个门当户对的阔小姐结婚，把为他生了两个孩子的丫头侍萍，在大年三十晚上，从家里赶出来。大儿子他的母亲留下来了，这就是周府大少爷周萍；二儿子才生下三天，病得奄奄一息，就让侍萍抱走了。走投无路的侍萍投河不死，孩子也被救起，这就是后来的鲁大海。周萍和鲁大海，同父同母的亲兄弟，由于社会、阶级地位和生活环境的不同，走上了完全不同的两条路。鲁大海对周朴园，怀着强烈的憎恨。那时常常闹罢工。我听过一件真事，一个资本家在哈尔滨修一座江桥，他故意让江桥出险，使几千个工人丧生。他是承包商，从每个工人身上扣二百块钱。周朴园就是这样发了一笔血腥财，从此他才富起来。他觉得自己崇高，又"多情"，那个被他遗弃的丫头，被他说成为"前妻"了，连生了孩子的那间房子里的摆设，他都留着，保持原样，不准动一动。他自以为是好丈夫、好父亲，正人君子，永远是正确的。三十年后，侍萍又来到他家觅到周萍时，他让周萍跪下，说：不要以为她出身低下，她却是你生身之母，不要忘了人伦天性，……他没有一点自愧自疚。他对侍萍的怀念，是真的。他自和侍萍分别后，结过两次婚，第一次是个阔家小姐，抑郁而死；第二次就是和蘩漪。两次婚姻都不如意。他从来没尝到什么家庭幸福。回想起来，还是和侍萍相处的日子，多少给他留下了些美好的记忆。他对侍萍的思恋、怀念，成了他后半生用来自欺欺人、经常萦怀的情感了。这既可填补他那空虚的心灵，又可显示他的多情、高贵。

许多矛盾在第一幕里揭开

在第一幕，许多矛盾冲突聚拢一起，发展起来。在第二幕，侍萍见了周朴园没有马上就走，因为自己受了近三十年的苦，阴差阳错今天到了这个家，碰到了这个人。她想看看这个人的心原是自然的。周朴园错把她当成了家里新来的仆人。当他知道，站在自己面前的，竟然就是他三十年来一直标榜着自己念念不忘的侍萍时，他惊呆了，脱口而出的话是："你来干什么？"和"谁指使你来的？"那欺人的怀念、眷恋、悼念之情，全都无影无踪。"命，那不公平的命指使我来的。"这话出在侍萍身上，是自然的，旧社会她这样一个妇女，怎么能没有一点宿命论思想？"你自然想不到，侍萍的相貌有一天也会老得连你都不认识了。"此时的周朴园再装不像了！"好！痛痛快快的，你现在要多少钱吧！"他开了一张支票。他是那么冷酷无情。他感到幻灭：当初那么可爱的一个女孩子，今天怎么老成了这个样子，成了对他的社会地位的一种严重威胁。把她赶走，他的本能使他没有任何考虑，马上做出这种决断。周朴园生气了："你还要怎么样？""我就是想看看我的孩子。"鲁大海来了，周萍来了，鲁妈在这儿，碰到了他的两个儿子，一个变成了资产阶级少爷，一个成了罢工工人的代表，正在反对他的父亲——外国煤矿的资方代表。鲁大海把周朴园最丑的事抖了出来。周萍这个"孝子"打了大海。侍萍再没想到会看到这样的场面，自己的儿子竟成了这样一个人，她连一声"萍儿"都叫不出口了："你就是萍，——凭——凭什么打我的儿子？"母子、兄弟，成了这样阶级对立的关系。为了把事情掩盖起来，周朴园立刻解雇四凤、鲁贵，和他们断绝一切关系。到第四幕，他还要寄钱给鲁妈，不是为了慈悲，而是为他不放心。鲁妈有骨气，钱她不收，她信命、认命。

另一个人物是蘩漪生的二少爷周冲。他很天真，是同情鲁大海的小知识分子，受过高中教育，受到过“五四”以来新思潮的影响，看过一些进步刊物。这是“周府”里比较可爱的人物。但他毕竟出身在这样家庭里，第三幕鲁大海从家里撵他出门时，他说了：我没想到我父亲说的话，还是对的。不但老大说他父亲的话是对的，连老二这个开明的知识分子，遇到阶级跟阶级对立的当口，他也想不明白。我不懂工人阶级，我觉得工人们干净，剥削者的钱，全是血腥气的。这帮人伪善，他们吃素，念佛，因为坑人、害人、杀人太多了，要拯救灵魂，死后升天堂。

“三一律”和巧合

“三一律”不是完全没有道理。《雷雨》发生在不到二十四小时之内，时间和地点的统一，可以写得集中。同时进行一个动作，动作在统一的结构里头，可以显得清楚，这是“三一律”的好处。后来我感到，写戏，下一个要和上一个不一样。《日出》和《雷雨》写法不一样，《北京人》又力求从写法、结构、人物种种，有所不同。

一部《雷雨》都是巧合。明明是巧合，要人看不出是巧合，相信生活本是这样，该是这样。要写出生活逻辑的依据以及人物性格、人与人之间关系的必然性来。拿周朴园与鲁妈相见一场说，他们的语言、行动、反应，要有必然性。

重视舞台气氛

关于《雷雨》的舞台气氛。我们把自然界的现象，和剧情的发展联系起来，用以表现人物、人与人之间关系，可以起烘托作用。《雷雨》的第一幕里的几个人都放在雷雨之前的令人窒息的空气里，闷，热，一丝风都没有。鲁贵满脸油汗地絮叨着客厅"闹鬼"，向女儿勒索钱用；四凤为母亲的即将到来而烦躁，显得心不在焉；蘩漪出场后非要打开窗户，她实在忍受不下，非透一口气不可；周朴园则依然君临一切地逼着关窗户，当众逼着蘩漪吃药。在同一种闷热的气氛里各人有各自的心情、性格。认识这个家庭的种种矛盾和混乱，危机即将爆发。沉闷、压抑、窒息、紧张，有时滚过天边的一串闷雷，有时瓢泼大雨。侍萍逼着四凤起誓：今后再不和周家人来往。猛地一声撕魂裂魄的炸雷。

写戏有个大纲好

写戏有个大纲好，五年中反复想这些人物性格，想他们的历史，使他们在规定情景下动作。不把这一切想好，很容易返工。写作中常发生非推翻原来结构不可的事情。写着写着把当初没想到的地方想清楚了，把人物心灵深处的东西挖出来了，情节再这么搞不行了，不像那个人了；结构非改动不可。事先尽量想好，有个大纲，把一切想深想透。是不是一定要从头写起呢？回想起来，我最先写的是第三幕周萍和四凤推窗户的一段戏，再就是第一幕吃药的那一段，而不是按原来的大纲的顺序写的。那时在清华大学读书，我躲在图书馆一个专门搁外国杂志的大厅里，从早到晚不停地写。把结构搞好了，人物在脑子里活了，他们的一切都清楚了，这时写戏是一种快乐。一切部署好了，剩下的仅是人物性格有时要改一改，结构多少变一变，大架子不再动了。创作是非常艰苦的事，但也是一种愉快，而不能是受罪。

人物和人物关系的复杂性

蘩漪这个人物从第一幕到第四幕，是发展的，未停止过。她是资产阶级的太太，有些观众觉得她又恶又狠，但她基本上是个受害者；她是她那个阶级的人物，她没有自由，渴望自由。现在的观众很难理解这种人，我见到过许多这类事。旧社会的女人没有机会同男人接触，有钱人家后娘和前妻之子发生暧昧关系的事，实在多。蘩漪是统治阶级营垒中的一员，但在周宅这座牢狱里，又是个受囚禁者。她对侍萍的态度，完全是个官太太。她要把四凤撵走，说得却巧妙。她在四凤面前、侍萍面前，在周朴园面前、周萍面前以及在自己的儿子周冲面前，表现出各种复杂的心情和态度。她和周萍的关系，第一幕她表现为不在意的样子，第二幕对周萍就带威胁性了：“你不要把一个失望的女人逼得太狠了，她是什么事都做得出来的。”第三幕可以说是非常狠的报复。第四幕在她刚刚亲眼看到周萍与四凤密约之后，她又转而恳求她所鄙视的周萍，把她也带走。蘩漪这个人有不能令人容忍处，也有值得同情处，其他人物也都是在发展中，流动中。

有人说周萍这个人物坏。演这个人，对他的“坏”让观众慢慢想一想。这个家里“闹鬼”，是他主动勾引蘩漪，家里搅了这么乱七八糟，明天要走了，还跑到四凤家去见面。但他爱四凤，内心却有许多矛盾。四凤是个纯洁天真的少女，常年在周家帮工，慢慢也沾染上了这个家里的习惯和趣味，多少沾染上了“奴仆习性”。四凤对周冲这个年轻孩子并不欣赏，他不懂得爱情，觉得周萍衣着、风度、神态，有一种无法抗拒的吸引。周萍荒唐的生活正是他父亲过去经历过的，周朴园留学回来，变成典型的“慈父”和“模范家长”。周朴园这样一个刚愎险恶的人，也会感到寂寞和幻灭。第四幕一开始，已是深夜两点，周朴园忽然孤独得要命，找谁也找不到。家里，妻子不喜欢他，谁也不亲近他，他忽然希望得到点家庭的温暖，感觉到人生无常。特别是经历了白天的事情，怎么也摆脱不了空虚幻灭。他一反常态地对周冲表示：“你找我吗？”“快活吗？”白天周冲早已尝够了他的味道，再不肯说什么。蘩漪回来了，浑身水淋淋的。“你上哪儿去了？”蘩漪望着他，“在你的家里！……在花园赏雨。”这刺痛他，使他感到这个家也是森森然的。

知道点资产阶级的生活、历史，是必要的，它可以帮助人了解，旧社会是一种如何复杂的社会。《雷雨》我写得出，因为我对这种生活熟悉了。周萍自杀了，其实周萍是不会轻易自杀的。尽管他已经是个活厌了的人，如果这么多事不凑在一起，他也不会自杀。周萍、周冲都软弱，都继承不了他父亲的事业。这是个必然灭亡的阶级。

从生活中挖出来

写戏的人接受前人的经验很重要，要“古为今用，洋为中用”。读外国剧本、中国剧本，真有好处。人们常说“千古文章一大抄”，这是糊涂话。“读书心得”绝不是人家怎样说你怎样说，而要把它“化”了，变成你从生活中印证出来的东西。借鉴与抄袭的界限就在于此。譬如后母与前妻之子发生暧昧，或是女人遭遗弃而复仇的故事，从古希腊起，一直为各种戏剧一再袭用。凡是写了这样的事件就是抄袭吗？要看写的题材、事件、人物等等，是从生活中挖出来的，还是从书上抄下来的。作品的主题是从作品所反映的生活中流露出来的，体会出来的。它反映作者对生活的认识、理解。写《雷雨》可能多少代表时代的脉搏和精神吧。还是那句话：“时日曷丧，予及汝偕亡。”要把这个社会毁掉，《雷雨》《日出》《北京人》都是这个样子。我感觉这个旧社会要动，要变，再不变不得了。至于变成什么，我说不出来。提出问题容易，开方子很难。现在常有人找我，引马克思、恩格斯的话论证剧本。当时我并没想到这些。我不过是个普通的、有正义感的知识分子，生在那种环境里，就写出戏来。我的话，不一定正确。今天我所说的，已经不完全是当时所想的了，可能已经在合理化，在掩饰当时一些不对的地方了。我的话，并不都是有道理的。

剧本的生命在于演出

我认为剧本跟小说不一样。小说可以定稿，剧本总是定不了稿，它的生命在于演出。剧作家的创作，仅是戏剧艺术的一个重要的部分，此外，它还需要导演、演员、观众共同完成。剧本的修改，应该是演出之后的修改。演员改、导演改、观众改，使它慢慢好起来。只要这个剧本还在演出，还有生命力，它就可以不断创造，不断地改。我的剧本，大家可以演，可以改。我的时间不多了，我要抢时间，尽可能把所有的力量拿出来，多写几个戏，为“四个现代化”贡献点力量。

北京市文联第三届理事会第二次扩大会议开幕词

同志们：

北京市文学艺术界联合会第三届理事会第二次扩大会议，现在开会了。

根据市委的指示，我在这里正式宣布：北京市文学艺术界联合会、中国作家协会北京分会筹备委员会、中国戏剧家协会北京分会筹备委员会、中国美术家协会北京分会筹备委员会，即日起正式恢复工作。

我们这次会议的主要任务是：

一、联系实际，揭批“四人帮”破坏北京市文艺工作的严重罪行。

二、学习讨论中共中央宣传部副部长黄镇同志在全国文联第三届全国委员会第三次扩大会议上的报告，学习讨论市委负责同志的报告，讨论市文联和作协、剧协、美协三个分会筹委会恢复后今后的工

【题注】载《北京文艺》1978年第10期。按，北京市文联第三届理事会第二次扩大会议于1978年9月15日—21日举行。

作任务。

三、就召开北京市第四次文代大会问题初步交换意见。

同志们!

从一九六三年春北京市第三次文代大会召开到现在，已经十五年多了。在此期间，我们的党和国家经受了两个阶级、两条路线、两条道路激烈斗争的严峻考验。在伟大的无产阶级“文化大革命”中，清算了刘少奇反革命修正主义路线，粉碎了林彪和“四人帮”两个反革命集团。林彪和“四人帮”本是一丘之貉，他们猖狂地向党向社会主义进攻，给党和国家各方面的工作造成了极大的灾难。我们北京市文艺战线是他们最早伸出魔爪的地方，也是他们搞篡党夺权阴谋的突破口，因而受害也最烈。

这段历史路程，我们大家都是经历过来的，可以回想一下：有几个老作家、老艺术家或真正坚持毛主席革命文艺路线的文艺工作者，没有受到“四人帮”的摧残、迫害？有几个老干部没有受到“四人帮”的残酷打击？在“四人帮”横行的日子里，我们大家见面的时候，是个什么样的心情呢？在今天这个会上见面的时候，又是一个什么样的心情呢？我想大家在一起都有许多心里话要说，许多冤要诉，这个心情是完全可以理解的。我们这个会首先应当揭批“四人帮”，把仇恨集中在“四人帮”身上。在这里，我们要为被“文艺黑线专政”论迫害致死的北京市文联主席、著名人民艺术家老舍先生表示深切的哀悼。解放以来，老舍先生一直是我们北京市文联的主席，对北京市的文艺工作，做出过卓越的贡献。他的逝世，是我们北京文艺界的一个重大损失。我们也为在此期间先后遭受“文艺黑线专政”论迫害含冤死去的市文联第三届理事会理事、剧协分会筹委会副主席马连良、李再雯、韩世昌，理事荀慧生，美协分会筹委会委员秦仲文等，以及自市第三次文代会以来因病逝世的理事们，作协、剧协、美协分会的筹委们表示沉痛的哀思。同时，也为在此期间，受到“文艺黑线专政”论种种摧残、迫害的北京市文艺界同志们，表示亲切的慰问。

革命历史车轮滚滚向前，不是任何人所能倒转的。反革命逆流终归是逆流。曾经猖獗一时的林彪、“四人帮”一小撮跳梁小丑，都先后被押上历史的审判台，受到人民的惩罚，成为不齿于人类的狗屎堆。而我们的文艺队伍，经过无产阶级“文化大革命”运动，特别是经受同“四人帮”这场殊死的斗争，锻炼得更加坚强、更富有战斗力了。这证明我们北京市的文艺队伍，是一支很好的队伍，是一支在毛泽东思想哺育和敬爱的周总理长期关怀、培植下成长起来的革命文艺队伍。林彪、“四人帮”企图摧垮我们这支久经锻炼的革命文艺队伍，完全是痴心妄想，白日做梦！

我们这个会议，要开成一个战斗的、有鼓舞性的团结的会议；既要联系实际，深揭狠批“四人帮”，分清路线是非，也要商议如何调动一切积极因素，繁荣社会主义文艺创作的大计。希望各位代表敞开思想，畅所欲言，大胆各抒己见，为向伟大祖国三十周年献礼，为迅速改变首都文艺舞台的面貌，共同出谋献策。会议要开得生动活泼，要体现百花齐放、百家争鸣的方针。

同志们！

祸国殃民的“四人帮”，残酷摧残文艺事业，使北京市文艺战线成为“重灾区”，这是一件坏事。但只要我们高举毛泽东思想旗帜，打好揭批“四人帮”的第三战役，认真总结正反两方面的经验教训，充分发挥广大文艺工作者的革命积极性，就将会把坏事变成好事，使北京的文艺工作更加繁荣，更加充满革命的朝气。

当前，全国人民正在以英明领袖华主席为首的党中央领导下，开始一次新的伟大长征，要把我们伟大祖国建成社会主义的四个现代化的强国。我们相信，这次会议将是北京市文艺战线在这个长征途上的新的转折点。让我们携起手来，为迎接社会主义文艺建设的高潮而共同努力！

祝这次会议取得圆满成功！

一九七八年九月十五日

怀念老舍先生

我和老舍先生都是经过旧中国的灾难与痛苦的人。他比我年纪大，是我的前辈。我们都属“狗”，他比我大一轮，比我早生十二年。

他出身贫寒，当过教师，也当过教授。在我从南开中学毕业后，我才知道他也在那个中学教过书。因此，从过去老人的眼光看，老舍虽未亲身教过我，但我也应该认他为“老师”的。

我认识老舍是在抗战中的重庆。国民党不抗战，却偏偏有一个“中华全国文艺界抗敌协会”，记得我们便是在那个“协会”中认识的。他很穷，居无定处。有时在张家花园那个“协会”住一阵，有时便找一个报馆[1]中的一间简陋的房间住下。无论酷暑寒冬，他总是在那个不大能见到阳光的小房间里，一天一天埋头著作。

夏天的重庆是个大火炉，热得人无处藏身。没有风，没有树，到

【题注】载1978年10月8日《北京日报》。文末附注：“选自在市文联第三届理事会第二次扩大会议上的发言。”

1 “找一个报馆”论戏剧本作“在《新蜀报》报馆”。

了夜间，屋内的床席、桌椅似乎都烫手。但老舍先生，除了偶尔会客、开会外，就在这样的环境中，日夜地写，写，……用他的心血写出各种体裁的作品。

他是一位有很深的正义感的人，疾恶如仇。对那些倒行逆施，横征暴敛，不抗日，专吸人民膏血的国民党反动派，他是决不相容的。但他对一贫如洗、剥削者视为卑下的苦艺人，却待若宾友。我记得有一位艺名“山药蛋”、唱滑稽大鼓的老艺人，老舍先生虽是两袖清风，却总在这位老艺人最困苦的时候，拿出自己的稿费周济他；并且经常为这位受苦受难的艺人写大鼓词，甚至为他的家事排难解纷。当他受国民党特务欺凌时，老舍便挺身而出，仗义执言，敢说敢当。

老舍慷慨好客。即在那毫无出路的重庆山城中，如若来了一位远方的友人，他必盛宴款待。而那餐宴的费用是他典当或变卖了自己的衣物得来的。他好喝几杯黄酒，酒量不大，但酒酣之后，便引吭高歌，声动四壁。

老舍在重庆时，敬爱的周总理常请他到曾家岩八路军办事处吃便饭，我也在座。周总理（有时王若飞同志也在）总是对我们分析形势，愤慨地谈起蒋介石、国民党军队，不抵抗日寇，却天天打内战，反共、反人民；又细细地给我们讲中国共产党在解放区抗日救国的事实。使我们终于明了革命的正义事业，只有伟大的中国共产党在领导着，共产党是中国的希望。以后老舍还随一些人到延安去考察，这使他更确信中国共产党是唯一能救中国的、爱人民的、正确的党。

一九三六年，老舍在青岛写了他著名的长篇小说《骆驼祥子》。他是老北京，对北京底层的人们是熟悉的，并寄予说不完的同情。骆驼祥子的命运，正是旧社会典型的劳动人民一生的命运。

一九四九年，北平解放了，中华人民共和国建立了。那时老舍在美国讲学。周总理对我说：你写封信请老舍回来吧，新中国有许多新事可以写。我遵照周总理的指示写了信，老舍立即整装返回祖国。从此，他用全副精力大写社会主义祖国的新人新事。他也开始学习马列主义、毛泽东思想，从此他的著作如喷泉，如瀑布，如倒悬的黄河，无昼无夜地在他的笔下奔泻出来。他不但写得多，而且各种各样的体裁都写。新旧体诗歌、小说、戏剧、曲艺、相声，以至为人写新内容的春联。每次政治运动，他都积极响应，用他生动的笔，写出许多有益于人民、有益于革命的好文章。

他工旧体裁的诗，精书法。一般来说，有求必应。因此他的诗与书法到处流传。北海的"仿膳饭庄"的"仿膳"二字，便是他的手笔。

他爱收集美好的水墨与扇面。我有时访他（多半在下午，上午他是不会客的），他总是从他的小书房里欣然走出来，给我一杯浓郁的花茶，谈得高兴时，使拿出几幅他引为得意的字画给我欣赏。我虽然不懂字画，但也因为他那样欣喜，感到愉快。

他好花，尤其爱养菊花。到了秋天，他的小庭院里便摆满了斑斓夺目的菊花。这是他和他的夫人胡絜青同志共同培育的。宋朝有个周敦颐，写了一篇短短的散文说："菊，花之隐逸者也。"而老舍先生从来不是"隐士"，他是喜欢和朋友们同乐的。因此，当他的菊花成群成山，亭亭玉立、欣欣怒放的时候，他必然请许多朋友来家中赏菊。有时还在家中便餐饮酒，那时，我也喜欢喝上两杯。几杯黄酒到了肚里，竟颓然醉倒在桌下，四座笑声朗朗，朋友们是那样欢悦。

老舍先生很豪放，但也谦逊。他经常赞扬郭老学问的渊博，也称赞赵树理的文章写得纯朴、扎实，没有废话。对其他人的一些优点，也从不吝惜他的誉美之词。

他平易近人，常有各样的客人到他的家中拜访。他为了写作，也常常深入到人民中间去，不怕吃苦、不怕艰难。他自奉俭朴、步行街巷，从来以一个普通劳动者自居，没有那种拒人于千里之外的“名人”架子。解放后，他的第一个作品话剧《龙须沟》，洋溢着他对党、对人民热烈的情感，他淋漓尽致地写出了新、旧社会两重天，写出旧社会的黑暗与新社会的温暖。他把这个剧本交与北京人民艺术剧院上演。由焦菊隐同志导演，许多北京人艺的话剧艺术家，于是之、叶子、郑榕、杨宝琮……都参加了演出。周总理几次看过这个戏，并请毛主席看了，主席也称赞这个戏。北京市人民政府颁给了老舍“人民艺术家”的称号，这是作家在新中国空前的荣誉。

有这样一句话：“著作等身”，那就是说一个作家的著作摞起来，有他的身量那样高。老舍先生是二十年代的老作家，自从他执笔以来，所写的文章，约有数千万言，不只是“著作等身”了。但他从不自满，总在精益求精，一部一部的作品从他的笔下涌出。必须说，老舍是一位非常勤奋，从未停笔的老作家，他的这种精神是值得我们永远学习的。

老舍先生喜欢儿童。我记得一九六二年，我带我六岁的女儿小欢子和老舍同车从广州向北沿海滨驶行，他偶尔看到我的小女儿作的一首儿歌，他非常欣赏。一路上便向孩子大讲他即兴编出的许多童话，我的女儿[1]听得入了迷，又是拍手，又是大笑。临别时，孩子简直不愿离开这位有趣的老人。

他谈起话来娓娓动听，一段一段的小故事，如山中的泉水，流着，涓涓不绝，令人兴奋，令人神往……

我一想起老舍先生这些可仰慕的性格，我便止不住怀念这位可敬可爱的老人。

他将永远在人民的心里被纪念着。

1 “我的女儿”论戏剧本作“小万欢”。

新疆札记

月光如水，照耀草原。

我穿上衣服，披上皮大衣，低下头，轻轻地走出毡包。

从来没有看到这么好的月色，赛里木湖在月下，像一只发光的银盘。虽是八月，却寒气逼人。这是草原特有的气候，使我睡意顿消。

羊群静静的，牛马都在睡着。包里，我的维吾尔族朋友、哈萨克族朋友和蒙古族朋友紧紧地挨着，鼾声如雷。他们累了一天。为了欢迎远方的客人，赛马、弹琴、唱歌、跳舞。男人们宰了肥美的羊羔，妇女们点起火，咕嘟咕嘟地煮了一锅一锅的羊肉，端出一盆一盆的马奶子酒，一堆一堆的奶油果子、奶豆腐，一碗一碗的奶茶，招待我们。老早听说，少数民族同志热情好客；今日见到，果真如此动人！主人、客人围坐在一起，壮实的老人坐在毡包的中间，那是受尊重的位置，我们挨着微笑的老人坐着，因为我们是客人。当然，也算是老人了。孩子们的脸红扑扑的，手里抓着羊肉，瞪着亮晶晶的眼睛看着

【题注】载1978年10月8日《文汇报》。

我们。整个毡包里充满了笑语，好像过着节日。

小伙子们在湖边刷马。凉风习习，一群群的马在岸边嚼着肥草，轻轻摆动着长长的尾巴。那些青的、黄的、枣红的、黑的、菊花青的健马，周身闪烁着光彩，像一匹匹锦缎。英俊的骑手，在重叠起伏的碧绿的山坡上，飞快地驶过，一转眼就看不见了。

富庶的牧场，美丽的草原！同行的人们都打心眼里，想唱上一句："我们新疆好地方，……"

牧民们告诉我：今年牧草丰盛，牧畜增长，牛羊肥壮。他们真是无比欢畅。他们说，要用更辛勤的劳动，更美好的生活，迎接更幸福的明天。

我想，我必须回到包里，稍睡片刻，因为明晨，我将赶路。又要坐车驶过一片一片美丽的牧场，走访少数民族同志的多彩的毡包。他们将会热烈谈起在华主席、党中央的领导下，他们的新的战斗、新的生活……

该去睡了！

然而，草原的夜色，实在令人留恋！

我是在新疆的北部，离着伊宁不远了。这里是祖国的边境地区。对面，就是苏修强盗。白天，哈萨克族老大爷曾对我们讲起他们擒获苏修特务的经过。他们时刻在警惕着。这时正是夏夜。我仿佛听到一队队的军马，正在驰骋；守边的战士们，睁大眼睛，盯着那群强盗。

再细听，宁静的夜，万籁无声。

我想，此时的北京正热得异常，许多人睡不着觉。但科学家们还在实验室工作；孩子们仍在灯下读书。学校就要开学。他们正认真地演算习题，温习功课，来迎接新的学期。笔在纸上沙沙地响着。……

我想到我的小女儿，我似乎看见她的汗水，顺着脸蛋，滴到书本上。

我想，此时此刻，在北京，在全国，夜班的工人们正在矿下，在机床旁劳动，那里的夜，是忙碌的，沸腾的。清白的月亮，显得又高又远，……

在农村，沉甸甸的庄稼，等待着收割。渠水潺潺地流着，不知疲倦；干部们在灯下开会，计划着，安排着明天的、今后的生产，他们也不知疲倦。

月亮落向天边，太阳在升起。两年来我们的人民不分昼夜地向前跃进。

展望未来，祖国前程似锦。

话剧《杨开慧》座谈撷英（节选）

我祝贺《杨开慧》的演出十分成功，看了很受鼓舞与教育。毛主席的形象既伟大又有生活。第四场站在窗前点烟的动作，反映出伟大领袖心中思潮汹涌澎湃，给我很深的印象。整个戏用革命现实主义和革命浪漫主义相结合的方法表现了主席的广阔胸怀和杨开慧平时稳重斯文，在暴风雨中又非常坚韧不拔的精神，真是难得，在狱中的形象，用了极生动的革命浪漫主义手法，尤其感人。妹子、方辉写得很有性格。但反面人物比较一般化。写反面人物，如何才能出新，是个值得研究的问题。

【题注】载《人民戏剧》1978年第10期。按，文前“编者按：话剧《杨开慧》在创作和排演过程中，曾多次召开座谈会，广泛征求意见。参加座谈会的有老一辈革命家、文艺工作者和工农兵群众。他们为了帮助作者把剧本改好，本着‘百家争鸣’的精神，热情地提出了自己的意见。在有关领导同志、广大群众和同志们的关怀下，作者对剧本做了修改，使剧本的思想和艺术水平不断得到提高。这里发表的几位同志的发言摘要，是从几次座谈记录中选出来的，整理时本刊作了删节”。本期刊载曹禺、张庚、李淑一、杨开智、邵华、李之华、赵寰、吴祖光、胡惠玲、李德君、郭大有发言，曹禺发言排在首位。

真理标准讨论与新时期文学命运（节选）

——《人民文学》《诗刊》《文艺报》一九七八年十月编委联席会议纪要

刊物办得所以不够劲，主要是忘了将来。我们不光是摇旗呐喊，要从实际出发，干出东西来。没有生活，就产生不了《忆向阳》那样的好诗。作家要拿出作品来提倡。评论家要拿批评的激情来指路。评论家太重要了。《文艺报》作为评论的机构，《人民文学》《诗刊》作为作品的战场，需要有人来干，需要有马列主义的人来干。出了个《班主任》，好，又出了一批同类的作品，但高于这个作品的不多。缺点要谈。《人民日报》爱看了，因为它谈缺点。《文艺报》应谈谈过去的不足，就怕认为自己了不起。整个空气是放，是民主。再不干，对不起党。要敢于说话，不哗众取宠。当然也不能光说缺点，不说成绩。

【题注】载《红岩》1999年第1期，署“刘锡诚记录整理”。按，据整理者前言：“1978年6月5日闭幕的中国文联三届三次全委扩大会议宣布，中国文联、中国作协，中国剧协，中国音协，中国影协和中国舞协恢复工作，《文艺报》立即复刊。同年10月20—25日，在北京远东饭店召开了《人民文学》、《诗刊》和《文艺报》三家刊物的编委会联席会议。”张光年主持会议，刘白羽、曹禺、魏巍、冰心、唐弢、草明、韦君宜、柯岩、李季、冯至、邹荻帆、赵寻、荒煤、沙汀、臧克家、李瑛、袁鹰、林默涵、李春光、罗荪等先后发言。

首都戏剧界关于吉剧的座谈纪要（节选）

我看了吉剧的三个戏，这是百花园里一朵非常美的鲜花。它是一个新剧种，但它能够吸收各剧种的长处，这是它一大优点。吉剧的主要根据是二人转，它把二人转里好的东西都保留下来了。这一是领导的好，二是群众创造性非常强，艺术家合作的好，发挥了智慧。各位同志演的很有自信心，入情入理，入木三分，演的狠哪！无疑问，这

【题注】载1978年12月8日《吉林日报》。曹禺名后署“中国戏剧家协会副主席”。按，文前编者说明：“文化部调省吉剧团进京演出，在首都观众和文艺工作者中引起很大反响。十一月三日，中国戏剧家协会召开吉剧座谈会，中国戏剧家协会副主席、著名剧作家曹禺同志主持座谈会，戏剧界不少评论家、演员和导演纷纷发言。他们对吉剧热情肯定，对吉剧的进一步提高和发展提出了宝贵意见。这里刊出的是这个座谈会的发言摘要。”曹禺作为主持人致辞：“吉林省吉剧团到北京演出，我代表全国剧协和参加这个座谈会的同志，向他们表示热烈欢迎！他们给我们带来了好戏，做了精彩演出。使我们很受感动。今天，大家济济一堂，座谈一下我们看过吉剧的感受。”座谈先后发言有张东川（文化部艺术局负责人）、吴雪（文化部艺术局负责人）、胡沙（中国评剧院负责人）、魏喜奎（北京市曲艺团曲剧队）、张庚（文化部文学艺术研究院）、张艾丁（北京京剧团）、郭汉城（文化部文学艺术研究院）、曹禺、于夫（中国歌剧舞剧院）、金紫光（全国文联副秘书长）、俞琳（文化部文学艺术研究院）、龚和德（文化部文学艺术研究院）、赵寻（中国戏剧家协会负责人）。

是从生活中来的。

三个戏，我最喜欢《包公赔情》。当然都不错。《闺戏》活泼，三个姑娘，三种性格。《燕青卖线》武丑演的好。我看过京剧《赤桑镇》，没给我留下什么印象。看了吉剧《包公赔情》，使我产生了不起的感觉。它人民性强，表现了人物崇高的精神境界。看戏曲这样感动我，还是第一次。念一段唱词，包公唱：

嫂嫂难消杀子恨，
要责倒有剑一根。
包拯性命何足论，
惜的是陈州百万民，
千家万户炊烟断，
妻离子散痛断魂。
嫂嫂若有爱民意，
你等我放粮归来，
死也甘心！

这词真好！唱完这一段，跪在嫂嫂面前，戏到了不可解决的当口，王凤英唱道：

眼前跪定小包拯，
却好似陈州百万民。

接着伴唱重复着下句（想不到吉剧还有川剧式的伴唱）。没想到这样一转，突然把人物境界提得这样高。这句子多好啊！这是伟大的感情。往下听：

（嫂）千言万语难入耳，
他为民一跪动我心。
他为那百姓饥寒肝肠碎，
我怎该为一孽子泪沾襟。
擦干泪痕搀三弟，
（白）嫂嫂跪的并非是你，我跪的是你那为国为民的一片忠心！
（包）多谢嫂嫂不责之恩。

难道不应该向这样的人物学习吗？接着嫂子做了一番检讨，检讨的很好，我通过了（众笑）！她是这样检讨的："三弟！嫂嫂一时贪恋母子之情，险些误你放粮大事。三弟，请速登程！"风波平息了，嫂嫂举起酒杯唱道：

（嫂）三弟你请饮这杯酒，
（伴）这杯酒千斤重，
点点滴滴透深情；
一为你赔礼二饯行。
（包）接过嫂嫂酒一盅，
铁石的人儿泪纵横。

若非贤嫂明大义，

这场风波实难平。

这词写的精彩，有人民性！我有一次看《除三害》，这戏就有人民性，是写自我改造的，我看完后，给演员写了一封信。我看《包公赔情》要好好宣传，这里包含着很深的东西。没想到这样好。这就叫古为今用。你说清官不好？不对嘛！我认为这一段可以大书特书，因为这样的戏在中国舞台上不是很多的。这说明了应该怎样整理传统，推陈出新。

再一个是眼泪的问题，我觉得演员激动流泪是难得的。当然流眼泪要发自内心。莎士比亚的剧本《哈姆雷特》里有这样一段台词："这一个伶人不过在一本虚构的故事、一场激昂的幻梦之中，却能够使他的灵魂融化在他的意象里，在它影响下，……他的眼中洋溢着热泪，他的神情流露着仓皇，他的声音是这么呜咽凄凉，他的全部动作都表现得和他的意象一致，这不是极其不可思议的吗？"它说明演员为剧中人物的感情所感动，在认真演出中落下眼泪。演员流泪是必要的。

一声惊雷

——赞话剧《于无声处》

《于无声处》的作者宗福先同志十四日由沪抵京，晚上来我家探视。这时，正是首都观众望穿秋水，等待《于无声处》剧组来京演出。我和这位年轻的作者会见，对我来说，是一件很有意义的事。我年近七十，他才三十一。写了那样一本十分勇敢而又比较成熟的剧本，给了我深刻的教育。在这位剧作者身上，我看见了祖国社会主义新时期灿烂文艺的面貌。我感到我的小房间忽然亮起来。我的面前突然有许多年轻有为的剧作者们，有的坐，有的立，有的激昂地踱着快步，大家都拿起自己的辉煌的剧作高声朗诵。那愉快的声音像无数的“惊雷”，从我这狭窄的房间里，冲破墙壁，向四面八方，闪电一般地发出去，震惊了中国。

在宗福先同志来京之前，我读完了他的话剧剧本《于无声处》。我衷心地祝贺作者，这位勇敢的青年人，我的年轻的老师。

【题注】载1978年11月16日《人民日报》。

我要称宗福先同志是我的老师。因为他写出了《于无声处》这样的好剧本；他说出了全国人民憋了许久的心里话，说出了真话。他冲破了一个“禁区”。而我们老一辈的和专业的作者却落后了。“禁区”的门被他打开了。

“天安门事件”是一场伟大的革命群众运动，这就是它的本来面目。怀念周总理，声讨“四人帮”。一九七六年清明时节，千百万人民群众在天安门广场，就是这样战斗的。

那个时候，我的孩子们天天到天安门广场去，深夜才回到家，没有一丝一毫的倦容。我整天都在等她们，她们给我讲天安门广场上发生的一切，把抄来的诗词念给我听。在那几天里，我们常常是一夜夜地交谈，兴奋着、激动着，同时，也深深地忧虑。四月七日以后，家里沉默了，天安门广场沉默了，历史被颠倒，人们的心被扭曲。罪魁就是“四人帮”。但是，天安门广场的群众运动撒下的火种，始终在人民的心里亮着。有这样的人民，中国的前途是光明的。

英明的领袖华主席粉碎了“四人帮”。人民在天安门立下的志愿，得到实现了。那时造成的许多冤案得到了平反、昭雪。今天，天安门革命群众运动终于在舞台上得到了反映。这是件了不起的、令人高兴的事，人民会坚决而热烈地拥护。人民群众将发挥出更大的积极性。因为人民懂得了他们是中国的主人，历史的主人。

我家中有各种版本的《天安门革命诗抄》，有第二外国语学院童怀周编的，有自动化研究所编的……我和孩子们因能得到这样的一本，欣喜万分。夜晚，在灯下，我细细地、一首一首地读过，从那些诗歌中，我看到人民的力量与真诚的情感。这些诗歌是不朽的，因为它们在中国的光明与黑暗的搏斗中，是炸弹，是旗帜。这些诗抄给予人的教育和鼓舞是不可限量的。

《于无声处》一剧中的欧阳平，正是编了一本这样的革命诗集——《扬眉剑出鞘》。在“四人帮”猖獗万分的时候，他编出诗集，散发了。他完全了解“四人帮”的残暴，完全想到了他会就此失去自由。妈妈梅林所遭受的，也许他也要遭受。所有这些都没有阻拦住他，因为他不能违反自己的心。他热爱祖国，不忍看到中国被“四人帮”毁掉。他热爱我们敬爱的周总理，不能允许“四人帮”的中伤。他看穿了那些极“左”的面孔，极“左”的口号和种种倒行逆施。欧阳平是一个彻底的唯物主义战士，他要说真话，尽管这代价也许是生命。这样的人正是我们这个时代的真正的英雄。做这种说真话的英雄绝非容易。有很多人在咬牙沉默，有一些人冷漠的闭着嘴。还有的人只得违心地说话，另有一类人无耻地吹捧。中国实在需要欧阳平、韩志雄、庄辛辛、李春光这样的同志，有他们，中国便不会是无声的中国。

还有一种人，没有骨头，没有灵魂，没有信仰，没有人味。《于无声处》剧中的何是非就是如此。他并非看不出“四人帮”所干的坏事，并非不知道人民的仇恨。他没有迟钝到这一步，更不可能如此单纯。他们是押了赌注的！他们以为看准了风向，看准了江山属谁，便把性命、官职等等，都押在这一赌注上，押在“四人帮”这一头。为此，他们可以丧尽天良地做事，诬陷，告密，出卖，关押，杀害。我见到过这样的人：活着，人们视他为犬；死了，人们视他为粪土。

《于无声处》，正是写了一九七六年的中国人民与“四人帮”的搏斗。以天安门事件为背景，集中在两个家庭，集中在一个场景，集中在一天之内。情节紧凑，发展急剧，引人入胜。“于无声处”这个名字也起得好。于无声处听惊雷！

天安门广场的革命群众运动是一声惊雷。今天，宗福先同志写了这个戏，可以说是一声惊雷，教我们敢于打破禁区，打破“四人帮”设置的条条框框。没有无所畏惧的彻底唯物主义的精神，就不可能写出反映我们时代真实面貌、富有生命力的作品来。

华主席在国庆二十九周年招待会上讲：“我们要思想再解放一点，胆子再大一点，办法再多一点，步子再快一点……”宗福先同志和上海工人文化宫业余话剧学习班的同志们，正是按照华主席的指示做了。我们要认真向他们学习。

写天安门这场革命运动的不只是宗福先一位同志，有很多有志之士都在写，有的已经写出来了。北京更是大有人在。因为这里是发生地，人们永远忘不了那时的一切。我非常希望能早日看到这些作品。尽管不一定每个人都写得很好，很成功，但是我祝愿他们努力地写，写出人民的心声。

惊雷的回响（节选）

——本刊编辑部和中国戏剧家协会先后召开话剧《于无声处》座谈会

现在出现了《于无声处》这样一个好剧本。“于无声处听惊雷”嘛，“惊雷”一响，全国响应。听说北京有十几个、全国有五十多个剧团要上演这个戏。今天这个会，大家来得非常踊跃，可说是首都戏剧界的一个盛会，可是，比起全国的盛况来，我们这个会又是小小的回

【题注】载《人民戏剧》1978年第12期。按，文前“编者按：上海市工人文化宫业余话剧队演出的话剧《于无声处》，似一声惊雷轰动了全国，在社会上引起强烈的回响，受到广大群众的热烈欢迎和赞赏。本刊编辑部于十一月十日，召开了座谈会。十一月十五日《于无声处》在首度正式公演之后，中国戏剧家协会又于十一月二十一日在北京工人俱乐部召开了座谈会。参加这两次座谈会的有全国总工会、文化部的领导同志，戏剧界人士以及曾经参加天安门革命事件的部分同志。《天安门诗抄》编选者童怀周的代表也应邀出席了座谈会。两次座谈会均由曹禺同志主持。现将十日座谈会的发言摘要和二十一日座谈会的情况报导发表于下”。座谈会先后发言有曹禺（剧作家，中国戏剧家协会副主席）、李先辉（童怀周的代表，北京第二外国语学院教师）、韩志雄（房建二公司青年工人）、张庚（戏剧理论家，文化部文学艺术研究院负责人）、黄宁（安徽省文化局创作人员）、白桦（剧作家）、李洪洲（北京市机械局业余作者）、冯牧（文艺理论家，《文艺报》主编）、周巍峙（文化部副部长）、贺敬之（文化部副部长）。

响了。

戏的演出还没有看到，剧本读了两个晚上。真是个了不起的好戏。华主席要求我们：思想再解放一点，胆子再大一点，办法再多一点，步子再快一点。这个戏全做到了。作者宗福先同志今年才三十一岁，是工人业余作者，我们专业戏剧工作者确实应该向人家好好学习。首先在他思想里根本没有什么“禁区”，也没有什么“余悸”，政治上非常敏锐，大胆。再一点，我感到作者非常热爱我们的周总理，什么力量也抑制不住他的这种热爱之情。第三，作者非常痛恨“四人帮”，鞭笞得十分有力。第四，这个戏在艺术上是很好的。单说最后一幕的那个闭幕，平地一声惊雷，结束得真叫好！既点了题，又余味无穷。我先说到这儿，将来看过演出我们还要再谈，一定谈他个痛快！希望大家热烈发言。

萧老的一生是光辉灿烂的

——在纪念萧长华先生诞辰一百周年座谈会上的讲话

今天到会的人很多，我一看，这些同志差不多都在五十岁以上，假如把大家的岁数加在一起，就不是几百岁，而是几千岁了。各位千岁大人都参加了这个会，这是了不起的。这个会，大家都知道，是为着纪念我们的老师萧长华先生诞生一百周年，由我们中国戏曲学院和中国戏剧家协会在这里举行的一个座谈会。上海、浙江、四川的许多位同行、前辈，不远千里而来，出席这个盛会，为这个会增光不少，我们在此谨表示深切的谢意！

萧长华先生是中国戏曲学校校长（中国戏曲学校是中国戏曲学院的前身）、中国戏剧家协会常务理事、全国文联常务委员，曾被选为第二、三届全国人民代表大会代表。他生于一八七八年十二月一日，

【题注】收录钮骠编:《萧长华艺术评论集》，中国戏剧出版社1990年版。文末附注："文川根据讲话录音记录，捷之整理，标题为编者所加。"按，座谈会于1978年12月21日在北京召开。

逝世于一九六七年四月二十六日。十一岁起学艺，度过了八十年的艺术生涯。在这八十年的岁月中，又有四分之三的时间，一边演戏，一边教学，从二十七岁开始就从事戏曲艺术教育工作。这里在座的许多老先生、老同志就都是萧老的弟子、学生。我还记得，当年梅兰芳先生在上海演戏的时候，萧长华先生也跟他一起演戏，我亲耳听到过梅先生称他“萧老师！萧老师！”对他非常之敬重，非常之有礼貌。萧老不仅是杰出的表演艺术家，更是一位功绩卓著的戏曲教育家。他一生中培育造就了大批优秀的戏曲人才，门墙桃李，遍及全国。应该说，不论是在表演艺术上，还是在教学经验上，都给我们留下了丰富的宝贵遗产，有待我们更好地整理、研究，加以借鉴、发扬，这是件很重要的大事。

我有幸曾经几次见过萧老，觉得这位老人的一生是十分光荣的，是值得人们学习的一生。今天我希望与会的同志们在这里不拘形式地大谈特谈，发表意见，使我们进一步对萧长华先生各方面的成就和功绩，多增加一点认识，更充分更确切地估价他的成就，以便更好地总结中国民族戏曲艺术的表演体系和教育经验，做到承前启后，继往开来。

萧老的一生是光辉灿烂的，我们要向他老人家好好学习，发扬他的精神，为实现四个现代化服务。

一九七八年十二月二十一日

为了那一天

党的十一届三中全会公报发表了！我听了又读，读了又听，心中万分地激动。在公报的字里行间，我仿佛已经望见了一个光明的、强盛的中国。公报中的句句话都说到我心里，真是越读越畅快、越读越振奋。在华国锋同志为首的党中央的领导下，勤劳、智慧的中国人民，终于要用自己全部的力量来建设我们的社会主义祖国了！这是中国人民盼望了多少年的事啊！为了这光辉的目标，我要献出我这条老命，我想全国人民都会把毕生的精力献给它的。

公报谈到了各个方面，又具体，又明确。党为我们都想到了，但是做，还要靠我们全体干部和群众。我多么希望公报上所谈到的每一点都能得到真正的贯彻实行。我觉得我们每一个党员和每一个公民都应当负起这个责任来，这样，四个现代化就会加速实现。

我还想到我们文艺工作者，我们必须跟上这伟大的转移，也要重新学习，投身到这个伟大的斗争中去，歌颂斗争中的工农兵和知识分

【题注】载1978年12月27日《光明日报》。

子，写他们的工作、生活、思想、感情。我们的文艺创作也必须打破迷信，打破框框，写出于祖国的四个现代化[1]有益的作品，为人民所欢迎的作品，这是历史赋予我们的任务，是党和人民对我们的希望。我们要加倍地努力。

三中全会公报给中国带来了无限的生机，无限的光明。全国人民安定团结，民主与法制都得到切实的保障，这必将焕发出中国人民冲天的干劲，这是一股一往无前的力量，什么人也阻挡不了的力量。

我虽年老了，但是我相信，不久的将来，我一定能看到四个现代化的社会主义强国在我们手中建成。我的一切，我们的一切便都是为了那一天。

---

1 “于祖国的四个现代化”底本作“与祖国的四个现代化”，当作“于祖国的四个现代化”。

今日送来长相欢

——热烈欢迎日本歌舞伎访华使节团

日本的歌舞伎是世界戏剧艺术皇冠上的一颗明珠，凡是看过日本歌舞伎的人都会赞赏那卓越的演技，深厚的民族感情。歌舞伎真可以说是日本民族的骄傲。

一九三三年我在东京时，曾看过当时歌舞伎的名优尾上菊五郎的演出，剧名叫《义经千本樱》。故事描写樱花盛开、蒙蒙细雨中，一个美少年遇见一位窈窕的少女，二人目光相悦，但是都没有说话。瞬息间，少女离去了，大约从此没有见面。尾上菊五郎演那个青年，当时他已经四十九岁了。他演那个青年手持纸伞，在雨中彷徨眷恋，惆怅不已。他的精湛的艺术，使我立刻想起我国卓越的京剧大师杨小楼，使我想起日本隽永的俳句，使我想起我国唐诗名句：

去年今日此门中，

【题注】载1979年1月8日《北京日报》。

人面桃花相映红。

人面不知何处去，

桃花依旧笑春风！

看这样的演出是极美的享受，使你充满了诗意的感情。我常像眼见尾上菊五郎先生从花道中走出来，近在咫尺。他的一举手、一投足，都是那样精确，那样优美，那样高贵，使我至今不能忘怀。

从那时起，我便对日本戏剧的骄傲——歌舞伎有了极其深刻的印象。日本人民的灿烂文化，歌舞伎是有贡献的。

解放后，我到东京，总要看一次歌舞伎，欣赏一下日本的古典艺术。这对我也是一种学习，扩大我的眼界，知道一衣带水的东边有这样动人的戏剧艺术。

我曾经在一九五五年作为中国戏剧家协会的成员，接待过市川猿之助先生及其夫人，看过他们的《劝进帐》等精彩剧目。那次歌舞伎的演出轰动了北京和中国的各大城市，那是在中日两国缔交前中日文化交流的一次巨大成就。

今天，应我国文化部的邀请，日本政府派来歌舞伎访华使节团。这是在中日和平友好条约缔结之后，日本人民和政府送来的文化使节，我们感到十分高兴，十分欢迎。

这次来华参加歌舞伎使节团的有日本的国宝：尾上梅幸先生和尾上松绿先生，他们都是歌舞伎的大师。在团长林健太郎先生、今里广记先生与副团长永山武臣先生的率领下，这个访华使节团极其精彩的演出，必然会对中日文化交流做出重大贡献。我们能够与这些日本朋友们见面，是一件可以大书特书的事。

人们到快乐时总想写点什么，我也不能例外。我禁不住要写几句古诗来赞美他们。

歌舞伎艺三百年，
今日送来长相欢。
富士昆仑笑点首，
一衣带水永无间。

我是剧作家，从不会作诗，但这种心情是我的，是你的，是人民的，是真诚的，是长久不渝的。

让中美友谊之花盛开

中美建交是一件历史性的大事，中国人民，中国文化界、戏剧界早已盼望着这件大事迅速到来，美国人民也是如此。中美两个民族是伟大的民族，两国人民希望互相团结起来，文化交流日益密切。

宣布中美建交是一九七八年十二月十六日，我刚从上海回来。听到这个好消息，我喜而不寐。大约所有希望这两个伟大的民族终于友好合作，不断地交流文化艺术的人，都会这样喜悦的。

我从在南开中学读书起，便知道有一个美利坚合众国，有个华盛顿，有个林肯，有个富兰克林，有个发明家爱迪生。我还读过美国《独立宣言》与林肯在盖茨堡的竞选讲演。南开中学是和美国人民有密切关系的，有些老师曾在美国学习过，我在戏剧方面的启蒙老师也是个美国留学生。后来我上清华大学读西洋文学系，系里的老师有一部分是美国人，其中的一位，现在已经九十多岁了，还留在中国。这位老先生我记得，很爱学生，也很爱打猎、游泳，爱说些中国话，有

【题注】载《人民戏剧》1979年第1期，署“中国戏剧家协会副主席曹禺”。

美国人民那种亲切、善良、好奇的脾气。他把自己的一辈子都贡献给了中国。

我年轻的时候曾经想到美国去学习戏剧，这个愿望没有实现。以后我在祖国的土地上认识了自己的人民和祖国的历史，便决心一边教书，一边写戏。必须说，在影响了我的[1]西洋作家中，也有美国的剧作家，比如奥尼尔先生。我很喜欢他的有些剧本，中国也很早就介绍过他的一些杰作。

但是在中美戏剧交流上，应该追溯到本世纪初的《黑奴吁天录》。这个剧本原来是根据美国女作家斯托夫人的小说《汤姆叔叔的小屋》，由日本剧人改编为剧本演出过。后来，留日的中国学生又从改编的日文剧本译成中文（也许是由小说的日译本改编为中文剧本），在东京演出。这是由中国话剧运动的先驱春柳社演出的，当时十分轰动。我记得在欧阳予倩同志家里看过这个戏的剧照，看得出来是一个认真、严肃的演出。参加过这个演出的，还有一位后来的弘一法师大和尚，当时名叫李叔同。六十多年前，中美之间爱好戏剧的人们便互相介绍、互相学习了。春柳社的前辈们介绍欧美文艺到中国的土地上的功绩是不可磨灭的。

这段历史引人深思：一，中美间的戏剧交流是从这一个进步的、富有人民性的剧本开始的。二，这个剧本传到中国，是由美国、日本、中国的进步文艺工作者共同付出艰辛的劳动，才搭起这座黄金桥梁。解放后，中国实验话剧院重新演出了这个戏，改名《黑奴恨》，

---

1 “在影响了我的”论戏剧本作“使我获得教益的”。

由已故的孙维世同志导演。这座桥梁始终没有阻绝。

美国人民也不断介绍中国的京剧或话剧，今天，美国许多有名的大学都设有“中国现代文学讲座”，其中话剧是一项不能缺少的课程。我看到过美国人译的中国戏剧集，其中有《白毛女》《战斗里成长》《妇女代表》等等，还简单地介绍了中国话剧的发展，是一个相当厚的集子呢。最近还出版了论某些剧作家的专书。有些外国人好说中国和外国之间有一层神秘的“竹幕”，其实，中美人民之间一向存在着深厚的友谊和联系，经常互相交流着文化。

中国历来有不少学生赴美学习科学、技术和文艺、戏剧。在话剧界，前辈的洪深同志便在美国耶鲁大学从贝克教授学过戏剧，和美国著名剧作家奥尼尔同学。以后，著名的文学家闻一多先生，大约在美国搞过话剧。还有冀朝鼎同志也在美国搞过话剧。再有，便是张骏祥同志在耶鲁大学攻戏剧，是那个学校卓越的高才生，回国后，教导演和舞台美术，教出不少好学生。其间还有不少人赴美学习戏剧。美国也有不少人从事中国古代与现代戏剧的研究。

一九四六年，老舍先生和我一同到美国讲学，他讲中国的小说文学，我便谈中国的戏剧文学，当时应该算是一件文化交流的事情。

最后，美国的亚瑟·密勒先生来中国访问。这是一位有世界声望的进步剧作家，他的作品经常在世界各地上演，为观众所喜爱，常成为文学界讨论的课题。这次到北京，受到了戏剧界的热烈欢迎，他和北京著名的戏剧界人士做了广泛的交谈。北京人民艺术剧院和他有比较深刻的接触。他观看了郭老的《蔡文姬》的演出，恰好那晚日本著名的演员河原崎长十郎先生也来看戏，我作为北京人民艺术剧院的院长，热烈欢迎了他们。演出之后，他们一起和导演、演员们在舞台上照了相。由《黑奴吁天录》一剧开始的中、美、日戏剧工作者的交流和友谊，六十年后又在北京的舞台上再次体现，这是非常有意义，值得一书的。

在中美建交之后，我们祝愿中美两国的戏剧工作者将更密切地交流，彼此学习，派出更多的戏剧代表团互相访问，让中美两国的土地上开出更茂盛，更美好的人民友谊之花。

大胆地睁开眼睛

《望乡》这部电影在我们的社会上引起了争论。有一段时间说是要停演，于是我赶紧托人买票看了。后来,《望乡》重新放映，我又借来了《望乡》的电影剧本，又看了一遍。剧本很短，应当说非常简练，我一口气读完了它。我很激动。

《望乡》，它所写的是在黑暗社会里，黑暗统治下，妇女的最苦难、最可怜的遭遇。作者站在同情和揭露的角度，塑造了阿崎婆，这样一个善良、忠厚，爱自己祖国，同时又挣扎在社会最底层的劳动妇女。阿崎婆的一生难道不值得我们深切的同情吗？我的一位朋友对我说，她的儿子看了《望乡》之后，对她讲："妈妈，我这才知道什么是人吃人的制度，这才感到我们是幸福的。"孩子的话多么真诚啊！

【题注】载《大众电影》1979年第1期。按，文前"编者按：日本影片《望乡》自去年十月放映以来，引起了我国文艺界和广大观众的极大关注。人们就影片的思想性、艺术性以及产生的影响；对青年观众有无教育意义；如何看待外国文艺作品等问题，展开了激烈的讨论。本刊以笔谈形式，将部分专业文艺工作者和观众的意见摘编发表。"笔谈总题《从"望乡"谈起》，曹禺文章排在首位。

对我们是一个教育。

我还曾在汽车站碰到一位青年。我问他：你看过《望乡》吗？他回答看过。我又问他觉得好不好？他说：影响不好。我说为什么？他说：这电影黄色。青年人原来不懂什么叫妓院，从电影里却看到了那种乌七八糟的东西。我没有和他辩论，我默想：中国的青年就不应该懂得什么是丑恶，黑暗吗？难道我们自己的国家和人民不也是从腐朽、黑暗之中站起来的吗？青年人就不需要了解这点吗？不去了解疾病，难道就会永远健康吗？我看恰恰相反。有一些孩子受“四人帮”的毒害，还有一些成年人也同样地相信一个“纯”革命、“纯”无产阶级的红色的、无菌的天地。并认为只有生活在这样的天地中才保险。难道我们今天的社会上就没有细菌吗？如果真要那么“净化”，便只有什么都不看也不听了。其实，这是不可能的。我们要的是进步、革命，而不是谨小慎微地保卫那现实中没有的“净土”。那一套实际上是“四人帮”的“愚民政策”。

由此我想到，世界上每时每刻都在发生着各种各样的事。我们不该闭着眼睛或是只看见自己鼻子尖下一尺见方的地面。这样，我们的视线就太窄了。

说到这，还要提到《望乡》。我尤为喜爱那位女记者三谷圭子。她为了了解亚洲妇女的历史，到处寻访，偶尔碰到了阿崎婆，便毅然搬到她家，与阿崎婆同吃同住，在共同的生活中，慢慢地了解了阿崎婆。越是了解阿崎婆，便越爱她，尊重她，越要把“南洋姐”这段悲惨的历史如实地告诉世人。三谷圭子不肯有一点地方刺痛阿崎婆。她是以她的诚恳、耐心，得到了阿崎婆的信任，阿崎婆才把自己从不愿提起的经历全部告诉了她，她根据阿崎婆的话在婆罗洲的原始森林里寻到了“南洋姐”的坟墓。而那些坟墓都是背向日本，因为“南洋姐”知道祖国不是她们的。这一点非常深刻。作为记者的三谷圭子，是值得我们认真学习的，反映这样的人物的作品，难道不值得我们借鉴吗？

在这里，我还想说一点。外国文艺作品不是洪水猛兽，不必这样害怕。我年轻时读过许多的外国剧作、小说，也读过不少中国古代的作品。我们这一辈，很多人都和我一样的。至今，我觉得这样做，对我是好事，起码是使我能了解世界，增长知识。我觉得今天，我们的下一代应该比我们读更多的书，比我们更博学。因为他们比我们优越，他们首先学习了马列主义、毛泽东思想。

外国的文艺作品有坏的、糟粕的东西，我们要认真分析、批判。有好的，我们就要学习。实践是检验真理的唯一标准，为了我们的四个现代化的迅速实现，我们应当大胆地睁开眼睛！

向台湾同胞拜年

春节到了。这个中国旧历的新年，它比元旦更喜庆、更热闹。每到这个日子，我们就欢欢喜喜地忙碌起来。买年货，做各种好吃的东西，除夕通宵的玩乐，大年初一还去拜年。

亲爱的台湾同胞们，我的兄弟姐妹，这时，我又想起你们。你们大概也和这里的人们一样，忙着准备过春节吧。春节是我们中国人的节日。今年，孩子们早已放开了爆竹，乒乓在我耳边响，这响声催着春节早些来临。你们和我们只有一水之隔，这鞭爆声，想你们一定是听到的。

我常想，春节，这名称多美啊！春节一到，春天就要启程，春暖花开、万物滋生的日子就不远了。

在北京，春节时还挺冷的，还要落雪呢。但是，瑞雪兆丰年，因此大家都欢喜春节的雪花。一片银白，预兆着碧绿的禾苗，茂盛的花草。台湾的气候怎样呢？我没有到过那里，然而，孩子们立刻说出：

【题注】载1979年1月28日《人民日报》。

台湾是亚热带的气候，四季温暖如春。那么，我想此时一定有鲜花在路边开放吧！我们的祖国是多么辽阔，多么美丽啊！

尽管气候是如此不同，但是我们心中有一点是共同的。过春节了，人们便都念着团圆，要和家人、亲友们团聚。

亲爱的台湾同胞，你们有亲人和朋友在我们中间。我在台湾也有一些过去的老朋友。我们彼此已有三十年没见面了。这些老朋友还活着的话，都该是儿孙满堂了，我们的这些后代都是从未见过面的。难道我们老友不该重逢，后辈不该相识吗？我们实在是应该团聚哟！

历史造成的隔阂，使台湾和大陆分隔开来。一条窄窄的台湾海峡，隔断了我们一切的联系。对于我们中华民族，这是多么大的不幸。

当去年十二月二十六日，中国人民代表大会常务委员会讨论通过了那篇《告台湾同胞书》，一致举手表决时，我心中万分激动。我们中华民族有悠久的历史，有灿烂的文化，这是我们共同的骄傲。我们祖国的前途应该由我们共同承担。我们同宗、同族、同文化的一家人，不能长久分离！现在我们在这里伸出了双手，我想象到，这双手必然被水湾对面另一双手紧紧握住，那便是你们，我们的台湾的骨肉兄弟热乎乎的一双手啊！

我今年已经七十岁了，我是多么想看到大陆与台湾的分裂局面结束，看到祖国统一。到那时，台湾的同胞们会到北京来游玩，我虽然年老，但我要陪你们一同登长城，一同赞美祖国的大好河山。我也可以到台湾去，看一看台湾的风光、台湾的风土人情……那将是多么愉快、幸福的团聚啊。我作为一个文艺工作者，还要请你们看戏，听音乐，看舞蹈。自从粉碎了“四人帮”，我们的文艺界迎来了一个春天，文坛的百花，越开越茂盛。我个人刚刚完成话剧《王昭君》的创作，这是敬爱的周恩来总理生前交给我的任务。我领会周总理的意思，是要我歌颂我国各民族的团结。我还要继续修改，也希望能听到台湾同胞们的意见。

我看到过台湾的文艺作品，我觉得我们的文化应当交流，我们要互相接触。我们中华民族的新文化应当由我们创造。

中华民族是勤劳、智慧的，我们要把我们智慧的头脑，勤劳的双手，奉献给我们伟大的祖国。我们的祖先在看着我们，我们的子孙也在看着我们。我们应当说，我们决不辜负他们，决不辜负我们的祖先和孩子们。亲爱的台湾同胞，话短情长，你们一定会听见的，我的骨肉兄弟！

我们尊敬的老舍先生

——纪念老舍先生八十诞辰

纪念老舍先生，我有说不完的话。

在我读大学的时候，便读了他的长篇小说《老张的哲学》《赵子曰》。我是一个紧紧跟着他的作品的读者，几乎他每发表一篇作品，我便热心地读。他嬉笑怒骂，皆成文章。他运用北京话的本领，更叫我佩服得五体投地。然而，最重要的是他文章中表现出来的对祖国、对人民的热爱，对腐败的旧社会的愤懑，和对共产党领导下的新中国的深厚感情。

老舍先生首先是一个热情的爱国主义者，祖国人民的苦难和他一生的活动，包括写作、讲演、题词等各种社会活动都是息息相关的。抗日战争中，我记得他在重庆主持全国文艺界抗敌协会的工作，编杂志。他是那样认真，成天为抗敌运动紧张地工作。他自己穷得分文不名，还要支持那两三间破烂的会址，招待许多左派文人。他自己也和

【题注】载1979年2月9日《人民日报》。

大家挤在一间屋子里住，总是精神勃勃、高谈阔论。他还对一些与他持不同观点的人尽量做统战工作，因此，不但我们这些后辈佩服他，八路军办事处也十分赞许他的做法。这些做法无疑问是受了党的、敬爱的周总理的指导的。

周总理对他是很关怀的，经常请他到曾家岩八路军办事处吃便饭，我也在陪座。老舍先生常侃侃而谈。周总理很了解他，总是语重心长地和他谈起国家大事，老舍先生一直点头称是，事后总对我说："又听到了一场很好的教诲[1]。"

我还记得在重庆时，大家曾为老舍先生的四十寿辰举行过一次隆重的庆祝会，地下党和各派各界的许多人都出席了。会上陈列了他多年来的全部著作，那时他已是著作等身了。当时在重庆的朋友们都很穷，组织这样盛大的庆祝会是不容易的，由此可见党和群众对他作为一个爱国的、民主的、进步的作家的高度评价。

他一直是热爱党，热爱毛主席，热爱周总理的。我常听他热情推崇毛主席的诗词，不断念起周总理对他的关切。当他的大儿子出国去学习时，他说："只有党，才能培养我这样一个穷文人的儿子出国去深造。"他说这话是骄傲的，是感激的，他衷心感激党给予他的孩子这样的好机会。我记得我入党的时候，接到许多朋友的贺信，最早的一封，就是老舍先生。他经常说："我无党无派，但我有一派，就是'歌德派'，歌共产党之德的派。"因此，他解放以后写的东西多得叫人难以相信，除了二十三个剧本外，还有许多文章、诗歌、曲艺、相

1 "一场很好的教诲"论戏剧本作"一次很有意义的教导"。

声、文艺评论、春联等等，此外，他还仔细修改了许多业余作者的文章。他还创造了一个新剧种，用北京群众喜闻乐见的曲牌组成的一种戏，叫作“曲剧”。这个剧种的第一个戏叫《柳树井》，就是他写的。这个剧种至今还在上演，为观众所热烈欢迎。

老舍先生是满族人，他对满族有深厚的感情。我记得和他同在美国游历时，他对我津津乐道他的朋友罗常培先生[1]。罗先生也是满族人，一位非常和蔼可亲的学者，那时在美国大学里任音韵学教授。老舍先生对罗先生的学问和平易近人的作风，赞扬备至。但他不是一个狭隘民族主义者。他确实做了不少民族团结的工作，团结了许多满族朋友，书画古琴家溥雪斋先生便是其一。

应该说，老舍先生还是一个国际主义者，他为祖国、为党做了不少国际统战工作。抗战期间，他用中华全国文艺抗敌协会的名义接待了美国的斯诺、史沫特莱，英国的奥文、伊修伍特、卮特莱，日本的绿川英子等朋友，使他们对抗战中的左翼活动有所认识，而这些客人应该说是张道藩们所反对接待的。

老舍先生在美国的时候，是经常和斯诺先生来往的。解放以后，斯诺每来中国，必访问他，他必请斯诺吃几顿北京饭，家常饭，谈谈心。大约他在日本的朋友也是不少的，我记得他常带领作家代表团到日本去，他的名声在日本是妇孺皆知的。不仅在日本，他是个有世界声誉的作家，研究他的作品的专家，各国都有。有许多外国朋友曾

1 “他的朋友”论戏剧本作“他的幼年朋友”。“罗常培”底本作“罗昌培”，当作“罗常培”。

访问过他。他告诉我，他家里总是买了许多外国人喜爱的小玩意，每次外国朋友到他家访问，他总要赠送一点东西作纪念，他说："这是一点心意。"这都是他的国际主义精神，他了解外国朋友的思想感情，确实为党做了很好的国际统战工作。

老舍先生在民族节操方面，在敌人和反动官僚、特务面前，大义凛然，没有一点奴颜媚骨。然而对人民和受苦的朋友们，我从来没见过他有一点架子或屈尊俯就的气息。在重庆时，我常见到他和当时被看作地位低下的穷艺人交朋友，帮他们写鼓词，帮他们解决生活上的困难。他对这些穷苦的人们有深厚的感情。

我想，这是因为他出身于贫苦的家庭。他的父亲是一个满族旗兵，八国联军侵入北京时，在巷战中被侵略军打死；他的老母靠着缝洗挣点钱，把他抚养到大，没过过好日子。老舍先生是在贫困的压迫下成长起来的。他在贫苦的劳动人民中接触过各式各样的人物。他爱的是正直、有血性的人，也同情那些善良无告的人。因此，我们经常在他的笔下看见中国旧社会的那些形形色色的好人与坏人，而好人总是受压迫的，如《龙须沟》里的程疯子,《茶馆》里的康顺子等。他一生写了无数的人物、性格，如《骆驼祥子》里的祥子、虎妞、刘四爷,《我这一辈子》中到处乞怜、悲惨死去的老警察，都栩栩如生。他对人生的视野是宽阔的，而我读文学的经验告诉我，世界上甚至有一些文学巨匠，可能精通于某一个阶层的人物，但不能像老舍先生这样写出生活中更多种多样的人物。他作品中的语言更有特色，没有一句华丽的辞藻，但是感动人心，其深厚美妙，常常是不可言传的。

老舍先生在他盛名之下，一点也不骄傲，他为北京人民艺术剧院写了不少剧本，每一个剧本在排练之前，他都亲自为演员们朗读，他的朗读艺术总是引起导演和演员们的赞美。但每次读完，他必然诚恳地要求大家提意见。大家提了意见，他立刻修改，过了两天，他欢欢喜喜地又拿着新稿来了，还是那样谦逊地要求大家提意见。如《春华秋实》，他改了十几遍，据他的夫人胡絜青同志讲，全部废稿有几十万字，真是惊人哪！

老舍先生从不称自己是“作家”，他好称自己是“写家”，我理解这是他的谦虚，意思是他只是写东西，而他的作品不一定如何了不起。但我们看，他的作品有些将是永垂不朽的。他的作品中的“幽默”是今天中国任何作家所没有的。美国的马克·吐温以其“幽默”在美国和国际上享有那么崇高的地位，那么我们的老舍先生也是可以与之媲美的。老舍先生一生的文章著作在千千万万的群众心中，自然有他的丰碑；在世界文学史上也是有他的地位的。我认为，我们应该出老舍先生的全集，这是我经过认真考虑的一个严肃的建议。因为我们不应该轻率地衡量和取舍他的作品，应该留给历史和后世去评价。

我还希望有人用饱满的热情来写老舍先生的传记。这确是一件艰巨的工作，但是应该做的。他的一生代表着“五四”前后，那种为民主，为科学，为光明的中国而奋斗的知识分子。“四人帮”的法西斯专政破灭了他一生所渴望，并为之奋斗的理想，将他迫害致死，但这位文学巨匠始终寄托多么大的热情于党，于社会主义的新中国。他始终是怀抱理想的。

他非常爱儿童，爱别人的孩子，爱自己的孩子。我常常听到他高兴地谈自己的孩子如何恳求上进，他是引他们为骄傲的，我现在还仿佛看得见他那种含蓄的得意的笑容。老舍先生离开我们，今天我每次看到他的孩子们，确实为他高兴，因为他们确实像他所希望的那样，都在各自的岗位上勤勤恳恳为祖国工作，做了不少好事。

我一边写着这篇文章，一边想着老舍先生一生的为人，不禁流下眼泪。他的榜样激励着我，我要学习他的勤奋，学习他的斗争精神。他为了祖国，为了他的理想，不曾放过一分光阴，如何纪念他的八十诞辰，正在于如何跟随他的后尘，为建立起强盛的社会主义中国做到生命不息，战斗不止。

几点随想

读了周总理六一年《在文艺工作座谈会和故事片创作会议上的讲话》，心情很不平静。那个讲话我是亲耳聆听了的。第二年，周总理又在另一个会上对戏剧界做了一次语重心长的讲话。那次，陈毅同志也做了一个激动人心的讲话，他整整讲了一下午。陈毅同志是受了周总理的委托来讲的，他说："我国知识分子绝大多数是拥护党、拥护社会主义的，是经受了考验的，他们是劳动人民的一部分。应当为他们脱'资产阶级知识分子'之帽，加'劳动人民知识分子'之冕。"我记得周总理指出："现在'白专道路'这个口号很流行，这个口号大概不是我们提的。"他说："一个人只要在社会主义土壤上专心致志为社会主义服务，虽然政治上学习得少，不能算'白'。只有打起白旗，反对社会主义，才是'白'。"

【题注】载《剧本》1979年第2期。按，本期"编后记：三月五日，是我们敬爱的周总理诞辰八十二周年。这一期，本刊约请了几位作家谈谈学习周总理一九六一年在'新侨会议'上关于文艺工作重要讲话的心得体会。"曹禺文章排在首位。

周总理还谈了许多，谈得那样恳切，我们听了不仅是感动，而且是振奋，因为党给我们一个新的估计，一个正确的估计，解放后我们努力改造，十三年的时间，应该说有了一点成绩。背着“资产阶级知识分子”的帽子，实在是抬不起头来，出不出气来。这个帽子压得我们不能畅所欲言地为社会主义写作，深怕弄得不好，就成为“反党反社会主义”的“毒草”。大家多么希望广州会议是一个划时代的会议。从此我们可以鼓起干劲，为党和社会主义大写特写，作为光荣的劳动人民知识分子，写出为人民喜闻乐见的作品。

好景不长。没过多久，不知从哪里吹来了一股阴风，把广州会议说成是“黑会”，从此大家又耷拉脑袋，不大敢写东西了。经过“文化大革命”，经过粉碎林彪、“四人帮”的法西斯文化专制主义之后，我们回顾这一段长长的苦难的历史，明白了许多东西。现在我们感到自己身上又有了一股生气，不仅是文艺界，举国上下都有一致的愿望，要鼓起干劲，严肃地、热情地为四个现代化献出我们的一生。

重温周总理和陈毅同志在一九六一和六二年的讲话，我深深感到周总理早已指出了我们社会主义文艺所存在的问题和应走的道路，可惜他的意见长期不曾得到执行。

周总理提出的问题很多，其中我觉得特别需要想一想的，是文艺作品的审查问题。

据说文艺作品的审查现在已经有了一些变化。剧本的演出，其他形式作品的发表，由各基层组织负责审查。因而许多作品比较容易和群众、读者见面了。这样，群众比过去有更多的机会和权利来发表意见，表明哪些作品是他们所喜爱的，哪些是不赞成的。这是粉碎“四人帮”之后经过一番斗争才获得的好局面，无疑，对繁荣文艺，实现四个现代化是非常必要的。

周总理说：“文艺要好好为人民服务，就要通过实践，到群众中去考验。你这个形象是否站得住，是否为人民所喜闻乐见，不是领导批准可以算数的；可是目前领导决定多于群众批准。艺术作品的好坏，要由群众回答，而不是由领导回答；当然，如果有政治错误，反社会主义，我们要发言，不能任其自由泛滥，但这终究是少数。”这一段话说得多么全面，多么叫人心服呵！我们应该不折不扣地按照总理的话去办。我深深感到，审查的手续要简化一些，尺度要宽一些，取舍要慎重一些。

我们搞社会主义文艺，框框千万不可太多。自然，大框框，正如周总理所指出，总是要有的，那就是要用无产阶级的世界观来改造社会，改造人的灵魂。这是多么伟大的框框，多么辽阔的天地，多么宽广的海洋！这里可以供作者们飞翔遨游，尽情地发挥全部的才能。根据这个原则，周总理对领导者说，领导文艺，“第一，要负责任；第二，要干涉少些。负责任主要指政治上，不要放任毒草，放任修正主义来。但是一定要区分清楚，不要把什么都说成是修正主义”。周总理强调“一定要区分清楚”，这确实十分重要。衡量什么是毒草，什么是修正主义，早有毛主席提出的六项标准在。但是对于具体的作品，这把尺子常常不那么容易掌握。我觉得当我们拿不准的时候，宁可交给群众去评判。群众比我们高明，比我们更能做出准确的评价。

其他我还想谈两个问题。

第一，编辑问题。编辑是作品和读者见面的介绍人，是作品问世的第一个关口，因此编辑是党的文艺方针的具体执行者。编辑的工作是繁重的，千万本稿件从他们眼下经过，得一字一字地读，而且需要怀着善意的、同情的态度来读，从沙里淘出金子来。当然有时也必须剔掉毒草和无法加工的沙石。编辑的责任不仅仅是修改字句和辞藻，更主要的是发现才能，有时是不成熟的才能；不仅发现，而且需要满腔热忱地去帮助，提出具体而又不妨碍作品的特色的好主意。（不高明的编辑把一个作品帮得无所适从，终于帮死了，这种情况也是有的。）好的编辑是了不起的无名英雄，他善于发现人才，发现好的苗子，他应该是作家的知音者。梁朝的刘勰说："知音其难哉！音实难知，知实难逢；逢其知音，千载其一乎！"这和"千里马常有，而伯乐不常有"是同样的意思。我们的文艺是多么需要伯乐呀！这样的好编辑如果出现几十个，那不但有助于大量创作人才的涌现，甚至于能影响一代的文风。这对于社会主义文艺是多么大的贡献呵！因此我主张要把编辑这样的无名英雄介绍给读者群众，使编辑工作的重要性受到大家的认识，受到尊重，也使编辑们更感觉自己责任的重大。

再一个问题便是我们需要杰出的批评家，需要高水平的文艺批评来指导我们的文艺。好的编辑和好的批评家相结合，那么作家们就如鱼得水了。

作品问世以后，需要鼓励，指出其优点；也需要中肯的批评，指出其缺点。不仅指出，而且要有说服力，使作者心服口服地跟着他所指出的方向前进，同时也提高读者的欣赏能力。批评家的作用不是领导者能代替的。

我们目前还不大善于培养好的批评家，这种情况应该引起重视。我也希望批评家们更解放思想，敢于说话，敢于推荐新的作家、作品。

文艺批评也要民主。人家不赞成你的意见，要允许批评“批评”，要欢迎不同的意见，要鼓励更多的人来参加评论。批评中也要“百家争鸣”，争鸣才能生产繁荣的、高水平的文艺批评，繁荣的、高水平的文艺批评才能促进繁荣的、高水平的文艺创作。

写批评文章不要概念化，评论本身也应该是优美的文章。作家的作品要有感染力，批评家的文章也应该有感染力。以上是我作为一个作者对批评家们的期望。

周总理的这个讲话是非常深刻的，它是毛主席《在延安文艺座谈会上的讲话》在社会主义时期的发展，包含的内容太丰富了。它的影响将十分深远。我现在只能就一两点谈谈我的体会，今后我还将不断地学习它，并以之指导我自己的写作。

（《焦菊隐戏剧论文集》）序

这些天，我时常怀念焦菊隐先生。我想到他一生的业绩，也想到他工作的态度。前几个月我遇见他的两个女儿——世宏、世安。她们生得那样像菊隐先生，更使我想起她们的父亲。

我和菊隐先生不能算是深交，但也不能说认识得很浅。我读他写的诗时，我[1]还是一个十几岁的青年，他大约已经燕京大学毕业了。好像他的诗登在《晨报》副刊上。我感觉他的名字很别致，我想“菊”大概是代表了“菊部”，就是戏曲的统称。我猜想他大约在很早的时候，便对戏曲很有兴趣，因此才起了这样一个笔名。果然，以后他为戏剧事业是[2]尽了一生的精力，在中国的话剧事业中，我和他合作了多年。

【题注】据《焦菊隐戏剧论文集》所载排印，上海文艺出版社1979年第1版，原题《序》。又载《艺术世界》1979年第一辑，题名《情意深深忆菊隐——〈焦菊隐戏剧论文集〉序》，兹以通校（校注称“艺术世界本”）。

1　艺术世界本无“我”。

2　艺术世界本无“是”。

在林彪、“四人帮”猖狂的时期，我和他同住一间“牛棚”。十几个人同挤在一间不大的屋子里，潮湿，不见阳光，身下垫着稻草和自己家里送来的一些被褥。我终日不听见他说话。即便[1]到晚上九时以后，大家都叹了一口气：“这一天算是过去了！”尽量欢谈一会儿，他也不参加。有时他自己补衣服，针脚之好，连妇女都比不上。夏秋之际，[2]就赶紧自己缝棉被。地铺本来很小，他总整整齐齐地铺好，又规规矩矩地收起来。他洗涤衣服在我们关“牛棚”的人中是最干净的。我曾问他：“你怎么洗得那样干净?”他回答说：“用力地洗，多洗几遍，就行了。”这句话我感到含义很深，确实他无论做什么都很严肃认真，尤其是他所从事的戏剧事业。

菊隐先生真可谓博览群书。他读书既博，而且研究事物很深。他藏书极多，一屋子一屋子都整整齐齐地装满了他心爱的书，中外都有，有些书是好版本。许多人，包括我在内，有时为了一些比较隐僻的问题去请教他，他总能给予令人满意的答复，而且可以立刻从书中找出他所依据的原文给你看，那些话[3]在某页某行，使你不但折服他知识的渊博，也惊叹他记忆的精确。一般来说，他真是问不倒，驳不倒，是一个活的百科全书。

但是在林彪、“四人帮”的残酷迫害下，他确实被制服了。各种难以胜任的劳动加在他身上。回到“牛棚”后，他流一身汗，喘吁吁

1 “即便”艺术世界本作“即使”。

2 此处艺术世界本有“他”。

3 “那些话”艺术世界本作“哪些话”。

地坐在地铺上，一句话也不说。

有人曾说他这个人相当“冷”，我回顾一下，他并不是这样。经常有些陌生的人来向他请教戏剧方面的问题，他总是非常热心而且细致的解答，从不厌倦。他的女儿才三四岁的时候，我见过他自己一面读书，一面哄她睡觉、吃饭，那样的父爱是很少见的。后来我们一同在“牛棚”，一个冬日，他的小儿子——世宁，独自来看他。他望着儿子，帮他理衣服、擦脸，不知从哪里掏出一个玩具，又掏出几张邮票给他。到了时间，小儿子叫了一声“爸爸”，就走了。他于是又沉默地坐着。他那时心脏病很厉害，他曾给我看他的腿，一按一个坑，久不恢复。但他还得干很重的劳动，并且不断写检查，听说有数十万字。

菊隐先生不愧是一个杰出的导演。在“文化大革命”之前，他任北京人民艺术剧院的总导演。他导演了许多好戏，融合了西洋和民族传统的戏剧艺术的精华。因此，他导演的戏都十分耐人寻味，有它独特的风格。无论中外，凡看过他的戏的人，都被他卓越的手法和严肃精神所吸引。他有他的理论和实践，可以说是自成一个学派的。在解放前，他办了中华戏曲学校，造就了许多京剧人才。他的学生有不少是今天著名的京剧演员。他有一段时间确实朝夕寝馈于京剧艺术，后来他又留学巴黎，得了文学博士的学位。他的学问不仅在于理论上，也在实践上。我曾有一天清晨[1]见他从首都剧场出来。我问他为何这样早来，他说他忙了一夜的灯光。人们告诉我，焦先生常常亲自爬到

1 “我曾有一天清晨”艺术世界本作“有一天清晨我曾”。

舞台高处去安排灯光，一定要达到他所要求的诗的境界。又如布景，他总是改了又改，有时甚至改几十遍，对舞台美术专家们的要求是十分严格的。他的这些学问应该有许多专门家为他著述，保存下来，使后人能够继承它，发展它。

因此我觉得《焦菊隐戏剧论文集》的编辑出版，在戏剧界这是一件重大的事情。我们还应该陆续收集他每一个著名的演出的导演场记，如同[1]《龙须沟》《茶馆》《蔡文姬》等等，一本一本地整理好印出。这是活的导演艺术，其中不只表现出他的学识，也表现出他对生活和社会的知识。

他在北京人民艺术剧院[2]导演的二十多年中，培养了许多好演员，也培养了一些好导演。我觉得他从前所下的功夫，不论在西洋戏剧或民族戏曲的研究上，都是为解放后他的话剧导演做了充分的准备。他一生的修养和造诣，在社会主义新中国的百花园中，开出了最艳丽夺目的奇葩。他的艺术需要后人们[3]一点一滴地挖掘出来，[4]对这一点我们一点也不应低估[5]。

他终于被林彪、“四人帮”迫害死去[6]，含恨死去[7]，没有能全部完成

---

1 艺术世界本无“同”。

2 此处艺术世界本有“担任”。

3 艺术世界本无“们”。

4 此处艺术世界本有“发扬光大，”。

5 “低估”艺术世界本作“忽视”。

6 “迫害死去”艺术世界本作“残酷迫害”。

7 “含恨死去”艺术世界本作“含恨而死”。

他的抱负。尤其使我不能忘记的，是他以六十多岁的高龄，还被召去到山地进行“拉练”，使他的病一天天加重。这样[1]一个卓越有才能的戏剧艺术家这样死去，使我们这些幸而活着的人们一想起来，便万分痛心。他这十几年的光阴被“四人帮”夺去，而这十几年是他本可以用来创造多少精神财富的光阴呵！

一九七九年三月二日

1 艺术世界本无“这样”。

闪闪发光的一出好戏

——看《陈毅出山》

看了《陈毅出山》的演出之后，又读了剧本，这对我是很好的学习。这个戏是空政话剧团的国庆三十周年献礼节目，曾经做了反复修改，他们这样的认真、负责精神是多么可贵！

大家知道，陈毅同志的去世是万分不幸的，是我们党和国家的不可弥补的巨大损失。我不知道用什么语言来称呼这位老首长。说他是政治家，可以；说他是军事家，也可以；说他是书法家，可以；说他是诗人，更可以！总之，陈毅同志是那么值得敬重、值得热爱的伟大的人。在我的一生中给我影响的人很多，但是陈毅同志给我的教诲，是最为深刻的。我们可以无话不说。我常常觉得，在他面前，我看见了党。

这个戏把陈毅同志写活了，它使我们看了之后，永久地想念着陈毅同志，决心跟着他前进。他的一生都在激励我们进步。我看扮演

【题注】载1979年3月6日《南方日报》。

陈毅同志的演员鲁继先同志演的好，我感谢空政话剧团的同志，他们为党、为人民、为祖国做了好事。他们的演出，是个闪闪发光的精彩演出。我逢人便说，宣传这个戏，建议大家去看。凡是看过这个戏的人，意见和我都是一致的。

“出山”这个名字就好。我觉得要演好陈毅同志是不容易的。但是一看演出，他就吸引着我，打动着我，教育着我。我觉得“戏”反而短了，看不够了。我们先说说打动我的地方吧。陈毅同志是军事家，也是诗人。《陈毅出山》这个剧本在每次安排陈毅同志作诗的地方，都自然极了，这是很难得的。“回忆”那一段很好，用大段的伴唱反映过去。运用了革命的现实主义和革命的浪漫主义相结合的方法，从回忆回到现实当中去，用的很自然。

有两个人物写的非常好。一个是陈毅同志，一个是韩山河。

关于韩山河的形象，我和一位同志说“这个形象很好”。但这位同志说：“还有人说不好呢，说韩山河这个人有点问题，太土匪气了。”我听了，吓了一跳。韩山河是革命的[1]，他与世隔绝了三年，不知外面发生了什么事情，但他仍然在山里坚持斗争。因为太闭塞了，他当然要出[2]一些问题。我觉得他是很可爱的[3]。《三国演义》里的张飞是非常有魅力的。封建时代的作家，尚且能把粗线条的张飞写得如此有魅力，为什么我们革命队伍中的人，就不能这样刻画呢？为什么所

---

1 “革命的”论戏剧本作“坚决的革命者”。

2 “出”论戏剧本作“提出”。

3 “是很可爱的”论戏剧本作“异常可爱”。

有的人都要是一个样子呢？我觉得韩山河对陈毅同志的恨，[1]对陈毅同志的欢迎，处处都是从革命利益出发的，因为他不知道外界的事情。

陈毅同志是怎样对待他的呢？说他是个好同志，“周旋三年很不简单”。从这里可以看出上下级和同志之间的阶级感情。这些感情都融化在马列主义、毛泽东思想的基础之中，一点都不牵强。

陈毅同志从来原则性很强。记得在三年困难时期，我们有一次看完戏，一起吃夜宵。夜宵很讲究。陈毅同志突然拍桌子：“你们还有心肝吗？农民在饿肚子，没有吃的，你们还大吃大喝！不行！以后不许这样做！”

韩山河的形象，我并不认为有土匪气。戏里陈毅同志都批了，我们还批个什么劲呢？

现在写反面人物有个普遍现象：正面人物经常写得好，反面人物总是一般化。陈毅出山的那一段，搞统一战线，这场戏很重要，但反面人物不鲜明，不突出，觉得很模糊，不那么活生生的。这恐怕不只是演出，剧本也有关系。想办法如何改一改。虽然各有各的脸谱，但毕竟是脸谱。我不想求全责备，希望能更上一层楼。

1　此处论戏剧本有“后来，”。

简谈《雷雨》

《收获》邀我写一篇创作回忆录，题目是关于《雷雨》。我恰在生病，只好写一篇短文来应景。

我的父亲是一个军阀官僚，但他退休很早。他虽是一个军官，但胆小，没打过一次仗，倒经常聚集一些不得志的清客幕僚在家里吟诗赋词。他自己也会写诗，写对联，甚至会写文言小说。他把自己的文字集在一块儿，取名为《杂货铺》。

我的家庭是一个很不愉快，但又充满骚客词人气味的地方。我的父亲大约自己觉得失意，因此他反对我搞什么文艺或做官，竭力主张我学医，当一个自由职业的医生。我经过几番斗争，考了两次北京的协和医学院，都没有考取，终于在文学艺术耳濡目染的环境中，搞了戏剧这个行业。

我搞戏应该说开始于我十五岁的时候，参加了南开新剧团。我演过不少外国戏和中国戏，读过的剧本和其他文学书籍就更多了。从

【题注】载《收获》1979年第2期。

我十五岁到现在，我一直没离开话剧事业。我很快就发现我不适合演戏，我想，还是写剧本吧。我也翻译过一点外国剧本，很获教益，因为翻译比读和演更能深入地学得它的妙处。

我写《雷雨》有一段酝酿过程。我刚读完南开中学，便立志想写《雷雨》这一类的剧本，因为我在自己的生活圈子里已经看到了一些像蘩漪和周朴园这样的人物。《雷雨》中的每个人物都有真实的影子，但又不是一个人，而是集中了很多人物的特点，再加以我的创造。我写剧本有时是从头到尾按顺序写的，如《日出》。但《雷雨》不是这样，我先写的是最吸引我的一些片段：如第三幕四凤对母亲发誓和以后周萍推窗进入四凤卧室的戏，又如第一幕中喝药以及第二幕鲁侍萍和周朴园相认的戏。后来如何穿插，又费了一番思考，才组织成这样一个剧本。其实动笔写的时间倒并不多，连反复修改，不过七八个月。

我记得写的时候，就在清华大学旧图书馆的杂志室里，白天晚上就在一个座位上，完全忘记了学校上课的钟声。我当时感到创作是非常快乐的，而不是皱着眉头硬挤的苦事，因为找材料，搞结构，组织大纲这些苦事已经过去了，而且那些人物已经活生生地在我的脑中转。

写完之后，我喘了一口长气，仿佛四五年朝思暮想的心事终于完了。但我并不怎么想发表，就把稿子交给了我童年的朋友章靳以，那时他正在编《文学季刊》。靳以是我在南开初中时的同学，我们的友谊多年没有断过。我在清华大学读书时，他把巴金介绍给我，那时他们两人已经在文坛上赫赫有名了，尤其是巴金，其实他们那时和我一样，还都是不到三十岁的青年。巴金很快就成了我的好朋友。他们在北海三座门租了一个小院子，我在学校没事时也常去坐坐，我记得在座的还有沈从文、卞之琳等，我则是一个不知名的爱好文艺的青年。

那时靳以和郑振铎在编辑《文学季刊》，他们担任主编，巴金是个编委，还有冰心和别人。靳以也许觉得我和他太接近了，为了避嫌，把我的这个剧本暂时放在抽屉里。过了一段时间，他偶尔对巴金谈起，巴金从抽屉中翻出这个剧本，看完之后，主张马上发表。靳以当然欣然同意，这个剧本就在《文学季刊》第三期上刊载了。我始终感谢巴金和靳以这两位把我引进中国剧作者行列的编辑。不仅是我，他们发现的有前途的青年作者是不少的。他们不但选稿，还亲自校对，我记得《雷雨》的稿子就是巴金亲自校对的。我知道靳以也做了极好的编辑工作。

《雷雨》后来在文学界引起的反响是我当初没有想到的。我曾经说过我写《雷雨》是在写一首诗。当时我对诗的看法是不正确的，认为诗是一种超脱的，不食人间烟火的艺术。我自己只是觉得内心有一种要求，非这样写不可。评论家们说我写这个剧本有比较进步的思想在指导着我，我当时还不大领会。后来我才渐渐懂得，无论写什么，一个作家总逃不脱时代精神的影响，或者是反映了时代精神，或者是反对时代精神，跟着时代前进的就是进步的。

巴金对我说过："《雷雨》是一部不但可以演，也可以读的作品。"他的这句话是说中了我的本意的。我写这个戏确实不但想着看戏的观众，也是想着看不到演出的读者的。《雷雨》发表后，成为许多人谈论的一个题目，这又成了我思想上的负担，很怕今后再写不出什么东西来。我个人总希望下一部作品和上一部不雷同，人物各有特色，不要同样的人物换一身衣服又出现在舞台上。在《雷雨》以后，我又写了一些剧本，是否做到了这一点，自己也很难说。

关于我创作《雷雨》的经过，当然还有许多闲话可聊，但由于眼前时间和精力的限制，就写到这里吧。

戏剧工作者的良师益友

——怀念田汉同志

田汉同志是我国戏剧界的老前辈，是进步的话剧事业的先驱者之一。早在二十年代，他就开始写戏。当我还是个对戏剧所知不多的青年的时候，他已经写出了不少的长短剧本，可以说是继“春柳社”之后的一个十分[1]重要的戏剧家。他热情洋溢，文采惊人，一扫当时话剧界的沉闷空气，写了关于知识分子的出路，关于爱国抗日以及关于各种主题的剧本。他建立了“南国社”，集聚了许多话剧和艺术人才。他的声誉遍全国，对青年和知识分子影响尤其大，他的剧本唤起我们走上革命道路。我是他的后辈，那时[2]还没有见过他，但我对他景仰已久，因为他确实为我们这些在三十年代开始写戏的人开拓了一条道路。

【题注】载《人民戏剧》1979年第4期，据以排印。又载香港1979年4月8日、9日《大公报》，题名《怀念我们戏剧界前辈——田汉先生》，兹以通校（校注称“大公报本”）。按，“田汉同志”大公报本均作“田汉先生”，不一一出校。

1　大公报本无“十分”。

2　“那时”大公报本作“开始时”。

我早已非常钦佩他的才华与他的勇往直前的气概。他交游遍天下，但他首[1]先以一个革命者要求自己，熟悉他的人也首先把他看作革命者。我记得我初认识田汉同志约在一九三六年，在南京。那时他已很出名了，许多进步的青年都愿意去拜访他，连日本、美国的朋友也知道他。一位美国耶鲁大学的戏剧学教授就曾经慕名来访，那次我担任田汉同志的英语翻译[2]。畅谈了一阵，离开他家之后，这位教授对我说:“田汉是一个共产党。”从这句指责可以看出，田汉同志是毫不隐讳他的观点的。而那时他以爱国文化人的身份刚从国民党[3]的监狱被[4]保释出来，当时[5]，正是[6]白色恐怖正非常猖獗的时候。

我喜欢田汉同志的豪爽与坦荡。在南京初识他时，我就感觉他家的大门总是敞开的，“座上客常满，杯中酒不空”。他待人接物像一团火，许多中年人、青年人都围绕在他身边，形成一个进步戏剧界的中心。他总是议论风生，豪迈不羁，在他面前每个人都感到欢快，有些生活困难的朋友们就把他的家当自己的家。他从三十年代起，就团结了许多进步人士。从那时起一直到后来，朋友们背后总称呼他为“田老大”。这是大家对他的爱称和敬称。他确实够得上是我们的老前辈，戏剧界的领袖人物。

---

1 “首”大公报本作“肯”。

2 “那次我担任田汉同志的英语翻译”大公报本作“那次谈话我担任英语翻译”。

3 “国民党”大公报本作“南京”。

4 大公报本无“被”。

5 大公报本无“当时”。

6 “正是”大公报本作“是国民党的”。

我一直不大懂“罗曼谛克”（Romantic）是什么意思，如果说这是指敢于打破守旧的东西的一个形容词，那么我觉得田汉同志就相当“罗曼谛克”了。当时我觉得他充满了要把“旧世界打个落花流水”[1]的精神。今天我重新来看他，那他就不仅是富于反抗精神而已，他确是一位符合人民的要求的、革命的戏剧家。

抗战爆发后，田汉同志在周总理领导下，率领着一群青年，成立了许多演剧队和孩子剧团，做了大量的抗日救亡宣传工作，自己也写了许多诗歌与剧本，包括话剧、京戏与各种地方戏曲。他的影响所及，使国民党[2]统治区的进步戏剧人士都公认他为勇敢的领导者。他走遍了祖国的西南各地，在党的领导下，吹响了革命的号角。

建国以后，党让他领导全国的戏剧工作。他做了大量的戏曲改革工作，团结了各剧种的戏剧工作者，当了众望所归的中国戏剧家协会主席。我们对他的领导是心悦诚服的。他从来说到做到，他深入工农兵的生活。他经常与老艺人来往、谈心。他深知老艺人在旧社会所受的疾苦和新老戏剧工作者的问题和困难，给他们以各种帮助。这些戏剧工作者如果还活着的话，是会感激他对他们的无私的帮助和爱护的。

建国的时候，他五十一岁，正是精力饱满，革命和人生经验都到了成熟时期。他还[3]是足迹遍天下，到处有求必应，诗歌与剧本如涌泉、如瀑布，达到了他创作的高潮。他写了许多作品，其中有些是十

---

1 “要把‘旧世界打个落花流水’”大公报本作“打碎旧世界”。

2 “国民党”大公报本作“白色”。

3 “还”大公报本作“更”。

分成功的，如京剧《谢瑶环》《白蛇传》，话剧《文成公主》与不朽的杰作《关汉卿》。我仅仅提了这几个；我漏了许多。但仅就这几个剧本谈，我们也不能不佩服这位戏剧界老前辈的勤奋和他敢想、敢说、敢做的革命精神。他所做的许多事情都[1]是我们应当给以充分肯定的[2]。

在此，我想特别提出《关汉卿》，这是田汉同志最好的剧本之一。这虽然是个历史剧，但其中表现了作者对人民的热爱和刚正不阿的革命精神。关汉卿在他的笔下是一位光彩夺目的大戏剧家，为穷苦人说话，热爱人民，不畏元皇朝的赃官暴吏的压迫，最后和他所爱的演员珠帘秀[3]被迫去到南方。我感到这个剧本凝聚了田汉同志[4]一生的经验和感情，田汉同志当然写了许多好剧本，但《关汉卿》是他众多的好剧本中的瑰宝。

田汉同志对新旧体诗都很擅长，许多脍炙人口的电影歌曲的歌词都是他写的。他写诗不作滥调，都是从心里发出来的声音。他又是一个很认真的学者，经常晚上阅读浩瀚的书籍，不断充实他的修养。他无论写诗或写剧本，用的典故都有出处，态度从来是严肃的。老舍先生曾对我说："田汉同志的诗是我们无法比的，他是个真正的诗人。"

我还想谈[5]：他奖掖后进的事迹。他直接培育出来的戏剧人才

1　大公报本无"都"。

2　"应当给以充分肯定的"大公报本作"今后必须严肃地提出来，并且应该沿着他们的脚步前进的"。

3　"珠帘秀"大公报本作"朱帘秀"。

4　"田汉同志"大公报本作"他"。

5　此处大公报本有"谈"。

本来就不少，我是属于他的后一代的，但他对我的写作也很关切。一九六一年我为写《王昭君》到内蒙古去，搜集材料。他见到新闻影片中我在草原上骑马的镜头，便十分赞许。有一天下午，他忽然来到我家，送给我他在宣纸上写好的一首七绝，题目叫《青冢》：

一鞭大漠马如飞，
青冢黄沙带笔归。
为教全华团结好，
再抛心力写明妃[1]。

他说了一句："给你!"便笑呵呵地飘然而去。这首诗我当时就装裱起来，挂在墙上，以激励自己把《王昭君》写出来。从他的这首诗，可以看出一位长者如何爱护他的后辈。

可惜在林彪、"四人帮"统治时期，这幅字被破坏了。田汉同志本人受"四人帮"的诬陷和残酷迫害，以七十岁高龄含冤而死[2]！

我想起田汉同志的一生，他的光明磊落的胸怀和灿烂多姿的著作燃烧着我的心。我们全体戏剧界的同志将永远纪念这位为革命而生，为革命而死的"田老大"，我们戏剧界的先驱和前辈，田汉同志。

---

1 明妃即王昭君。晋朝因避晋武帝司马昭的名讳，史家改称王昭君为明妃。——底本注。

2 "以七十岁高龄含冤而死"大公报本作"含冤积愤，以七十岁高龄死在狱中"。

看秦腔《西安事变》有感

用戏曲形式塑造领袖形象，塑造周恩来同志的光辉形象，秦腔《西安事变》是第一个。西安市秦腔一团的作者、导演和演员同志们，非常勇敢地编演了这个戏，是值得祝贺的。

开始，有个同志告诉我，在这个戏里，周恩来同志说的陕西话，唱的是秦腔。我当时觉得这简直不可能。总理怎么说陕西话，还唱秦腔呢？那位同志说："人家已经那样做了，而且在西安演出，大受群众欢迎。"这一说[1]，我心里非常想看。因此[2]，他们这次来京参加国庆三十周年献礼演出，我尽管又忙又病，还是看了剧本，看了戏。果然，搞得不错[3]。它的整个路子，完全是按秦腔的方式走的，而不是话

【题注】载《陕西日报》1979年4月11日，据以排印。又载《陕西戏剧》1979年第3期，题名《勇于实践的首创精神——看秦腔〈西安事变〉有感》，兹以通校（校注称"陕西戏剧本"）。

1 陕戏剧本无"这一说"。

2 陕戏剧本无"因此"。

3 "搞得不错"陕戏剧本作"非同凡响"。

剧的味道。

我特别注意到周副主席的一段唱腔。完全让我服了。那是一段独白。在复杂的斗争中，在苏英被暗杀以后，周副主席那时非常痛苦，怀着对同志很深[1]的感情，先是回过头去，用手帕擦了擦泪，然后开始唱，准备的非常好。我没看到过总理哭过。但在这里却表现得很自然。唱腔、曲调的设计和运用，都很成功。把那个时代，把总理对革命的热情，对同志的关怀，用艺术形象表达出来了。这是一次成功的尝试。现在许多地方剧种，也都敢唱了。我们应多[2]感谢秦腔敢闯、敢做、勇于实践的首创精神。

对秦腔我不太懂，仅就唱词上注意了一下，有些地方欠妥。如第五场《新城决策》，杨虎城唱词中有这么两句：“委员长一意孤行调兵将，和红军不共天一张。”前一句当然不错啰，后一句“天一张”，是否可改一改？一般说一张纸，[3]一张这，一张那，说“一张天”，恐怕是没有的。是不是陕西话这么说？如不是，把它改一改。不然的话，印在纸上，又打[4]在字幕上……那就不太妥了。这两句，我试着改了改，想了两句都不太妥。一个是“困难[5]当头狂妄想，决不和红军共存亡”。还有一个，假如要用“天”字，试改成“和红军不处天一方”，

1 “很深”陕西戏剧本作“很深厚”，论戏剧本作“深厚”。

2 “应多”陕西戏剧本作“应当”。

3 论戏剧本无此句。

4 “打”陕西戏剧本、论戏剧本均作“写”。

5 “困难”陕西戏剧本作“国难”。

这也不通。又想改成“把红军看作似虎狼”，但也不妥。因为，那时杨虎城已转变，对红军有了认识。所以，我又想了这么一句：“硬和红军争短长[1]。”我问了好几个人，觉得这一句比较好一些，不晓得行不行。

整个戏，我觉得很不错，我看了很受感动。老实说，这西安事变可真难写了。事件重大，矛盾复杂，头绪纷纭，斗争激烈。蒋介石答应了抗日，后头还有一大堆事哩，要细讲，这里边问题多得不得了。加之，参加事变的人，很多还在，各有各的体会，各有各的想法，不同的意见是难免的。现在几个戏，都写到蒋介石答应抗日为止，是可以的。因为，西安事变的结果是好的，促进了抗日统一战线的形成。群众爱国心切，关心的是抗日，只要蒋介石答应抗日就行了。我老觉得写历史剧，如果要句句处处都符合史实，那简直难办极了。因此上[2]，中国古往今来的历史剧，大部分不是历史。这个大家都晓得的。如果以正史的观点来要求历史剧，三国戏里的曹操、诸葛亮、周瑜，全都是假的。所以，我认为虚构是可以的，甚至于是必须的。只要能吸引观众，不致大错就行了。历史剧既然是戏，就不能完全是历史。戏剧不是历史教科书。咱们搞戏的，有一句话：“唱戏的是疯子，看戏的是呆子。”大约这句话还是有道理的。

周总理在世时说过一句话：“寓教育于娱乐之中。”我们千千万万

---

1 “硬和红军争短长”陕西戏剧本作“硬和红军争个短长”。

2 “因此上”论戏剧本作“因此”。

要记住这句话。假如天天搞概念化、公式化[1]，一说一大套，有谁来看你的戏？寓教育于娱乐之中，首先是娱乐，在娱乐中接受教育。可是“四人帮”却反其道而行之，给我们脑瓜里塞了一大堆概念化、公式化的东西。对这些东西，现在应该勇敢地丢掉它！秦腔《西安事变》之所以成功，我看这也是一个重要因素。

1 论戏剧本无“搞概念化、公式化”。

纪念莎士比亚四百十五周年诞辰

今年是莎士比亚诞辰四百一十五周年，整个世界都在纪念这位伟大的戏剧家和诗人。我想全世界各地都在隆重地演出他的不朽剧作，从而汲取这位伟人贡献给人类的伟大思想与艺术。我不知道为什么挑选今年来纪念他，可能是逢“五”必纪念他一次吧。但是我觉得全世界的人年年都在纪念着他，因为我们学习写戏、演戏，都是拿他的剧本作为入门的必修课。在文艺复兴时期，他是伟大的人文主义者之一。在全世界我有许多老师启发我，教育我，莎士比亚是我最重要的老师之一。

莎士比亚传到中国并不太早。大约在满清王朝的末年，著名的翻译家林琴南先生使用文言文翻译过兰姆兄妹改写的《莎氏乐府本事》，《王子复仇记》(即《哈姆莱特》),《一磅肉》(即《威尼斯商人》）等。以后有不少翻译家陆续翻译他的著作，著名的如朱生豪，曹未风和方平等先生，当然还有其他人。这些翻译家对于把莎士比亚介绍到中国

【题注】载1979年4月22日香港《大公报》。

来是有功劳的。“四人帮”被粉碎后，一九七八年，又再版了《莎士比亚全集》(根据朱生豪先生的译本和其他莎士比亚研究家的校对)，于是中国每个莎士比亚的研究者和戏剧家们案头上都有一部《莎士比亚全集》了。这也应该感谢人民文学出版社的编辑们，他们做了一件好事。

我接触莎士比亚是在中学读书时，读的是文言本。后来在大学时期，才读了莎士比亚的一些原文剧本。那是靠了“牛津版”与“各家集注本”(即 Variarum)，才略微窥见他的奥妙，他的美妙的语言，他所创造的深邃的人物性格，他的文字的音乐性，动人心魄的故事性，和他的哲理性。他一生写过三十七个剧本，两首长诗，一百多首十四行诗。他只活到五十二岁就逝世了，这样旺盛的创作力量是古往今来少有的。莎士比亚同时代的朋友本·琼生曾说过莎士比亚“不属于一个时代而属于所有的世纪”。

解放前，进步的戏剧工作者演出过我译的《柔蜜欧与幽丽叶》(Romeo and Juliet),其他业余剧团也演出过他的许多剧本，如《皆大欢喜》《威尼斯商人》等。著名剧作家、诗人田汉也翻译了他的《罗密欧与朱丽叶》与《汉姆雷脱》(Hamlet)等。还有孙大雨的《李尔王》(King Lear)。解放后我们演出过一些莎士比亚戏剧，如中国青年艺术剧院演出的《第十二夜》(Twelfth Night)，中央戏剧学院演出的《罗密欧与朱丽叶》，上海人民戏剧学院演出的《无事生非》(Much Ado about Nothing)等。在“四人帮”粉碎以后，我认为很有必要重新上演莎士比亚的剧作。我愿中国应当有一套比较上口的莎士比亚的演出本，尽管这种演出本也许不能十分忠实于原著，但对渴望看到莎士比亚的演出的观众们，这是十分必要的。

所有的中国戏剧工作者们，都在期待这种演出本的出现，这将会对于中国戏剧舞台汲取人类文化的财富——莎士比亚的伟大艺术，有极大的益处的。

杰出艺术家的一生

——纪念舒绣文同志

舒绣文同志是我国人民的杰出的表演艺术家、中国共产党的优秀党员。她于一九一五年出生于安徽安庆的一个贫苦家庭里，青年时期就开始了艺术生活。她是最早在党的领导下从事戏剧、电影工作的艺术家之一。从三十年代初就参加到我党领导的五月花剧社、春秋剧社、上海业余影人剧社等团体里，献身于进步戏剧事业的拓荒工作。在党的关怀帮助下，随着斗争的发展，绣文同志对党的认识不断提高，对党的感情日益深厚。一九三二年五月，五月花剧社在杭州演出宣传抗日，遭到反动政府的查封并以“共产党嫌疑”的罪名追捕负

【题注】据中国人民政治协商会议全国委员会文史资料研究委员会编《著名表演艺术家舒绣文》所载排印，中国文史出版社1986年版。文下附注：“舒绣文的追悼会于一九七五年五月十五日在北京八宝山革命公墓召开，邓颖超同志主持，曹禺同志致悼词。本文即悼词，略有删改。”按，附注所记日期有误，据《著名表演艺术家舒绣文同志追悼会在京举行》(1979年5月16日《人民日报》)“舒绣文同志追悼会，五月十日在北京八宝山革命公墓礼堂举行。……追悼会由邓颖超同志主持，曹禺同志致悼词”，舒绣文追悼会日期为1979年5月10日。

责人。绣文同志不畏危难，勇敢地给有关同志报信，使剧社的负责人脱险。一九三八年以后绣文同志在重庆工作时期，经常得到敬爱的周总理和邓颖超同志的关怀帮助，对她以后的进步成长起了决定作用。一九四〇年冬，绣文同志到陕北榆林参加影片《塞上风云》拍摄外景时，曾两次和一些同志偷越国民党封锁线，到达革命圣地延安，荣幸地见到了伟大领袖毛主席，并参观了鲁艺、抗大。这使她更进一步认识了党，更加相信党、热爱党，更加自觉地在党的领导下，以戏剧、电影为武器向反动派进行战斗。皖南事变后，我党为了粉碎国民党对文艺界的控制与迫害，占领重庆的文艺阵地，坚持宣传团结抗战，曾于一九四一年夏组织中华剧艺社，先后演出了郭老的新作《棠棣之花》、《虎符》和阳翰笙同志的《天国春秋》。绣文同志积极参加了剧社和这些演出，为冲破国民党的控制封锁做出了贡献。抗日战争胜利后，绣文同志回到上海，继续在党的领导下从事电影工作，拍摄了像《一江春水向东流》那样的优秀影片，而拒绝参加拍摄反动影片。

一九四八年，绣文同志在党的组织安排下，由上海转移到香港。一九四九年五月，她接到党的通知到北京参加了第一次全国文代大会。文代会后，她衷心拥护毛主席的革命文艺路线，积极响应向工农兵学习的号召，满腔热情地深入部队，随军南下，到达桂林、云南等地。回上海后，立即参加了大型话剧《怒吼吧，中国》的演出。她不顾劳累艰苦，忘我工作，因而患了风湿性心脏病。但她决心把全部力量贡献给新中国，一直带病坚持工作。一九五〇年在大连拍摄《女司机》时，虽病情加重，仍坚持拍完才回上海；接着又参加了《一场风波》的拍摄，同时还担任了《乡村女教师》《阴谋》《无罪的人》《母亲》

等译制片的配音工作，都十分出色地完成了任务。一九五七年，绣文同志调到北京人民艺术剧院工作。她以顽强的革命毅力战胜疾病折磨，全力献身于舞台艺术。一九五八年四月，绣文同志光荣地加入了中国共产党。

绣文同志对待革命事业兢兢业业、满腔热忱、全心全意，从不计较个人得失；对待艺术创造严肃认真、一丝不苟、精益求精，从不满足于已有成就。她的表演风格真实细腻、热情泼辣、感情真挚，具有鲜明的独创精神；并且台词优美，富于表现力，着力于刻画人物性格，她所创造的《一江春水向东流》中的“抗战夫人”王丽珍、《骆驼祥子》中的虎妞、《关汉卿》中的朱帘秀、《伊索》中的克莉亚等许多角色，性格鲜明、惟妙惟肖，具有隽永的艺术魅力。受到广大观众的热烈欢迎，也得到周总理和邓颖超同志的赞扬。

绣文同志是在我国人民中早就享有盛名的老一辈表演艺术家。但她谦虚谨慎，平易近人，诚恳热情，从来不摆架子，具有高尚的演员道德。戏不分轻重，角色不论大小，她都同样严肃对待、认真创造，在排练、演出实践中，她都主动热情地像培育幼苗一样，培养辅导青年演员，支持帮助青年导演。从一九三二年开始到“文化大革命”以前，绣文同志三十多年没有离开过舞台和银幕，没有离开过观众，在我国戏剧、电影发展的历史上，有着卓越的贡献。她以自己对人民艺术事业的忠诚和辛勤的创造性劳动，赢得了人民的爱戴，先后当选为第二届全国政协委员，第二、三届全国人民代表大会代表，第三届全国妇联执行委员会委员，中国戏剧家协会常务理事，中国电影工作者协会常务理事，中国文学艺术界联合会全国委员。

舒绣文同志热爱党，热爱社会主义，热爱毛主席、周总理，热爱人民的艺术事业，她的一生是为人民服务的一生，她不愧为我国人民的杰出的表演艺术家、党的好女儿。但是，在林彪、“四人帮”的摧残迫害下，她的心脏病严重恶化，得不到应有的治疗，于一九六九年三月十七日过早地离开了我们，终年只有五十四岁。这是非常痛心的损失！

多写、多写、再多写

——与青年电影剧作者的谈话

前两天我跟一个华侨医生谈话，他正在病中，对我说："我一生在祖国住了很久，回想一生中缺点不少，弱点也不少，但是经验优点也不少。现在想把过去失掉的时间补回来，用我今天的经验、教训，重活一遍，但是身体不行了，老了，我要是三十岁多好啊！"我对他说："我不要求现在是三十岁，只求现在是五十岁，那该多好！"

各位同志都是三十岁左右，这是最好的年华。

我后悔这一生写得太少，应该多写、多写、再多写。

一般中外能称得起是个作家的，都写得很多。一问人家写过多少作品，都回答写过几十部或者更多。我的朋友，一位作家同志在日本访问时，遇见一位四十岁左右的小说家，他问这位作家写过多少部小说，这位日本朋友说："说起来惭愧，只有一百多部。"

【题注】载《电影艺术》1979年第4期。文末注："本文系作者在1979年6月7日老作家、艺术家与电影学院编剧进修班应届毕业生会见会上的讲话。"

当然，有的作家只写了一两部，便是能传后世的作品。曹雪芹仅写了一部《红楼梦》，那是多么伟大的作品！但是，我们毕竟不是曹雪芹，像曹雪芹这样的天才大约多少世纪才有一个的。

多写，质量就会慢慢提高。除非是那种多写是为了混饭吃的人，什么都写，头脑没有“质量”这个观念。

我回头想想自己这一生写得太少、太少，而且方面太窄，只写话剧。

我另一种后悔就是，我和人民群众在一起太少、太少，和知识分子在一起太多，和旧社会的“牛鬼蛇神”在一起太多。

我这次住在医院里，散步时看见许多花草都说不出名字来。有一些住院的老革命[1]，他们却能说出来。而且还告诉我，哪一种草是他们在战争年代吃过的，哪种树叶在荒年时怎样泡制一下是最好吃的。他们谈起他们一生种种经历，兴高采烈。这些老革命们对我说：“你呀，你呀！你今天才算到人民群众中来了！”

同志们请记住，要多学多问，不懂，千万别装懂。

这一生我领会出一两个道理：言不由衷的话，不要写。做到这一点并不容易，“四人帮”横行时，有人就经受不住这样的考验。在文艺作品里写言不由衷的话，自己都不信，怎么能感动读者呢？不熟悉的生活，不要去写。这个道理，毋须解释，是再明显不过的。熟悉的生活，但是在你没有从中找出你相信的道理来，并且是真正想通了的时候，也不要去写。

1　此处论戏剧本有“（有一位是北京市委书记贾庭三同志）”。

我说这些，仿佛是给你们讲了许多清规戒律，但这些确实是我过去努力想做到的。

有的同志建议我写点“回忆录”，我说我不写。第一，我没什么可回忆的；第二,一个人到写回忆录的时候，往往是接近人生旅途的终点。我现在还想创作，还不甘心开始写回忆录。我愿随诸公之后还写点东西。

整个中国有理想，整个党有理想，整个人民有理想，我相信大家能写出好作品，对得起我们的人民、党和中国。

思想要解放　创作得繁荣

我们伟大的党要大有作为，我们伟大的人民要大有作为，我们广大文艺工作者也要大有作为，把我们社会主义的文化艺术事业繁荣起来，这是我们义不容辞的责任。

当然，要真正大有作为，也非容易的事情，需要克服很多的困难，我想，最大的困难就是思想解放的问题，包括领导、创作人员和整个的文艺队伍。

我们中国有九亿人口，有悠久的历史，灿烂的文化。尤其我们这一代，又受到党和毛主席的教育。为什么现在出一些好的，像样子的东西竟那么难，让人民望眼欲穿地等待？是我们笨吗？是我们无能吗？我是不相信的。我认为是因为我们的手还被绳索捆着，头脑上还戴着紧箍咒。说穿了，还是心有余悸。虽然“四人帮”已经粉碎了，但是恶梦还缠在头脑里。写作的时候，常常有顾虑，怕领导通不过，怕受到批评指责，有时甚至会感到不知所措。有一些创作人员是有勇

【题注】载《文艺报》1979年第6期。

气的，有锐气的，但是又可能碰上心有余悸的领导。

我想，创作要繁荣，就要“放”！搞创作的同志思想要解放，当领导的同志更要思想解放。看文艺创作无非是两条标准：一条政治标准，不反党反社会主义；一条艺术标准，艺术性比较强。我们不要限制得太严，不要规定得太多，不要把题材的比例搞得那么死。要多想想人民群众，要想方设法使人民群众满意，这才是我们应当用心来做的事情。

我一直认为群众是最讲情理的，是最好的评论家。一个戏，一个作品，好与坏，群众心里最有数，他们欢迎不欢迎就是对我们的批评或赞扬。我们应当重视这些广大的评论家，重视他们的喜好，我觉得这样，我们的文学艺术才会真正繁荣起来。

在我国古代历史上，有过文学艺术的繁荣盛季，唐朝就是一个黄金时代，产生了数不清的才华横溢的人才和作品，成为我们中华民族的骄傲。我们也应当为我们的民族带来骄傲，因为我们所处的社会主义时代，比起唐朝是无比的先进了，我们一定要胜过前人。

前人为我们留下了丰富的文化遗产和丰富的生活斗争的历史，我们是大有可写的。有些同志谈到写历史剧的问题。我想历史剧毕竟不是正史，当然也不是演义。写历史剧总是要强调历史中的戏剧性，但又大致不错，同时还能古为今用。古为今用是个比较难办的问题，对此，我是有感触的。古为今用时常会被曲解为“影射”（“影射”是指“四人帮”以“借古讽今”为名，曲解文艺，罗织罪名的恶毒手段），有的人专门用这样一种镜子来照。你这个戏里的皇帝指的是谁？海瑞罢官又指的是什么？这种镜子实在要人命，应当打碎！古为今用是一种借鉴，是用历史唯物主义观点对历史进行分析评价。同时，丰富我们的知识，提高我们的精神境界，这对于我们整个中华民族，尤其是青年一辈，十分有益。

我们繁荣文化艺术，步子要快，但是质量也要好。一个作品，没有好的艺术质量是站不住的。要创新，要人人创新，不要一个人创了新，大家就一拥而上，都来效学，模仿，这样的“新”就不成其为新了。古人赞扬文章写得好，说写得“敷张扬厉”，“变幻莫测”，如同“神龙见首不见尾”。而今天看戏、看电影，以至于一些文学作品，读者观众往往是一见其“首”，便见其“尾”。这样，怎么能怪观众不来看我们的戏，不满意我们呢？只能怪我们思想僵化，手法抄袭。这样实在要不得。群众要的是千变万化，我们只有一定之规。如若不改变这种状况，不下功夫，我看繁荣将会落空的。

由此想到，我们的电影、戏剧暂时可能还要赔钱。但是我们应该尽量争取质量高，艺术性强，受广大观众欢迎，少出废品、次品，减少浪费，不给四个现代化造成不应有的负担。

另外，我们除了需要繁荣创作，还需要繁荣评论，需要高质量的评论来指导和提高艺术创作。我们需要加强我们的评论队伍。

我们还不要忘记，我们搞电影、戏剧，也是搞娱乐，你不给人以娱乐，人家就不看，不管你写的是什么题材，历史、现代，如果写得干巴巴，贴满了政治标签，没有感情，没有形象，没有个性，没有艺术性，就没有人理，也就没有存在的价值。周总理一再提醒我们，要寓教育于娱乐之中。我们必须懂得这一点，我们必须使作品让群众爱看，这方面我们办法还是太少。要把政治性和艺术性糅合得尽可能完美。这虽然比较难于做好，但我们必须一步步地向这个目标努力。

近来，我常想这样一句话：“莫道桑榆晚，红霞正满天。”我自己已是老年了，但确实有“红霞正满天”之感。形势喜人，更逼人。我心中时常很着急，深怕时间过得太快，而自己赶不上了。办法只有一个，就是拼命地赶，拼命地干，拼命地写，向“大有作为”这个目标奔！

《求凰集》序

祖光嘱我为他的京剧本《求凰集》作序。

按说，这不是难事，然而把我难住了。这倒不是由于我不懂京剧，也不是不懂祖光。世事往往这样的怪。京剧我时常看，而且也很喜欢。与祖光相识很久了，又曾相处过一段时间。他一生的喜怒哀乐我也多少知道一些。我和他是老朋友了，问题就在此地。仿佛为一位朝夕相见的亲友画像，因为常能见面，反而不曾注意哪些是他容貌上的特征，他眉目间聪明可亲之处究竟是因为什么。因此许久就动不了笔。

然而终于要写。因为他在催。他准备作大西北之行。他行前要我把序写好。我只好讲讲我随意想到的关于他的一些事，和我的一些感想。

我认识祖光大约在一九三七年，在南京剧校，我们同在那里教

【题注】据吴祖光《求凰集》所载排印，中国戏剧出版社1980年版。又载1979年6月17日香港《文汇报》，兹以通校（校注称“文汇报本”）。

书。他只有二十岁，他在那里教国文，很得学校同学的爱戴。我初见他时，他像是一位“白面书生”，不大说话，而自然有一种翩翩然的风度。那时的南京冠盖如云，反动党棍很多，每天总有些乌烟瘴气的事发生。我有时在备课室见到他，终因不大熟，似乎没有谈几句话。但偶尔交谈起来，就觉得他很亲切朴实，还有些腼腆。今天回想起来，他那张憨厚可喜的红红的脸仿佛又在眼前。

不知是否因为后来知道他是书香门第出来的俊逸子弟，当时我蓦地想起从前称赞人的一句话，这大概是一位“浊世之佳公子”吧。这自然不是真的祖光。后来和他稍稍接近了，逐渐明白这只是个假象。但我相当羡慕他，他有一手好文笔，无论写什么，他可以洋洋洒洒写下去，毫不困难。还有那一手聪明的毛笔字。这都会使人有深刻的印象。

抗战时期，我和他同随南京剧校，浮洞庭，溯长江而上，到重庆，终于在四川的一个小县江安住了几年。他认识了许多戏剧同行，大约逐渐更熟悉了戏剧，从此开始写下许多各种体裁的剧本。

在抗战的岁月中，祖光受到许多戏剧战友的影响，他的文采开始显露出来，被人称赏。他的话剧，如同《凤凰城》[1]《风雪夜归人》《正气歌》《牛郎织女》《嫦娥奔月》《捉鬼传》[2]……等等，嬉笑怒骂，矛头是敢于指向反动派的。同[3]是因为他遇见了周总理，受到总理的教诲。

---

1 文汇报本无“《凤凰城》”。

2 “《捉鬼传》”文汇报本作“《捉鬼记》”。

3 “同”文汇报本作“这”。

他又与许多进步人士往来。在党的领导下，他成为一名进步的戏剧工作者。此时的祖光在我的心目中，再也不是“浊世之佳公子”了。

在他的戏剧创作里，他有优美俏皮的语言，人物性格是鲜明的，戏的节奏流畅，同时曲折有致，活泼生动，经常露出压不下的幽默感。他的剧作正像他的为人，充满乐观主义。他的戏不但琅琅上口，而且舞台技巧好，戏的演出总是受到内行和广大观众的喜爱。

在朋友当[1]中，他是个妙语惊人的人物。听他说话是个享受。他能把极普通的一件事说得很有趣。一件小事经他一描绘，便惹得人笑个不止。比如我平时有些心不在焉，经他在朋友们面前描述一次，连我也禁不住笑起来。他的诙谐是善意的，确有画龙点睛的本领。

但祖光是严肃的。一件事情的是非曲直，经常要和人辩得清清楚楚。他经得住考验和磨炼。在十几年的考验中，不许他说话，不许他分辩，但他从来没有被“四人帮”压低了头。终于，他获得了自由，头发斑白了。我见着他，他还是那种笑嘻嘻地满不在话下的神色。他对我讲：“我已经‘中专’[2]毕业了。”他的脸上没有一丝懊恼和感伤，还是有一种不服输的气概。

“四人帮”被打垮以后，报纸、杂志上又刊载他的各种文章。他又很快写出剧本来。他的近作《闯江湖》已经登在《收获》刊物上。这是一部现实主义的剧作，充满了他对评剧艺人在旧社会中所受的压迫的满腔义愤。这个戏和他以前的剧本有不同的风格。祖光的剧作是

---

1 “当”文汇报本作“们”。

2 指“中央专案组”。——底本注。

一天比一天更厚实了。

祖光是多产作家，他落笔之快十分惊人。他写了大量的散文、话剧、京戏、电影剧本和诗词。他甚至于导演了许多成功的电影。我们中国需要这样多才多艺的戏剧家。

《求凰集》的三个京剧本，我都读了。其中我最喜欢的是《三打陶三春》。这是我的个人之见。我必须在此再说一遍，我是不懂京剧的。

这两年我忽然听到有人说：要请吴老为我们写剧本。我诧异地问起吴老是谁？原来吴老就是吴祖光。我这才想起，祖光已经六十二岁了。但他精神饱满，正在创作的盛期，他会写出更多的好剧本的。

一九七九年七月·北京[1]

1 文汇报本无“一九七九年七月·北京”。

道路宽广　大有作为

在最近一次会上，曾提出一个设想：能否到八十年代末搞出三千部戏剧和电影来。我十分拥护。不要把剧目统得太死，不要硬性规定剧目的比例，不要把意在提倡的希望当作法律，现代、近代、古代都可以写。这些见解使我觉得如登高山，视野开阔，看到我们戏剧创作的道路四通八达，大有作为。

十年多一点的时间搞出三千部戏剧和电影，这个计划看似很大，实际上经过努力是能够实现的。当然，要写出高质量的无愧于伟大时代的剧作来，不是一件简单的事情。我们一定要汲取过去的教训，千万不要搞一阵风，满足于搞指标，而是踏踏实实地做工作，决不要使经过努力能够实现的目标落空。这是时代和人民向我们提出的要求，我们要鼓足干劲，迈开大步前进。

有了一个宏大目标以后，我们要特别重视质量，无论是写现代、写近代、写古代都要重视质量。特别是现代戏，我们十分希望有更多

【题注】载《人民戏剧》1979年第6期。

更好的现代戏问世。恰恰是现代戏不易写好，所以我们更要精心培植。只有注意提高现代戏的质量，才是真正爱护现代戏，有效地提倡现代戏。我最近看了一些现代戏本子，感到虽然作者做了很大努力，但总是不大令人满意，所以我特别强调这一点。

戏剧创作的路子打开了，几千年灿烂辉煌的古代历史，上百年风起云涌的近代史、现代史吸引着剧作家们的视野。今天，我们，尤其是年轻人，对于我们祖国的历史了解的太少了！如果我们能生动而深刻地反映出我们中华民族悠久的历史和各个时代的伟大的人物，这不仅有益于培养我们的爱国主义和民族自豪感，而且将大大地激励我们建设社会主义的新中国，这实在是好事情。同时，我们要注意尊重和保护作者创作的愿望，可以提倡，不要强迫。人各有志，各有所长，还是人尽其才，各展其能为好。过去有过这样的教训，上级一提倡，层层一鼓吹，于是刮起一阵风，造成压力，使作者十分惶恐，十分紧张，于是勉为其难，穷于应付。这不好，这样出不来好东西。写历史剧同样要注意质量，要寓教育于娱乐之中。过去曾经有过片面理解古为今用，搞影射，或者把现代思想强加于古人的现象，今天仍要引以为戒。

总之，剧作家们大展鸿图的时刻到了，让我们做出成绩来回答时代和人民对我们的热望。我们不要十年磨一戏，八亿人民八个戏，我们要组织浩浩荡荡的队伍，为制订和实现戏剧创作的十年规划而奋斗。还是那句话，在这个前提下，贵在落实，贵在质量。

昭君自有千秋在

——我为什么写《王昭君》

中国的历史传说中，有四位美女，王昭君就是这四大美人之一。四位美人都因她们的美丽留下许多动人的故事，而王昭君与其他三位又有不同。她是个美丽的女子，同时又是一位伟大的女子。

我为什么写王昭君呢？这是敬爱的周总理交给我的任务。

记得那是六十年代初[1]的一个下午，在政协礼堂，总理和我们一起谈话，内蒙的一位领导同志向周总理反映，在内蒙地区，在钢城包头，蒙族的男同志要找汉族对象有些困难，因为汉族姑娘一般不愿意嫁给蒙族的小伙子。周总理说：要提倡汉族妇女嫁给少数民族，不要大汉族主义；古时候就有一个王昭君是这样做的！接着，总理对我说："曹禺，你就写王昭君吧！"总理还提议大家举杯，预祝《王昭君》早日写成。

我领会周总理的意思，是用这个题材歌颂我国各民族的团结和民

【题注】载《民族团结》1979年第2期。

1 "六十年代初"曹禺论创作本作"1960年左右"。

族间的文化交流。而王昭君正是为这一事业身体力行，做出了了不起的贡献的一位汉家女子。

正史中对她的记载很少，只是说她是西汉元帝后宫的宫女，当匈奴的大单于呼韩邪来长安朝拜，愿为汉朝天子的女婿。王昭君自愿请行去匈奴，与单于结亲，在那里生儿育女，汉与匈奴五六十年欢好相安，没有战事。

这样的一位勇敢、有大志的汉家姑娘，实在是应该为人们所歌颂赞美，流芳百世。

然而，数千年来，王昭君的真实面目却一直埋没着。她的功绩被人们遗忘了，抹杀了。在历代无数的诗人、画家、作家的笔下，王昭君的容貌始终被泪水所遮盖。在这些文人的诗、戏曲和画卷中，她终日啼哭，满面愁云，思念乡土、思念汉元帝，悲悲切切地度过她的一生。

在我小的时候，就看过这样一个戏，叫作《昭君出塞》。那种悲凉、凄怨，给我留下很深的印象。以后，也读过许多诗、戏曲、小说；总是引人为王昭君叹息、落泪。

我看过一本敦煌的变文，叫《王昭君变文》。说王昭君到了番邦，从未安心，整日苦苦思念汉元帝。但是在这变文中也写到“番王”对她是很好的，甚至亲自为她熬药煎汤；她死了，还专门为她着汉服戴孝。不过，在她生前竟不为所动，结果还是抑郁而死。比较普遍的传说故事是：汉代画家毛延寿做钦差大臣为汉元帝选美。王昭君为了父亲不受官府的伤害，毅然出面进宫。进宫后，她不肯向毛延寿行贿，于是毛延寿便把她画得很丑；皇上又是先凭画像选妃，因此没有选中她。直到王昭君请行去匈奴，汉元帝才看到她原来是一位天仙般的美女。但是已经晚了。元帝懊悔不已。王昭君对元帝也是恋恋不舍，一往情深。元曲剧作家马致远写的《汉宫秋》，是一部艺术性很高的作品，但他笔下的王昭君也没有挣脱出笼罩在她头上的凄凉伤感的情绪。王昭君被迫出嫁匈奴，一路留下她的泪水和哀婉的歌声，走到黑水，她投江而死了。……

总之，王昭君早已是我国妇孺皆知的人物。然而，这都是被歪曲了的王昭君。

为了创作《王昭君》一剧，我两次到内蒙去。在那里，我看到王昭君的墓。她的坟墓，又称"青冢"。包头有，呼和浩特也有。她的青冢，比岳飞的坟还大，像一座小丘。夏天，碧绿绿的，美得很。传说，在大雪纷飞，满目银白的冬日里，昭君的"青冢"仍旧是青翠的，像是永远留住在草原上的一片春光。我还听了著名的歌手、马头琴大师巴杰唱的关于王昭君的故事，访问了一些蒙古族老人。原来，关于王昭君的传说，不仅汉族有，蒙族也有。在草原上，王昭君也是一位人人皆知的女子。而且，她仿佛是一位仁慈的女神。人们传说，贫苦的牧民没有羊，到青冢上面去，就可以得到羊；结婚后没有孩子的妇女，到青冢去住一夜，第二年一定会生出一个又白又胖的儿子。在那里，人们把美好的愿望都寄托在王昭君的身上。我喜爱这样的王昭君，我相信王昭君正是这样一位可爱欢悦的姑娘！因为她确实给汉和匈奴人民带来了安宁、幸福的生活。

我要擦掉王昭君脸上的泪水，让她焕发出她的真正的光彩。

我写的王昭君不再是哭哭啼啼了。她有志气，有胆识，愿意为民族和睦和当时汉胡百姓的安乐贡献自己的一生。她是有感情的女子，但绝不是那种奴婢对帝王的感情，而是真诚的爱情。她嫁到匈奴，就爱上草原；她嫁给了呼韩邪单于，就真心地爱他，并且也得到了他的爱。她刚毅，又温柔；她耿直，然而明事理，有耐性。我希望我们的人民能因有王昭君这样一位有胆有识的汉家女儿感到骄傲。

我们敬爱的董必武同志曾经为王昭君的墓题过一首七绝。他写道：

“昭君自有千秋在，
胡汉和亲识见高；
词客各摅胸臆懑，
舞文弄墨总徒劳。”

我想，这是对二千年前汉族的美丽的女儿王昭君做出的公正的恰当的评价。

《王昭君》剧就要由北京人民艺术剧院上演了。我希望这个戏，能成为一首颂扬我国各民族团结的赞歌，献给国庆三十周年。

最近，我在报纸上读到一则消息，很受鼓舞。在我们广大的国土上，又出现了许许多多的新昭君，这些新昭君不仅仅是年轻的姑娘，也有壮实的小伙子，头发斑白的老人……他们为了帮助少数民族人民实现四个现代化，奔赴边疆了。我认为，凡是立志在祖国的边疆，贡献自己的力量，为边疆的建设奋发努力的人，人民就送给他们一个美好的名字——新昭君。

在人们的心中，昭君变了，变得生气勃勃，神采奕奕。人们再也不为她流伤心的泪，而是为她唱昂扬的歌。当然，不仅是歌唱汉朝的王昭君，我们更要歌唱今天的新昭君。

刻苦学习　加强实践

我非常高兴地看到这么多年轻的同学和成为教师的老同学在一块儿谈心，我有点感想。我们搞戏剧的，从我们的祖父往上数，演戏这个行当是最低下的，是被人瞧不起的。我们的父母如果知道了我们是演戏或者写戏的，就不允许我们参加这种活动，认为辱没了祖先。我记得一个老前辈洪深先生，他从清华大学毕业后到美国留学，是学瓷器的。后来他对美国戏剧感兴趣，就在耶鲁大学学戏。这件事传到他的家乡，他的乡亲、家族和父母，都认为是不孝之极，他的叔叔对他说，你为什么做这样下贱的事情？快点回来，我给你找点好事由，最低当个局长。但是洪深就喜欢搞戏剧和电影，终于成为我们最早的老前辈之一，这就说明了在旧社会的戏剧工作者所处的社会地位。在旧社会的反动统治下，演戏的要上娱乐捐。都是什么人上娱乐捐呢？只有妓女、歌女、舞女……这样一些人才上娱乐捐，而我们演戏的人也要上娱乐捐，就很清楚暴露了那些反动统治者是如何看待演戏这个行

【题注】载《戏剧学习》1979年第3期。文末附注："根据在全院大会讲话记录整理。"

当的了。

现在在中国共产党的领导下，我们的政治地位翻了身，人民把我们看作教育者，党的宣传员，是文化战线上的重要组成力量。中央戏剧学院应该说是全中国戏剧界的最高学府，在人民面前，我们的教师、同学和干部都有了崇高的地位，我们是幸福极了，但我们要问：这种幸福和崇高的地位是谁给的？是人民给的，是党给的，所以我们的第一件大事就是要为人民服务。我们生活在这样的幸福当中，我们要时刻牢记所肩负着的重担和神圣的职责：教师们要认真、严肃地全心全意地教好学生；同学们也要认真、严肃地全心全意地学好为人民服务的本领。我们共同创造出崭新的人民戏剧。

我们要教育同学有崇高的目的，从一切为了人民出发，在当前说来，就是一切为了四个现代化，为了把祖国建设成为有高度文化的社会主义强国。有这样一个崇高的目的，我们绝不能从中取巧、图名图利。我在大学读书的时候，有各式各样的教授，有的只为了拿那几百元工资，每星期教三四节课，下课铃一响，把笔记本一合就走，多半秒钟也不肯教；有一些学生也不好好地听课。这样的教师与学生的关系，当然造就不出好的学生。现在学习的条件太好了。同学们想一想，从古到今哪里有过戏剧大学？戏剧学院是随着新中国的成立而建立的。因此，同学们应该无昼无夜地勤学苦练，做到得心应手，学到一套本领，勤勤恳恳地为人民服务。还有一点，话剧从开始有的时候起，就是为政治理想、为改造现实服务的。同志们了解了春柳社的历史，就可以知道了。春柳社到现在不过七十多年，当时因为满清政府太腐败，我们要救国、要打倒日本帝国主义、打倒封建主义，才建立的春柳社，才搞话剧。现在我们是要为建设社会主义现代化的强国而奋斗。如果没有这样的崇高目的，我们还搞什么戏剧？那就是个市侩、是个被人瞧不起的人。

我想谈一点个人的切身感受。我从十五岁搞话剧，到现在有五十多年了，我总是在戏剧创作和演出当中活动，从来没有停顿过。因此，我希望同学们在学戏的过程中要永不间断地实践、再实践，在实践中检验学习的对不对，适用不适用，一切戏剧学问都要在实践中检验。因此，我们应该早一点实践，不要像过去学医那样，学了八年还不会接生，不会治好阑尾炎。我主张早一点实践，快一点实践，而不要学了几年才实践。学了一些基本训练，练了一定的功夫的时候，要赶快实践；在实践中增长智慧的才干，在实践中深入认识我们的武器——戏剧艺术的力量，增加我们的勇气和信心。

中央戏剧学院给了同学们许多好的学习条件，而且还有专业教师指导，这样的学习机会，不是任何剧院的演员或舞台美术工作者都能得到的。只有同学们才有这样的学习条件。中央戏剧学院是有成绩的，但距离党和人民对于我们的要求仍然差得很远。我们要永远不自满、不知足，勤学苦练，孜孜不倦地自强不息。希望我们的教师和同学，都能树立为人民而教、为人民而学的目标，永远做无私无畏的战士，为创造无产阶级崭新的伟大的戏剧艺术而贡献我们的终生。

（《荀慧生演剧散论》）序

荀慧生先生含冤逝世已经将近十一年了。如今上海文艺出版社又将重新出版《荀慧生演剧散论》，使人感触尤深。

荀先生是荀派表演艺术的创始人，广大观众赞誉为“四大名旦”之一，是我国杰出的京剧表演艺术家。一九〇〇年，他出生在河北省东光县一个贫苦农民的家庭里，为生活所迫，幼年即被卖到天津河北梆子老演员庞启发名下为徒。七岁学戏，八岁登台，在他十一二岁时，便以“白牡丹”的艺名，活跃在京、津一带的戏曲舞台上，十六岁改演京剧。六十年的演剧生涯，他在艺术实践中苦心孤诣地钻研，善于虚心地向前辈和同辈艺人学习。他突破原来旦角行当的程式框框和限制，打破陈规，大胆革新，在唱腔、表演上进行了大量的创造，塑造了许多天真、活泼、勇敢、泼辣，具有民族特色的妇女形象。在表演上荀先生具有生活化和性格化的特点，创造出长于表演、长于刻

【题注】据《荀慧生演剧散论》所载排印，上海文艺出版社1980年第2版，原题《序》。按，《荀慧生演剧散论》初版于1963年，本文系曹禺为该书重版撰写的序言。

画人物、声情并茂的荀派艺术。在京剧旦角表演上独树一帜，为我国戏曲艺术的发展，特别是京剧艺术的发展，做出了重大的贡献。

我记得在北平吉祥戏院第一次看荀慧生先生的戏，剧目是《花田错》，他饰演剧中的丫鬟春兰，演来娇柔妩媚、洒脱自然，使这出喜剧玲珑剔透、妙趣横生，给我留下了极为深刻的印象。至今，他的音容笑貌犹在目前，荀先生的艺术魅力是难以言传的。

但是荀先生真正的艺术青春还是在新中国成立以后，一方面他积极地投入到戏曲艺术的改革工作中去，整理改编了自己过去演出的剧目，如《红娘》《金玉奴》《杜十娘》《钗头凤》《荀灌娘》等；同时，他还进行了大量的戏曲表演理论的研究工作，写了很多札记。他数十年如一日，坚持写《艺事日记》，记录了他大量的看戏观感、表演心得、经验体会，为我们留下了宝贵的艺术财富。他一贯热衷于对青年一代的培养，把它看成是自己义不容辞的政治责任，始终勤勤恳恳毫无保留地向青年们传授技艺。他的学生遍于全国，他们追怀恩师，哀念："漫道多年心血化为泪，且喜今朝桃李已成行。"大家悲喜交结，溢于言表。

荀慧生先生的一生，是忠实于艺术事业的一生。伟大领袖毛主席、敬爱的周总理，党和国家的许多领导同志，对荀慧生先生及荀派表演艺术，都给予了关怀和赞扬。

但是，正值他在艺术上达到炉火纯青，为党、为人民、为社会主义文艺事业做出更多贡献的时候，林彪、"四人帮"所推行的法西斯文化专制主义，却对他实行了惨无人道的残酷迫害和无情打击，使他病情恶化，于一九六八年十二月二十六日不幸逝世。他的逝世使我们文艺界失去了一位良师益友，这是我们文艺战线的一个无法弥补的巨大损失。

一九七九年五月二十四日，多少人盼望的“荀慧生先生追悼会”终于在北京隆重举行了，我沉痛地在追悼会上宣读了悼词，荀慧生先生得到了昭雪，一代艺术大师瞑目安息了。

在文化出版界的大力支持下，经过荀慧生先生的夫人张伟君同志及其朋友、弟子的共同努力，倾注了荀先生全部心血的荀派艺术表演经验、演出剧本、艺事日记和这本《荀慧生演剧散论》，都系统地整理出来了。目前，这些宝贵的表演艺术经验和艺术资料都将陆续出版了。这对继承文化遗产，发扬流派风格，都会起到积极的作用，使荀派艺术能为繁荣祖国文化做出应有的贡献。

让荀派艺术这朵婀娜多姿的“白牡丹”，在社会主义的百花园里盛开吧！

一九七九年十月八日于北京

“有朋自远方来”

——欢迎英国老维克剧团来华演出

世界伟大的戏剧家最早被介绍到中国的，是莎士比亚。

今天，英国老维克剧团应我国文化部的邀请，来到中国，演出莎士比亚的名剧《哈姆莱特》。这是中英戏剧交流史上值得大书特书的一件盛事。

莎士比亚的伟大与深刻是永久的。

在清代末年，中国便有林琴南与魏易翻译了查理士、兰姆姐弟改写的《莎士比亚故事集》，题名为《吟边燕语》。译文用的是文言，已经引起了中国知识界很大的反响。从那时起，中国人便开始认识了这一位文艺复兴时期的英国戏剧家。

莎士比亚是一个伟大的人文主义者，他的作品在当时中国为反对封建主义“三纲五常”而奋斗的先驱者心中产生了共鸣。在中国打开多年闭关自守的大门，向西方寻求文化革新的潮流中，莎士比亚与达

【题注】载1979年11月3日《人民日报》，署“中国戏剧家协会副主席　曹禺”。

尔文、赫胥黎、孟德斯鸠、亚当·斯密……一起来到了中国。

五四运动以后，有更多的人在研究和翻译莎士比亚的戏剧。译本有各种风格与优点。田汉同志第一次用白话文翻译了莎士比亚的《哈姆莱特》。此后，他还译了其他莎士比亚的剧本。我还看过邓以蛰教授用文言翻译的《若邈久袅弹词》(即《罗密欧与朱丽叶》)，译文相当优美。以后，曹未风、卞之琳、方平等都是研究莎士比亚的专家，做了大量的工作。像朱生豪，更是把翻译莎士比亚作品作为终生事业，不幸旧社会恶劣环境迫使他死于贫病，差六个剧本没有完成全集的翻译。

新中国成立以后，陆续整理出版莎士比亚的译本。去年，全集译文出版了，这是一件大家期待多年的大事。今后，莎士比亚在中国的研究和介绍必然还会有更大发展。

莎士比亚的戏剧在中国舞台上也有了多年的历史。记得我小的时候便看过《一磅肉》(即《威尼斯商人》)的演出。那时，在教会学校中，业余剧团演出莎士比亚的戏十分普遍，很多是用英文演的。我在南开大学时，便在天津一个女子中学里看过我的朋友丹妮用英文演《皆大欢喜》中的罗瑟琳，那时她才十七岁，后来成为有名的演员。比这更早，春柳社演出过《驯悍记》；新剧公会、民鸣社等演出过《篡位夺嫂》(即《哈姆莱特》)、《肉券》(即《威尼斯商人》)。以后，莎士比亚的戏剧的演出更是日益广泛了。甚至连京剧、地方剧种也演出了莎士比亚的戏。京剧《铸情》便是《罗密欧与朱丽叶》改编的。川剧曾演出过《杀兄夺嫂》，沪剧演出过《铁汉娇娃》，都是《哈姆莱特》。上海的苦干剧团还将《麦克白》改编上演，名《乱世英雄》，由黄佐临导演。戏剧专科学校演出过《威尼斯商人》、《奥赛罗》与《哈姆莱特》。上海业余剧人协会演出过《罗密欧与朱丽叶》。

中国的许多名导演都导演过莎士比亚的戏，应云卫导演过《威尼斯商人》，章泯导演过《罗密欧与朱丽叶》，焦菊隐导演过《哈姆莱特》，张骏祥导演过《柔密欧与幽丽叶》等等。解放后，更多莎士比亚的戏在中国各地上演，如《十二夜》《无事生非》等等。这些演出不但得到中国观众的热烈欢迎，中国戏剧工作者也从这位戏剧大师的作品中得到深远的教益。

今天，中国的戏剧界怀着满腔的热忱欢迎英国老维克剧团来华演出。

老维克剧团是以十九世纪的英国女皇维克多利亚的名字命名的，简称老维克，有着悠久的历史。多少年以来，以演出莎士比亚的戏剧在国际上享有盛名。

一九四六年，我在纽约曾看过当时老维克的名演员劳伦斯·奥利维主演的莎士比亚的《亨利第四》，演出非常精彩，受到纽约观众的盛大欢迎与赞扬。一九六三年，原来的老维克剧团并入英国国家剧院。现在的老维克剧团原名展望剧团，由于他们近年来在演出莎士比亚戏剧中的杰出成绩，今年被授予老维克剧团的名称。中国有一句老话："实至名归"，这是对他们贡献的表彰。

《哈姆莱特》是世界戏剧中的瑰宝。许多名演员都曾经把演这个戏看作一生艺术事业的高峰。在英国，代代都有最佳的演员扮演哈姆莱特这个角色。十六世纪的名演员伯贝奇和莎士比亚同台演出过这个角色。以后像欧文、克因、吉尔古特、奥利维都以演出这个角色在戏剧史上留下了盛名。

这次来华的老维克剧团，拥有不少杰出的戏剧艺术家。导演罗伯逊先生，多年从事导演工作，在导演莎士比亚戏剧方面，尤其有出色的成就。扮演哈姆莱特的雅各比先生，是一位富有才华的演员，曾多次获得表演奖。据说老维克剧团有一个传统，有一本《哈姆莱特》的旧剧本，红色包皮，由历来演哈姆莱特最好的演员代代相传，二十五年前这个剧本传给了一位前辈演员，今年又由他亲手传给了雅各比先生。这是对雅各比表演哈姆莱特的高度评价。参加这次演出的其他演员，也都是英国当代的优秀演员。

今年，英国伦敦节日芭蕾舞团来华访问，中国上海京剧团也到英国演出，都受到了中英两国观众的热烈赞赏。

现在英国老维克剧团演出《哈姆莱特》，又给中国带来了英国话剧艺术的高度成就，相信一定会获得巨大的成功。作为一个话剧工作者，我尤其感到高兴。

这是中英话剧交流的一个良好开端。我们希望今后将有更多的中英两国话剧团体的互访演出和交流，这将大有益于两国人民的更深的了解和更亲密的友谊。

（《北京短篇小说选（1949—1979）》）序

我喜欢读短篇小说。但短篇小说实在难写，写得好就更难。北京出版社编了这本建国以来北京的作家和业余作者写的短篇小说选集，这是一件有意义的事情。这些作品，创造了各不相同的、性格鲜明的人物形象，题材、风格多样，生动地反映了北京地区（当然不只是北京地区）社会主义革命和建设的时代风貌。以一本不算太厚的选集，让读者对三十年来北京短篇小说的面貌了解一个清晰的轮廓，不是没有困难，因此，必然会有照顾不周的地方。我想，读者和作者对此是可以谅解的。

出版这样一本选集，其深刻的意义，在于它企图多少说明一段文学历史。它以北京三十年来短篇小说创作的成就，对林彪、“四人帮”鼓吹的“文艺黑线专政”论，做了富有说服力的批判。建国以来的各个时期，都有大量的短篇小说交给广大读者，由群众来鉴别，让实践

【题注】据《北京短篇小说选（1949—1979）》所载排印，北京出版社1979年第1版，原题《序》。

来检验。检验和鉴别的结果证明，我们的社会主义文艺园地，确是硕果累累、生气勃勃。林彪、“四人帮”所谓的“空白”论纯属毫无根据的胡言乱语，只有在他们一伙的禁锢和摧残之下，才出现了百花凋零。

在这个选集中，有的作品，当它们一出现时就震动了文坛。这些作品来自生活，不粉饰，不造作，从不同的角度真实地反映了现实生活。尽管遭遇了不同的命运，它们并未被人遗忘。它们又重新开放了，而重新开放的花朵往往比初放更引人注目。另一方面，经过历史的惊涛骇浪的洗刷，那些适应林彪、“四人帮”反革命政治需要，制造出来的东西，如混浊的泡沫一样，消失了，被人们遗忘了。

历史就是这样无情。这个集子在这个意义上，也可说是历史的一面镜子。读完这个集子，不能不引起我们思考一些严肃的问题，如真实是艺术的生命，如坚持“双百”方针的重要，等等。

这个选集中的作品作者，有的是我的老朋友，有的是我的新朋友，也有我不大熟悉的新人。这说明林彪、“四人帮”打不垮我们的文艺队伍，经过艰难的斗争和曲折的道路，我们的队伍发展了，不断地壮大了，锻炼得更加坚强了。最使我兴奋的，莫过于看到粉碎“四人帮”后崭露头角的青年作者，看到他们充满战斗激情的优秀作品。这充分显示出我们的事业走向兴旺发达。

这又使我有一点感触。我们的文艺创作与奔腾不息的时代相比，与广大读者的需要相比，还有点跟不上。以北京地区而言，作为我们伟大的社会主义祖国的首都，全国人民在向往着她，世界进步人士在注视着她，然而在绚丽多姿的生活面前，包括短篇小说在内的文艺作品，显得还不够宽广，不够深刻。所以在首都的文艺工作者，为什么不拿起笔来，多多地写我们生活的各个方面呢？这不是什么新鲜的倡议，“文化大革命”前，有的领导同志倡导过；老舍先生生前用他的杰出的艺术实践，为我们做出榜样。我们要彻底推倒林彪、“四人帮”强加的什么这是“地方主义”等等罪名。作品源于生活，它自然可以具有浓郁的地方色彩。地方色彩，也是一种艺术风格。如果我们的作家各自把他们所熟悉的地区面貌生动地表现出来，也是一件大好的事情。

我是写剧本的，不大懂得短篇小说。但我深知短篇小说在文艺创作中，有着独特的意义。短篇小说这一艺术形式，反映生活简便、迅速，人们称它为文艺尖兵。鲁迅先生说过，如果把长篇巨著比为“大伽蓝”，短篇小说可以说是“一雕栏、一画础”，它们相互辉映，画出时代的风貌。

当前，全国人民同心同德搞四化，振作精神搞四化，聚精会神搞四化，可见声势之壮，决心之大。我们文艺工作者当然要站在时代洪流的前边，充分反映这个伟大的新时期，清扫前进的道路，鼓舞人们去实现新的长征的光荣任务。短篇小说自然应当更及时地做出自己的贡献。

我热烈地祝贺已有的成就，同样热烈地期望短篇小说创作园地获得更大的丰收。

迎接社会主义戏剧繁荣的新时代

——中国戏剧家协会第三次会员代表大会开幕词

同志们：

中国戏剧家协会第三次会员代表大会，今天胜利开幕了！

这次代表大会是和第四次文代会同时举行的。这是戏剧界的同志们在粉碎“四人帮”以后的盛大集会。在召开这次大会的前夕，叶剑英同志在庆祝建国三十周年大会上发表了重要的讲话。这个讲话对我们开好这次大会和做好今后工作都具有极其重要的指导意义。我们要认真学习这个讲话。在这次文代会上，邓小平同志代表党中央和国务院致了祝词，周扬同志做了题为《继往开来，繁荣社会主义现代化时期的文艺》的报告，这两个报告给了我们极大的鼓舞。这里，我代表戏剧工作者表示热烈拥护，我们决心把报告的精神贯彻到这次剧协代表大会和今后的工作中去。

从一九六〇年剧协第二次代表大会到现在，已经十九年了。这是

【题注】载《剧本》1979年第12期。

充满斗争风雨的十九年。在那艰难的岁月里，特别是林彪、“四人帮”法西斯文化专制主义残酷统治的十年里，我们经历了我国戏剧史上空前复杂的斗争和严酷的考验。许多杰出的戏剧艺术家惨遭迫害，永远地离开了我们。他们中有：中国文联副主席、中国戏剧家协会主席田汉同志，中国文联副主席、人民艺术家老舍同志，中国文联副主席、戏剧理论家刘芝明同志，中国戏剧家协会副主席周信芳同志，著名的戏剧艺术家盖叫天、孙维世、郑君里、应云卫、张海默、焦菊隐、舒绣文、张德成、荀慧生、尚小云、马连良、肖长华、姜妙香、李少春、徐绍清、吴天保、沈云陔、关啸彬、苏育民、阎逢春、李再雯、丁果仙、韩俊卿、严凤英、筱爱琴、竺水招、姚水娟[1]、七龄童、筱昌顺[2]、袁滨忠、顾月珍、杨胜、叶盛兰、叶盛章、言慧珠、高百岁、裘盛戎、孟超、伊兵、马健翎、黄芝岗、周贻白、张正宇、范政、许秉铎、熊伟、李畏、高重实、徐菊华、鲁速、徐文奎、丁九、俞德丰、赵云龙等以及其他全国戏剧战线上的许多好同志。还有，在这十九年中逝世的中国戏剧家协会副主席梅兰芳同志、程砚秋同志、欧阳予倩同志、著名的戏剧艺术家马师曾同志等，在他们身后也遭到了林彪、“四人帮”的恶毒诽谤和诬蔑。今天，在这里，我们应当为他们平反昭雪，恢复名誉。所有这些同志都曾经为社会主义的戏剧事业付出了艰辛的劳动，做出了重要的贡献，他们将永远受到我们戏剧工作者的尊敬。他们的革命精神将永远留在人民的心中。他们所栽培的戏剧之

1 “姚水娟”底本作“姚水涓”，当作“姚水娟”。

2 “筱昌顺”底本作“筱昌胜”，当作“筱昌顺”。

花，将在我们戏剧园地上永远开放。

第一次文代会距今已经三十年了。三十年前，解放区和国统区的两支革命文艺大军在北京胜利会师，标志着我国的戏剧事业进入了一个新的时期。三十年后的今天，我们戏剧界的战友们在这里劫后重逢，欢聚一堂，是又一次新的会师，又进入了一个新的历史时期。这就是党的工作着重点转移到四个现代化建设上来的新时期。在我国社会主义戏剧运动史上，这个新时期将具有继往开来的历史意义。粉碎“四人帮”以后的三年来，我们戏剧界的同志们在以华国锋为首的党中央正确路线、方针、政策指引下，从政治上、思想上、组织上深入揭批了林彪、“四人帮”，拨乱反正，落实了各项政策，取得了很大的胜利。我们戏剧战线的形势发生了深刻的变化，我们的思想得到进一步解放，“双百”方针得到进一步贯彻，戏剧的创作和演出呈现出建国以来空前的繁荣景象。我国戏剧艺术的发展，已经迈进到一个新的历史阶段。因此，我们感到在这样的新形势下召开第三次会员代表大会是切合时宜的，是符合广大戏剧工作者的心愿的。

同志们，这次代表大会的中心议题，首先是如何进一步繁荣社会主义戏剧事业，为社会主义现代化建设服务；其次是讨论通过中国戏剧家协会新的章程，改选新的领导机构。这次大会的精神是要进一步解放思想，发扬民主，加强团结，发奋图强。十九年以来和建国三十年来戏剧工作的经验和教训，要靠同志们一起来总结；今后的工作任务，也要靠同志们来讨论。我们只在会上做一个上次代表大会以来的协会工作报告，谈谈十九年来的一些情况和问题，请同志们审议。同志们可以在大会或小会上自由发表意见，做到畅所欲言。

对戏剧工作的意见，凡是有关发展和繁荣社会主义戏剧事业的问题，如剧目、演出、学习、团结、福利、艺术教育，以及党如何领导戏剧工作，如何贯彻“双百”方针和坚持艺术民主，剧院剧团如何经营管理，乃至机构体制如何改革……等等，都可以进行广泛的讨论，热烈的争鸣。让我们的会议开得热气腾腾、生动活泼。

在这里，我先提出有关戏剧如何为四化服务的几个问题，供同志们参考，就算是“抛砖引玉”吧。

第一个问题，在戏剧界怎样补好真理的标准这一课。

戏剧界要贯彻“双百”方针，要繁荣创作，要落实政策。解决这些重大问题有障碍。障碍是什么？其中主要一点是思想僵化，林彪、“四人帮”的流毒还没有肃清，林彪委托江青炮制的《部队文艺工作座谈会纪要》没有批深批透。为什么一些揭批林彪、“四人帮”和批判思想僵化的剧本出现了，就会有重重阻力，受到一些人的责难？其原因就在这里。不解放思想，戏剧要为四化服务，就是一句空话。解决这个问题的关键，在于补好真理的标准这一课。我们必须用马克思主义的辩证唯物主义的思想路线武装头脑，结合戏剧战线上的实际状况，深入批判《纪要》，进一步肃清林彪、“四人帮”的余毒，打破僵化和半僵化的思想，解除林彪、“四人帮”造成的现代迷信。只有粉碎了这些精神枷锁，坚持“实践是检验真理的唯一标准”的观点，才能从根本上解决戏剧工作中的各种思想问题。

第二个问题，怎样才能真正贯彻“百花齐放、百家争鸣”的方针。

历史证明，党的“双百”方针是繁荣和发展社会主义戏剧事业的唯一正确的方针。三十年来戏剧运动的曲折道路，充分证明，坚持了

“双百”方针，戏剧事业就蓬勃发展；反之，就停顿，甚至倒退。“双百”方针的实质是“放”，也就是坚持艺术民主。有了艺术民主，才有艺术的繁荣。必须坚定地执行“双百”方针；必须坚持“放”，决不能“收”。这是我们三十年来付出很高的“学费”换来的深刻的经验教训。坚持不懈地把“双百”方针贯彻下去，社会主义戏剧事业的大发展大繁荣的时代的到来，就为期不远了。

第三个问题，怎样才能真正贯彻“百花齐放，推陈出新”的方针。

党中央、毛泽东同志制定的“百花齐放，推陈出新”的方针，为戏曲改革工作指出了航向。在解放后的十七年里，在周恩来同志的关心指导下，戏改工作取得很大的成绩，也积累了一些经验。但是，在林彪、“四人帮”的文化专制主义和文化虚无主义的统治下，戏改工作全被搞乱了，全国舞台上只剩下八出“样板戏”。三年来，由于做了大量拨乱反正的工作，戏曲艺术出现了新的繁荣。今天，我们仍然要坚定不移地贯彻“百花齐放，推陈出新”的方针。对戏曲遗产，全盘否定和全盘继承都是错误的。我们主张批判地继承。对传统剧目，应当经过整理加工，发扬其民主性精华，剔除其封建性糟粕。我们反对原封不动地上演一切旧剧目。应当按照周恩来同志提出的要求：戏曲既要演现代戏，又要演传统戏，二者不可偏废，但主导的是现代戏。他多次指出，不同剧种各有长短，要因时因地制宜，不能强求一律。后来，他又在现代戏和传统戏之外，补充了新编历史剧，“三者并举”，把戏剧艺术的天地，开拓得更加广阔。今天，在新的形势下，有大量工作摆在面前要我们抓紧去做，希望同志们对此进行充分的讨论。

第四个问题，怎样繁荣戏剧创作、提高演出水平和活跃理论批评。

这个问题，首要的还是贯彻党的文艺方针政策，解放思想，打开禁区，粉碎精神枷锁，解放生产力。其次，我们一定要发扬艺术民主，按照艺术规律来领导戏剧工作。这方面，周恩来同志是我们的楷模，我们要学习他领导艺术的民主作风和方法。再次，我们希望戏剧工作者要勤于学习，对古今中外一切有用的东西都要批判地学习，融会到自己的创造中去。青年戏剧工作者要刻苦练基本功，学习技巧。我们提倡从生活出发，从人民的需要出发，勇于创新，标新立异。要大力开拓作品的题材范围。要尊重艺术家的个性和独创性。作家要有自己的风格，演出要有自己的特色。作品和演出要通过独具匠心的艺术构思，以多样化的形式，揭示千差万别的生活，使广大人民群众既得到思想教育，又得到美感的艺术享受。我们要大力开展对戏剧理论问题的研究和探讨，在评论工作中要贯彻“双百”方针，要有实事求是的态度。

第五个问题，怎样做好协会工作。

剧协应该真正成为广大戏剧工作者自己的组织。要组织戏剧工作者学习，动员他们用戏剧艺术去为四化服务；剧协应该是广大戏剧工作者切身利益的维护者，关心和帮助他们解决生活中、工作中的问题。剧协不应该成为装饰品，更不应该成为戏剧衙门，而应该成为戏剧工作者之家，成为戏剧界的后勤部，服务部。工作要富有成效，作风要富有生气。要发动全体戏剧工作者大家来办协会。协会的章程和领导机构要代表们讨论和选举，协会的性质、任务和规划也要大家来审议，在执行过程中还要大家来督促。代表们对协会有什么批评和建议，对今后工作有什么想法，希望能踊跃提出来，使协会办得更符合党和人民的要求，符合同志们的要求。

同志们，我的这些意见很不成熟。在座的同志都是来自全国各地戏剧界的代表，情况熟悉，又有丰富的实际工作经验。对于过去的工作，哪些是正确的，哪些是错误的；群众心里想些什么，希望今后怎么做，同志们是最了解的，也最有发言权。希望同志们围绕着繁荣社会主义戏剧事业，使戏剧工作更好地为四化服务这个中心议题，从实际出发，展开热烈的讨论，把会议开得生动活泼，富有实效。我想，我们的大会一定能开成一个团结的大会，鼓劲的大会。同志们，社会主义戏剧百花竞放，繁荣昌盛的景象展现在我们的面前，让我们更加紧密地团结，更加勤奋地工作，迎接社会主义戏剧大繁荣的新时代的到来！

Draft for Speech to be Given at the Great Britain-China Centre[1]

Ladies and gentlemen, friends:

I'm very grateful to the Great Britain-China centre for offering us[2] this opportunity to meet with so many friends. On behalf of my colleagues, the other members of the Chinese Dramatists' Association Delegation, Mr. Zhao Xun, Mr. Ying Ruocheng and Mme Wu Shiliang, I wish to express our appreciation for the warmth and understanding of our host, the British

【题注】据家藏英文打印稿排印，署名Cao Yu。原件有大量修改痕迹，兹出校注。并附中文译文，由田露翻译。按，1980年1月13日—2月7日，曹禺应英国文化委员会邀请，率中国戏剧家代表团访问英、法两国，赵寻、英若诚、吴世良同行。本文系期间曹禺应英中文化协会和伦敦大学亚非研究所邀请的演讲。原稿有大量增删修改的笔迹，后附曹禺给英若诚的短笺："若诚同志：改动后稿，请复写一份给我。原稿（英文的）也请交还。谢谢！曹禺"。稿中删除了与访英相关的具体人员、机构信息，将"英国观众"改为"美国观众"，故当系为其后的访美所做的准备。

1　原件题目改作"Theatre of Modern China"。

2　原件将"to the Great Britain-China centre for offeaing us"改作"for"。

Council and its very capable representative, Miss Val West since our arrival in your beautiful country. The illustrious gathering today shall be, a memorable highlight of our visit.

Perhaps I should begin my talk with a little explanation about the association of which I am chairman. It is usually translated into English as the Dramatists' Association but actually it embodies all the creative activities of the theatre apart from playwrighting. I myself am a playwright, Mr. Zhao here is another playwright and a dramatic critic and Mr. Ying an actor. The other members of the association, and there are roughly three thousand of them, include directors, stage designers, lighting designers, sound effects experts, scholars of dramatic literature, teachers in drama schools and so on. So, the name is slightly misleading but I hope people in Great Britain are rather used to that sort of thing. Correct me if I'm wrong, but we discovered on coming to the London Tower that the warden was known as a beefeater, and I'm sure his diet included many other nice things, such as chips. [1]

It has been suggested by our hosts[2] that I should speak about the situation in contemporary Chinese theatre. It is of course an excellent suggestion, and, since my colleagues for some reason unknown to me have elected me the chairman of the Dramatists' Association, I ought to be the right person to speak on such a subject. Such, however, is not the

---

1 "On behalf of my colleagues" 以下原件删除。

2 原件删去 "by our hosts"。

case.[1] To do full justice to such a subject one needs a scholar and a great amount of research work. But I, in case the present company is unaware of the fact[2], am no scholar. So the best I can do is to put down some of my personal impressions of what has been happening in the Chinese theatre in recent years, notably in the last three. These impressions are bound to be fragmentary and my observations those of an old man peeping in from the wings of a vast stage. But there it is.

To have an idea of what is taking place on the stage in China today, a little background material may be necessary. Like most things in China, the theatre too had a long history. Scholars are still arguing about the exact date of the birth of drama in China and I propose we leave them at it. For our purposes, it is generally agreed that some form of drama, that is, a performance with actors taking parts in it, a plot, dialogue and a moral, did exist as early as the Han dynasty, in the second century B.C. The script of these early plays have all been lost; all we know now from historical records is that they existed, either as part of the court entertainment together with song and dance, aerobatics and wrestling, or, in the market-place for the common people. By the Tang Dynasty (from the 7th to the 9th centuries A.D.) these dramatic pieces were quite popular. The earliest specimens of dramatic literature we possess date back to the Southern Song Dynasty (1127–1279

1 "It is of course" 以下原件删除。

2 原件删去 "in case the present company is unaware of the fact"。

A.D.). By this time, drama appears to be quite mature in form and rich in subject matter. What is even more important, by this time the basic structure and style of Chinese drama are already firmly established. With the fall of the Song Dynasty and the establishment of the Mongol dynasty of Yuan in the latter half of the thirteenth century (the reign of Kublai Khan), China went through what some scholars call the golden age of Chinese drama. The Yuan Dynasty dramatists were literary giants who, living under the rule of the Mongols and deprived of the more "respectable" outlets of their literary efforts, threw in their lot with the players and poured out a vast amount of plays which became the foundation and cornerstone of Chinese dramatic literature. As we left Peking a few days ago, a new production of the famous play "The Unjust Trial of Dou-E" by the greatest of the Yuan playwrights Guan Hanqing was put on to wide critical acclaim. This is by no means an isolated example. Quite a number of Yuan Dynasty plays such as "The Story of the West Chamber" by Wang Shifu, the best-known play dealing with love, are constantly revived throughout China. Another one of Yuan's[1] masterpieces "The Story of the Chalk Circle"[2] inspired Brecht to write his "The Caucasian Chalk Circle". When more is known in the West about this magnificent period in the history of Chinese drama, I am certain that it will be recognized as one of the great treasure-houses of dramatic literature of the world.

---

1 原件删去"of Yuan's"。

2 原件此处增加"by Li Hsing Dao李行道"。

After the Yuan Dynasty, Chinese theatre has always remained the main form of public entertainment. It went through many changes, adapted itself to various local conditions, but essentially remained the kind of highly stylized singing drama we still see today, one typical example of which is known here as Peking opera.

A word here about the name "opera". Many present must have seen the Peking opera either in China or during its tour in Great Britain. I think you'll agree that it is quite different from what you call opera. In fact, since the 20th century, Western drama and opera have been introduced into China, of which I shall speak of later. The fact is, we have quite another term for what is known as opera in the West. Therefore,[1] I propose that, for purpose of clarity, we shall name what I have been speaking about, the drama of Guan Han Qing and the Peking opera, as TRADITIONAL SINGING DRAMA, and the kind of drama familiar to Western audiences, represented by G. B. Shaw and Ibsen, as MODERN SPOKEN DRAMA. Now, with the business of nomenclature out of the way, I think a few words about the unique form of presentation in Traditional singing drama may be helpful. There are many varieties of such singing drama in China.[2] A visitor to China would probably be told, on seeing Peking Opera for the first time, that there are many other varieties of drama (or opera) in China, which is true enough. But if the said visitor

---

1 "A word here"以下原件删除。

2 "Now, with the business"以下原件删除。

asks for and is taken to these[1] other varieties, he may find himself wondering why his hosts are so keen on showing him Peking opera over and over again. The answer, of course, is that most of these varieties stem from the same roots, share the same conventions and differ only in the dialects they speak and the music patterns in the singing, which are usually lost on the foreign spectator. Bearing this in mind, we can go on to analyse what sets Chinese Traditional Singing Drama apart from other dramatic forms. Customarily one speaks of the five component parts of Traditional Singing Drama as singing, dialogue, acting, fighting (Aerobatics), and dancing, but that is not the whole story. All the five component parts are integrated into a whole through a set of highly sophisticated stylized conventions and it is the conventions that make Chinese Traditional Singing Drama so unique in the theatres of the world. Take the singing, for instance. The words of the play are written to fit in with some preset music which is part of the conventions and which include different tunes for all types of characters in various moods. That is why there is no composer of music for the traditional singing drama as there is for every Western opera, and it is up to the actor to devise his own style of singing within the confines of these conventions. The same is true with the actor's speech and gestures, and even stage-props, percussion instruments and battle scenes follow well-defined elaborate conventions. This is true with more or less all the varieties of traditional drama in China and this is what

1 "these" 底本作 "theses"，当作 "these"。

distinguishes them from drama in the rest of the world.[1]

The Chinese people are a theatre-loving people. From the Song and Yuan Dynasties to the present day, this kind of traditional singing drama was the prevailing form of theatre they enjoyed. China being the size it is, with her many dialects, naturally many local varieties of this singing drama evolved, differing from each other mainly in speech (pronunciation and some of the vocabulary) and music patterns (which stemmed from local folk music).[2] To have an idea of the scope of this theatre, I will cite some figures. According to a census made in 1957, there were, or had been at one time or another, 320 varieties of singing drama. At present, there are still approximately 260 varieties alive and kicking. Of the 200,000 odd professional theatre workers (including actors, directors, stagehands etc.) in the 2000 odd professional companies, dispersed throughout the country, 90% belong to traditional singing drama of one variety or another. The size of their repertoire is quite impressive too. Peking opera boasts of 4000 plays, and “Puxian drama”, a local variety from the province of Fujian on the east coast of China, is said to have more than 5000. Even allowing for a large amount of overlapping, some scholars have put the total number at no less than fifty thousand plays, handed down from generation to generation.

So much for traditional singing drama. What about modern spoken

---

1 “which are usually lost” 以下原件删除。

2 此句原件删除。

drama? They comprise less than 10% of the total number of companies, i.e. about 200 professional companies. However, for the last fifty years modern spoken drama has been the vanguard of the movement in the theatre and in the last three years again played a vital role in the shaping of trends not only in the world of theatre but well beyond it. I will therefore speak about this in more detail.

Modern spoken drama is something new to China. It is now generally agreed that it is not an indigenous[1] offspring of the traditional singing drama but something "imported" from the West. The movement began with some overseas Chinese students in Japan in 1907 when they put on a stage adaptation of "Uncle Tom's Cabin", a translation of "La Dame aux Camé-lias" by Alexandre Dumas fils and other plays. After the revolution in 1911 which set up the Republic and especially after the May 4th movement in 1919, modern spoken drama soon spread to the larger coastal cities like Shanghai and Tientsin besides the capital Peking which has always been a centre of theatrical activities. Unlike some of the art-forms imported from foreign countries, the spoken drama soon took root in China and became the most outstanding and glorious branch of the New Literature and Art after the May 4th movement. The time was ripe in China for innovation in the theatre as can be seen from the fact that several of the well-established traditional singing drama artists took a keen interest in the new drama and participated in it. By

---

1　原件删去"indigenous"。

so doing they lend great prestige to the new art-form and at the same time left their mark on it, modifying it to Chinese tastes and enriching it with the art of the century-old[1] traditional theatre. Another reason for the naturalization of spoken drama in China goes deeper and that is the emergence in China of a group of playwrights of a high-calibre who turned out plays deeply rooted in native soil, creating characters that where typical of the Chinese scene, using a language that was vernacular and rich. From the twenties to the thirties, modern spoken drama could boast of such outstanding playwrights like Guo Moruo, Tian Han, Xia Yan, ... (Ying Ruocheng: And yourself!) Well, I started later. Anyway, after the thirties it was obvious to everyone that the modern Chinese spoken drama was here to stay. One manifestation of this has been that though there were always a large amount of foreign plays being produced either as translations or as adaptations, it was always plays by our own writers that dominated the scene. Right from the start, the modern spoken drama movement was closely linked with students and universities, and taking into account the fact that the student movement in China for more than half a century has always been closely linked with political campaigns, it is not surprising that a certain amount of agitprop is always present in the modern spoken drama movement. Its central theme may undergo changes and shifts of emphasis, but the idea that modern drama should have a social message is an accepted norm. Thus, at the beginning of the century it was

1 原件删去“century-old”。

the political call to overthrow the corrupt Manchu Imperial rule that inspired the founders of modern drama. Later, with the May 4th movement, in 1919 science and democracy became dominant ideological goals. From the thirties, faced with a rising militarism and open aggression from Japan, modern drama centred round patriotism and the war of resistance, which prevailed up to the end of the 2nd World War. After that, democracy and the struggle to set up a new people's China, and, after 1949 when the People's Republic came into being, patriotism and socialism were the prominent themes. During all these years, there were attempts to start a commercial theatre of spoken drama, a theatre for pure entertainment, which met with a degree of success, but never became the mainstream in the Chinese theatre.[1]

After the founding of the People's Republic in 1949, the theatre in China enjoyed a period of unprecedented flourish and effervescence[2]. Both the traditional singing drama (with its hundreds of local varieties) and the modern spoken drama thrived; new plays were written, new playhouses built, hundreds of new talent recruited, ancient classics revived and many foreign plays introduced. Apart from the fact that China was going through a time of prosperity, internal peace and stability, the policies of the new people's government did much to bring about such a blossoming of the theatrical arts. Under the guidelines of " Let a hundred flowers blossom, and weed the old

1 此句原件删除。

2 原件删去"and effervesence"。

to bring forth the new ", drama of every kind was encouraged, funds were put aside to ensure the livelihood of theatrical workers and the backing of ambitious artistic ventures. There were, needless to say, criticism and self-criticism with this or that production, in fact, one of the major duties of our association is to organize these discussions. Apart from a few recognized pornographic or blatantly reactionary old plays, censorship was practically unheard of. The theatrical companies and writers did practise a kind of self-censorship, in the sense that they were.

But otherwise there was little restriction.[1]

On looking back now, I think on the whole the atmosphere for creative drama was a healthy one in those years. That does not mean, however, that everything was as it should be. With the wisdom of hindsight, I can see that there were mistakes and some good people were hurt, some very promising talent suppressed. Since 1949, I have always held some post in the writers' or the Dramatists' associations and been responsible for the Beijing People's Art Theatre, so in my small way I must share the responsibility of some of the mistakes we made in these years.[2] To my mind, those mistakes were by and large of an ultra-leftist nature, that is, out of our enthusiasm for the New China and our devotion to the socialist system, we tended to paint too rosy a picture of reality and we were sometimes too hasty in condemning those

---

1 "There were, needless to say" 以下原件删除。

2 此句原件删除。

who did not see eye to eye with us. What we did not realize was by so doing we were unwittingly preparing the way for the handful of people lusting for power, who saw in ultra-leftist slogans the ideal weapon to incite youngsters, create chaos and finally seize power for themselves. By the time we were aware what these opportunists were up to, they were too deeply entrenched.

Beginning from the early sixties, criticism and attacks from the ultra-left on literature and art in general and the theatre in particular began to escalate. These culminated[1] in what is known as the Cultural Revolution in the Summer of 1966. Enough has been written about it, both in China and abroad, and I doubt if I can add anything to it. For our purposes it is sufficient to say that for ten years all traditional singing drama, all modern spoken drama were wiped out. The sycophants of Jiang Qing, leader of the ultra-leftists, claimed that from the time the "Internationale" was written up to the time she produced her so-called " Model plays ", there was an absolute blank in literature and art as far as the proletariat was concerned. All that has been written, composed, sung, acted and painted during those years were just so much bourgeois trash fit only for the dust-bin. When we consider the fact that her so-called productions were nothing but the most blatant plagiarisms from writers, some of whom were harrassed and persecuted by her subsequently, these claims to immortality seem the more shameless and ridiculous. The fact remains, however, that she did succeed in banning all dramatic productions

---

1 "culminated"原件改作"resulted"。

and force[1] the Chinese people[2] see and hear nothing but her "model plays", eight in number, year in , year out, on stage, in films and on the TV screen.

The whole situation seems absurd and bizarre now, but at the time it was certainly no joke. One of the questions most often asked these days is: But what were you doing at the time? Well, except for a few lucky people who were chosen to appear in the "model plays", most of us were simply sent to the countryside doing manual labour, either at state-owned farms or production brigades in some commune. The better-known ones, those who have written something or made a name as an actor, director or stage designer were singled out for special treatment, meaning that they were confined in "monsters' sheds", meetings were held against them, and they were coerced to confess their "crimes". For in Jiang Qing's view, their work before the Cultural Revolution was not only undesirable trash but something much more sinister. They were supposed to belong to a colossal counter-revolutionary conspiracy of trying to topple the lawful government, connive with foreign imperialist powers and restore capitalism in China. Their writing, directing and acting were all part of such a diabolical plot. Hence, the term "monsters". I myself was of course a "monster". I was confined with others in a "monsters' shed" for about a year, then sent to the countryside to work on a farm and

---

1 "The sycophants of Jiang Qing" 以下原件删除。

2 此处原件增加 "were forced to"。

finally, as a special gesture of leniency, allowed to become the janitor[1] of our theatre. I consider myself lucky. At the recent Writers' and Artists' Congress, a long list of names of those who were hounded to death in those years was read out. Many of them were my personal friends. All of them outstanding writers and artists who devoted their lives for the Chinese people.

Speaking of those years is no pleasant task for me. I feel, however, that those ten years were crucial for an understanding of what is happening in China. The fall of Jiang Qing and her cohorts[2] in October 1976 was no ordinary coup, but a manifestation of the wrath of the people. The Chinese people for ten long years have drunk the bitter cup of ultra-leftism to the full, we know now the most stifling kind of cultural despotism could be practised under the guise of the most revolutionary slogans. The fall of Jiang Qing meant a rebirth of the nation, and we are determined not to let those ten years come back again.

The three years since then have witnessed a phenomenal renaissance in every field of human activity, and the theatrical arts one of the most remarkable. The desire on the part of the audience for a lively, colourful drama other than the stereotyped, formulistic "model plays", combined with the pent-up creative urge of the writers and artists to produce a theatrical scene more vivid and more diversified than ever in the history of the People's

---

1 "janitor" 原件改作 "doorman"。

2 "cohorts" 原件改作 "followers"。

Republic. This renaissance began, as was natural, with revivals of popular productions, both of traditional singing drama and modern spoken drama. In the last three years, nearly al1 the plays that were at one time popular were put on again, playing to packed houses and thunderous applause. Since everyone of these plays was banned by Jiang Qing, so now the performance of everyone of them was a direct condemnation of her cultural despotism and served to pave the way for an upsurge of new, creative dramatic art.

Such an upsurge did come, and sooner than people expected. With ultra-leftism discredited, the sluice[1] gates were thrown open and creative dramatic writing gushed forth. Once more, modern spoken drama proved itself the most versatile and vital in all the forms of the theatre. In the last three years, by a far from complete count, no less than three hundred new modern spoken plays were published and/or[2] performed, averaging one in every three days. This has not taken into account the unpublished manuscripts and plays performed by amateur groups, which are far larger in number. Up to the present, the rate has not slackened, and I, for one, as the chairman of the Dramatists' association, find it quite difficult to live up to my duties and see them all.

Of these new plays, some were written by the older generation writers, such as "Song to the Great Gale" by Chen Baicheng, or my own play "Wang

1 原件删去"sluice"。

2 原件删去"/or"。

Zhaojun[1]". Both are historical plays and both are set in the western Han Dynasty (206 B. C. ——24 B. C.). But by far the largest number of new plays come from young writers, many of whom are writing for the stage for the first time. These are the plays that are setting the trend and consequently the most interesting.

With such a dazzling array of new dramatic talent, any attempt at classification would be arbitrary. This is all the more so because the outpour is not showing signs of abating and the trends are still forming. So I will just try to put down some of my personal impressions.[2]

It appears to me that the most important development in present day theatre in China is the liberation of thinking, breaking through "taboo zones", both in subject-matter and in styles of presentation. This is partly the result of the general reassessment of values in the fields of philosophy, political science and economic policies going on in China today and partly a healthy rebound from the stereotyped rules laid down by the ultra-leftists. In the "model plays", not only the subject-matter, but every mise-en-scène, every musical note and every gesture must be stipulated by Jiang Qing, and any "deviation" was considered a political crime. She even ordered that the diametre of the sun appearing in one of her model scenes must be 52 cm exactly and henceforth, in the whole of China, in the scores of reproductions

---

1 "Wang Zhaojun" 底本作 "Wang Zhaozhun"，当作 "Wang Zhaojun"。

2 原件删去此段。

of that play the sun was kept to that size, 52 cm, no bigger, no smaller. That both the dramatist and the playgoer wished to have something different is not really surprising.

The first example of "something different" that comes to my mind is a play called "When the Maple-leaves are red". The story is a simple one. A charlatan would-be inventor won the favours of Jiang Qing and her followers, and was made overnight the leading member of a scientific institute. The project of the said charlatan was to invent a "Loyalty-detector", by which he claimed anyone's loyalty to the leaders of the ultra-leftists could be tested. As can be seen, this is a fantasy satire verging on the absurd, the subject-matter alone would have been enough to make everyone concerned a confirmed "monster", and, to make it even better[1], the whole play was presented in a Chaplinesque music-hall clown style. The play was a huge success, produced by more than 200 companies all over China, playing to packed houses for nearly half a year. It may not have been all that profound, but the audience loved it, for it was good entertainment and they sensed the moral victory of the people in the bringing the once pompous ultra-leftists to ridicule.[2]

Another play of the same period, that is, soon after the fall of the ultra-leftists, was "Loyal Hearts". This is of quite a different genre, a serious study

---

1 "the subject-matter alone" 以下原件删除。

2 原件删去此句。

of the plight of intellectuals during the time of the Cultural Revolution. An aged doctor of Chinese traditional medicine, Fang Lingxuan was devoting his last days to the study of a drug for coronary sclerosis. His project received strong moral support from the late Premier Zhou Enlai. His son-in-law, another doctor in the same hospital, was a downright opportunist, who vacillated between their political attitude. The play was written and presented in a sober, natural style, in sharp contrast to the declamatory, bombastic styles employed by the "model plays". (There is an English translation available.) It was written by a very promising young playwright, Su Shuyang, who began as an amateur three years ago, now has several plays and filmscripts to his credit and is now a full-time writer.

Another development in breaking through taboo zones is the appearance of plays about outstanding leaders of the revolution in recent history. To give faithful, convincing portrayals of these leaders who are still fresh in the memory of the audience and whose lives and exploits are almost legendary, is no easy task. This was the more so because such theatrical representation has never been attempted before. Several such productions were successful and won wide acclaim, such as "the Xi'an Incident" (about the famous incident in 1936 when Chiang Kai-shek was captured by his own generals and spared his life through the efforts of the Communist Party, and which marked the beginning of a United Front in China against Japanese aggression; with both Mao, Chou Enlai and Zhu De appearing in it) "The Newsboys" (the story of Chou Enlai in wartime Chungking) "Dawn" (the story of Ho Long in the thirties, fighting a guerrilla war against the K.M.T. and carrying on a bitter struggle against ultra-leftists in his own ranks) "Eastward Ho!" (about Chen Yi during the war of resistance against Japan leading the New Fourth Army) and others. The popularity of these plays is to a large extent due to the indignation people feel for these leaders who suffered persecution from the hands of the ultra-leftists during the Cultural Revolution, and the desire to see historical truth restored, that the revolution was won by the collective efforts of an entire generation of people, leaders and rank and file included, thus refuting the personality cult preached by the ultra-leftists. Plays of this kind have a great future and may mean the beginning of a new genre in the Chinese theatre.[1]

To me the most interesting and important development in recent years is the emergence of a crop of plays dealing with conflicts and problems of present-day life in China. This has been a truly "taboo zone". Quite a few writers in China have been denounced in the past, long before the Cultural Revolution, for doing exactly this sort of thing. They were accused of trying to expose the seamy side of life in socialism, besmirching the image of party leadership, and generally classed as obnoxious malcontents who were motivated by nothing more than a desire to restore the old order. In the Cultural Revolution, accusations and repudiations against literature of this sort escalated to dizzying new heights. Against such a background, it required

1 原件删去此段。

moral courage of a true artist to take as subject-matter the controversial issues of the day[1]. What seems to me the most encouraging indication that theatre in China is on the eve of a period of exuberance is the way our writers, especially the younger generation, has taken up the challenge. In the past three years, they have turned out an impressive number of plays that are always entertaining, sometimes profound, now and then even a little shocking. New subject-matter, new approaches to old problems, new styles of presentation are to be found everywhere. Let me but cite a couple of examples.

In the play "Future Calling", the scene is set in a factory for national defense products. Instead of what one would expect of such a setting, the play does not centre on how the Party secretary inspires model workers to unmask some baddie (whether he's a secret agent in the pay of some foreign power or the son of a landlord is immaterial) trying to wreck the factory, but has as its theme the dangers of an ossified mentality, the blind, dogmatic faith in what's written down in books and relying only on experience in the part, even if all the facts point the other way. What gives the play a special poignancy is that such an attitude often exists with some leaders, where it does the greatest harm. The spectator, at the end of the play, is fully convinced that such a mentality is indeed a formidable stumbling block in China's struggles for modernization. Another play "The First Flower Of Spring" deals with another

---

1 "Quite a few writers" 以下原件删除。

touchy subject, the problems of one's family origins. The protagonist in the play, a young girl worker in a factory called Bai Jie is exemplary in her work but cursed with an objectionable family background because of her parents. Her tribulations clearly show that children are still made to suffer for the sins of their elders and that if such a state of affairs did not cease, the people of China will never be able to forge ahead. Now, it is true that the ultra-leftists did preach political status according to blood lineage, but the play makes it very clear that it is not merely the now-ousted ultra-leftists it is repudiating but attitudes still current in society[1]. This, of course, lends the play a piquancy[2] otherwise impossible. One must see these plays in the theatres with a live audience to realize their full impact. When the factory manager in "The First Flower of Spring" says: "We've been liberated these thirty years, but the country's still so backward, and the people still so impoverished; can we just sit by and do nothing about it?", one could feel the audience sit up and responding. And when he makes up his mind to support Bai Jie, he is warned that if there should be a change in the political climate, he would not survive it, he declares: "I just don't believe those days will ever be here again!" At this point, the audience simply burst out applauding, a thing rare with the usually undemonstrative[3] Chinese audience. All this, I think, goes to

---

1 "it is not merely the now-ousted ultra-leftists it is repudiating" 原件改作 "it criticizes not merely the ultra-leftists"。

2 "piquancy" 原件改作 "sharpness"。

3 原件删去 "usually undemonstrative"。

show that the new Chinese theatre is on the right way, it is becoming a theatre of the people in the truest sense of the word.

Does all this mean that theatre in China is without its problems? Of course not. On the contrary, to an uninitiated[1] observer the theatre in China may seem to be in greater trouble than ever. For one thing, with the liberation of thinking I have mentioned earlier, everyone seems to be more vociferous. Several of the plays dealing with present day problems have been attacked as vilifying the socialist system and revelling in the trauma of the past. But things have indeed changed, for no one is in a position to put those criticized into prison or "monster sheds" any more, even if the attacks were valid. The result is, in most cases, supporters of the new theatre came to its defence and the critics were counter-criticized for their ossified attitudes. Sometimes a theatrical company is awed into taking a certain play off their bil1-boards, but more often than not, another company, perhaps in another city, would take it up and have a successful run with it. A year ago, one of the most successful plays by an amateur writer about life under the ultra-leftists in 1976 was put on. The playwright named his play from one of the lines by the great Chinese writer of the thirties, Lu Xun: "When all the Sounds Were Hushed." A very apt name indeed. The complete line by Lu Xun originally went: "When all the sounds were hushed, listen for the burst of thunder." Well, the sounds are certainly not hushed now and the thunder is here. And that is what makes

1 "uninitiated" 原件改作 "outside"。

me feel so confident for the future of the Chinese theatre, and for the whole country too.

As for specific problems there is no shortage of that either. For instance, most of the professional companies are subsidised, some heavily, by the state. As a result, most of them are over-staffed and a sense of complacency is there. Such a situation is neither financially nor artistically satisfactory, and, because of the over-staffing, the younger generation often finds itself frustrated. The majority of people agree that such a situation should be mended, but, believe me, it's much more easily said than done. I think the present company can well imagine the uproar if a reallocation of state funds should take place. Something of the sort exists here too, I believe? Another one of our specific problems lies with the traditional singing drama. In the last three years, traditional singing drama in all its local varieties have been restored, together with the many kinds of traditional puppets and shadow plays, much to the delight of the people, especially the connoisseurs. The time has come, I think, of enriching the repertoire of traditional singing drama with more up-to-date themes so as to attract a younger generation of audiences. However, there had always been difficulties in trying to present contemporary themes through such a medium, though considerable progress has been made that way before the Cultural Revolution. But, the "model plays" of Jiang Qing who arbitrarily "reformed" the traditional singing drama, disregarding its rich heritage of stage conventions, left a very bad taste with the people an has added difficulties to an already uneasy task.[1]

Before I end my talk, I would like to say a few words about theatrical and artistic exchange with foreign countries. As I have pointed out at the beginning of my talk, modern spoken drama in China came originally from the West. Owing to well-known reasons, there has been very little exchange in the last thirty years. Actually, theatre from the West did exert a tremendous influence in China, and Great Britain stands very high on the list of countries from whom we have learned in the past. Shakespeare was, of course one of the first great playwrights to be introduced to China, and in my own work as a playwright, Shakespeare has always been an inspiring mentor. In the forties, I undertook the task of translating "Romeo and Juliet", and had it produced in Chungking.

The present visit to Britain, and especially the pilgrimmage to stratford-on-Avon, is truely the fulfilment of a life-long wish. I am not alone in the admiration for the Great Bard. The former chairman of our association, my predecessor, Mr Tian Han was the first in the twenties, to translate "Hamlet" and "Romeo and Juliet" into Chinese. Throughout the years, many of Shakespeare's plays have been produced in China, such as "Hamlet", "Romeo and Juliet" "Much Ado About Nothing" "Twelfth Night" and others. Some of his plays have even been presented as traditional singing drama. Nor is Shakespeare alone the author that has been introduced. Bernard Shaw, Oscar

---

1　原件删去此段。

Wilde, John Galsworthy have all been shown on the Chinese stage.[1]

In the last three years, I am happy to say, theatrical and artistic exchange between our countries has had a renewed impetus. The London Festival Ballet and the Old Vic visited China, in 1979 and were great success. The Shanghai "Peking Opera" company's visit to Great Britain was also well received. These venture were made possible through the efforts of many friends, including quite a few present today.[2]

In the coming year, we hope to send one of our modern spoken drama productions to the Great Britain[3], "The Teahouse", written by Lao She, the great novelist and playwright of modern China, who suffered a tragic death at the hands of the ultra-leftists 14 years ago. It is most appropriate that the first Chinese spoken drama to be presented in England should be a work by Lao She, who spent many years in England as a young man and who had always warm feelings towards the British people. Spoken drama as an art form originated in the West, but has now taken root in China and acquired a distinctive Chinese flavour and I think it would be most interesting for the people of the Great Britain[4] to have an idea of what we have done to it.

---

1 "Actually, theatre from the West" 以下原件删除。

2 "In the last three years" 以下原件改作 "I am happy to say that such exchange has been revived. Modern Western drama is now being translated and produced, foreign companies invited to perform in the People's Republic of China."。

3 "Great Britain" 原件改作 "U.S."。

4 "Great Britain" 原件改作 "U.S."。

"The Teahouse" will be presented by the People's Art Theatre of Beijing, one of the major spoken drama companies in China, and of which I am the president.

Ladies and gentlemen, dear friends, allow me to end my talk on a note of confidence. China is undergoing great, significant changes in the eighties. Legality and democracy are taking root, modernization in the economy is forging ahead and nothing will deter us from our goal. In order to accomplish our gigantic tasks, we must strengthen our ties with the people of the world and the theatre should and would be one of the most important domains promoting friendship and understanding.

Thank you all. [1]

---

1 此处原件增加一段"Now I will be glad to answer your questions. Because I have not spoken English for more than thirty years and because I am hard of hearing, I would like to ask my friend to help me with the interpretation."。

在英中文化协会演讲的草稿

先生们、女士们、朋友们：

我很感谢英中协会提供这次机会可以见到这么多的朋友。我代表中国戏剧家协会代表团的同事赵寻先生、英若诚先生和吴世良女士，感谢英国文化协会及其代表瓦尔·韦斯特小姐在我们到达这个美丽的国家后热情、周到的招待。今天的这次盛会会成为我们此次访问难忘的重要时刻。

首先我应该介绍一下我所任职的组织。一般我们会把它翻译成“中国戏剧家协会”，但其实除了剧作家之外，它也包括了所有参与戏剧活动的艺术家。我自己是剧作家，赵寻先生是戏剧批评家，英若诚先生则是位演员。戏剧家协会的成员大概有三千人，包括导演、舞台设计、灯光设计、音响师、戏剧文学研究者、戏剧学校的教师等等。所以这个名字可能有一点误导性，希望英国人民能够理解。如果我没搞错的话，我们在去伦敦塔的路上得知院长先生爱吃牛肉是远近闻名的，但我相信他今天准备的菜单上也会有其他的美味，例如薯条。

东道主建议我应该谈一谈当代中国戏剧的现状。这个建议当然很好，何况我的同事不知出于什么原因推选我为协会的主席，我应该是谈这个问题的合适人选。但其实情况并非如此。想要说清楚这个问题需要一个学者做过大量的研究工作，但我对现在剧团的情况并不了解，也不是一个学者，所以我只能就近年来，尤其是最近三年来中国戏剧的情况谈一谈我自己的观感。这些印象肯定都是零散的，不过是一个老人在巨大舞台侧面的匆匆一瞥。但我还是说说吧。

想要了解今日中国舞台上发生的一切，需要了解一些背景资料。跟中国大多数的事情一样，戏剧在中国也有漫长的历史。学者们仍然在争论中国戏剧起点的准确时间，这我们就不多说了。我们一般认为一些戏剧的形式早在公元前2世纪的汉代就出现了，包括有演员的表演、情节、对话以及一定的寓意。这些早期戏剧的剧本早就湮灭了，我们只是从历史资料中知道它们确实存在过，或者是和歌舞、杂耍、摔跤一样作为宫廷的娱乐，或者是在集市为普通民众表演。到了唐朝（从公元7世纪到10世纪），这些戏剧作品颇为流行。我们能找到的最早的戏剧文学文本则始于南宋（公元1127—1279）。此时，戏剧在形式上已经很成熟，题材也很丰富。更重要的是，此时中国戏剧的基本结构和风格已经建立得很完备。随着13世纪后半叶宋朝的结束和（忽必烈统治）元朝的建立，中国戏剧达到了一些学者所说的黄金时代。元朝的戏剧家都是伟大的文学家，他们生活在蒙古人的统治下，其文学才华没有其他发挥的空间，因此只得倾其所有创作了大批堪称中国戏剧文学奠基石的戏剧作品。我们从北京出发之前，新排演的元代最伟大的戏剧家关汉卿创作的著名戏剧《窦娥冤》刚刚赢得了广泛的赞誉。这并不是孤证，很多元代戏剧正在回归中国舞台，例如最著名的爱情戏——王实甫的《西厢记》，又如元代名剧李行道的《灰阑记》，它启发了布莱希特创作出《高加索灰阑记》。如果西方对中国戏剧的这一辉煌历史时期有更多的了解，我相信它也会被视为世界戏剧文学的宝库。

元代之后，中国戏剧一直是娱乐大众的主要形式。它为了适应各地方的情况发生了很多变化，但却一直保留了我们今天仍然能看到的非常有特点的演唱，你们熟悉的最典型的例子就是京剧（Peking opera）。

这里我要说一下“opera”这个叫法。在座的各位一定在中国或英国的巡演中欣赏过京剧，我想你们也同意，京剧（Peking opera）和你们所说的歌剧（opera）有很大的不同。事实上，我后面会讲到，从20世纪开始，西方戏剧和歌剧被陆续介绍到中国，我们对西方的歌剧有其他的叫法。为了表述更清晰，我会把所提到的关汉卿的戏剧和京剧叫作“传统戏曲”，而把西方观众更熟悉的萧伯纳、易卜生的戏剧称为“现代话剧”。现在，解决了名称问题之后，我想介绍一下传统戏曲的独特表演形式。在中国，这种戏曲有很多种类。外国人来到中国第一次看京剧的时候可能会被告知，中国还有许多其他类型的戏剧（或戏曲），这当然是对的。不过如果这个外国人真的要求去看其他类型的话，他可能会不明白为什么主人那么热衷于带他一遍遍的看京剧。原因当然是大部分的其他戏曲类型也都是同源的，有着共同的传统，区别只在于它们使用的方言和演唱的曲调不同。这些往往是外国人区别不了的。了解了这一点，我们就可以开始分析中国传统戏曲和其他类型戏剧不同的原因。一般我们说传统戏曲包含五个部分，唱、念、做、打（武打）和舞，但这还不是全部。这五个部分是和一整套高度复杂的程式化规范融合在一起的，也正是这些规范才使传统戏曲在世界戏剧中如此独特。拿演唱为例，唱词的创作要适应固定的曲调，这也是规范的一部分，各种类型角色的不同情绪都有相应的曲调。这也是为什么传统戏曲没有西方歌剧必须有的指挥，只要符合复杂、明确的规范，演员可以创造自己的演唱风格、念白方式、身体姿态，甚至是道具、伴奏乐器和武打场景。中国所有的戏曲类型都有这种特点，这是它区别于世界其他戏剧的原因。

中国人民热爱戏剧。从宋元时期一直到现在，这种传统戏曲都是观众热爱的戏剧形式。中国国土辽阔，有各种方言，自然也就存在各种语言（主要是发音和一些词汇）、曲调不同（由民歌衍生出来）的戏曲种类。为了进一步介绍戏曲，我要引用一些数字。根据1957年的调查，历史上一共有320种戏曲，现在大概保留下来并活跃的还有260种。全国现有2000多家专业的演出团体，拥有20多万专业的戏剧从业者（包括演员、导演、舞台工作人员等），其中90%的团体和人员都是从事传统戏曲工作的。剧目的数量也很惊人，京剧的剧目有4000种，中国东海岸福建省的莆仙戏的剧目据说超过5000种。如果算上很多剧种的相同剧目的话，一些学者认为我们传承下来的剧目总数不少于5万种。

传统戏曲这么繁荣，那么现代话剧的情况如何？专业剧团的占比不到10%，大概只有200家。然而在近五十年中，现代话剧变成了戏剧运动的先头兵，在最近的三年中更是在更大范围中发挥引领潮流的关键作用。因此我要详细的展开说说。

现代话剧是中国的新鲜事物。我们都承认它不是传统戏曲的本土嫡传，而是从西方舶来的产物。新剧运动始于1907年，在日本的中国学生改编《黑奴吁天录》，翻译小仲马的《茶花女》，并把它们和其他戏剧搬上舞台。1911年辛亥革命成功建立民国后，尤其是1919年五四运动之后，现代话剧迅速传播，不仅包括北京这样一直作为戏剧活动中心的城市，也包括沿海的大城市上海、天津等等。和其他从外国舶来的艺术形式不同，话剧迅速扎根于中国，并成为五四运动之后新文艺最重要、璀璨的分支。中国戏剧创新的时机已经成熟，这表现在一些成功的传统戏曲艺术家对新剧都表示了浓厚的兴趣并参与其中。他们由此给新艺术形式增添了魅力，同时也为改造它适应中国的审美、增加传统戏曲的元素做出了贡献。另一个推进话剧移植中国进程的原因是一群高水平的剧作家涌现出来，创造出中国场景中的典型人物，使用本土的正宗语言，将话剧扎根于我们的民族土壤。从20年代到30年代，现代话剧拥有一些杰出的剧作家，例如郭沫若、田汉、夏衍……（英若诚：还有你自己！）我起步得更晚一些。总之30年代之后，大家显然都承认现代中国话剧已经扎根于此了。其中一个证明是虽然一直有大量改编或翻译的外国戏剧被搬上舞台，但占据舞台的一直都是我们自己作家的作品。

从一开始，现代话剧运动就和学生、大学有紧密的联系，考虑到半个多世纪以来中国的学生运动一直都和政治运动相关，也就不难理解现代话剧运动中带有的宣传鼓动性。它的中心议题可能会有各种变动，但现代戏剧应该表现社会的理念是被广泛接受的。所以在本世纪初，正是推翻清朝腐朽统治的政治诉求激励了现代戏剧的创立者。随后而来的1919年的五四运动使民主与科学成为了戏剧主流的意识形态诉求。到了30年代，面对日本军国主义的崛起和扩张，现代戏剧的中心又转向爱国主义和反对战争，一直延续到二战结束。之后是对民主和建立新的人民共和国的渴望，1949年新中国成立后，则是爱国主义与社会主义。这期间，也有建立商业剧院、纯娱乐剧场的尝试，并取得了一些成绩，但却从未成为中国戏剧的主流。1949年新中国成立后，戏剧曾有过短暂的空前繁荣和兴旺期，传统戏曲（包括几百种地方戏）和现代话剧都有兴旺发展；我们创作了一些新的作品，建立了一些新的剧院，众多的新人加入我们的队伍，传统的剧目在复兴，很多外国的作品也被引入。除了客观上中国内部确实经历了一段和平、昌盛、稳定的时期之外，新政府的政策也对此时戏剧艺术的开花结果功劳很大。在“百花齐放、百家争鸣”的方针指导下，各种戏剧形式都受到了鼓舞，政府的经济投入也保证了戏剧工作者的生计，支持了艺术家们的大胆创新。毋庸置疑，批评和自我批评在此时都积极展开。除了摒弃极少数下流、反动的内容，我们对旧剧并没有建立审查制度。戏剧团体和创作者确实进行了某种程度的自我审查，但除此之外则并无禁忌。

如今回望历史，我认为总体上来说那些年的气氛对戏剧创新是很有好处的。但这也不意味着一切都尽如人意。后知后觉的说，我能看到当时犯下的一些错误，对一些好同志的伤害和对一些有才华、有前途的同志的压制。从1949年起，我一直在作家协会、戏剧家协会等组织担任一些职务，也负责北京人民艺术剧院的工作，因此我也必须为那些年的一些错误承担我应有的责任。这些错误主要是极左路线造成的，即出于建设新中国和社会主义制度的热情，我们有美化现实的倾向，有时对那些持不同看法的人的批评则过于草率。我们没有认识到的是，这样做的后果是给那些野心家铺平了道路，这些人把极左路线的口号当作煽动年轻人、制造混乱并最终获取权力的理想武器。等到我们明白这些机会主义者的意图时，已然积重难返。

从60年代初开始，极左阵营的批评和攻击开始升级，对文学和艺术的批判还只是一般意义上的，对戏剧的攻击则尤重，这导致了1966年春天开始的“文化大革命”。国内外对这段历史的书写已经足够多了，我可能也说不出什么新意。我们可以说，这十年中不管是传统戏曲还是现代话剧都受到了沉重的打击，极左集团的领袖江青声称，从创作《国际歌》的年代开始一直到她创作所谓的“样板戏”，这中间为无产阶级服务的文学艺术的历史是一片空白，这些年创作、表演、绘画的作品都是资产阶级的糟粕。事实上她所谓的创作不过是对创作者的公然剽窃，一些作者还因此受到她的打击和迫害，这使她自诩的“不朽”显得非常无耻荒谬。她唯一做的只是禁止所有的戏剧创作，中国人民被迫只能年复一年在舞台上、在电影中、电视中看她的八部“样板戏”。

我们现在回看当时的情形觉得很荒唐可笑，但在那个时候却是很严肃的事情。这些天我一直被问到的问题是：你在那时又做了什么？除了少数幸运的人被选中出演“样板戏”，我们大部分人都被下放到农村的国营农场或公社生产队参与劳动改造。一些知名的编剧、演员、导演或舞台设计会有特殊待遇，关牛棚，开批斗会，被迫坦白他们的“罪行”。因为在江青看来，他们在“文革”前的工作不仅毫无用处而且还是大毒草，他们都属于反革命集团，与国外帝国主义势力密谋篡党，在中国复辟资本主义。他们的创作、导演和表演工作都是这个巨大阴谋的一部分，所以才有“牛鬼蛇神”的提法，我自己当然就属于“牛鬼蛇神”。我和一些人在牛棚中被关了大概一年，然后被下放到农场改造，最后才被宽大处理成为剧院的门卫。我认为自己已经是幸运的了，在最近召开的文艺工作者大会宣读了一份很长的被迫害致死的受害者名单，里面有很多我的朋友，他们都是为中国人民奉献了一生的人。

讲述这些年的经历对我来说并不愉快，但我认为理解这十年中中国发生的事情是非常重要的。1976年粉碎江青集团并不是普通的政治变动，而是人民愤怒到极点的结果。中国人民在这漫长的十年中尝尽了极左路线的苦果，我们现在认识到最令人窒息的文化专制可以打着最革命的旗号。粉碎江青集团也就意味着民族的重生，我们决定不再重蹈这十年的覆辙。

这三年我们见证了各个领域的巨大复兴，这其中戏剧艺术的表现最为突出。观众希望看到鲜活的、多种多样的作品，而不是刻板僵化的“样板戏”，编剧和艺术家们被压抑的创作热情也开始迸发，希望创作比建国后的作品更生动、更多元的作品。传统戏曲和现代话剧的复兴自然伴随着受欢迎的作品的重排，最近三年来曾经被大众所喜爱的作品都重新登上舞台，雷鸣般的掌声响彻满座的剧场。因为这些剧目都曾经被江青禁演，所以重新上演也就是对她文化专制的一种直接的谴责，也为创新戏剧艺术铺平了道路。

创新的高潮真的到来了，而且比大家期待的来得更早。随着对极左路线的批判，新的戏剧创作蓬勃涌现，现代话剧再次被证明是所有戏剧形式中最重要的多面手。在最近三年中，根据不完全的统计，有300多部新戏出版上演，平均三天就有一部新戏，这还不包括数量更多的未出版的手稿和业余剧团排演的剧目。到今天这个速度也没有放缓，我自己作为戏剧家协会的主席也很难尽职尽责的把所有的新戏都看完。

这些新戏有的是由老一代的剧作家创作的，如陈白尘的《大风歌》，或是我的《王昭君》，都是有关西汉时期（公元前202年—公元8年）的历史剧。但是大部分的新戏都是由年轻作者创作的，很多人都是第一次为舞台进行创作，这些才是引领潮流，更有意思的作品。

这样一群熠熠生辉的戏剧新人是很难被归类的，更何况新戏仍然层出不穷，大的趋势仍在建立中。因此我在此只讲讲我个人的看法。

在我看来，当代中国戏剧最重要的发展是题材和表现形式上的思想解放，打破禁区。这一方面是当下中国哲学、政治学、经济政治等领域价值重估的结果，一方面也是从极左路线中解放出来的结果。在样板戏中，不管是主题，还是每一个场面调度、每一个音符、演员的姿态都要听江青的指挥，有任何的走样都会被视为政治犯罪。她甚至要求某场戏中出现的太阳的直径必须是52厘米，因此全中国所有的演出中太阳都是52厘米的直径，不能大，也不能小，也就难怪剧作家和观众都想要换个口味了。

我想到的第一个表现出了不同的例子是一部叫《枫叶红了的时候》的戏。故事很简单，一个所谓的“天才发明家”获得了江青集团的青睐，一夜之间成了一个科研机构的领导，发明家号称要发明一种

“忠诚测试仪”，可以检测所有人对极左集团领袖的忠诚度。很明显这是对荒诞现实的讽刺，光是这个主题就可以把所有相关人等打成“牛鬼神蛇”，更别说整部戏用一种卓别林式的小丑剧的形式表演出来。这出戏取得了巨大的成功，全国有200多个剧团排演，几乎有大半年的时间上座率都极高。其内涵可能没有那么深刻，但是观众喜欢它，因为它既有娱乐性又带有人们奚落昔日极左领袖背后的那种道德胜利的意味。

粉碎“四人帮”后不久，同时期的另一部戏《丹心谱》则有着完全不同的风格，它是对“文化大革命”时期知识分子困境的严肃探讨。老中医方凌轩致力于冠心病新药的研究，他的研究得到了已故总理周恩来的支持。但和他同在一家医院的他的女婿却是一个十足的机会主义者，在不同的政治立场间摇摆不定。这个戏的创作和演出都带有一种客观、自然的风格，和样板戏的激烈、夸张形成鲜明对比。（这个戏已经被翻译成了英文）创作者苏叔阳是一位很有前途的年轻剧作家，三年前才开始他的业余创作，现在已经写了几个戏和电影剧本，成了一个专职作家。

另一个打破禁区的表现是关于现代史上革命领袖作品的出现。观众们对这些领袖的记忆还很鲜活，领袖们的生平和遭遇也很传奇，因此要忠实、传神地再现这些领袖的形象不是容易的事，之前没人做过这种戏剧尝试。有几部作品很成功，也获得了广泛的赞誉，包括《西安事变》（取材于1936年的著名事件，蒋介石被他的属下兵谏，与共产党建立抗日统一战线，毛泽东、周恩来都在剧中出现）、《报童》（周恩来战时在重庆的故事）、《曙光》（贺龙在30年代与国民党打游击战，并在党内与左倾机会主义路线斗争的艰苦历程）、《东进！东进！》（陈毅在抗日战争时期领导新四军的故事）等等。这些作品的成功很大程度上要归功于人们对这些领袖在“文革”时期遭到极左集团迫害的愤怒，同时观众也渴望看到历史事实的重新书写，以证明革命的成功是包括人民、领袖和普通士兵的一代人合力的结果，来反驳极左集团宣扬的个人主义崇拜。这类戏的前途也很光明，可能开启中国戏剧的新类型。

我个人觉得近几年来最重要、最有意思的发展是一大批表现中国现实生活问题、矛盾的戏的出现，这曾经是真正的“禁区”。中国有很多作家在“文革”前就因为触及这类问题而被批判，批判的理由是他们试图揭示社会主义的阴暗面，损害了党内领袖的形象，因此被视为牢骚满腹的反对派，目的只是想恢复旧秩序。在“文革”中对这类作家的批判达到了顶峰。在这个背景下，只有真正的艺术家才有道德勇气去处理这么有争议的话题。对我来说中国戏剧即将恢复生机的让人鼓舞的标志，就是我们的作家尤其是年轻一代接受挑战的方式。过去三年中，他们已经交出了大批的作品，这些作品都很有趣，有的很深刻，有时还有些令人震惊。新的主题、解决旧问题的新办法以及新的表现样式随处可见，让我来举一些例子。

在戏剧《未来在召唤》中，场景设置在一个国营军工厂中。出人意料的是，戏剧没有围绕着党书记如何带领零件工人揭露反派角色（他到底是一个外国势力资助的特工还是一个地主的儿子并不重要）试图破坏生产的故事展开，其主题讨论的是愚昧思想的危险，不顾事实的盲从教条主义和经验主义。特别让人心痛的是这种态度常常出现在一些领导身上，因此造成了巨大的危害。看完这部戏的观众都会确信，这种思想确实是中国现代化路上的绊脚石。另外一部戏《报春花》处理的是另一个敏感的主题，即一个人的出身问题。剧中的主角是一个叫白洁的年轻工厂女工，她的工作非常出色，但却因为父母而受到家庭出身的影响。她的苦痛证明孩子仍然要背负父辈的罪孽，如果这种情况不停止的话，中国人民是无法前进的。极左集团确实曾经宣扬过个人崇拜和政治上的血统论，但这个作品清晰地表明它不仅批判已被赶下台的极左分子，也批判那些仍存在于现实中的态度问题，这当然使作品更辛辣。我们一定要和真实的观众一起坐到剧场中去看戏才能感受到它的巨大影响，当《报春花》中的厂长说："我们已经解放三十年了，但是农村仍然那么落后，人民依然这么贫穷，我们能就这样袖手旁观吗？"你能感觉到观众都坐直了，有了情绪反应。当他下定决心要支持白洁，他被警告说如果有什么政治风向的变化的话，他会受到影响。他宣告："我就是不相信那样的日子还会重来！"，观众立即报以掌声，这在含蓄的中国观众身上是很罕见的。我想这一切都表明中国戏剧的道路是正确的，它真正成为了人民的戏剧。

这就说明中国戏剧没有任何问题吗？当然不是。相反，在外行看来，中国戏剧可能面临前所未有的困难。一方面，随着我之前提到的思想解放，好像每个人都更加不满，一些处理现实生活问题的戏剧已经被批判是在攻击社会主义制度、揭旧伤疤。但是情况确实已经变了，没人再有资格把这些批判对象关进监狱或牛棚，即使这种批判是有合理性的。多数情况下支持者会出来为新作品辩护，批判者也会因他们的僵化思想受到批判。有的时候，一些演出团体会因为害怕而把一些戏从广告牌中撤下，但往往可能另一个城市的另一个团体会接手并获得演出成功。一年前，一个业余作者创作的一部反映1976年极左路线下生活的戏获得巨大成功，作者以30年代中国最伟大的作家鲁迅的名言“于无声处”命名自己的作品，这确实是一个很合适的名字。鲁迅的原文是“于无声处听惊雷”。现在当然不再是无声的世界，这也是我对中国戏剧的未来以及整个国家充满信心的原因。

当然我们也有一些具体的问题。例如大部分的专业剧团都由政府资助，有些资助的数额还很大，结果大部分的剧团都人满为患，而且有自满情绪。这种情况的出现并非由于经济或艺术上的满足，而且由于人浮于事，很多年轻人都有些灰心。大多数人都认为这种情况应该得到改善，但是相信我，说起来容易做起来难。我想现在的剧团都可以想见如果政府重新调整财政分配会带来怎样的轩然大波。我猜这里也有类似的事情？另一个问题和传统戏曲有关，过去三年，各种传统戏曲形式都恢复了，还包括一些传统的木偶戏和皮影戏，给了群众尤其是那些行家很大的满足。我想为了吸引年青一代的观众，已经是时候用更现实的主题来丰富传统戏曲剧目了。虽然“文革”前已经有了显著的进展，但尝试用这种媒介来表现当下生活的主题总是问题多多。江青的“样板戏”随意地“改革”了传统戏曲，无视其舞台规范的丰富遗产，败坏了群众的品位，给本来就不容易的改革任务增加了难度。

在我结束这次演讲之前，我想谈谈与外国戏剧、艺术的交流。正如我在一开头提到的，中国现代话剧起源于西方，但因为众所周知的原因，最近三十年的交流非常少。事实上，西方戏剧对中国确实发挥了巨大的影响，在我们过去的学习名单上，英国的排位也很靠前。我记得自己十几岁上中学的时候，最大的乐趣之一就是每天英语早课学一段莎士比亚的作品。后来在我自己的创作中，莎士比亚也一直是我的灵感导师。40年代，我承担了翻译《罗密欧与朱丽叶》的工作，并把它搬上重庆的舞台。这次访问英国，尤其是去斯特拉特福朝圣实在是对长久心愿的满足。欣赏莎士比亚的不止我一个，我们协会的前任主席田汉先生20年代首先把《哈姆莱特》和《罗密欧与朱丽叶》翻译到中国。多年来，有很多莎士比亚的经典剧目在中国上演，例如《哈姆莱特》《罗密欧与朱丽叶》《无事生非》《第十二夜》等等，有些剧目甚至被改编成传统戏曲。我们引入的作家也不只莎士比亚，萧伯纳、奥斯卡·王尔德、约翰·高尔斯华绥的作品都曾登上中国的舞台。

过去三年，我很高兴看到我们两国的戏剧、艺术交流有了新的进展。1979年伦敦节日芭蕾舞团和老维克剧团成功访华，上海京剧院的访英也很顺利。这些活动能够成行得力于很多朋友的努力，包括今天在场的很多人。在接下来的一年中，我们希望能把一部现代话剧，现代中国的伟大小说家、戏剧家老舍创作的《茶馆》带到英国演出，他14年前悲惨的死于极左集团的迫害。让老舍的作品成为第一出登上英国舞台的中国话剧是最合适的，他年轻的时候在英国待了很多年，对英国人民怀有热情。话剧作为起源于西方的艺术形式，现在已在中国扎根，并建立了独特的中国风格，我想英国的观众一定对我们的工作很感兴趣。《茶馆》将由北京人民艺术剧院演出，这是中国最主要的话剧团体之一，由我担任院长。

先生们女士们，亲爱的朋友们，请允许我用自信的口吻结束我的演讲。80年代的中国正在经历伟大、重要的转变，法律和民主正在扎根，经济的现代化正在进行，没人能阻挡我们目标的实现。为了完成我们的伟大使命，我们一定要加强与世界人民的联系，戏剧应该成为也将会成为促进友谊和理解的最重要的纽带之一。

谢谢大家。

（《〈茶馆〉的舞台艺术》）序

老舍先生是杰出的小说家，依我看，他也是杰出的戏剧家。他独创一格。他的戏充满着对劳动人民深切的情感，和浓厚的北京的乡土气息。

他的剧作《龙须沟》与《茶馆》是中国话剧史中的经典，他的贡献是不可磨灭的。

老舍先生和北京人民艺术剧院的关系很深，感情也很深。对每一次剧院向他索取剧本的请求，他都欣然允诺，不久便会把北京人艺的同志找去，听他诵读他的新作。艺术家们热爱他，敬佩他，应当说，北京人民艺术剧院的生命，一部分是由老舍先生的心血灌溉的。

《茶馆》是老舍先生1957年写成的。我记得读到《茶馆》的第一幕时，我的心怦怦然，几乎跳出来。我处在一种狂喜之中，这正是我

【题注】据《〈茶馆〉的舞台艺术》所载排印，中国戏剧出版社1980年版，原题《序》。又载1980年8月9日《人民日报》，题名《〈《茶馆》的舞台艺术〉序言》，兹以通校（校注称“人民日报本”）。人民日报本文末“编者附记:《〈茶馆〉的舞台艺术》一书由北京人民艺术剧院编辑，将于9月初由中国戏剧出版社出版。”

一旦读到了好作品[1]的心情。我曾对老舍先生说：“这第一幕是古今中外剧作中罕见的第一幕。”如此众多的人物，活灵活现，勾画出了戊戌政变后的整个中国的形象。这四十来分钟的戏，也可以敷衍成几十万字的文章，而老舍先生举重若轻，毫不费力地把泰山般重的时代变化托到观众面前，这真是大师的手笔。以后的每一幕，也都画出了时代的风貌。

《茶馆》是一个无可奈何的悲剧。在那种年代，坏人嚣张，好人只有死路。而那些想拯救中国，又终无前途的人，他们的悲剧是没有看到真理的悲哀，这都显示了老舍先生剧作深刻的革命性。

《茶馆》的演出，北京人民艺术剧院付出了值得骄傲的劳动。

导演焦菊隐、夏淳，他们做了广泛深入的研究，竭尽心力。焦菊隐先生的导演功夫有如一位卓越的书法家，笔力透纸背。

舞台上的《茶馆》焕发了剧本的全部光彩。台上的人物，不像是在演，而使人感觉是在生活，在那些年代里闯荡、挣扎、作孽、腐烂下去。应该说北京人艺有一批了不起的演员，他们的身上闪射出艺术家魅人的光辉。

我还想说,《茶馆》的生命，依附在它的环境上，而环境的真实生动的再现，体现了舞台美术设计、美工、灯光、效果的惊人成就。这其中包括着他们多么艰辛、细致的创造和劳动。

有这样的剧作家、导演、演员、舞台美术工作者，有这种令人满

1　此处人民日报本有“时”。

意的和谐的合作，北京人民艺术剧院的创造生活是无比幸福的。[1]现在，出版《〈茶馆〉的舞台艺术》这样一本书，让《茶馆》的各个方面的创造者来谈谈自己的体会与经验，是一件十分有意义的事情。

《茶馆》与它的演出，是中国话剧史上的瑰宝。[2]令人[3]痛惜的是，当我们今天再次把这瑰宝奉献给人民时，老舍先生和焦菊隐先生已经离开我们了。

我想，他们的生命的一部分已融于《茶馆》之中，将永远伴随我们更加深沉、更加坚定、更加刻苦地去进行现实主义的创作。

一九八〇年三月[4]

---

1 此处人民日报本有“《茶馆》与它的演出，是中国话剧史上的瑰宝。”。

2 人民日报本无此句。

3 人民日报本无“令人”。

4 人民日报本无“一九八〇年三月”。

（《李苦禅画集》）序

苦禅老人的一生，我听到过许多传说。在我的头脑里，他仿佛是一个传奇式的人物。他画得一手好画，写得一手好字，还练得一身武艺。他拉过人力车，唱过大戏，听说他扮演《铁笼山》的姜维，还唱得很好。他读过很多书，但却没有迂腐气。他是一个有血性的山东汉子，在街上打抱不平，火气上来便会把欺压百姓的恶棍痛打一顿……因此，他经历着种种人生的磨难，受过异常的苦痛，在风云变幻的苍穹下前进着。

那时，我还没有见过苦禅先生，然而，想到他，我往往会联想到司马迁《游侠列传》中的人物。他引起我很多的想象，在我心里他是活生生的。

那时，我的前院住着一位画家。他有时来访谈到他的老师——苦禅老先生。他是很敬佩他的先生的。我也曾几次激动，想去看望苦禅老人，对于他，我仿佛有一种心灵上的向往。他于旧社会不容，于恶

【题注】据《李苦禅画集》所载排印，山东人民出版社1981年版。

事物不容。他用他的笔描绘着大自然，是那么神灵！我有时想象着他的样子，必定是力大无比的壮士。苦禅老先生是山东人，我总感觉山东人的彪悍、朴实，一定集于老人之身。

几次想去却没有去看望他，是因为我有一种奇怪的想法：传说得太动人了，总怕见了面会失望，会打破自己的想象。在我的想象中，苦禅先生是雄壮之美的化身。

在林彪、“四人帮”横行时期，我心情郁闷，心脏病重了，住进医院。一个夏天的下午，我的一位青年画家朋友领着一位老人来到我的病房，他就是苦禅老先生。我惊奇、欣喜，老人家居然来探望我了！称他老人家，是因为他比我大12岁，其实他并不老。他一见我就把我当作知心似的畅谈起来，我也觉得好像与他相识许久了。林彪、“四人帮”横行时，他也挨过毒打，受过欺侮。但他是毫不在乎的，他什么都经过来了。他说起话来，仍是那样的直率、爽快、毫无忌惮。他仍在作画，画他自己想画的画。那些伪君子、假圣人也奈何他不得。老人是午后来的，一直谈到天黑。他的豪放也感染了我，心上的重压似乎都轻了许多，我怕他累，可他却不累。他的性格是永远年青的。

从那以后，我愈加注意苦禅老人的画了。我逐渐感到他的画正是他人格的体现。笔墨动人，深刻的诗意寓在其中，美的自然的力量就仿佛是从他的心灵通过笔流出来。他画的花没有诱人的媚态，而是一株株坚实的生命，蕴育着伟大的生机。我想，这不仅是他的艺术造诣，更是他对人生的执着，对大自然的爱。他画了多少年，他画了多少画，已数不清了。他的画已经与他刚强、直爽的人格分不开了。

我是不懂得画的。我喜欢画，但说不出所以然。我去请教行家，苦禅老人的画之中的道理是什么？我听到苦老的画继承了中国大写意的水墨画，特别是文人画的传统。又听说苦老深受清初大画家八大山人的影响。八大山人我是知道的，他有着豪爽不屈的性格。苦老非常仰慕他。苦老还敬佩徐渭。徐渭不仅是明代的大画家，同时又是大戏剧家。我敬佩他，这点我与苦禅老人是共同的。苦禅老先生看过历代艺术大师的画，但他绝不追求相似。他一生追索的是突破前人的窠臼，画自己的生活感受，创造自家的艺术风貌，在前人的基础上开拓自己的新路。苦老曾亲身受过齐白石先生的指教。白石老人说过一句话："学我者生，似我者死。"这话实在是非常精彩，中肯的。苦老也正是深解此意的。他清新而苍劲的作品受到白石老先生的推崇，说："英也过我，英也无敌。"英就是李苦禅先生的名号。

我常想：苦禅老先生对生活、对大自然有着浓厚的感情。他不但观察，而且揣摩。这揣摩我似乎觉得比观察更为重要，反复地写生，反复地揣摩，对于自然中的众多物象，被人注意与不被人注意的，他都去描绘，找出其中的美。我相信像他这样的画家，不光是用手画，同时也在用思想画。思索、深沉地思索，是他作画时不可少的，否则怎么能如此动人呢？一幅画仅仅有技巧、有情感，但是没有对人生的思索、对自己事业的思索，这画就不可能有真正的魅力。一张好的画，必然是高尚的感情和深刻思想融汇而成的。要下大功夫，用大气力，费大精神，人们所说艺术家的"鬼斧神工"，正是由此而来的。

苦老作过巨幅的写意画《盛夏图》（荷塘）、《山岳钟英》（松鹰）……那万物的生动之气就在纸上腾起，那美感与振奋之情已不被他所画的物象本身所限囿了。有人说，他的画水墨淋漓，气象万千。但我更感到他的画给了我们生命之感和热爱生命的感情，告诉我们人的伟大创造精神是无限的。

我喜爱苦禅老人所作的“鹰”。我曾想到杜甫的诗句：“素练风霜起，苍鹰画作殊，㩳身思狡兔，侧目似愁胡……”后来，我得苦禅老人的一幅“鹰”，打开一看，画上题着“远瞻山河壮”。原来老人的“鹰”并不仅是思“狡兔”而已。他的鹰瞻望祖国山河的壮美，渴望祖国无量的前程；他的鹰有着奋起高飞的壮志雄心！这正是我所相信的。艺术永远是时代的产物，蕴蓄着时代的精神。

哥德曾引过一句拉丁诗：“人生短促，艺术长存。”我知道这并不是说任何艺术，而是人民所肯定的艺术。苦禅老人的画就是这样的艺术。

苦禅老人83岁了，然而他那生命的活力在他的画中永远年青。

一九八〇年三月

我剧本中的三个女性

先生们、女士们：

我写第一个戏是在三十年代的初期，那个时候我还在清华大学读书，以后我一直是写戏的，但是整个说来我写戏的数目并不多，一共有十二个。这个原因很简单，我是个慢产的作家。可是呢，即便是作品的数目不多，但是要我自己来谈，也很困难，因为我不善于分析自己，我很为难。我常常读到别的专家对我作品的分析，我非常佩服，他们谈的确实比我谈的深刻得多了。我不知道别的作家是否跟我一样，我怀疑恐怕也是，因为很少作家愿意谈自个儿的作品。主人既然给我出了这么个题目，这对我说是个难题，当然，也怪我冒冒失失地答应了，现在不好食言，只好硬着头皮来交卷。我想了一个办法，在我的作品中选了三个剧本，在其中呢，我又选了三个女角色。谈一谈

【题注】收录李玉茹编、钱亦蕉整理:《没有说完的话》，山东友谊出版社1998年第1版。题下附注“根据录音整理”。按，据文章内容及相关材料，推断该文系曹禺1980年访美时的演讲。

我是怎么写她们的，我当时写的时候是怎么一种感情，是什么一种思想，并且把她们彼此作一些比较，从这样一个小小的剖面来谈谈我创作中的阶段同变化。这三个戏，就是《雷雨》《日出》《北京人》，这三个角色，就是《雷雨》中的蘩漪、《日出》中的陈白露、《北京人》的愫方。

我先谈谈头一个角色，《雷雨》这个戏是我在一九三三年写的。《雷雨》中的蘩漪，在谈她之前，我先得简单地谈谈我自己的家庭和我写戏的经历。我是在一九一〇年生在天津，那个时候还是满清呢，已经是辛亥革命之前一年。那个时候啊，我感到在我这个童年时代是不快乐的，我的这个家庭啊，气氛是比较沉闷，是郁闷的。我父亲当过军官，当然他也是过去学过许多旧文学的，也作诗、作文，家里也有不少的书可以读。因此，我读了许多旧小说、旧诗词，也读了四书五经。那么，后来我上了一个新式中学——叫作南开中学。那个时候已经是"五四运动"之后了，我开始读新书，也开始接触戏剧。大约我进了南开中学的第二年，当我十五岁的时候，我就参加了"南开新剧团"。周恩来总理也在那里演过戏、导过戏、写过戏。我从十五岁起，一直到我现在这个岁数——七十岁，大约五十五年，就没有中断过参加各种戏剧活动。在我十五岁以后啊，就开始学西方的文学。当时读过莎士比亚，读易卜生，读契诃夫，可以说读了西方的比较重要的作家，他们的重要作品，差不多有所涉猎吧。我读这些个剧作家，当然，还有其他的文学家，我不但从他们那儿学了他们的写作方式，譬如说，学习如何写戏，也同时吸收他们的新思想。这个新思想啊，就是说要探索光明。这个探索光明的思想，也可以说在我当时

“五四”和“五四”以前，所有中国知识分子为了救中国、为了改造社会，都有这么一种探索光明的思想。我们是要“为人生”而写东西，那么，在人生中看见了许多问题，我们怀疑；我们看见了黑暗的这些方面，我们憎恶，就像易卜生似的。鲁迅曾经说过，易卜生是敢于攻击社会的。因此我开始写戏，是因为我心里头积压了许多愤怒，有一种必须说出来的强烈要求。在这个当口，我要谈一谈我的家庭。我的家庭啊，是个道地的封建的、父亲非常专制的一种家庭。因为我父亲是个军官，所以有许多这种很强横的空气在我家里头。譬如说，我最怕吃饭，因为一吃饭，我父亲总好发脾气。一发脾气，就把下人叫来，就把厨子叫来，甚至无故地把我哥哥在饭桌上骂了一通。我们吃起饭来啊，总是低着头，谁也不说话。有的时候我的母亲听着听着，不高兴，实在难过，就离开了饭桌，而我们就默默地吃饭。这一类事情还有，譬如说，等到我父亲晚年了，我家里只有四个人——我、我父亲、母亲，还有我哥哥。这四个人哪，有三个人抽鸦片烟，就我一个人不抽。那么，当时所见的旧式的封建家庭，每个人的父亲，每个家庭的父亲，都非常专制，也非常守旧。自然啰，我的父亲有他诗人的一面，那就是写诗这一面，那是当他老年的时候。但是整个来说，在我所接触的旧社会、旧家庭，就是感觉到一片黑暗，一种积压的沉闷的空气，压迫着我，使我透不过气来。

我，为什么要写《雷雨》？这个《雷雨》啊，其中最重要的一个人物，就是蘩漪。这个蘩漪呀，可以说是寄托了我当时的一种对于封建社会、中国式的封建专制家庭的不满和愤怒。那么，现在我想谈一谈蘩漪这个妇女的故事。这个妇女，她嫁给一个有钱的资本家，实际上这个资本家也并不是现在资本主义社会当中的资本家，而是中国式的封建家庭的绝对的以这个男人说了话算数的，父亲说了话算数的，绝不能违抗的，这么一种家庭的资本家，嫁到这么一种家庭当太太。那么，她的婚姻不是自由的，她的丈夫非常得专制。但是，就在这样的空气当中，她跟她丈夫前妻的儿子恋爱了，发生了极密切的关系。但是，不久呢，这个前妻的儿子就爱上了一个比她年轻得多的一个少女，也就是她家中的一个丫头。那个时候蘩漪作为她丈夫前妻儿子的情妇，也是前妻儿子的后母，是非常忌妒，她的忌妒简直是不可想象的。这里面就经过了许多许多的斗争——她和他的前妻儿子的斗争，因为他前妻的儿子要抛弃她；她和这个丫头的斗争；她甚至于和她的丫头的母亲的斗争，她可是尽了她最大的能力进行斗争。最后，在她最大的挣扎当中，她失败了，她绝望了——因为那个时候他这个前妻的儿子还是一定抛弃她，她绝望，她就在绝望中要报复、破坏、毁灭。她坚决地要摧毁一切，她那个心情啊就像火山一样地爆发，她就要烧，烧得干干净净；也就像雷雨一样，这样大雷大雨把这个地下的一切都毁灭干净。因此上，就毁灭了她的情人，毁灭了她的情敌——这个丫头，也毁灭了甚至于自己的儿子，她自己最后发了疯。这个故事呢，当然是个乱伦的故事。有人讲，说这个故事跟欧里庇得斯的这个《美狄亚》相似；有人说这个跟拉辛的《费德尔》有点相似，可以拿来相比的。当然，这个天下的故事的相似啊，那是很普通的事情，但是，我必须在这儿指出，就是蘩漪作为这个故事的一个主角来说，她是道地的中国土壤上生长出来的，一个真实的人物，是一个我们认为十分自然、十分亲近的这么一个真人。我写这个人物的时候，可以说是灌注了——在当时是灌注了我极大的感情的。因此，在蘩漪身上，有我个人的痛苦，有我的愤怒——就是对这个旧社会的愤怒、对封建家庭的愤怒，有我对她的同情，而蘩漪呢，就是那种中国式的封建家庭制度的牺牲品。中国式的封建家庭制度啊，恐怕是你们西方人不能想象的。这是一种异常专制、父权神圣、夫权神圣的这么一种家庭，是极端的专制的。但是，她在这个她的丈夫的极端的专制压迫之下，她不甘心，她不肯屈服，她要求自己的权利同幸福。她要爱——她要有爱情，她不能忍受专制的丈夫的那种压迫，当然，更谈不上从他那里得到什么爱情了，但是她要爱情。她做了勇敢的斗争，当然啰，这个爱情是不合理的，是乱伦的。不过，我觉得这种乱伦的爱情在那个时候——老实说，我也必须在这儿提一提——就是说在中国的封建专制家庭当中经常有这一类所谓不合乎人伦的这种情感，不合乎人伦感情的关系。那么，这个蘩漪既然是要得到幸福，但是这个幸福、这个爱情，恰恰是社会上不允许的，这种乱伦的爱情，应该说是不能给予同情的。但是，在她处于这个百般的孤单、寂寞、受欺负、受压迫、受各种环境的煎熬的那种情况当中，她对这样的要求，我们不能因为她是乱伦的，就认为她对爱情的追求就是完全不对的。确实说她是追求一种她从来没得到过的一种爱情上的幸福，反过来说呢，这也是她对这个罪恶的封建制度的反抗和撞击。她曾经说过，她说："我不后悔，我向来做事情没有后悔过。"就这两句话，就可以证明她这个人是非常的强悍的，也可以证明她就是要反抗的，她可以说是中国的礼教的叛逆者。她也揭露了这种体面、这种封建社会的体面家庭的虚伪性，这个时候她说过，她气极了，她说"父亲、父亲""不像你们的祖父，叔祖，同你们的好父亲，背地做出许多可怕的事情，外表还是一副道德面孔，是慈善家，是社会上的好人物”。这个就是她对她的情人——那位大少爷说的话，那么这个话呢，正是我个人对当时的封建制度的愤怒的谴责。蘩漪这个人，是聪明的，也是勇敢的，也是热情的，也是很可爱的，这是我的看法。当然，她也有她的不可爱的地方。第一，因为她究竟是一个太太，是一个这种大家庭的一个主妇吧，所以她对待她的情敌——那个少女、那个她家中的丫头，和对她那个丫头的母亲，她都用上她的那种在旧家庭所学会的这种手腕，这是第一；第二呢，她的追求，她的反抗，要从今天来看呢，确实从她个人出发，打着她个人的一种要求，她确实需要爱情。她没有更高的视野，她没有更高的情操，她把一切寄托在一个完全值不得她爱的一位大少爷，一位什么事都不能做、什么事也不愿意做、白面书生的这么一个少爷身上。而当她绝望的时候，那倒是她有一点很值得我们深思的，她就情愿——她的性格就是这种样的性格——愿意毁灭一切，包括她自己。所以，我曾经写过这么一段，是在另外一个地方曾经说过，中国的老文章里头有一说:“时日曷丧，予及汝皆亡。”就是说，太阳，太阳啊，你为什么还不落下来？我恨这个社会，恨这个世界，我恨不得跟你一道死了吧！这个指的当然是统治者，也指的制度，啊，那个旧制度。但是呢，在那样森严、可怖的封建社会中，应该说，她不失为一个光明的、发亮的火花。所以我说,《雷雨》,《雷雨》，这个《雷雨》啊就是一种象征着要毁灭一切的这么一种雷雨，她确实有雷雨的性格。蘩漪这个人物啊，可以说是我当时对社会、对生活的认识和感情。我曾在写这个戏的序中，写到“宇宙的残忍”，我就说，“我认为，我所写的是宇宙中的一种残忍”。在各种情况下的死，许多人都死去了，这叫作宇宙的残忍。当然，现在的解释不是了，这不是宇宙的，这就是制度上面的，清清楚楚是当时社会、当时的旧制度的残忍和残酷。我要用雷雨来扫荡这一切罪恶，蘩漪呢，有愤怒，有极端的愤懑，有极端的仇恨，对这个旧制度。但是，在她那种环境当中，在她那个个人的历史当中，她是找不到出路的。这个蘩漪的没有出路，也反映出来我自己在当时的思想上还没有找出一个明确的道路。

第二，就是在一九三五年，我写了一个戏叫《日出》，我现在所讲的人物呢，是《日出》中的一个女性，她叫陈白露。我写《日出》的时候，我已经从大学毕业了，我进了社会，我正在教书，到了天津。天津是一个半殖民地的洋场，十里洋场啊。在那个地方，我认识了许多人物，看见了许多所谓是各种各样好的、坏的，尤其是极其丑恶的那些个怪现象。我可以说，在那个时候，我第一次见着了中国的社会的另一面——就是除了封建之外的另一面，那里头有真可说是各种光怪陆离的人物。我现在想起来还是觉得又厌恶，又可憎，有的地方真是简直丑恶到可笑的地步。那么这些人物啊，构成了《日出》中的世态相。那里面，有各种各样的人物，譬如说有钱的寡妇喜欢一个面首[1]，叫胡四；也有非常有钱的银行经理，喜欢在大的旅馆里头租了多少房子作他消遣的地方，在里面就藏着他所爱的一个交际花；那么那里头，也出现了向上爬的这种高级职员，也出现了过去旧社会的官

1 “面首”底本作“面手”，当作“面首”。

场当中的科长，在外国留过学的人，这些人都是在向上爬，俗不可耐；还有极贫穷的毫无办法的这种小职员，一个月赚十块二毛五，来抄写、抄写，一天到晚抄写，而他的肺已经烂了，家里头一大堆孩子；同时，我也写了当时的下流、下等妓院，那是更惨痛了。总之，我写了当时社会上的各种各样的人物，可以说我尽量写出当时的社会的一种状况。那么，在这里头呢，就是我刚才提的有一个交际花，当然，说是交际花呢，可以说是委屈了她一点，应该说，这是一个女性，这个女性叫作白露。这个白露呢，她过去也曾经读过书，有一定的文化。当她在女孩子的时期，她也爱上一个非常可爱的诗人。那么这个可爱的诗人呢，确实有他自个儿的理想。她跟这个诗人，也有共同的生活，在当时也有共同的认识，他们结了婚，确实是要走一条通往光明的道路的。但是呢，逐渐地这个诗人往前走，越往前走、越往前走，而她跟不上，渐渐两个人的感情已经坏了，坏了以后，因为她自己生的孩子死了，最后他们就离开了。但是离开以后，这个白露啊，就堕入了一个旧社会的泥坑——就是半殖民地十里洋场的泥坑，就成为所谓的“交际花”，实际就是现在被人供养的情妇，就是那个大银行经理的情妇。在过去，她曾经还有一个男朋友，对她还是很倾倒的，那是当她还是一个纯洁的女孩子的时候，听说她如此堕落，就从老远的地方跑来，跟她讲，劝她离开这种生活。但是，怎么说，怎么劝，终于不行，因为她确实在这个旧社会的这种腐烂的生活当中过得太久了。她软弱，她没法子，明明晓得这是丑恶的生活，她没法子自拔，即便是经过了他的这个好的男朋友的劝告，她还是不能跟他一道走。最后，她终于自杀了。那么，这个白露，就不同于那个《雷雨》中的蘩漪。因为，这个蘩漪啊，刚才我说过了，这个故事已经看出蘩漪的性格。但是白露这个人呢，她啊，她是有斗争的，她的斗争是在哪里呢？是在她自己内心里头，并不是像蘩漪的那种跟她的情敌的斗争，跟那个旧制度的斗争，不是的。白露她这个内心的斗争，就是她究竟离不离开这个丑恶的、这个那个时候所谓半殖民地的、这种资本主义社会的腐烂生活的斗争。她想去，想离开，但终于不能离开，就是这么一个情况，反来复去就是这么一个问题。为什么这样写？因为在这个戏里头，我已经朦胧地知道了当时的中国的社会还是有光明的一面，这个光明的一面就是我刚才所说的她过去的诗人的丈夫所代表的一面，以及她另外一个从前小时候的朋友所代表的一面，劝她要老老实实地生活，为追求光明而活着的生活。这一些人，是代表着光明的。同时呢，我也写了象征着光明的前途的一些劳动者，就是为建筑这个大楼的那些个建筑工人，这也是一种象征吧。总之这个光明呢，不只是属于我们所喜爱的知识分子——有觉悟的知识分子，也属于要建设将来的这种劳动者。那么，这里头存在着光明和黑暗的斗争。这里我所说的光明，具体究竟是个什么东西呢？怎么样才能够得到光明呢？老实说，我那个时候还是很不清楚的。但是，有一点我是清楚的，就是这个黑暗的社会必然地要死亡，应该说，这个黑暗的社会将要死亡，新的社会一定会到来。所以，我在写这个戏的末了，说太阳都升起来了，满屋子却是黑的，因为白露就要死了，她把幔帐拉上了，进不来太阳。而太阳在外面，非常之亮，而且劳动者跟着砸地基的夯子、打夯啊夯地的号子的声音，非常的强烈，就像是一个浩浩荡荡的无穷无尽的生命，充斥了宇宙。这个起码是证明，我觉得这光明是有的，而且光明是一定要起来的，一定要出现的。那么，白露呢，在这个戏一开始就徘徊于光明与黑暗之间。她向往着她年轻的时候——不是，应该说是她的少女时期，因为她并不太老，她才二十三岁，她在少女时期过的纯洁的非常天真无邪的好生活；她也怀念着离开她的丈夫——就是那个有理想的诗人；也想过是不是跟眼前的另外一个男朋友——这另外一个男朋友是非常喜欢她的，但是并没有得到她的真爱情，但是他来找她来了，是不是跟这个男朋友走呢？她确实反复这样地想。但是，她陷得太深了，陷于这种舒服、享受，而且看不见一点光明。她的这个最要命的是她自个儿看不见光明，而且她自己觉得她吃不了苦，也看不见日后究竟有什么东西可以吸引她，这个是她过于软弱。最后呢，她被金钱和糜烂的生活腐蚀到不能自拔。她唯一的一次斗争就是想救救一个女孩子——这么一个十二三岁的女孩子，这个女孩子当地那个大流氓要她跟他做不正常的关系，那个时候藏在白露的屋子，白露预备救她，她就做了这么一件好事情，但是终于没做成。她在这个小孩的身上——就是小东西的身上——看见了她自己的影子，但是她失败了。最后，她死的时候，她读当初她的丈夫所写的一本小说，就说“太阳出来了，黑暗留在后面，但是太阳不是我们的，我们要睡了”，她就吃了安眠药死去了。她知道外面有光明，最后看了一眼，她，还是自杀了，还是沉入了黑暗。这个人哪，应该说身上有一定的诗意，她的确是一个美丽、聪慧的女人，她本来可以很有作为的，但在旧社会的泥潭里终于淹死了。我写这个人物，有对白露这个女人的批判，也有对她的同情，同时也很惋惜这个女人，我认为她的悲剧应该归罪于那个时候的社会。《日出》中这个陈白露——

我们假设拿这个《日出》的白露和《雷雨》中的蘩漪比一下，那么，我就觉得我自个儿的创作道路有这么一点点新的发展，就是我对社会的认识比以前成熟了一些，我的愤怒和谴责也多了一些。不是多了一些，而是多了一些个别的成分，就是说我多了一些对整个的当时社会的分析的这一面，而不像在《雷雨》的时候，仅仅是一腔对旧社会的愤怒。我觉得我在写《日出》的时候，已经比以前乐观多了，我看到了“日之将升”，虽然我还不懂得革命的具体道路是什么。

现在我要讲讲这第三个人物，就是在我写的《北京人》这个戏里面的一个女性，她的名字叫愫方。这个《北京人》呢，是一九四〇年写的，那个时候中国已经进入了抗日战争时期。我在这段时候，接触了许多革命的朋友，我也认识周恩来总理，他跟我有多次的谈话。我感觉到在这段时期里头我自己的成长最快，对于中国社会将来究竟应该如何和她究竟应该走的道路是什么样子，我觉得有些认识了。在《北京人》这个戏里头，我有一定的象征手法。这还是一个封建家庭，但是，这个封建家庭跟《雷雨》中周家的封建家庭不同了。周家，还有他的威严——他那个家长有他的威严，有他的残暴性；但是，在《北京人》中的家长曾皓，那看得出来，他已经是风烛残年，马上就要进棺材，也就是说这个家庭——这种家庭制度行将崩溃。那么，这个棺材是一个象征，在中国的旧社会当中，老人总在未死之前先买好棺材，搁在家里，一年一年上漆，不知要漆多少遍，那么这种棺材在一般的封建社会有钱的家庭中，认为是个财宝，漆得越多，这个东西越贵重。因此，隔壁的开纱厂的一个资本家这个姓杜的老太爷，他就看上了曾皓这个封建家庭的这个棺材，他也是行将快死的人了，但是他非要曾家的这口了不起的棺材不可。那么，终于因为曾家一天比一天穷了，杜家就说“你要钱可以，你就拿棺材给我，我就不逼你的房子”，因为曾皓他家房子已经抵押给杜家了，所以最后呢，只好把棺材让给这个杜家。那么杜家承继了什么呢？这个新兴的开纱厂的杜家就承继了即将崩溃的封建家庭的一个棺材，也就是说，这个杜家的命运啊，也是一个行将崩溃的命运。这里头，我就写了一个女性——愫方。这个愫方，在外貌看非常的温柔，甚至有点弱，但是在这三个女性当中——就是蘩漪、白露、愫方，这个愫方是最强的。愫方的故事很简单，就是她早年失了父母，她就在她的这个姨父——就是刚才说的棺材的老主人，在她姨父家长大。她爱上她的一个表哥，这个表哥呢，是一个文绉绉的、喜欢画、喜欢诗的这么一个人，但是这个人，已经可以说是只知道享受，不知道什么叫劳动，什么都不大懂的。然而，因为他们有这种文化上的相投，愫方又没见过别的什么男子，所以她就跟这个已经有老婆的，甚至于就要有孙子的表哥——这个表哥也不过三十多岁，那时候三十多岁的都可能有孙子——就很要好。她受了种种的侮辱，被她的表嫂种种欺侮，在家庭里面种种不快，还要伺候她的姨父，但是同时呢，她又非常可怜她的这个表哥的一个儿媳妇。这是一个受了革命影响的这么一个孩子，而这个孩子也属于是老早就嫁给他们家里的。那么当时，这个小儿媳妇已经有些革命的朋友，曾经把许多革命的书交给愫方读。愫方那时候读着觉得是对的，但是确实还是为着这个爱情——为着爱她的表哥而活着，而且忠诚于她的这个爱情。甚至于啊，希望她的这个爱人——就是她的这个表哥，最后能够自立。她觉得他有才能，可以自立，她情愿牺牲她自己的一切来替他担当，在这个即将崩溃的旧家庭服务一辈子，献出她的一生。但是最后，她失望了，就是她所佩服的这个表哥终于受不了外面的奔波，自己又偷偷地回来了。回来了，于是又依然地过从前的旧生活，他们两个人都受着她的表嫂的欺负、诬蔑、侮辱。最后，她终于明白了，个人的爱情是不可靠的，这爱情是不能相信的。最后，只有一条出路，就是随着这革命的小儿媳妇走，那就是要毅然决然地离开了这个曾家——这个旧式的封建家庭。她就在她这个表哥吃了鸦片烟自杀的时候，当然她不知道，她就走了，就离开了曾家。那么，这个愫方呢，她跟蘩漪有一个很大的不同，就是啊，她也是个封建制度的受害者，但是她却有坚强的生命力，一个坚定的信念。她就在那个旧家庭之中忍受了一切，她为着爱情自我牺牲，她为她自己的信念，这信念呢，在当时这一段时候就是为了爱情，她可以献出她一切来。而愫方这个人，尽管她的忍耐，尽管外表上表示她很文弱的，但实际上她非常得坚强，而不是软弱，她的忍耐是因为她有那么一种信念才忍耐着。所以在她的身上，就体现出两种信念的交替：一个新的信念，一个旧的信念。新的信念，就是走出一条新路，走向革命的道路上去，当然革命究竟是什么，她还不是太清楚；然而，旧的信念，就是说在封建家庭当中求得一点爱情的安慰的这么种信念，她最后对这种信念失望了，她就走上一个新的信念上去，情愿为这个新的信念来走她的一个新路去。那么，我刚才为什么说新旧信念的交替呢？就是她一面坚持着旧的信念，就是爱情这一部分；她一面已经开始接受了新的思想，这个新思想就是革命。在她和那个小儿媳妇对话当中就表现了她们对这个旧社会的憎恨，瑞贞劝她和她对瑞贞的这种开诚布公的坦白的谈话中，露出来了很多很多的她为这个信念而做的斗争。那戏开展的过程，可以说就是这两种思想斗争的过程。也就是说，她的表哥回了家，终于说是不能够自立，终于是一个极其软弱，一个在生命的斗争中的失败者，一个毫无希望的这么一个男子出现的时候，她失望了，她绝望了，她就立刻地毅然决然离开，同她的旧的信念决裂，她走向了新的道路。那么，这个时候我所指的新的道路是什么呢？就是延安，那个时候的革命的圣地。那个时候，我自己在写《北京人》的时候，已经是很明确了的。所以，在写《北京人》这个剧本以前，我引了唐朝诗人的一句诗，就是王勃写的一个诗，叫作“海内存知己，天涯若比邻”。这个“海内”就是咱们中国，这个中国总有一个地方是存着我的朋友，而且是知道我心的朋友，哪怕是离得我很远很远，像天之涯那么远，我心里跟她是接近的。

现在，我整个地总括起来再讲一讲，从《雷雨》到《北京人》，经过《日出》，这三个戏，我写出来的三个女性。这三个女性的塑造，可以说是反映出我原来在摸索中——原来我不是摸索，原来我就恨不得毁坏一切，把旧社会全部都毁坏了，毁坏了我就安心了，这完全是一种粉碎一切的思想，这就是那时我对旧社会、旧制度的看法。慢慢就走上或者看见了，知道在旧社会当中已经开始出现了新的萌芽，这个新的萌芽就是光明，某些人所代表的光明的道路，那就是在《日出》中所表现出来的。而到了《北京人》的时候，我就看见了光明的地方，光明的人究竟是谁，我已经看得比较清楚了，就像我刚才提到《北京人》末尾的时候所说的几句话。所以，这三个女性的塑造啊，我以为是反映了我这个可以说青年时代吧，反映了我经历的社会的一种变化。这个社会就是这么个样子，这社会的变化也就是这个样子，封建、殖民地，以至于这个革命的力量的产生，种种。这里头呢，也可以说，从这三个戏、从这三个女性当中，看出来我自个儿，我这一生，说前半生也可以，在我壮年或者青年时期，我在探索着的这么一个过程。我觉得其实在末了这个戏，就是《北京人》，愫方的这个形象当中，尤其是在她最后的出路当中，我看出我自己的形影、我自己的影子，那么这可以说是一点。第二呢，我就觉得——这是我个人的体会喽——我觉得，无论是写什么，就是写一种作品、写戏吧，一个作品总不可避免地反映出作者的人生观；同时，我又觉得一个作者是不可能超越了他所处的时代的各种情况。一个严肃地对待人生、对待他所处的时代的作者，必然忘不了他的时代的社会背景，也就是说必然要在他的作品当中看出当时的时代精神。从写《北京人》的这个时代起，从那以后，我觉得基本上我写作的道路、方向是明确了的。当然，后来，我要继续向前走，而基本方向定了以后，当然还有新的探索，因为人生的问题是不会穷尽的，我们的探讨也没有穷尽。完了，谢谢诸位。

Talk Given by Mr. Cao Yu During His Recent Tour of the United States

Ladies and gentlemen, friends:

First of all, let me express my appreciation for the honour of speaking to the scholars of the Indiana University. I am, however, no scholar. I can add little to the knowledge of the present company. The best I can do is perhaps give you a first-hand account of Chinese contemporary theatre, to which I

【题注】据家藏英文打印稿排印。并附中文译文，由田露翻译。按，此稿有两份：一份为相对完整的演讲稿；另一份增加了标题，删去开头、结尾，及文革批斗会的一段。在列举1930年代为话剧繁荣做出过贡献的剧作家时添加了一段“Editor's note（编者按）”：“Any list of writers of this period would be incomplete without Mr. Cao Yu himself, whose ‘Thunderstorm’（written 1933 and published a year later）was a veritable landmark in the development of modern drama in China.”【译文】“这一时期的作者名单中应有曹禺的名字，他的《雷雨》（写于1933年并于一年后发表）是现代中国话剧发展中不折不扣的地标性作品。”文中个别词句略有修改调整，疑为演讲结束后的整理待刊稿。今按演讲稿排印，并使用整理待刊稿的标题。1980年3月18日—4月30日，曹禺应美中学术交流协会、哥伦比亚大学美中艺术交流中心的邀请，在英若诚的陪同下赴美讲学。本文系4月12—15日曹禺访问印第安纳大学期间的演讲。中文为田露译。

have devoted the last fifty-five years of my life.

I shall begin by giving you some facts and figures of the Chinese theatre as it is today. Classical drama in the form of various regional singing drama, of which the Peking Opera is one, still make up for most of our theatrical performances numerically. There are approximately 260 varieties of such singing dramas throughout the country, usually named after the place where they originated or flourished. Thus we have Peking opera, Sichuan Opera, Shanghai Opera etc. A few of these varieties, such as the Peking opera, the Sichuan opera, the Shaoxing opera, are nation-wide in their appeal, but most of these varieties enjoy a following only in their respective districts. There are about 2000 such professional companies in the whole of China, and there are approximately two hundred thousand artists,—— actors, directors, scenic designers and so on employed in these companies. At the same time, there is a much larger number of amateur or semi-amateur groups throughout the country, in factories, schools, communes and neighbourhoods.

Each of the 260 odd varieties has its own history and tradition but the newcomer to China would find it difficult to recognize the fine differences among them. The individuality of each variety lies in the dialect of that particular district and the music based on the folk songs of that district. What they have in commons, they have the same roots in traditional classical drama dating back to the Southern Song Dynasty or the Yuan Dynasty 700 years ago. This is a highly stylised drama with a set of sophisticated conventions and symbols, and a typical performance would include singing, speaking, acting, stage fighting and dancing. They have a large repertoire of plays, Peking opera alone boasts of more than four thousand, and all the varieties together more than fifty thousand.

So much for traditional singing drama. Since the beginning of the twentieth century another form of drama emerged in China, the modern spoken drama, and that is the main topic of my talk today.

It began in 1907. A group of Chinese students studying in Japan came in touch with "New Drama", something which Japan imported from the West. The students felt that this was a form which might suit China's needs and began organizing for a performance of such drama in vernacular Chinese. Their first attempt at a full-length play was an adaptation from the American novel "Uncle Tom's Cabin" by Mrs. Stowe, which was a great success. Prior to this, or at about the same time they also put on "La Dame Aux Camélias" by Dumas Fils but that was a performance of only one scene. The performances were a great success, and quite a few of the participants took up spoken drama as their life-time career on their return to China. Soon "New Drama" or "Spoken Drama" gained a foothold and began to be popular in the schools and universities in the coastal cities.

In the thirties spoken drama flourished. One of the most important reasons for the development was the emergence of a group of writers who raised this new form of art to a high level by their creative writing. These would include writers like Guo Muoruo, Tian Han, Xia Yan and others. Quite a number of Western writers were performed, including Henrik Ibsen,

Bernard Shaw, Hauptmann, Bjornson, Chekhov, Gorky, Andreyev and so on. The decisive factor, however, was the publication and performance of China's own playwrights, writing about the contemporary society in China, with flesh and blood Chinese characters and dealing with Chinese problems. During the second world war, which in China lasted eight years, spoken drama received a new impetus from the general upsurge of patriotism and the lack of feature films (due to wartime conditions) as a competitor. So by the time of the founding of New China in 1949, spoken drama was already deeply rooted.

Right from the start, spoken drama was strongly committed to social and political issues. The first half of this century in China was characterized by a series of great social upheavals, the aftermath of the Boxers' Rebellion, the overthrow of the Manchu imperial rule and the setting up of the Republic, civil war among the warlords, birth of the Communist Party, the Long March, the war of resistance against Japan and finally the founding of the People's Republic. Throughout this time, the central theme may undergo various changes but the spoken drama was always closely 1inked with the burning issues of the day. In fact many of the well-known revolutionary figures of the time were themselves active in the spoken drama movement. Xu Xiling and Qiu Jin, martyrs of the revolution before 1911 are outstanding examples. The late Premier Zhou Enlai was active in the spoken drama movement as a student and remained a guiding spirit in the modern theatre all his life. A theatre of pure entertainment was attempted in the coastal cities but it never became the mainstream in the spoken drama movement.

In 1949 when the People's Republic was set up, spoken drama artists from all over China met together and a new period in the history of spoken drama began. These artists came from two sources, those that worked in the Kuomintang-controlled areas and those that worked in the liberated areas led by the Chinese Communists. For the first time in its history, the modern theatre was freed from repressive political censorship and financial worries. New theatres were built, writers, actors, directors, designers enjoyed to a large extent freedom in their creative work and a steady income. Many professional permanent companies were set up and the theatre, both modern and traditional, flourished.

For the sake of clarity, I will try to divide the history of modern spoken drama into three periods. The first period covers the time from 1949 to 1966, or what we call in China the seventeen years. The second period 1966 to 1976 and the third from 1976 up to now. These periods of course overlap and some of the main trends in one period can be found in another, but I think they are distinct enough for our present purpose.

The first period is marked by an overall spirit of creative liberation and splendour. There was a period of groping and readjustment at the beginning, especially for the older writers, and, towards the end of this period, with dogmatic literary criticism setting in, one could already sense the ultra-leftist tendencies of the second period gathering momentum. However, this was a period of achievements, many excellent and memorable plays were written and the level of staging and acting was very impressive. Of the many outstanding plays and productions I will cite two examples. The first is a play written by the famous writer Lao She, "The Teahouse". Lao She needs no introduction in this country. His Novel "*Rickshaw Boy*" was a best seller in the forties and the two of us visited the United States together in 1946. After 1949 he returned to China and the fact that he practically gave up writing novels and devoted himself to spoken drama testifies the popularity and importance of the modern theatre in New China. During this period he wrote no less than twenty plays and "The Teahouse" is, in my opinion his best play. The play is sweeping in its concept, covering a period of fifty years and portraying more than fifty characters. There are three acts, the first taking place in 1898, the second in 1918 and the third in 1948. Some of the characters start out as young men, and end up in their seventies. Others have their second generation appearing in the latter half of the play, played by the same actors. Such a play of course offer unlimited scope for the actors, and its production by the Peking People's Art Theatre does it full justice. Later this year we plan to take it on tour to Western Europe and we hope the means will be found to bring it to the American playgoers too.

Another play I would like to speak about is a delightful comedy called "The Cuckoo-bird Calls Again", written by a writer who emerged in the fifties, Yang Lüfang. It tells the story of a girl in the countryside, who is vivacious, brave and who loved to sing. She was nicknamed by her companions the Cuckoo-bird. This girl was obstructed from marrying the boy she loved by the joint efforts of her parents and the brigade leader. They felt that girls should not be allowed to choose their own husbands and since they felt that her singing was the source of all the troubles, they forbade her singing too. The girl courageously fought back, and with the help of her friends won the battle finally and was married with the boy she boy she loved. Even with an oversimplified version of the story as I tell it, it is quite obvious that the play dealt with the age-old battle in China against feudal ideas which does play such an important part in everyday life, especially in the countryside. The play was produced in many theatres in China and quite popular. It may seem strange now, but the fact is this play was attacked after its production as something that tarnished the image of socialism and the party, because such things were not supposed to have happened and the brigade leader, as a symbol of socialism, should not be portrayed as someone with feudal ideas. Fortunately the writer was spared, but the play was labelled a poisonous weed and withdrawn.

I am citing these two examples to say that in this first period, masterpieces like "The Teahouse" could and were produced, but at the same tine, a good play like "The Cuckoo Calls Again" could be condemned and withdrawn.

The second period, from 1966 to 1976, were the years that Jiang Qing and her followers had absolute control over every aspect of the arts, and the theatre was no exception. Much had been written about the cultural despotism of this period and I will not go into details. Enough to say that apart from the few plays which had the approval of that clique, for ten years there were no new plays of any artistic merit written, and all the things that were written before the Cultural Revolution were condemned as part of a vast scheme to overthrow the socialist regime and bring back the old order. Here I might be permitted to recount an experience of my own. In the Cultural Revolution, the play "Thunderstorm" which I wrote when I was twenty three years old, forty seven years ago, became one of the so-called Super Poisonous Weeds. A typical session of a struggle meeting would develop along the following lines:

Question: What were your diabolical schemes with Liu Shaoqi?

Answer: I didn't have any.

Question: Oh, yea? Didn't he come and see your abominable "Thunderstorm"? (Shouts of: Down with Liu Shaoqi!)

Answer: Yes he did.

Question: And what did he say to you?

Answer: Well, after the play was over, he said: "Profound. Very profound. Extremely profound."

Question: What else did he say?

Answer: Nothing.

Question: Comrades, is he being honest? (Shouts of: No! No!) Now, why did he say that to you? Try to explain that. (Silence) Or, let me put it this way. Why did he single you out to spread his poison? Why didn't he say so to me?

That was really difficult to answer, unless I pointed out to him that he didn't write the "Thunderstorm" in the first place.

Those ten years were years of silence for the spoken drama. The artists of the theatre were persecuted, humiliated and exiled to the countryside. Most important, their hands were tied. I was but one of many. On the other hand, they could not tie our minds, and what was happening all over China forced us to think, how did all this happen? Why did we allow such a situation to exist at all?

The third period began in October 1976 when Jiang Ching and her followers were finally overthrown and discredited. Jiang Ching's fall was not the action of a few men at the top, but the manifestation of the wrath of the people. We in China call it our second liberation. In the three odd years since then, great changes in every field of human activity have taken place, in politics, the economy, as well as the arts. Spoken drama has been the vanguard once more in this period.

The changes did not come overnight. It began slowly, even cautiously, with the revival of important plays before the Cultural Revolution, such as "The Teahouse" and "Thunderstorm", which were important in re-establishing the high artistic standard of the spoken drama and which helped re-organizing the shattered acting companies. Soon the movement began to gather momentum, new plays began to appear and most important of all, a whole new generation of young playwrights appeared on the scene. I think it is fair to say that, of the forms of creative writing, spoken drama and the short story have been the most fruitful. In the last three years, more than three hundred new plays have been professionally produced and published, some of them performed by scores of companies. This does not include a much greater number of amateur works produced by the numerous amateur and semi-amateur groups in schools, universities, factories and communes. Quite a number of these plays were very popular and some of them have found their way into the repertory of the big theatres.

These new plays cover a wide field in subject-matter and are diverse in style. A number of them are devoted to exposing the practices of the period of the Cultural Revolution. Another number of plays deal with the lives of leaders who were persecuted by the followers of Jiang Qing. The most interesting and to me the most promising plays are, however, those that deal with problems in present day society in China. These are written by young writers who have not spent the ten years of repression in vain. Some of them have been taken in by the ultra-leftist political theories at the beginning of the Cultural Revolution, and had taken part in denounced the older generation of writers and artists, only to find themselves denounced later by the very people who incited them to do so in the first place. During the ups and downs of the ten years they had plenty of time to think, and plenty to think about. They have been called by some people "The Thinking Generation", and I think it an apt name.

These young writers are characterized by their courage to venture into hitherto unexplored territory in their writing, or what we call in China breaking through "Taboo zones". "The Thinking Generation" not only thinks courageously, many of them think deeply too. The subject-matter of their plays include: How should intellectuals be treated in a socialist society?

What to do about some bureaucrats who make use of their positions to gain privileges for themselves in defiance of the law? Their plays probe into the social causes behind juvenile delinquency, expose the rigid mentality of some officials who would never take any initiative because he could not find it written down in the instructions from his superiors. And so on. The quality of these plays of course vary, but by and large the speak on behalf of the people and they have received the support of the people.

Some of these plays are controversial. But the most encouraging aspect in the world of literature and art is the fact that from the leaders to the writers one thing is agreed upon: No writer should ever be politically condemned because of his creative writing. We have not done so for the last three years, and we shall not do so in the future. We have paid too heavy a price in the ten years of the Cultural Revolution to repeat such a mistake again. And there, I believe , lies the hope for the future. There is yet much work to be done, but I feel confident that the modern theatre in China, to which I have devoted the last fifty-five years of my life, is on the eve of its flowering renaissance.

Now I would like to answer some of your questions. Because I have not spoken English for more than thirty years and because I am hard of hearing, I would like to ask my friend Ying Ruocheng to help me with the interpretation. Thank you for your attendance and attention.

曹禺先生在最近美国之行中的演讲

先生们，女士们，朋友们：

首先，我很感谢有此殊荣能在印第安纳大学的学者们面前演讲。我自己并不是个学者，对当下剧团的了解也不多。我能做的就是提供一些中国当代戏剧的一手资料，毕竟这是我近50年来一直致力的领域。

首先我要谈谈当代中国戏剧的一些事实和数据。从数量上来说，包括京剧等各种地方戏曲的传统戏剧仍然占据我们大部分的戏剧舞台。全国大概有260种地方戏曲，通常以其发源地来命名，如京剧、川剧、沪剧等。有一些戏曲对全国观众都有吸引力，如京剧、川剧、越剧，但大部分的地方戏曲只在当地流行。全国大概有2000家专业的戏曲团体，拥有大概20万名艺术家，包括演员、导演、舞台设计等人员。同时，全国的工厂、学校、社区里还有更多的业余、半业余的剧团。

这260种地方戏曲各有其历史和传统，初次来中国的外国人大概很难分清其中的区别。不同戏曲的特点来源于各个地区独特的方言和民间音乐，相同的则是它们都有共同的根，也即700年前兴起于南宋或元代的传统戏剧。这是一种高度风格化的戏剧形式，有一整套复杂的程式化和象征体系，其表演包括唱、念、做、打和舞。传统剧目的数量巨大，光京剧的剧目就超过四千种，所有的剧目加起来则超过五万种。

传统戏曲的情况就是这样。20世纪初，中国出现了另一种戏剧形式，这就是我今天要讲的主题——现代话剧。

现代话剧起源于1907年，一群在日本留学的中国学生开始接触日本从西方引进的“新剧”。学生们认为这种形式有可能满足中国的需要，并开始用汉语口语组织演出。他们第一次完整上演的作品改编自美国斯托夫人创作的小说《黑奴吁天录》，并获得巨大的成功。在此之前，或大概是同一时间，他们也演出了小仲马的《茶花女》，但只演了其中的一场。演出很成功，很多参与者在回国之后也将话剧当成了他们毕生的事业。很快，“新剧”或“话剧”获得了立足之地，并在沿海城市的学校和大学中间流行开来。到了30年代，话剧繁荣发展。其中最重要的原因之一是涌现了一批剧作家，用他们的创作将这种新形式提升到了新的高度，其中包括郭沫若、田汉、夏衍等等。很多西方作家的作品也被搬上舞台，包括亨利克·易卜生、萧伯纳、豪普特曼、比昂松、契诃夫、高尔基、安德烈夫等等。然而决定性的因素是中国本土剧作家作品的出版和演出，这些作品表现中国当时的社会，塑造有血有肉的中国人物，讨论中国问题。八年抗战期间，爱国主义的呼唤和竞争对象故事片的缺乏（由于处于战争状态）进一步促进了话剧的发展。所以到了1949年新中国成立时，话剧已经深深地扎根于中国。

话剧从诞生之初就和社会、政治议题建立了紧密的联系。20世纪上半叶的中国发生了一系列的重大政治变动，包括义和团运动、清王朝的覆灭、民国的建立、军阀间的混战、共产党的成立、长征、抗日战争以及最后中华人民共和国的成立。这个阶段，话剧的中心议题可能会有各种变化，但却始终与现实保持密切的联系。事实上，很多著名的革命人物都曾经活跃在话剧活动中，1911年之前的革命烈士徐锡麟和秋瑾就是突出的例证。已故的周恩来总理在学生阶段也积极参加话剧运动，并始终对话剧发挥指导作用。沿海城市也有过纯娱乐性戏剧的尝试，但这从未成为话剧运动的主流。

1949年人民共和国建立后，来自全国的话剧艺术家被召集在一起，由此揭开话剧历史的新篇章。这些艺术家来自两个地方，一个是国民党统治的区域，一个是共产党领导的解放区。现代戏剧历史上第一次从政治审查的压迫和经济的困窘中解放出来。我们成立了新的剧院，剧作家、演员、导演、设计在创作中也实现了最大程度的自由，并有了固定的收入。很多专业剧团也组建起来，现代话剧和传统戏曲都蓬勃发展。

为了表述更清晰，我把当代话剧的历史分成三个阶段，第一个阶段是从1949年到1966年，也就是我们在国内所说的“十七年”。第二个阶段是从1966年到1976年，第三个阶段是从1976年一直到现在。这三个阶段当然有所重叠，一个阶段的主流也可能出现在另一个阶段中，但我想它们的区别还是很明显的。

第一阶段的特点是全面的创新精神的大解放和大发展。最初曾有一个探索和适应的阶段，这对于老一辈的作家来说尤其如此，到了这个阶段的末期，随着文学批评上教条主义的出现，我们已经能够感觉到第二阶段那种极左主义倾向的势头。但这仍是一个收获的阶段，出现了很多精彩难忘的剧本，舞台和表演的水准也很高。我要在众多杰出的剧本和演出中举两个例子。第一个剧本是由老舍创作的《茶馆》，相信这个作家已经不需要我来介绍。他的小说《骆驼祥子》是40年代的畅销书，我们俩曾在1946年一起访问过美国。1949年后他回到中国，从他几乎放弃了小说创作，全心投入到话剧创作中就可以证明，在新中国现代戏剧的重要性和受欢迎的程度。这个时期他创作了20多部剧本，而《茶馆》在我看来是最好的一部。这部戏的故事跨越了50年的时间，刻画了50多个人物形象，其主旨影响巨大。整部戏分为三场，第一场发生在1898年，第二场是1918年，第三场是1948年。一些角色刚出场时还是年轻人，结尾时已经70多岁，还有一些角色的后代在后半部戏中出场，由同一个演员扮演。这样的戏当然会给演员提供无限的发挥空间，北京人民艺术剧院也演绎得原汁原味。今年我们计划去西欧巡演，也希望能够想办法把这部戏带给美国的观众。

另一部我想要说的戏是轻松的喜剧《布谷鸟又叫了》，由50年代涌现的作家杨履方创作。它讲的是一个活泼、勇敢、爱唱歌的乡下姑娘的故事，她的同伴给她起了“布谷鸟”的外号。她想嫁给自己心爱的小伙子，却遭到了来自父母和生产队书记的阻碍。他们认为女性不能自主选择丈夫，而且认定是她的歌声带来了所有的麻烦，所以也禁止她再继续歌唱。姑娘勇敢地进行了反抗，最后在朋友的帮助下赢得了胜利，嫁给了她的爱人。虽然我对故事的复述过于简单，但也不难看出这部戏关注的是中国反封建思想的问题，这个斗争虽然由来已久但却仍是我们生活中，尤其是农村的重要议题。中国的很多剧院都演出过这部戏，很受欢迎。现在听起来好像有些奇怪，但这部戏上演后受到了批判，被认为是抹黑社会主义和党的形象，因为这种事情在现实中是不会发生的，生产队书记作为社会主义的象征也不该被塑造成一个老封建的形象。好在作者被原谅了，但这个作品却被扣上了“大毒草”的帽子禁演了。

我举这两个例子是想说明在第一个阶段，像《茶馆》这样的精品可以上演，也确实排演了，但同时，像《布谷鸟又叫了》这样的好作品却可能遭到批判和禁演。

从1966年到1976年的第二阶段，江青及其集团全面控制了艺术的各个门类，戏剧也不能例外。关于这个时期的文化专制已经有很多材料了，因此我不再细说。除了极少数获批上演的戏外，这十年中没有什么有艺术价值的新戏出现，“文革”前创作的作品全部被批判为是推翻社会主义制度、回到旧社会的巨大阴谋。这里我想讲一个自己的经历。在“文革”中，47年前我23岁时创作的《雷雨》也被认为是所谓的“大毒草”，典型的批斗会过程是这样的：

问：你和刘少奇有什么阴谋诡计？

答：我没有。

问：是吗？他不是去看过你的臭戏《雷雨》吗？（口号声：打倒刘少奇！）

答：他是看过。

问：他对你说什么了？

答：戏演完后，他说："深刻，很深刻，极为深刻。"

问：他还说什么？

答：没了。

问：同志们，他说的是实话吗？（喊声：不是！不是！）他为什么要跟你说这些？你解释一下。（沉默）我换个问法吧，他为什么单单挑你来传播他的有毒思想？他为什么不跟我说？

除非回答他《雷雨》本来也不是他写的，我真的不知道该如何回答。

这十年对话剧来说是一片空白。剧院的艺术家们被迫害、羞辱、下放到农村，更严重的是，他们不能创作。我也是其中之一。但另一方面，他们无法禁锢我们的思想，中国正在发生的一切都迫使我们思考，为什么会发生这样的事？为什么我们会允许这样的情况出现？

第三个阶段始于1976年10月打倒江青及其集团。粉碎"四人帮"不是高层一小部分人的行动，而是人民愤怒至极的结果，在国内我们叫它第二次解放。之后难得的三年中，政治、经济、艺术等各个领域都发生了天翻地覆的变化，话剧在这个时期再一次成为了先头兵。

变化不是在一夜之间完成的。一开始是缓慢的、小心翼翼的，先是"文革"前的重要作品复排，例如《茶馆》和《雷雨》，这对重建话剧的艺术标准非常重要，也有助于剧团的重新组建。很快运动开始蓄力发展，新的剧本出现了，最重要的是，整整一代剧作新人登上了历史舞台。可以说，在所有的创作形式中，话剧和短篇小说的成果是最丰厚的。近三年，超过300部的新戏被出版并演出，有一些作品被众多的剧院搬上舞台。这还不包括更多由学校、大学、工厂、社区的业余、半业余剧团排演的作品，其中很多作品很受欢迎，甚至成为大剧团的保留剧目。

这些新戏的题材广泛，形式多样。有很多作品致力于揭露“文革”的罪行，另一些作品则表现曾在“文革”时遭到四人帮迫害的领袖们的生平。然而我最感兴趣、认为最有前途的是那些反映中国当下社会问题的作品。这些作品由一些在十年迫害中没有虚度的年轻作者创作。他们在“文革”开始时被极左的政治路线所吸引，参与了对老一代作家、艺术家的批判，结果却发现自己最后也成为当初煽动他们参与批判的人的批判对象。十年动乱中他们有充分的时间思考很多问题，有人叫他们“反思的一代”，我认为很合适。

这些年轻作者的特点是用他们的创作勇敢地探索之前空白的领域，国内的叫法是“打破禁区”。“反思的一代”不仅有勇气思考，很多人的思考也很深入。他们作品的主题包括：社会主义社会应该如何对待知识分子？我们如何处理利用自身地位为个人谋取私利的官僚？他们的作品探讨青少年犯罪背后的社会原因，揭露教条主义官僚的僵化思想。这些作品当然质量不一，但总体上来说，它们是代表人民发言，也赢得了人民的拥护。

有些作品引发了一些争议。但文艺界最鼓舞人心的事实是，从领导到作家大家都赞成，作家不应该因为他的创作而受到政治的批判。这三年里我们没有这么做，未来我们也不会这么做。我们在十年“文革”中已经付出了如此沉重的代价，因此不会再犯同样的错误。我相信这是我们对未来的希望。当然我们还有很多工作要做，但我有信心说，我为之奉献了50年的中国现代话剧正在繁荣复兴的前夜。

现在我愿意回答一些问题，因为我已经三十多年没有说过英语了，而且我的听力不好，所以我将请我的朋友英若诚来帮忙翻译。谢谢你们的出席。

青　冢

冬日的草原白茫茫的一片，在那茫茫的白雪之上，有一座青青的小山，上面长满着碧绿的芳草。不畏北国的严寒风霜，这座小山总是青葱葱的。

在它下面睡着中华民族的一个美丽的女儿，她的名字就叫“王昭君”。

在内蒙古，我听到过无数王昭君的美好的传说；在蒙古包里，我倾听过马头琴大师巴杰的弹唱；王昭君在草原人民的心中，像是一位慈悲的女神，给草原带来永不消散的春天的温暖气息。

人们说，贫苦的牧民把羊丢掉了，那么就到那青青的小山去吧，那便是王昭君的坟墓——青冢。在那里，一定会找到丢失的羊羔，而且会比从前长得更大了，更肥了。人们还说，有的姑娘结婚了，可是，一年、二年、三年过去了，却没有得到孩子。她们哭泣着去找草地上最老的老人，老人摸着银白色的长胡须告诉她们：去吧，去向那

【题注】载《旅游》1980年第2期。

青青的小山，我们昭君娘娘睡在那里，她会送给你们孩子的。于是姑娘们骑上马，飞奔到了昭君的青冢，在那绿草之上，她们和衣而睡，她们做了一个梦，梦见身边的青草上开出了许许多多芬芳的花朵。一年以后，姑娘生出了又白又胖的儿子。

真是神明啊，这汉家的女子，年轻的姑娘，她的神奇是来自人民对她的爱戴与尊敬。她从长安到草原，从汉宫到匈奴的龙廷，不正是为了汉胡百姓的安乐幸福吗?！人们也正是因此而长久地怀念她，赋予她那些无比优美的传说，使她美丽的容颜更增添了动人的神采。

湖北的秭归是王昭君的故乡，那儿有清清的香溪，巫山翠峰如簇。内蒙草原是王昭君的家乡，那里有蜿蜒的黑河，缓缓流去，巍巍的阴山，葱葱郁郁。

我喜爱这位伟大的女子王昭君，我也喜爱她的家乡，宽阔的草原。当我来到她的青冢，站在青青的小山下，我便仿佛听到商队的驼铃，驮来汉家的丝绸盐茶，送去胡家的乐器牛羊。我又像是听到悠悠的胡笳和清越的琵琶声，也许是胡家的牧人伴着汉家的女儿王昭君在弹奏。

多么遗憾，我没有在冬天到草原去，所以也没有看到冬日的青冢。然而，在我的想象里，它一定是比夏天更加青翠，更加葱茏：因为那儿睡着人们想念的汉家姑娘——王昭君，草越厚，她便睡得越暖，我希望那青草长得更加茂盛。

我的生活和创作道路

——同田本相的谈话

一

有的同志劝我写文学回忆录。但是，要把许多往事回忆起来，就要到原来生活和工作过的地方走走，还要访问一些老同学老同事和老朋友，所以说写自己的文学回忆录也并非一件很容易的事。现在，只能根据我的记忆谈谈我的生活和创作的经历。

我原名万家宝，字小石。小石，这是按着我父亲的字排下来的，我父亲叫万德尊，字宗石。还是在湖北省潜江县的时候，万家是个大家族，人口很多，但数我们这一房最穷了。祖父是位教私塾的老先生，家境贫寒。父亲考进张之洞创办的两湖书院读书，每月有四两银子的津贴，他还得把一半银子寄回家中，接济家用。清朝末年，政府

【题注】载《戏剧论丛》1981年第2期。1980年5月23日、6月22日，田本相两度访问曹禺，访谈整理稿经曹禺审定以该题发表。

选派留学生到日本去，我父亲选了这条路。那时，一般人是不愿意出洋的，除了[1]那些经商的才敢去冒这个风险，就像《镜花缘》里的林之洋那样。我父亲决心去日本，去闯一闯，显然是把它看成是一条能光宗耀祖的道路。他被分配到日本士官学校学习，是这个学校的第四届毕业生，他和军阀阎锡山是同学，即使在日本，也是相当早的毕业生了。我父亲毕业回国后，曾经当过师长，做了一个小军阀，但是，他为人胆子很小，又从来没有打过仗，加上他读书较多，倒更像是个文人，四十多岁，他就不做事了，经常找几个诗人在一起吃吃喝喝，写点诗文。

我的家庭人口不多。我父亲先后有过三个妻子。我的姐姐和哥哥是第一个母亲生的，这个母亲很早就去世了；我的母亲生我之后第三天便故去了，得的是产褥热，那时是不治之症。我的第三个母亲和我的生母是双生的姐妹。我从小失去了自己的母亲，心灵上是十分孤单而寂寞的。

尽管我的父亲很喜欢我，但我不喜欢我的家。这个家庭的气氛是十分沉闷的，很别扭。我父亲毕竟是个军人出身的官僚，他的脾气很坏，有一段时间我很怕他，他对我哥哥很凶很凶，动不动就发火，我总是害怕同他在一起吃饭，他常常在饭桌上就训斥起子弟来。我父亲这个人是自命清高的，“望子成龙”的思想很重。可是，我的哥哥就是同他合不来。哥哥三十多岁就死去了，到现在我还不大明了他，他们父子两个人仇恨很深很深，父亲总是挑剔他。哥哥恨透了父亲，家

1 “除了”论戏剧本作“只有”。

中的空气是非常不调和的。我父亲四十多岁就赋闲了，从早到晚，父亲和母亲在一起抽鸦片烟，到我上中学时，每天早晨去学校，下午四点回家，父亲和母亲还在睡觉，他们常常是抽一夜鸦片，天亮时才睡觉，傍晚才起床。每当我回到家里，整个楼房里没有一点动静，其实家里人并不少，一个厨师、一个帮厨、一个拉洋车的，还有用人和保姆，但是，整个家沉静得像座坟墓，十分可怕。我还记得，我的父亲在吃饭时骂厨师，有时，他一看菜不满意，就把厨师喊来骂一通。有时，也不晓得为什么要骂人，我母亲说他，他就更抑制不住地发脾气，真是个沉闷的家庭啊！但是，这倒有一个好处，使我躲到自己的房间里去读书。我的住房很宽敞，家里房间很多，一座两层的楼房就有八间房子；还有一座小楼，也有许多房间，阔气得很，过的是养尊处优的生活。说起来也令人奇怪，我父亲却常常对我说：你是"窭人之子"啊！"窭人"，是文言，也是湖北家乡话，就是说，"你是个穷人的儿子啊！"这句话给我印象很深。我父亲总是教训我要如何自立、如何自强，他让我千万不要去做官，他说他做了一辈子官是做错了，因此，他总是劝我去做医生。我也曾经这么想过，可是我的英文学得不好，生物也学得不好，考了两次协和医学院都没有考上。可见，人生的道路，有时并不是靠主观意志所能安排的。我想，我父亲的那些话，对我萌发出一种贫富之间是不平等的观念，或许多少有些关系吧！

还记得在我八九岁的时候，我父亲非逼着我作诗。我哪里会写诗呢？想了好久，憋出两句诗来："大雪纷纷下，穷人无所归。"这叫什么诗呢？可是我父亲却夸奖说："不错，很有些见解。"现在回想，家里住着暖暖的房子，吃着火锅，能这样写，实在“难得”！其实，这也不离奇，公子哥儿从没有尝过穷人受苦的滋味，也能说这样的话。当然，寻根溯源，找个道理也行，从什么地方我得到这样一种感受呢？那时，我家里有个保姆，叫段妈，陪着我睡觉。有时，睡不着，她就经常对我讲起农村的情况，还有她家里的一些事情，告诉我她丈夫是怎么死去的，婆婆又是怎么上吊自尽了，这些悲惨的事情。她的孩子死得很惨，身上长疮，疮上都是蛆，硬是疼死了。还讲了些农村中穷人受罪、财主霸道的小故事。这些，给我的印象很深。一个好的保姆，真像一个人一生的启蒙老师，鲁迅的童年，长妈妈就给了他许多教益。我少年时候，生活上一点不苦，但感情上是寂寞的，甚至非常痛苦的，没有母亲，没有亲戚，身边没有一个可以交谈的人，家里是一口死井，实在是闷得不得了。

二

我没有上过小学，是家里请来老师，读的是那些孔孟之道的书。不过，那时我已经偷偷地看了不少小说。如《红楼梦》《西游记》《三国演义》《镜花缘》《水浒传》《聊斋志异》等等读了不少。外国的书也接触一些。最早读林琴南用文言翻译的西方小说，后来读各种半白半文或白话的翻译与著作。给我印象较深的如德国作家霍普特曼的《织工》，果戈理的《巡按》，还有莎士比亚的作品，如《威尼斯商人》，当时译为《一磅肉》或《女律师》，是个很流行的剧本。这些作品看是看了，但并不觉得入门，主要是因为知识底子薄，讲的是外国事情，有些隔膜。外国小说在童年时也读过，印象最深的是都德的《最后的一课》，这篇小说写得很短，但是它那种爱国精神却很强烈感人，我心灵受到强烈的震动，这才感到文学的力量是很大的。我是非常喜欢《鲁滨逊漂流记》的，它激起我的想象，幻想到海上去冒险。我曾经想做发明家，发明一艘飞快的船，装上机器，跑得很快很快，我为此还画了一张图，装在一个瓷娃娃肚里。这样的书是诱人神思飞扬的。我还记得读过一本《林肯传》，我对林肯这个人也有一种佩服的心情，他解放黑奴，那是了不起的。甚至文史方面的书，像《春秋》《左传》《古文观止》，还有孔夫子的书，我觉得这些书也给我打开一个宽广的世界，使我眼界开阔起来，像《左传》《史记》里边的人物故事，读起来也是很有兴趣的。我读过《东方杂志》，这是我父亲订阅的，他为的是消遣解闷。上面有介绍苏联十月革命以后的文章，我记得父亲对列宁十分佩服，现在我也不懂得他为什么那样佩服列宁，他说列宁是个伟大的人物，是个巨人。还有叶圣陶主编的《少年杂志》也给了我不少新的知识。总之，书给了我一个广阔的世界，使我知道世界并不像我的家这么黑暗、这么闷人！

一个作家和艺术家的文化艺术修养应该是多方面的，是靠多少年的逐渐积累而来的。我对戏剧发生兴趣，就是从小时候开始的，我从小就有许多机会看戏，这给我影响很大。我记得家里有一套《戏考》，我读《戏考》读得很熟，一折一折的京戏，读起来很有味道，但是，当时看的最多的还是文明戏。辛亥革命前后，文明戏是很兴盛的，那种连台本的文明戏，演的都是关于讲皇帝的戏，还有加官晋爵的故事以及哀感顽艳的爱情戏。那些哀艳的文明戏大都是根据言情小说改编的，也没有什么脚本，演戏只靠墙上贴的一张幕表，幕表规定好这出戏共有多少场，有多少人物，每一场大概演些什么内容，都有哪些人物上场，头天晚上大家商量好，第二天就登台演出了。参加演出的都是男演员，文明戏中有一种“言论正生”，专门在台上发表激昂慷慨、愤世嫉俗的言论，都是即兴的言论，一套一套的，往往他演说完了，观众就报以极为热烈的掌声。小生，是专门讲爱情的角色，一般言情、哀艳的戏都是旧套子，例如，一个女孩子爱上了一位书生，但是，这个女孩子却被父亲卖出了，或者被迫嫁给富人，过了若干年，她又和这位书生见面了，于是就演出一段非常香艳哀痛的戏，他们见面，女孩子的父母发现了，大骂他们。这时，书生的朋友就出场了，这位朋友就是由言论正生扮演的，于是他就劝书生，借机发表一通言论，说什么：我们这个时代是如何如何啦，国家是怎样的风雨飘摇喽，政府是如何坏啦，官吏又是如何的腐败喽，你作为一个血性男儿，应该有志气，要抛头颅洒热血喽！这一番正面的演说完毕，观众就拼命鼓掌。这位书生终于醒悟了，和女的道别，女的舍不得他走，又是一番哀艳的表演，讲上半个小时的爱情，什么：我是如何苦喽，我在婆家被人看不起啦等等，有腔有调地、流着眼泪说出一套套悲恸欲绝的感伤话。给我印象深的是，中国的观众十分善感，像言论正生演说过后观众那样热烈的欢迎，那种热烈鼓掌的情景；男女洒泪告别时，台下也有妇女一片呜咽抽泣，擦湿了手帕。可以说，观众和舞台演出打成一片，真叫“交流”之极了！演文明戏有本事的演员们确具有一套使当时的观众神魂颠倒的本领。

再就是看旧戏了。特别是大学时代看了许多好戏，那时，在北平清华大学读书，已经认识了巴金，还有我中学时代的同学靳以，我们经常到[1]广和楼去看京剧。杨小楼、余叔岩都是了不起的表演艺术家，谭鑫培的戏还是小时候母亲抱着看的，杨小楼的戏看得最多，他演黄天霸演得妙极了，黄天霸武艺高强，非常狡猾、非常凶狠，他是忠实[2]于满清朝廷的。杨小楼把黄天霸的奴才相和他的特定性格演得活灵活现。还有一个叫刘鸿声，他唱的《斩黄袍》异常高昂响亮，一句唱出，满场叫“好”！剧场震得楼顶都要掀开。从旧戏里可以学到描写刻画人物的本领，戏里的每个人物都是写得鲜明的，而且每个人物都不一样，有聪明的，笨的；有滑头的，阴险的；有凶狠的，软弱的。旧戏中《三国演义》的戏很多，我很喜欢看，曹操的戏几乎我都看过，各种各样的曹操，曹操也是演活了的！三国戏里的人物性格，刻画得十分出色，诸葛亮智慧喽，周瑜气量窄小喽，曹操狡诈喽！有个一串折子戏可以接起来的连本京戏，我非常爱看，说的是曹操带领八十万人马攻打东吴，刘备和孙权联合起来抗曹，今天这出戏叫《赤壁之战》[3]。三国里的主要人物几乎都出来了，每个人物都具有自己的鲜明形象，而且整个戏的冲突波澜壮阔，故事曲折，引人入胜。我很喜欢听唱、听故事，中国这些旧东西写得是很活的。我喜欢《聊斋》的故事，开始是很难读的，但有兴趣，越读便越能体味其中的意趣，

---

1 “我们经常到”论戏剧本作“我和靳以常到”。

2 “忠实”论戏剧本作“效忠”。

3 此处论戏剧本有“，旧名叫‘群英会’”。

《聊斋》写的人物很多，性格多种多样，故事曲折，引人入胜。还有昆曲，我看的是北昆，侯永奎的《林冲夜奔》演得真好，四十分钟，一个人在台上活活演唱出一个沉痛悲壮“有国难投”的林冲。天津还有一个刘宝全，是唱京韵大鼓的，我听起来也是入迷的。一个人的艺术修养要广，除了读书，对各种艺术的鉴赏能力要多方培养，要从许多方面吸取营养，兴趣偏狭是不利于艺术创造的。

我真正接触话剧，是进了中学之后的事情。我是一九二二年进入南开中学的，是插班生，从初中二年级读起，六年制，我本该是一九二七年毕业，因为生病休学一年，于是我就成为南开中学第二十一届毕业生，那是一九二八年了。从一九二五年，我十五岁开始演戏，是我从事话剧的开端。感谢南开新剧团，它使我最终决定搞一生的戏剧，南开新剧团培养起我对话剧的兴趣。当时新剧团的指导老师张彭春先生，给我很多帮助，他借给我一套英文版的《易卜生全集》，我是依靠一本英文字典大致把它读完了[1]，使我从中懂得些戏剧的技巧，“话剧”原来还有这么一些新鲜的东西。我演过不少戏，几乎每年都演，我还改编过一些剧本。《新村正》是南开新剧团保留剧目，我把它重新改编了，还有高尔斯华绥的《争斗》，郭老曾翻译过，我也把它改编成演出本，我扮演其中资本家的角色。当时思想很模糊，知道工人和资本家是有矛盾的，但结尾是工人和资本家握手言和，主题是妥协的。那时，对阶级斗争从来都不曾想过，只知道演戏。我记得校长张伯苓说过：罢工太可怕了。他说他看到一次英国煤矿工人大

---

1 “大致把它读完了”论戏剧本作“择其容易懂的读过”。

罢工，凄惨极了，家家都没有煤烧，罢工可怕。所以，那时，受的教育还是十九世纪的资产阶级教育，对工人的理解同后来写《雷雨》时的理解是不一样的。如何对阶级和阶级斗争有些了解，这同读鲁迅先生的小说、读郭沫若先生的诗、读《创造》和“五四”以来的进步书刊有些关系。贫富之分的观念早就有了的，富人享受，穷人受罪，不知不觉地同情穷人，很早就有这种思想。对于用人，小时候，我和我父亲的感情就不一样，我最恨我父亲在吃饭时骂厨师，我最恨了。尤其恨的是我看见我父亲的一个买办朋友，一个华比银行的奴才，在他家里，看见他那样恶狠地打用人，把他们的头打得鲜血淋淋。不知从那里得来的这种观念，恐怕同读旧小说也有些关系，旧小说里也是有贫富之别的，往往是同情下层百姓的。读《红楼梦》给人的影响，并不是叫人羡慕那些有钱的人；有钱有势的人，不叫人羡慕，他们使我憎恨，最讲义气的还是穷人。《红楼梦》中，那一群枉死鬼的丫头们使我逐渐明白这个社会。连孔孟的书里都有：“为富，不仁矣；为仁，不富矣”的话，即有钱的人就不会做“仁义”之事，行“仁义”之事的就不会是富人。封建时代的作品里，有一些是有着人民性的精华的，也有反封建的意义，它给人以潜移默化的影响。此外“贫贱不能移”，一个穷人要有志气，这种思想在旧小说里或者其他书里也有。关于颜回的故事，我小时候印象就很深，孔夫子对弟子颜回是很称赞的：“贤哉回也！一箪食，一瓢饮，在陋巷，人不堪其忧，回也不改其乐，贤哉回也！”虽然很穷困，但不改其志，不改其乐（对颜回究应如何评价，是另一回事）。当然，我并不是从哲学意义上理解孔夫子这些话的，只不过是那时读书所获得的印象。

后来，我还改编过一个剧本，叫《财狂》，是根据莫里哀的《悭吝人》改编的，那是一九三五年。为了适应中国观众，把剧中人物名字改成中国的姓名，为了演出，把剧情也加以删改，更加集中。我当时扮演的角色是韩伯康（阿巴贡）。无论是参加演出，还是改编剧本，这对我搞剧本创作都是一种锻炼，都是有益处的。

三

在创作《雷雨》之前，我只是间接读过一点马克思主义的书。当时，我根本不想研究理论的东西，也没有注意其他哲学思想之类的问题。最早，读过李大钊同志写的《庶民的胜利》，他的文章也不甚懂得，我只知道劳动者是好的，靠劳动吃饭是好的，也知道马克思，但是怎样才叫无产阶级、无产阶级革命，实在不明白。记得上学时，曾经读过《资本论》，拿起来读第一页，读不懂就放下了。但那时对眼前的社会印象是太深刻了，非常厌恶那个社会，觉得那个社会是不会长久的。我有着许多痛苦、许多苦闷，也不知怎么会有那么多的难以言传的激愤。记得我父亲对我说："你整天皱着眉，成天搞些什么名堂，你哪里有这么多苦恼，你这样一个小孩子！"我也说不出来，我讲多了，他们也不明白。有一阵子不大爱玩，也不爱说话，我就是对整个社会不满意，跟他们说也没有用处，有时我和父亲说起这些事，就谈崩了。我父亲有一套固执的思想，他说："你不要老想改造这个社会。"他也认为这个社会是不好的，但是他只劝我说："凭着你的良心去做事。”可是，我觉得这个社会这样下去是不行的，我亲自听过的、看过的，亲自经历的那么多令人愤懑的坏人坏事，都使我感到这个社会非改变不可。我写《雷雨》时，已经清楚地感觉到这个社会是不会长久的。我心中有的是愤恨和不平，这大概就是所说的正义感和是非感吧！

我当时有一种感觉，好像是东撞西撞，在寻找一点生活的道理。人究竟该怎么活着？总不应该白白活着吧？应该活出一点道理来吧！为什么活着的问题，我是想过的。我曾经找过民主，也就是资产阶级民主，譬如林肯，我就佩服过。甚至对基督教、天主教，我都想在里边找出一条路来，但是，我终于知道这些全部都是假的。我不像有的作家能够早些有机会，接近一些人，获得一种信仰，信奉一种思想。所以，在我的青年时代总是有一种瞎撞的感觉。我的那些正义感是从哪儿来的呢？这是读了“五四运动”之后的新书，读鲁迅的作品，读郭沫若的作品，使我受到教育，觉得要写作就要像他们那样，做点好事。但怎么叫好事，也没有十分明确的奋斗目标，我大概就是属于那种追求进步、追求正义而并不明白“进步”“正义”的内容究竟是什么的知识分子！

共产党人，我也接触过的。在南开中学读书时，和我同年级的一位同学，他叫管亚强。我们俩住同屋，当时，他就是C.Y.，搞地下工作，我看他每天都很忙，闹罢课，外出活动，但是，我们很少谈思想问题。偶尔，他也说：“你老是死啃书本有什么用。”恐怕当学生，他也是为了隐蔽身份。我记得学校开大会，他就敢于当面指责校长张伯苓，问他为什么不允许学生罢课。自然，最影响我的人是一个南开中学同学，四川人，叫郭中鉴，个子不高，瘦瘦的，黑黑的，功课品行，全班第一，我们举他当班长，他沉默寡言，说话行事，非常中肯。听说，一天，他忽然在校外被特务抓起来了，从此再也见不着他，和我比较接近的同学说，他就是共产党员。在军阀的牢狱里，他始终不屈，在法庭上，他奔上前愤怒地把手铐向法官击去！在一九二七年北伐时被军阀枪毙了。他使我永远记住，现在还是忘不了他那沉默中的英气。还有，一九三六年，我到南京国立剧专[1]工作，认识了张道藩的一位秘书[2]。他常跟我说，现在常谈社会主义，可是你要分清不同的社会主义，德国的纳粹党也讲“社会主义”，你要分清楚。还说“你现在写东西不讲明阶级，至少也要讲明阶层啊”。我还记得，他在操场上为我一个人低低唱首歌，问我“这首歌好听不好听?”我说“好听”，他告诉我，“这就是《国际歌》”。那时，在南京白色恐怖比较厉害，他常到我家来，骂张道藩，据说他是个地下党员。这些人对我都是有影响的。

我没有参加过“左联”。“左联”最活跃的时候，我正在清华读书。像蒋光慈、胡也频这些人物是了不起的革命作家，那些左翼作家写的作品，我也读过一些，有革命热情，写得很动人。但使我感佩、给我印象很深的，还是徐特立同志。两次见到他，都是听他讲演，一九三七年在长沙，几千人听他讲话，他讲的是抗日的大道理。我从来不愿去找什么人，我却在一大清早特意跑到徐特立的住处去访问，不巧，他早已外出了，看见他的一个小卫兵，小家伙只有十四五

---

1 “剧专”论戏剧本作“剧校”。

2 此处论戏剧本有“，就是杨帆同志”。

岁，我们谈起来，他说他为徐老打水洗脸，搞点杂务，他说徐老对他很好，还教他识字，他们俩睡在一张床上，他非常爱徐老。这给我印象深刻极了，共产党是真正讲平等的。至今我还记得这个小卫兵的面庞。在《蜕变》里，我写梁专员的那个卫兵就是纪念他的，我还给他起了名字叫朱强林。我记得我曾找剧专校长余上沅说，能不能把徐特立先生请到学校来讲一讲。他说，好啊，好啊！后来，经过了多方面的努力，总算把徐特立同志请去做了讲演。这时，我还接触了许多朋友，像张天翼同志等。从抗战开始，我同共产党人接触越来越多了，一九三八年，在重庆见到周总理，谈得就更深了，总理是十分直率的，他给我多年的教育和帮助是我终生难忘的。

为什么我不去参加国民党呢？蒋介石国民党那套腐败残暴的行为，我看不下去，我非常反感。我在《蜕变》里就是写国民党的黑暗腐败，但是，写得范围狭窄了。国民党不是不拉我，一九三八年，到重庆，顾毓琇就跑到我家里来，他当时是教育部次长，他是以清华同学，也是以剧作家的身份和我交往的。他进门后，闲谈半天，临行，走到门口，他忽然掏出来一份国民党表格，我说："你拿这个干什么？"我是没有料想到的，太突然了，我变得严肃起来。他只好笑着说："留你看看嘛！"我还记得有一次在校长余上沅家吃饭，桌上有人曾问我："你怎么会那么喜欢共产党？"我说："你怎么知道我喜欢共产党？"我并不是有什么明确的政治理想，我爱国，我希望人民能过好生活，希望国家富强；我对黑暗的反动的东西，对坏事情深恶痛绝，至于中国社会究竟会变成个什么样子？我也想得不具体。有时，我也想读点马列的书，读了一些小册子。我记得读马克思的《工资、价格和利润》，读起来很费劲，当时苦于找不到人给辅导讲解。

我的思想发生较大变化，是一九四七年初从美国回来以后。这时由于和党的联系更多了，对党夺取全国胜利的信心是更加坚定了，中国的唯一出路是要靠共产党了。在美国访问期间，我对美国那种资产阶级民主文明感到不是那么回事情，那种社会制度是没有前途的。国民党驻美大使，还有领事那些官僚作风确实是讨厌之极。闻一多先生之死，更使我内心痛苦。我想念自己的祖国，我回来了，我觉得国民党是彻底腐烂了。不是我个人如何如何，早些年党已在不断耐心教育我，觉得我还要求进步，是个进步人士吧，所以帮助我、指导我。在离开上海到解放区的前夕，我到一个戏剧界老朋友的家里谈了整整一个夜晚，也不知哪来的这么多话。我说："人活着是很不容易的事，活着就要做一些对人民有益的事情。都不要离开上海，形势就要变化了，将来是大有可为的。"我同一位熟识的京戏演员谈话就讲得更清楚了。我劝她"不要离开上海到什么地方去"，我说"那是死路一条啊！""你是个穷苦出身的京剧艺术家，共产党对你会欢迎的。"当时，上海谣言很多，什么共产党"共产共妻"呵，搞得人们挺害怕。我劝她不要相信这些谣言，不要听信任何人的胡说。她留在上海，在解放军正打上海、炮火连天时，她还在唱戏。

要说稍稍懂得一些阶级和阶级斗争和无产阶级专政的道理，还是在读了列宁的《国家与革命》以及其他马列的书之后，不过这是全国解放之后的事了。介绍我仔细读《国家与革命》的，是那位遭到"四人帮"恶毒迫害的《三家村札记》的撰稿人之一廖沫沙同志，解放初，他是北京市委宣传部副部长。

四

我写《雷雨》的时候，很年轻，那时不怕人说，不怕人批评，没有那么多顾虑，也没有想到一定要达到一个什么社会效果，甚至连主题也没有预先想到它。

说起《雷雨》，我总是提起我的老朋友巴金，我和他认识将近五十年了，他七十六岁，我七十岁。我是廿一岁认识他的，那时，他的《家》已经出版了，是很有名气的作家了，我不过是一个普通的大学生。他现在还像从前那样平易近人，我是非常尊敬他的，我尊敬的，不只是他的文章，他的为人种种，他的性格是更值得敬佩的。他的作品很多，一部《巴金文集》，是他一生勤恳写作的劳绩。近年来，我出国访问，得知他的《寒夜》在国外非常出名，我最近又读了，写得真实极了，把知识分子的苦恼都写出来了。他的文章越写越好了，似乎他写得很容易，很流畅，他用的都是很普通的字，完全是白描的手法，像《老残游记》中的白描，几笔便勾勒出一幅令人神往的风景画，几笔便刻画出生动、深刻的人物。巴金把很深的感情渗透在文章里面，他心中充满了热情，他的激情不是冲击你而是渗透你，一直渗透到你的心中。他的感情好像水似地流动在文章里，是那么自然，那么亲切，他对读者永远像对亲近的朋友说话似的。

有人说《雷雨》表现了作家宿命论的思想，这是不对的。宿命论，或者说是“天意”，周朴园也许有这种思想，这是不奇怪的。一些大资本家，甚至大军阀到了晚年，荣华富贵享受尽了，杀人杀够了，就想皈依宗教，什么佛教，什么天主教，从宗教里去寻找寄托。生和死，对人来说是逃避不了的问题，人到晚年，更容易想到它。宗教最迷惑人的地方，也是它最紧要之处就是制造出一套东西，叫你相信人可以不死，叫你永远不死，这是最厉害的。它编出一些道理，让你相信能到极乐世界去，到天堂去，信到入迷的时候，觉得人死了也快活。生死问题，唯物论者，共产党人能够得到正确解决，越是到了晚年，越是拼命抓紧工作。周朴园，我只是写他吃素，没写他信佛，后来他成为天主教徒了。旧本《雷雨》的序幕和尾声写得不好，周朴园衰老了，后悔了，挺可怜的，进了天主教堂了。其他人物，有的疯了，有的痴了，这样，把周朴园也写得不坏了，这种写法是抄了外国的坏东西，外国剧本有这样一种写法。但是，周朴园产生“天意”这类思想却不奇怪。像“五四运动”时，打倒卖国贼，除了曹汝霖、章宗祥，还有一个陆宗舆，此人后来搞了很多钱，跑到瑞士做神父去了。据说，大军阀张宗昌有段时间也是迷信过宗教的。在《雷雨》所写的那样一个特定环境中，某些人物有天意的想法是自然的。鲁妈相信天命就更自然了，当穷苦人受一生一世的苦，想不通，相信天命，从中得到安慰和解脱，是经常有的。不能认为作品中的人物思想就是作家的思想，不能说祥林嫂的思想就是鲁迅的思想！

也有人说我曾经受到春秋时老子思想的影响，那可能指的是我在《日出》前面引用了老子《道德经》里的话。老子的什么“道可道非常道，名可名非常名”这一套，我也是很糊涂的，我读的不多，可以说毫无研究。《日出》引的老子那段话只是借用来概括主题，但不是全部的概括，因为后边还引了一大堆《圣经》上的话，全部引语放在前面，是想起到代替“序”的作用，那时我不想写序。我的一个总的想法，就是对那个社会非起来造反、非把它推倒不可，一切都要重新重来，我又不知道该怎么来推翻它，但是要有人，这批人就是劳动者，可又说不清楚是无产阶级。

关于《道德经》上的那段话：“天之‘道’，其犹张弓欤！高者抑之，下者举之。”关于“天之道”，我那时的理解就是应该有的道理，或者说是应该如此的道理，就好像张弓射物，举高了就放低些，低了就举高些。“天之‘道’，损有余而补不足”；“人之‘道’则不然”了，恰恰相反，它是“损不足以奉有余”的。我是把“天之道”和“人之道”看成是对立的，由此提出贫富之别和贫富对立的问题。但是，我的全部想法还不在这里，我的想法是要毁掉那个不合理的社会，当时不敢直接说出来写出来，就用了一大串《圣经》上的话。过去，我曾经提醒人们要按照我排列的顺序读那些引自《圣经》的段落。开始，我是要人们惊醒起来：你看这个社会，有些人就是那么贪婪恶毒、荒淫无耻，这是个“不合理的”“不义的”“该死的”黑暗世界！然后就说，你看那天，“天也无光”，你看那地，地上是“空虚混沌”，非要惩罚毁掉这个社会不可了。那时，我已懂得劳动是光荣的，劳动者是伟大的，受了左派的影响，也受了点马克思主义的影响，就说，不劳动者不得食，“若有人不肯工作，就不可吃饭”。接着，我呼唤团结，还说“我”就是世界的光，跟着“我”就是光明，跟着“我”就能得救。最后一条，是说我们终于看见了一片新天地，整个天地都变了。但是，剧本结尾是陈白露死了，其他一些人物也死了，不是“日出”

了，是完蛋了，我要说的话都在这个“序”中了。写《日出》的时候，我苦恼极了，不敢讲得那么清楚，国民党的统治很厉害，如果写国民党完蛋了，就通不过。然尔，这本老账要算清：你们这个社会即将毁灭，必须重新建立新秩序。审查老爷“枭鸟”的眼睛总在盯住你的，我引用的是《圣经》上的话，他没法驳我，我从《圣经》的《旧约》中，引了不少的段落，他们抓不住把柄，至于老子的话，这些人大概从来没有听过。

我为什么这么引用《圣经》中的话？我曾经教过一段《圣经》文学，是用英文教，那是在天津河北女子师范学院。其实我对《圣经》文学懂得不多，但其中有不少非常漂亮的文章和故事。我接触《圣经》是比较早的，小时候常到教堂去，究竟是个什么道理，我自己也莫名其妙：人究竟该怎么活着？为什么活着？应该走什么样的人生道路？所以，那时候去教堂，也是在探索解决一个人生问题吧！当时，究竟是有闲工夫的，那时，我觉得宗教挺有意思，只是对佛教不感兴趣，大约太出世了，曾经跟我父亲念过一段佛经，念不进去。对于其他宗教，我有些好奇心，在清华大学读书时，我对巴赫这种宗教音乐也有过接触。我读了托尔斯泰的《复活》，我就非常想看看复活节是怎么回事，也想看看大弥撒的仪式。

《日出》写得非常之快，我一幕一幕地写，刊物一幕一幕地登，很像章回小说的连载，他们催着发稿，我还要教课，只能拼命写，有时，几天不得睡觉，我写戏从来没有这么干过，这是唯一的一次。写《日出》之前，是心中早已有了那几句话：“太阳升起来了，黑暗留在后面。但是太阳不是我们的，我们要睡了。”以后才逐渐酝酿演化出许多人物。这种情况说不清楚，也许是从多年的思索中心领神会出来的吧，也许是忽然来了“烟士披里纯”吧！我不是一个太理智的人，太阳指的是什么，我也说不清楚。根据这样几句话，我从上层社会写到那些下层的最可怜的人。写那些妓女是有很深的感受的，卖淫制度很早就有了。除了原始社会，大概有了阶级社会就有了卖淫制度，贫富悬殊，阶级剥削，女人被逼得去卖淫，这是最足以说明阶级社会的耻辱和黑暗的，这就是第三幕，我的良心迫使我写这么一幕。四幕剧必须有一个第三幕，在最底层的妓院里，这也是技巧上的考虑，如果还留在陈白露的客厅里，就没得可写，那可能是单调的重复，必须拉出来。但是，主要还是感情上的考虑，对于那个半封建半殖民地社会，我可以写工人，但我不会写，我不熟悉，我这样安排也比较协调，所以结构必须是这样。陈白露是主线，靠她把剧情和那些人物勾结、网络起来，第三幕陈白露虽没有出场，方达生、小东西、胡四这几个人物都和陈白露有关系。写这个戏最迫切的希望是要暴露那地狱般的妓女生活,《日出》主要是写天津、北京。我是做过一番调查的，我曾到五台山跑过一次，在太原，就目睹了那些妓女的悲惨生活，看见那些真是难过极了。后来，更证实了我的想法，第三幕是写得必要的。我到了四川，在成都的“花街”，我又看到了妓院的惨象：十字的街道，每个街口都有流氓把守着，从每个街口进去都是卖淫的地方，十字街里有不少臭水坑，女人得了花柳病、梅毒，一个一个扔在坑边，快死的时候还要喝那些污水，就那样一夜一夜惨叫死的。情感上是不能不写的，写作不只是靠着某个观念，是要流着心血写的。这是多少年的生活感受，多少年的思想感情积累起来的，不是一时的冲动，不是从理性上接受了某种道理就能写出作品的。

还有，一些演出往往把陈白露处理成是因债逼死的，这是不对的。陈白露是神志清楚地死去的。她的道路，代表着某一种进了死胡同的知识分子的道路。她堕落了，又不甘心于堕落，她又是个女人，就更增加了复杂性，似乎她没有道路可走了，混不下去了。我还是同情她的，同情她混不下去就不混了。她对那些围绕她身边的人物看得很明白，她不愿苟全性命，不愿跟这混浊的社会再混下去。她是一个渣滓，已经变成渣滓了，但她不肯心甘情愿沉下去，而又走不出一条新生的道路。她同方达生谈话，承认同自己的丈夫，就是她所爱的那个诗人分开了，孩子死了，夫妇生活已经过过了，这条道路也过去了。她看出自己是卖给这个地方的，她不愿意继续再卖了。如果她想再卖，那是容易极了，几千块钱的账，换一个主人，很容易就还掉了。她最后走到镜子前照着自己，说:“生得不算太难看吧。人不算得太老吧。可是……”可是没有路了。这么年青漂亮，她还是能卖的，完全可以卖到很高的价钱。有的是有钱的人。但是，她下定决心不卖了。你可以说她脆弱，责备她“无知”，但她是个真正的厌世者，用自己的“毁灭”，来证明自己是彻底地厌世。所以说，她是清清醒醒地死去的。她是逐渐下了决心死去的。她的玩世不恭，实际上是不满意自己生活的表现。这点，往往是不容易演出来的。她对于潘经理，对于张乔治那些人，对于他们那一套，心里是很明白的，尽管她对社会为什么黑暗，还是看得不清楚，但她毕竟觉得这个社会是毫无道理的。张乔治那一大段关于墙倒楼塌的噩梦的台词，写得太露了，太明显了，当然是象征性的，可以删去的。我怕说得不够明白，才写进去。当时，我有这么一种感情，“时日曷丧，予及汝偕亡”！这是《汤誓》上的话，只要你死，我也愿跟你一道死。是一种彻底地破坏一切的诅咒。被压迫得无生路的人对暴君发誓说：“咱们一道死吧！我再也不能受这个罪了！”那时，对社会的前途看不清，对国家的前途看不清，对自己的将来看不清，只有毁灭了。

五

《原野》的写作是又一种路子。当时是有这样一个想法，写这么一个艺术形象，一个脸黑的人不一定心黑。我曾经见过一个人，脸黑的像煤球一样，但是心地非常之好，他一生辛苦，可死得凄惨。我的思想境界又有了变化，不能允许这样的人如此死去。一旦写成仇虎，和原来的想法又完全不一样了。那时，听到乡下恶霸地主杀人的事情很多，这对我有些影响，我没有真正到过农村，偶然去看看，没有什么生活。《原野》不是一部以复仇为主题的作品，它是要表现受尽封建压迫的农民的一生和逐渐觉醒。仇虎有一颗火一样复仇的心。剧中像焦阎王那种人就是那些杂牌军阀军队中的营长、连长之类的人物，这些人两手沾满杀人的腥血，跑回老家去，用抢来的和贪污官饷的钱买地置产业。他们还有他们的马弁、卫兵，也有些武装，就在家乡为非作歹，称霸一方。农村就是他们的小天下。焦阎王是个暴发户，他未回家之前，大约是富农或小地主，回来就抢占仇家的田地，打官司，把仇虎的父亲活埋了，把仇虎的妹妹也卖到妓院里去了，又把仇虎诬为土匪，下狱八年，打成残废。过去花金子和仇虎两家关系是很深的，金子和仇虎两小无猜，原来就订了婚。焦阎王一回来，他把仇家弄得家破人亡，他为了添孙子，就把金子也硬弄过来了。

写《蜕变》时，我对国民党那套官僚政治深恶痛绝，做了揭露，只是范围写得狭窄了。这个戏出来，蒋介石是很不满意的。最后一幕，一个小伤兵的老祖母为了感谢丁大夫治好她的孙子，做了一个红色的兜肚送给她，送给丁大夫的儿子。丁大夫对伤兵发表讲话，就把这个红色兜肚拿来挥动。蒋介石就骂张道藩说：作者把红旗拿到了我们台上，那么挥动飘扬，你们都看不出来！张道藩觉得写的是国民党好，你看国民党军队抗日已经打到了大都市，胜利了。实际上我写的不是这样，这是有许多证明的。《蜕变》里唱的是《游击队之歌》；“红旗”是我有意这样安排，让大家看一看的；丁大夫就是一位进步的靠近革命的知识分子；梁专员就是徐特立同志启发我写的一个正面人物，不是腐败的国民党人。有人就说国民党怎么能有这么一个进步的专员呢？但他不是国民党。这个戏拿今天的眼光来衡量，就有毛病。当时，它发挥了作用。所以，我就感到一个问题，凡是要写出一个问题，这个问题又狭小到极点的时候，这个戏的生命力就不会长久。其实我是写抗战，写抗战要取得胜利，问题也不算太狭小，但是这个戏早就被人忘记了，因为写得不深，不叫人思索，不叫人深想，不叫人想到戏中描写以外的问题。

《北京人》，我认为是出喜剧。我写的时候是很清楚的，写的就是喜剧。有什么可悲的呢？该死的死了，该跑的跑了。杜家把棺材抢到手里，他家的那个老头子也死了。曾皓还说等到明年开春如何如何，用不着等到明年开春，他也就该死了，他不会活了。该死的都死了，有什么不可喜呢！好人活着，坏人死去，这不是喜剧又是什么呢？当然，它的情调比较低沉，低沉这是时代给的低沉。但是从整个戏剧的基调来看，这是个喜剧。当然，不能按照莫里哀的喜剧来衡量它，有各种喜剧，有各种对喜剧的说法。好人得到好报，坏人得到坏报，恶有恶报，善有善终，这是好事，这也是喜剧。何况在该戏中有不少喜剧的资料，它不像《雷雨》那么严肃正经，开玩笑的地方很多，江泰、袁圆都带来许多笑声。曾霆夫妇的离婚，这两个小夫妻很悲哀，但是不离婚岂不更糟糕！思懿是道地的喜剧人物，她很正经地演出她的喜剧。这个人物在旧社会也不是没有值得同情的地方，但是她为人很坏，品质不好。但如果没有她，这个家早完了。真正掌握这个家庭，能够有饭吃，活下去，就靠这个“贤慧”的长媳了。从表面上看，她很贤慧，做起事来，她狠毒。这个人一辈子是很可笑的，那么大的年纪还要生个小孩，看来似乎滑稽，但人生往往如此离奇。所以说人生是复杂的，人物的性格也是复杂的。曾文清那么恨思懿、爱愫方，但是他出走之前，又使思懿怀了孕。如果说过去生曾霆，那还是可以理解的，怎么又要添第二个孩子呢？这怎么解释？看来是很奇怪的。世上的事就是这么复杂。有所谓“怨偶”，夫妻天天吵架，甚至到互相仇视的地步，但是，又在一起生上多少个孩子。人生是错综复杂的，人物也不大简单，我常觉得自己需要比较深入一点地认识生活。

《家》的主要人物不是觉慧。这和我的老朋友巴金的原著不一样，他写的是觉慧，觉慧的反抗性是很强的，觉慧是小说中主角。改编成剧本后，主角变成瑞珏了，这是一部女人的戏。瑞珏是封建社会造成的一个有着三从四德的女性，但又是“五四”时期一个半新不旧的女性。这个女人聪明、诚挚、勇敢，在旧家庭中受了许多折磨，最后，她还是相信苦难必将过去，未来定是光明的。《家》这个剧本的收尾是：——

〔不断的杜鹃啼声传来。

瑞　珏〔忽然〕明轩，你记得我第一天来的夜晚，杜鹃在湖边上叫么？

觉　新〔泫然〕记得，那时候是春天刚刚起首。

瑞　珏〔梦一般地迷惘〕嗯，春天刚刚起首。

觉　新〔绝望袭进他的心，凝视着她，沉痛地〕现在是冬天了。

瑞　珏〔声音低弱而沉重〕不过冬天也有尽了的时候。（逐渐闭上眼。）

最后这句话很重要。封建社会无论再怎么搞，也要完蛋了。其实瑞珏的性格并不懦弱，在那么一个社会一个家庭的环境中，叫她拍桌子吵架，那是不可能的，她只好顺从忍受，她不得不听旧礼教。从一开始，她就极其乐观，尽管受了各种折磨，她不懂得是因为什么，但却怀着希望。她不会反抗，甚至不会说一句反抗的话，但临死前她觉得这样下去是不行了。她是被封建制度、封建习俗逼死的。我希望人们能够因此思索一下，能够多想一想。

有人说《家》没有接触封建社会地主和农民的矛盾。接触一个社会的根本问题很难，靠一个剧本去写社会根本问题，这就更难。从创作道路上看，应该是熟悉什么，写什么；爱什么，写什么，创作是不能有任何禁区的。我是赞成“惟陈言之务去”的，写戏不能老是那么一条路子、一个套子，什么东西搞久了也会变成陈言的。我当时确想创创新，但革命觉悟低，也只能写成那样。

不过创新是好事。连古人都反对守旧的。王安石说：“天变不足畏，人言不足恤，祖宗之法不足守。”我佩服这种精神。

我的剧本的确写了不少妇女形象。你问我对妇女有什么见解，我没有什么理论。我有这么一个想法，在旧社会妇女是受压迫的，男女之间太不平等，我总觉得妇女是善良的。我和斯特林堡不一样，他时而关心妇女解放，时而仇视女人。我以为旧中国的妇女是最苦的，受着政权、神权、族权和夫权的压迫。每家都有一本难念的经，一般说来，也是妇女来念的。在旧社会，妇女一般要做许多家务事，生孩子、养孩子，三从四德，劳苦一生。那时，妇女社会地位又低，受到各方面的歧视，就更为可怜了。贫穷家庭中的妇女就更惨痛了。当然妇女中也有坏的，像郭老的《屈原》中的南后那种人，这是少数。我也写了像《北京人》中的思懿那样不可爱的女人，还有《家》里的陈姨太、沈氏那样一些卑微人物。但是给我印象最深的，还是那些受苦受难，禀性高贵，引起我同情的妇女。所以，我愿用最美好的言辞来描写最好的妇女。

六

一个批评家评论作家的创作时，有时可以说出作家在创作时都没有想到的东西，这是批评家的好处。他运用逻辑思维，应当而且可以看到作家创作时所未曾意识到的地方。如果作家创作时就想得那么有条有理；那么，他就可能创作不出来了。这使我想起《孟子》上的一段故事：有一次齐宣王问孟子，让他讲讲齐桓公、晋文公称霸的事迹。孟子是个很会讲话的人，他说，如果非要我讲，他们都是用道德的力量来统一天下的“王”道的，又说，你齐宣王是能够使百姓生活安定而统一天下的。齐宣王说，你怎么知道我能够呢？孟子说，我听别人告诉我一件事，有一次有人牵着牛从你殿下走过去，你知道它是准备受宰杀了，你就说：把它放了吧，看它哆嗦可怜的样子，它毫无罪过，我实在是于心不忍啊！孟子说，我就凭你这种好心肠就觉得你可以统一天下了。他又借此发挥，说这种“不忍之心”就是“仁术”，也就是仁爱之道。说得齐宣王很高兴。于是齐宣王便说：“诗云：‘他人有心，予忖度之。’夫子之谓也。”齐宣王借用《诗经》中《巧言篇》里的两句诗表达了他的心情，意思是说，我心里想的而又说不出来的，你这么一解释我就明白了。从这个故事，也可以这么说，作家“有心”，批评家能够“忖度”它。一个作家进行创作，他反映真实的生活，主要是运用形象思维，在他所描绘的社会生活中，他的世界观人生观就渗透在里边。作家反映真实的生活也就反映了他的政治观点、艺术观点。不是先有某种预定的观念，不管自己懂不懂，消化没有消化，按照这种观念去塑造和修改许多形象，让那些形象同政治观念去“合槽”，这样的作品搞出来也是不真实的，甚至是假的。用马列主义观察生活研究生活是对的，但是不能用马列主义观点代替作品的主题，主题不是事先规定好的，是生活中来的。

无论是写戏，写小说，一定要有思想性。但是，这里有个问题值得研究。譬如写一部反特权的戏，一种人物是官僚主义者，还有一批人是正面人物，是坚持执行法制的，于是乎按正反两种形象写成两种人物，展开两种思想的斗争。写这样一部戏确是很费心思的，构思很困难，人物很难摆得那样恰当，语言又要写得有鲜明的个性，布局又要有强烈的矛盾，整个说来，剧中还要有含蓄使人信服的道理，真是到处都是难题，如果写得不够好，生活认识不深，那便容易落套。结尾，一方代表真理正义，一方代表反动或错误，“正的”压倒了“邪的”，这是社会问题剧，是针对着当前社会上存在着的某些问题、某种现象而写的。这种戏需要不需要呢？当然很需要。有时演出来是十分令人感动的，觉得很有些道理，说出了人们想说的话。现在的艺术民主在逐渐地发扬起来，过去写戏，批评个生产队长还可以，批评个生产大队长就有问题，牵扯到公社领导就更成问题，牵扯到县委、省委那就不得了了。现在，的确好多了，可以批评干部的错误，干部的堕落，甚至是批评老干部。可以批评各种错误的思想和犯有各种错误的人物，表现出我们的民主，表现出思想的解放。如果我们研究一下文学发展的历史，研究一下建国以来的文学历史，研究一下一些伟大作家的创作道路，如果就是这样按照社会上有什么问题，就写一个什么问题，有哪些问题就解决哪些问题，只是这样写下去行不行？恐怕这样的文学道路反而变得狭窄了。社会问题剧好像容易写成在最后结束时把问题解决了，好像是很解气。这样一个路子，自然有道理，有助于社会主义，有助于四个现代化。但这只是文学创作的一方面。我以为社会主义的文学发展道路和发展前景是十分广阔的，应该是一片一望无际杂花丛生的大地，碧绿碧绿的草原，牛羊遍野，一派生机，天地广阔。

可以说所有伟大作家的好作品，不是被某个狭小的社会问题限制住的。《红楼梦》就不是被一个问题箍住了，它把整个社会反映出来了；巴尔扎克的《人间喜剧》，托尔斯泰的《战争与和平》，以至于屈原的《离骚》，司马迁的《史记》等，也不是那么具体地提到某个社会问题，这些作品反映得很深刻、很广泛。文学反映生活，可以更广阔、更深厚的，应该看得广泛，把整个的社会看清楚，经过深入的思索，看到许许多多的能够体现时代精神的人物再写。作品是要真正的叫人思、叫人想，但是，它不是叫人顺着作家预先规定的思路去“思”，按照作家已经圈定的道路去“想”。而是叫人纵横自由地、广阔地去思索，去思索你所描写的生活和人物，去思索人生，思索未来，思索整个的社会主义社会，甚至去思索人类。我们应该努力要求自己，在创作上不要走一条轻松而容易的道路。看见什么问题就写什么问题，看见什么人物就写什么人物，这容易降低要求。要写从自己的精神世界中真正深思熟虑过的，真正感动过的，真正是感情充沛的东西。我说作品的思想性，不是叫人看了那么直来直去，一览无余，不应该是那么窄狭，那么简单，一看就知道是反封建、反这、反那。

这样的作品，当然对社会主义也有益处，也可能感动人，可以感动一时，但不能使人深深地感动。我并不是说一写出来就要名垂千古，我不过是希望能够把我们这个时代的精神反映得更深些更广些。让那些有深厚生活基础又有创作才能的人，能够从更高的地方，从更广阔的领域里来反映社会。

现在不大提作家的良心了。良是好的意思，就是作家对人、对社会、对国家、对党高度的责任心。因此，提倡“良心”这个词，也没有什么大错误。我是不同意这样一种写法：把社会的什么黑暗和问题都搞出来展览，似乎这样就是尽了作家的责任，发挥了作家的正义感。我认为，这样搞和《廿年目睹之怪现状》和《官场现形记》有多大的不同呢？看到什么就写什么，抓住一个事件就死抠，听到一点风声就紧跟，思想不踏实，艺术不考究。虽也可以风行一时，但过不了多久，就会失去它的生命力。

真是岁月如流啊！我似乎搞了一辈子社会问题剧，得失成败，教训不少。一个问题、一个问题地去写，是不行的，然而我是十分希望多多写一些问题剧本，但它的思想性要深厚，经得起仔细寻味，不要就“问题”讲“问题”，真要有点“后劲”！易卜生（1828—1906）是剧作家，也是思想家。他早年写了许多历史诗剧，又写了两本诗剧《布朗德》（1866）与《彼尔·金特》（1867），表现“人的精神反抗”后才转入写几本社会问题剧，如《社会栋梁》《傀儡家庭》《群鬼》《国民公敌》等，到了晚年，他又探索新的境域，社会问题剧本他写不下去了。我们的社会主义文学创作的道路是十分广阔的！新中国已经有了三十年的历史，革命文学的后继者大有人在，他们已经露出峥嵘头角。我们多么希望我们这个伟大的时代能出现高尔基、鲁迅那样伟大或者比他们更高大的作家。伟大的作家一定会在将来的中国出现的，但必然要经过艰苦卓绝的奋斗道路。

北京市文学艺术工作者第四次代表大会开幕词

各位代表、各位来宾：

我们热切期待的北京市文学艺术工作者第四次代表大会，现在开幕了。

今天，参加我们大会的有市委、市政府、市人大常委会的领导林乎加同志、贾庭三同志、毛联珏同志、刘导生同志、范瑾同志；还有中宣部、文化部、全国文联及各协会的领导贺敬之同志、周巍峙同志、吴作人同志、陶钝同志、陈荒煤同志、冯牧同志、赵寻同志、张君秋同志、华君武同志、贾作光同志、孙振同志、孙慎同志、侯宝林同志；还有河北省文联的领导刘春风同志、林曼同志，以及其他各位来宾同志们。在这里让我们表示热烈地欢迎。[1]

【题注】收录于《北京市文学艺术工作者第四次代表大会文集》，据以排印。又载《北京文艺》1980年第7期，兹以通校（校注称“北京文艺本”）。按，北京市文学艺术工作者第四次代表大会于1980年6月24日开幕。

1 “今天”以下北京文艺本无。

同志们，我们这次大会，是粉碎“四人帮”以后，在向四个现代化进军中召开的一次盛会。大会的主要任务是：学习、贯彻中央关于文艺工作指示的精神和全国第四次文代会的精神，总结北京市文艺战线三十年来的经验教训，讨论今后的文艺方向、方针和任务。在这次大会和分头召开的各协会的会议上，还要修改市文联和各协会的章程，选举市文联和各协会新的领导机构。通过这次会议，把北京市的文艺工作推向一个新的阶段。

出席这次大会的正式代表共652人，其中男代表515人，女代表137人，老年代表190人，中年代表359人，青年代表103人，文学方面的代表162人，戏剧方面的代表202人，美术方面的代表85人，音乐舞蹈方面的代表70人，曲艺杂技方面的代表65人，摄影方面的代表35人，还有其他方面的一些代表。在这些代表中，有饱经风霜、业绩显著的文坛老将，有初露锋芒、朝气蓬勃的后起之秀，还有肩负重担、辛勤操劳的艺术教育工作者、文艺编辑和文艺组织工作者。他们代表了北京市文艺界的各个方面。这些代表大部分是中、青年，说明我们文艺事业后继有人，日益兴旺发达。总之，这次大会是粉碎“四人帮”后的一次大会师，是党和人民在新长征路上对我们北京市文艺队伍的一次大检阅。

三十年来，在党的领导和关怀下，我们这支队伍经受了政治斗争的严峻考验，变得更加坚强、更加成熟了。“四人帮”想彻底毁掉我们，可是他们没有办到，他们能够用法西斯手段剥夺我们的自由，甚至夺去我们的生命，但是，却夺不去革命文艺战士忠于党、忠于人民、忠于社会主义的一颗红心。在艰苦的岁月里，我们广大文艺工作者始终和人民站在一起，同人民一起受苦，也同人民一起战斗。历史证明，哪里有人民，哪里就有我们文艺战士，哪里有斗争，哪里就有我们文艺战士的血汗和墨迹[1]！和人民共命运，是我们革命文艺工作者的光荣传统，我们一定要保持和发扬这个光荣传统。

三十年来，北京市文艺战线和其他各条战线一样，取得了显著的成绩，我们以辛勤的劳动，向人民提供了优异的精神食粮，在鼓舞人民同心同德地进行社会主义革命和建设中，做出了自己的贡献。特别是粉碎“四人帮”以来，我们砸烂了精神枷锁，批判了极左路线，长期被压抑的革命激情和创作才智，像火山一样爆发出来，仅仅三年多的时间，我们北京市文艺园地就出现了万紫千红的繁荣景象，这对批判“四人帮”，拨乱反正，解放思想，对歌颂老一代无产阶级革命家的英雄业绩和满足人民精神生活的多方面需要，都起了积极的作用，从而受到了党和人民的重视。

同时，也应当看到，三十年来，特别是一九五七年以后，由于左倾思潮的影响，我们没能够始终如一地贯彻党的“百花齐放、百家争鸣”的文艺方针，我们的创作发展得还不够快，没有能够满足人民群众不断增长的精神生活的需要。林彪、“四人帮”利用了我们的错误，并加以恶性发展，大搞文化专制主义，使我们的文艺事业受到极其严重的摧残，这是非常惨痛的历史教训。

无论是成绩和经验，还是挫折和教训，都是我们的宝贵财富，都值得我们认真去总结，经过总结，提高我们的认识，使我们在今后的

---

1 “墨迹”北京文艺本作“脚印”。

工作中，能够更自觉地发扬成绩，修正错误，少走弯路，把党的文艺工作做得更好一些。

同志们，我们的国家已经进入一个历史的新时期，这一时期[1]头等重要的任务，就是搞四个现代化，这是关系到我国前途命运和人民根本利益的大事，为“四化”服务，推动“四化”前进，这是我们的神圣使命。最近，中央书记处对北京的现代化建设提出了四条建议，要求北京在社会治安、社会秩序、道德风尚、城市建设、环境卫生、文化教育和科学技术等方面，都要成为第一流的现代化城市，成为全国的模范。这是一项与我们文艺工作关系极其密切的、非常艰巨而又光荣的任务。我们一定要把这项任务勇敢地接过来，为首都的现代化建设做出新的贡献。

要搞“四化”，必须安定团结。只有团结起来才有力量。我们要把这次大会开成一个团结的大会，开成一个解放思想、发扬民主、畅所欲言、生动活泼的大会。希望代表同志们共同献计献策，和衷共济，同心同德，为建设无愧于首都地位的、高度繁荣的社会主义文艺而努力奋斗！

1 “这一时期”北京文艺本作“新时期”。

我们一同歌唱

我忘不了新疆，这美丽的地方。

我更忘不了新疆的人，热情的，爽朗的，为祖国和新疆的未来勤奋工作的人们。其中当然包括着你们，我的同行，我的亲爱的新疆文艺工作者们。

前年的夏天，我和你们一同度过了多少美好的日子。我们曾一同唱歌，一同跳舞。至今，你们的歌声，你们的诗，你们的语言，还留在我的心底，缭绕在我耳边。

今年，夏天又到了。我收到新疆的来信，你们将在9月份召开新疆维吾尔自治区文学艺术工作者代表大会。我十分欣喜，我想到这将是一个多么欢乐，充满诗意与创造性的时刻。

你们的文代会是民族团结的聚会，是歌手与英雄的聚会。

你们，各民族的诗人，艺术家们！你们是祖国的歌手，又是祖国

【题注】载1980年9月14日《新疆日报》，据以排印。又载《新疆文学》1980年第11期，题名《来自远方的祝愿：我们一同歌唱》，兹以通校（校注称“新疆文学本”）。

的保卫者。你们在祖国边疆的豪放的笑声，我在这里都听到了啊！

我爱你们的诗，你们的歌，你们的舞蹈，你们的小说、戏剧。祖国西北大地上那一簇簇鲜花，开得多么艳丽，多么生动。

我和你们一起高兴地歌唱这美好的百花齐放的时代。

我感到你们的血在沸腾，你们的心在颤动，你们的手拉在一起。现在，我把手伸出来，跟你们紧紧握住！让我们为祖国各民族的团结，为祖国的美好的将来，创造出中华民族从未有过的伟大的文学艺术吧！

一九八〇年七月十四日

戏剧创作漫谈

有些问题，我常常在想。近来，觉得有些话想说一说。作为一个写剧本的人，我要说的当然还是写作的问题。

我感到三年来创作有极大进步。小说、诗歌、戏剧，都呈现出前所未有的繁荣。有很多好戏，朝气蓬勃，充满新鲜感。大家都在讲，我就不多说了。我要说的，是戏剧创作中有一类戏，有人把它叫作问题剧或社会问题剧。不必讳言，我们的社会上还存在着一些问题，因此就根据问题写了很多戏。有的剧本写青年犯罪问题，有的剧本写血统论影响问题，有的剧本写特权与法制问题。这些社会问题剧，是作家集中了群众的感受，显然，也包括作家自己的感受，多方构思而成的。这样的剧本，一方面揭露了阴暗面，一方面告诉群众，我们有决心、有办法消除这些阴暗面。这些戏的结尾，往往也都把矛盾解决了。现实生活的实际情况是不是像戏中描写的那样曲折有致，那样有力而迅速地解决问题了呢？也许不一定。但无论如何，这种戏对社会

【题注】载《剧本》1980年第7期。

的作用是好的。戏剧创作的进步性就在于此，敢于触及时弊，揭露较尖锐的社会矛盾，创作思想确实是解放了。应该说，这是人民在推动剧作家去这样写，因为他们关心社会上的问题，希望在舞台上看到党对解决这些问题的决心与信心。

这些作者都是非常热忱的，用各种办法表现他们的爱与憎。他们希望解决问题的心情是急迫的，这种心情很可贵。

这类戏好处还有很多，暂且不说了。我看，写社会问题剧不是今天的发明创造，并不是什么新东西。这样的戏很早就有，一直就有。这里有一个写得深不深的问题。好的社会问题剧应该植根于生活之中，而不是仅仅存在于问题之中。现在有的戏仅仅写出了一个问题，问题便是一切，剧中人物根据问题而产生。人物有的站在问题的这一面，有的站在问题的那一面，有的站在问题的中间。于是出现了正面人物、反面人物、中间人物。当然这种问题剧是人民需要的。我们要根据人民的需要写东西，这是对的。但是，我们应该写得更丰富。其中还包括对生活认识的深浅。如果我们仅仅写了社会上的问题，而忘了或忽略了写真实的人，真实的生活，那么我们的笔下就只有问题的代表人物，而没有真实生活中的人，没有那种活生生的、一点不造作的人，那种“代表人物”是不会被人们记住的。

这里有一个写作时的出发点。不要看到一个问题就急于写。急了就可能粗，可能浅。把生活摸透了，自己有了深刻的感受、认识，心中有了人物，然后再考虑如何写。这样就会写得比较活，比较动人，比较扎实。现在的一些作品常常是对坏的加以夸张，对好的也加以夸张。夸张是必要的，是一种技巧，但是夸张到脱离真实的特定的环境，就不成了。我感觉到有些戏的环境就是一个“舞台”，一群人在“舞台”上提出问题，解决问题，一切都是在“舞台”上发生的。说到极端的话，这样的戏写不好时，就是逻辑思维的图解。这样的戏写好了，是感动人的，人们是要鼓掌叫好的，但就在那种时候也还有一个“问题”，就是出了剧场后，人们还想不想呢？第二天醒来，人们还想不想呢？大家还想看第二遍、第三遍、第四遍吗？我是不大想的。因为第一遍就已经满足了。人们对社会问题的不满，对解决问题的渴望，都在戏里得到满足了。如果还有点不满足，那就是几年之后，人们还能从中得到启发、教益，还会感动吗？

我看戏，读文艺作品，我所注目的是人，人是最重要的。现在我常感到有些人物是捏出来的，也就是按作者的意愿与需要捏出来。当然，人物都是作者创造出来的。我所谓的捏出来，就是有许多不自然的地方。有时太过分地强调他的“正面”，有时又太过分地强调他的“反面”，这种写法是不太妙的。

过去，有人往往用“难道生活是这样的吗？”这句话，把敢于提出问题的作品和作者否定了。今天，这个局面过去了。我们的党提出思想解放，出现了这样一个生动活泼的局面，出现了这些社会问题剧。这是很好的事情，但是不能满足，要提高。

蒲松龄的《聊斋志异》，其中有一篇《画皮》，讽刺了当时的世道人心，用今天的话说，也是提出了社会问题，是写得很巧妙的。虽然短小，但很深。这种尖锐、强烈的表现方法，值得我们学。但是，如果我们今天再写一个《画皮》，或者不叫《画皮》，叫其他的什么名字，即使写得看不出《画皮》的痕迹，也不大行。其道理就是你没有自己的创造，没有自己独具风格的深刻的创造性。我并不是说我们没有创造性。创造性有大有小，有深有浅，有粗有细。

现在的创作，可以说是勇敢的，热情的，也有一定的人物形象。但从一个更高的尺度来看，就不够了。为什么要写得那样符合问题的要求呢？为什么除了问题之外不叫人再想想别的呢？比如说，写特权与法制这类问题的许多剧本吧，在这个问题之外，应当有其他的思索余地，应当使人有种恋恋不舍的“后劲”。不要过于直白，不要一览无余。人们看完戏，应当感到戏中的人非常像自己身边的或自己所看到的“那一个”。我觉得现在的问题剧是有这种弱点的，就是虽然说了群众的心里话，但并不是完全为群众所信服。

当然，现在公式化、概念化是少了，每个作者都有出奇制胜的地方。但是因为他们把社会问题看得太窄，只看到“这一点”，而忘了四周的生活，所以作品不饱满。可以看看易卜生的《娜拉》。娜拉的出走是一件大事，她要出走，要人格独立，不愿老当丈夫的小鸟。这在当时是有极其重要的社会意义的。这个戏中就有那种乍一看与娜拉的出走关系并不紧密的人物，比如娜拉一家的朋友，那个医生，要删掉他也是可以的。还有娜拉过去的女朋友，她来看娜拉，如果硬要删去，戏也能进行下去。但是易卜生却把医生的性格与丈夫的性格对比，娜拉与她的女朋友也有明显的性格对比。这两个人物与剧本所写的妇女地位问题并不发生直接关系，然而却使剧本丰满了、深刻了。

剧本的复杂性、深刻性并不在于人物多，场面大，不在于豪言壮语，或故事的曲折奇特，而在于对社会、对人生、对人的了解。你究竟看到多少，懂了多少。写东西不流于表面，不仅仅让人们当时看得有趣，应该迫使人们看后不得不思索。《娜拉》之所以是世界名著，直到今日还有生命力，就因为易卜生写得深刻，写得真实。剧中最后一段，娜拉和她丈夫有长时间的对话，十分精彩。让你不知不觉地跟着它走。那也可以说是一种说理性的东西，但它是借着人物流露出来的。到现在为止，世界上写妇女解放的剧本不少，实际上能够存在下来的，让我们忘记不了的，还是易卜生的《娜拉》。现在挪威还在演出。因此说，写社会问题也是可以经受住时间的考验的，人们看的不仅仅是那个问题，问题也许已经过去了，可是那些人物还是活灵活现，让你想着。我们的一些剧本，现在很需要，很受欢迎，但要看得远一些。

易卜生（1828—1906）年轻时写过许多历史剧，他写《娜拉》（1879）时已经五十一岁了，他已写过两部伟大的诗剧《布朗德》（1866）和《彼尔·金特》(1867)，歌颂“人的精神反叛”。《娜拉》演出后，轰动挪威和整个欧洲，一位妇女解放运动者十分热情地找到易卜生，请他解释《娜拉》的主题与思想，易卜生只简单地说了一句话：“夫人，我写的是诗。”

易卜生的这个答复是有道理的。我想，他是说不能简单地用一种社会问题（如“妇女解放”），来箍住他对如此复杂多变的人生的深沉的理解。

举这个例子是说明，写社会问题剧，也要对人类的精神世界和生活的哲理有一定的认识。

以上是我说的第一点，用一句话说，就是社会问题剧要注意提高。

我们的“戏剧天地”绝不仅仅只是社会问题剧。题材要广泛，这是党早就号召的，也是人民的需要。为什么我们现在还做得不够呢？我们写东西不光要有益于社会主义，还要有益于人民，有益于人类。最近我看了《文艺报》上孙犁同志的一篇文章，写得十分好，也十分透。他勇敢地提出“人道主义”的问题，这是很大胆的。我由此想到，我们写“人性”写得太不深了，甚至有人至今还不敢碰。每个人物都是有性格的，就看你怎样写，敢不敢写，会不会写好。现在有的人好像头上戴了紧箍，不管谁一念紧箍咒，他的头就痛。这不好。不在于人家限制你，而是自己限制自己。这也是有来源的，中国几千年的封建束缚和几十年的极左压力，使得许多人谨小慎微，不能畅所欲“写”。畅所欲写，并不就是写黑暗，一味写黑暗是不利于祖国的。我是说，要写那些叫人揪心的，使人不能忘却的人物，写他们的情操、信念。这样的人物是能代表社会的一部分真实的。不这样，就不会有生命力，就保留不下去。一个作家进行创作，主要是运用形象思维；他的世界观、人生观就渗透在里边。作家反映真实的生活，也就反映了他的政治观点和艺术观点；不是先有某种预定的观念，也不管自己懂不懂，消化没消化，就按照这种观念去塑造形象，让那些形象同政治观念去“合槽”。这样的作品写出来是不会真实的，甚至是假的。用马列主义观点观察生活、研究生活是对的，但是不能用马列主义观点代替作品的主题。主题不是事先规定好的，是生活中来的。我常常想，一个作家，应该也是一个思想家。无论看到什么，都要想想，不要人云亦云。不要听到一件事，就轻易下结论，不要头脑发热。过去说带着问题下去，这是可以的，是一种办法；但是一个作家要广泛了解真正的生活。不要太急于动笔，有人下笔千言，那正是因为他的生活积累够了。可以说所有伟大作家的好作品，不是被某个问题箍住的。《红楼梦》把整个社会都反映出来了。《战争与和平》《人间喜剧》这些伟大作品，都反映得很深刻、很厚实。文学反映生活，不是那么狭窄的，也不应该是浮浅的。在人物身上应当能体现出时代的精神。这样才可能有思想性。现在一般认为，提出了一个问题，就有思想性了，我想这是个误解。把思想性简单地理解为某一个问题的是非观。其实绝不止此。暴露与歌颂也不能代表思想性。思想性来自于作者对生活执着的追求、观察与思索。有这样思想性的作品，才能真正叫人思、叫人想。但是，它不是顺着作家规定或圈定的思路去想，而是叫人纵横自由地思索，去思索你所描写的生活、人物，也思索整个社会、人生和未来。我们应该努力要求自己，在创作上不要走一条轻巧而容易的道路，要写自己的精神世界中真正深思熟虑过的，真正感动过的，真正感情充沛的东西。艺术上要十分考究。我并不是说一写出来就要名垂千古，我不过是希望能够把我们这个时代的精神反映得更深、更广些。

不要浅尝辄止。有一阵子写科学文艺很热门。徐迟同志的《哥德巴赫猜想》是一篇非常好的作品，从那开始，接着出现许多这类很好的作品。但这种科学文艺现在又不够多了。有一阵子写中日友好，有《泪血樱花》《玉色蝴蝶》。又有一阵子写台湾回归大陆的问题，就有《彩云归》《归帆》……这些东西都应该写，也需要写，也能写出好作品。但是，我希望有经久不灭的火，而不是一阵风。艺术的火焰经久不灭地燃烧着，这才是伟大的著作。人们永远看到它的光辉，从中能了解到做人的道理。

对生活的观察不要有框框，视野要广阔，要深厚。这不是说工厂、农村、学校都要同时去了解，这也不大可能。能在某一方面了解的深，了解的透，有了真正的感受，有了非写不可的感情，就好。再有，就是艺术技巧问题。我认为技巧是不难学的，只要天天写，多读书，日久天长，就会写好。写新的，也可以写老的；写目前需要的，也可以写永久需要的，主要是敢于写生活的真实，不要看出人工的雕琢。我的戏就有雕琢气，只有少数一两个较好一点。要在极不雕琢中，写出了不起的人物，写出人物的性格。

唐代著名的文学家韩愈说得好，“唯陈言之务去”。古人就懂得这个道理。我们今天需要更多的新的东西，更多的好东西。

文艺的道路是那么宽广，创造人物是那么有趣，那么动人。只要我们肯下苦功夫，那真是乐在其中呵！

写在《威尼斯商人》上演之前

莎士比亚是全世界伟大的诗人和戏剧家。他的《威尼斯商人》充满了人道主义的乐观精神。

有人把《威尼斯商人》当作正剧来演，有人把它看成是悲喜剧。我认为它是个浪漫喜剧。

戏中有两个重要人物，高利贷者夏洛克和机智、聪慧、美丽的波希霞。在夏洛克身上可以看出，资本主义原始积累时期，资产阶级的残酷。这个戏更重要的意义，是通过波希霞，热情地歌颂文艺复兴时期的新人。这里，更明确地歌颂新的女性。波希霞的聪明、品德和追求自由的勇敢，都是十分突出的。

《威尼斯商人》在“五四”以后，成为莎士比亚最早在中国舞台上被介绍的剧本，不是偶然的。当时，这个剧本叫作《女律师》或《一磅肉》。因为“五四运动”，“妇女解放”也是其中一个重要的思潮。从这个意义上讲，易卜生的《娜拉》、莎士比亚的《威尼斯商人》，

【题注】载1980年9月4日《北京晚报》。

与“五四”这样的思想大解放运动是相适应的。波希霞所意味的性格、思想，对中国人民来说是不陌生的。

近三年来，百花齐放。我们有许多自己的好剧目，但也要介绍世界名著。这对于提高和丰富我们的文化是有益的。我衷心祝贺中国青年艺术剧院的《威尼斯商人》演出成功！

怀念赵丹同志

在人大开会期间，大家都忙。好不容易找到张瑞芳同志，我说：“咱们一定要看看赵丹，听说不大好了！”瑞芳早已着急要去，说：“现在病房拒绝探望，医院进不去！”

瑞芳机灵，路子多，只有请她再想办法，尽快探视赵丹。

九月十二日的半夜，电话铃响，我听到瑞芳急促的声音，说明天下午四时在北京医院门口，她托人在门前等着，可以一同进去。听她的语气，她的心里一定也是沉重的。

翌日，下午又有会，必须参加。我坐在门旁边，讲完意见溜走。赶到医院，瑞芳已进去。我在医院暗淡的甬道里追上她。宽宽的甬道上，寂静无人。忙找到赵丹的病房，他的门上悬着“严禁会客”的木牌。我们在门前倏然停下来，不知进门后，他已变成什么样儿。

我们轻轻敲开门。阿丹躺在病床上，左边挂着输液瓶，两个青年人立在床前望着他。没有看见黄宗英同志，她日夜服侍，这时出门不

【题注】载1980年10月15日《文汇报》。

知办什么事去了。

阿丹似乎闭着眼睛，动也不动。

我记起一年前我在和平宾馆里遇见他。他的身体极好，脸似乎团团的了，穿一身漂亮洒脱的西装，从楼上跑进饭厅，笑呵呵地招呼我，浑身的精力鼓得要爆出来。他要了一大碗面，一口气囫囵地扒拉下肚。吃完就走，就要赶到电视台跟日本电影演员会面欢谈。他一阵风去了！像是个生气勃勃的二十几岁的小伙子！

现在，一脸胡楂子，清癯的面庞黑黑的。虽然瘦多了，两颊凹下去了，但气色还好，神态安详，不像病得那样重。

我们轻轻挨着他的床沿，他忽然睁开眼。一看出我和瑞芳，他紧紧抓住我们的手："你们来了！"他哪像个病人？他顿时笑了起来，谈这问那，滔滔不绝地说下去。我们告诉他两个大会开得非常好，发言淋漓痛快，民主空气极活跃。他说都在报纸上看到了。他很高兴，说着话，甚至想举手比画。

"不要动！你在输液！"

"不要紧。"他说。但是身边的护士长还是按住他。

"阿丹，你气色很好。等你出了院，再见面时，一定要给我一幅你的画！"我不知为什么要这样说。记得瑞芳曾当着他对我讲过："你说他画得好比夸他演得好，他要快乐得多！"

"一定！一定！我正要开展览会，你看哪幅满意，你就拿那幅去。"他大笑起来。

他不肯谈他的病，我们也不肯问他的病。见着老朋友，赵丹仍是很开心的。他提起一九三七年为了业余电影演员剧团要演《原野》，如何与我初次会面；抗战初，如何在宜昌江岸巧遇，又在那个江城一个破旧漏雨的剧场里，我们一同演抗战戏；如何在重庆街头上见着我，拉我到他山顶小屋里看他画画。

病房中，只见他兴高采烈地谈笑风生。平时，我们见面常常互相笑谑；这次，我就在他身边犯傻。瑞芳找话说了一阵，其实，不知有多少心里话想说出来安慰他，但还是没有说够，终于被护士长催出去。

临行，赵丹定要和我们一个一个地握手。我心里难过极了。

出了门，悄悄问他女婿：究竟他的病怎么样？他低声讲："没有什么希望。"我不知赵丹是否自己知道病的真情？大概他是晓得的，不然，他不会这样惜别。

我以为他至少还有半年的生命，也许三四年还能拖下去，甚至希望忽然有一种奇药，使他起了床，又走到摄影机前，演出几部经典性的影片。

十月八日，我在《人民日报》上读到他的文章《管得太具体，文艺没希望》。那是他在病床上的呐喊，呼吼，争论，劝说，诉告，甚至是祈求！他对文艺发展前途的热烈盼望，点燃起每个人心中的火焰。他指出文艺道路上的一些问题，亟待解决。

赵丹生前，许多领导人到医院去探望他，迭次嘱咐医院用最大的医疗力量来挽救他的生命。党和政府是需要人才的，殷切希望延长艺术家的生命。

但艺术家的生命之所以值得人民如此珍视，是因为在他活着的有限时间里，他能有机会充分运用他的艺术才能为人民服务的。

后汉伏波将军马援说过"马革裹尸"这样的话："男儿要当死于

边野，以马革裹尸还葬耳，何能卧床上在儿女手中邪!”这才是“死得其所”。我有一种谬论：战士应死在战场上，作家应死在书桌上，演员应死在舞台上，伟大喜剧作家与演员莫里哀是死在舞台上的。引申说，一个真正的人，应该为人民用尽自己的才智、专长和精力，再离开人间。不然，他总会感到遗憾，浪费了有限的生命。

赵丹从未浪费自己的光阴。他多年从事于戏剧电影事业的贡献，无须再提了。十年浩劫后，听说他确想仍为电影艺术大显身手，施展他的才能。

使我感到痛心的是，赵丹的“壮志未酬身先死”，疾病夺走了他的生命。

我读了赵丹的短文后，不知为什么联想起诸葛亮的《后出师表》。赵丹死前念念不忘文艺的兴衰，深恐来日不易。我觉得他对党的事业忠诚、热爱，直言不讳，表现出他的坦荡胸襟。他“鞠躬尽瘁，死而后已”。这是我们应该学习的精神。

如今，党正在努力克服困难，铲除阻力。我们的文艺事业，正在改革与前进中。文学，尤其是小说，出现了不少好作品。而赵丹以其经验与才华，终未竟其志，离开了我们，这是何等巨大的损失!

有位朋友和我说，中国好像是在汹涌大浪中一条巨大无比的船只，负荷很重。现在要在风浪中转大弯；要稳，要谨慎，要有个较长的过程。但是，“谨慎”不等于不需要大刀阔斧；“稳重”不等于缓慢和容忍。治理中国这样的大国是困难的，治理经过十年浩劫后的中国尤其难。我们需要的是自上而下的团结与决心。全国正在为“四化”而努力，人民日夜盼望富强的新时期早日到来。

赵丹同志的遗文，虽然仅囿于文艺，但他的心肠和用意是深远的，广阔的。

赵丹同志真是一位人民的艺术家。

创作的回顾

——曹禺谈自己的剧作

关于《雷雨》

写《雷雨》是为反封建。我生长在封建气氛很浓的家庭里，我周围的亲属、朋友，差不多都是封建社会里的核心人物，代表了封建社会的丑恶、黑暗，使我感到可厌、可恨，不能自制。写《雷雨》的时候，我还在大学念书。初生之犊不怕虎。我只有一个反封建的思想，便开始思索结构，有时甚至动笔了。我不是一幕一幕顺着写的，而是对哪一段最有感情就先写，怕感情流失掉。我先写的是第三幕周萍到

【题注】载《语文学习》1981年第5期。文前有整理者夏竹的说明："去年十月，曹禺同志在杭州讲学，谈了《雷雨》《日出》《王昭君》等剧的创作意图。虽然曹禺同志一再申明，由作者来分析自己的作品，往往带着主观感情，因而是不全面的，但是，听讲者一致认为，曹禺同志所谈的创作情况，对于我们理解作品、进行教材研究，是有很大的启发的。为此，笔者把他在杭州的多次讲话整理成文，以飨读者。文章已经曹禺同志审阅，并作了少许改动。"

四凤家敲窗一段，后写周朴园逼周蘩漪吃药，再写周朴园与鲁侍萍相见……看起来，像是拼凑，但实际上，我有了一个详尽的结构，我心中反封建的主题思想是十分明确、清晰的。

周朴园是个资本家，也是一个“人”。周朴园是一个比较复杂的人物。他是封建家庭专制主义的代表，但并不是没有人性。例如他对鲁侍萍（即鲁妈）的爱情，应该说不是虚伪的。三十多年前，周朴园是个大少爷，曾到德国求过学，并不像他后来的儿子周萍那样胡闹。而鲁侍萍当时是周家的侍女。这女孩子当时漂亮、伶俐，还读过些书。在日常的接触中，周朴园感到鲁侍萍很懂事，能听得懂他讲的话，服侍很周到，于是，对鲁侍萍产生了感情，犹如《红楼梦》中贾宝玉对晴雯、袭人那样。以后，就发生了关系，生了两个孩子。周朴园的父母也是默认了的，已成了周朴园的偏房。后来，鲁侍萍被周家赶走，周朴园是不情愿的，但在“父母之命、媒妁之言”的时代，他又是没有办法阻止的。何况在赶走之前，周家始终未让他与鲁侍萍见上一面。剧本第二幕中，鲁侍萍有这样两句台词：“三十年前，过年三十的晚上我生下你的第二个儿子才三天，你为了要赶紧娶那位有钱有门第的小姐，你们逼着我冒着大雪出去，要我离开你们周家的门。”我在这里不用“你”，而用“你们”，就包含了这个意思。鲁侍萍被赶走后，经过三十年的变迁，周朴园的地位变了，人也变得凶狠了，这是一方面。另一方面，他还一直保持着初恋时对鲁侍萍的感情。所以，他保留了她的照片，牢记着四月十八日是她的生辰，客厅的摆设仍保持着三十年前的老样子。这不是虚伪，而是周朴园对鲁侍萍的真诚的怀念。但一旦相见相认，情况就起了变化。周朴园印象里的鲁侍萍，是个年轻美貌的女子，如今站在面前的鲁侍萍却已经老得不像样了，满脸皱纹，穿一身土头土脑的衣服，已经不是他过去所爱的鲁侍萍了。这使他从美好的记忆回到了现实。第一句话就问：“你来干什么?”继而又拿出资本家对待工人的架势，企图用五千元（奉币）支票打发她走。应该说，这也是“人性”，一个剥削者的人性。

鲁侍萍和周蘩漪是两个不同的妇女典型。我写这两个人物，想通过她们不同性格的对比，提出妇女解放的问题。鲁侍萍是封建社会里被压迫妇女的代表。她贫穷，没有身份，遭到了像敫桂英、李慧娘那样的命运。但她有志气，很强悍。虽然她相信命运，但始终没有在恶势力面前低头。三十年前，她在周家当侍女，与大少爷周朴园产生了爱情，并生了两个孩子，结果被周家赶了出去。她走投无路，投河未死，但也活不好，嫁过两次，都未建立起满意的家庭。三十年来，她尽管恨周家的一切人，但对同周朴园共同生活的日子，还是怀念的。所以当她无意走进周家的门时，马上认出了她三十年前见过的一切，她想走，却未能挪动一步；想回避，但当周朴园出现时，又终究吐出了真情，因为她想看看今天的周朴园究竟是什么样子。但是，她所看到的周朴园，已不是三十年前那个多情的少爷了。周朴园已经变得凶狠无情了，从而勾起了她新的痛苦和仇恨，断然拒绝“恩赐”，立即把四凤带回……

周蘩漪也是一个受压迫的妇女，但出身和生活道路与鲁侍萍不同。她是一个富家的阔小姐，有文化，读《西厢》，也读点《新青年》。她嫁给周朴园，应该说是门当户对，但是并不幸福。她并不爱周朴园，更不愿受周朴园的管束。于是，她同名义上的儿子——周萍发生了关系。尽管周萍乱七八糟，后来又厌弃她，但她仍采取恳求、报复等种种方法抓住周萍不放，因为这是她的第一次爱情。可是，在那个社会里，她还是失去了一切。

鲁侍萍和周蘩漪这两个女子都遭受封建势力的迫害，都没有得到她们所追求的爱情和幸福。

《雷雨》的矛盾主线是周朴园与鲁侍萍的矛盾。这个戏的矛盾主线是什么？在我写的时候，确实没有想过。以后问的人多了，逼得我去思索。《雷雨》的结构，不合乎李笠翁所讲的编剧方法。李笠翁要求线索比较简单，从头至尾贯串一条线；而我的写法，是把好几根线穿插在一起。到底为什么这样写，我也说不清楚，大概是我当时对每个人物的印象都很深，觉得这个人物要写，那个人物也要写，所以造成众多的矛盾线索。《雷雨》写了两家人——周家和鲁家。这两家有极密切的关系，又有很深的矛盾。按我的意见，戏的中心人物是周朴园，他的对立面是鲁侍萍。要说矛盾主线，这就是矛盾主线，其他人物的矛盾，都是从周朴园、鲁侍萍身上派生的。——我虽然这样分析，自己还是怀疑这种分析是否科学。

关于《日出》

旧社会非死亡不可，新社会必然诞生，是《日出》的主题。《日出》是继《雷雨》后写成的。那是一九三四年，我才二十四岁，对马克思主义知道得很少。读马克思的《资本论》，看了开头便读不下去了，读不懂。《共产党宣言》还比较好懂，但读起来也非常吃力。不过，当时我受过“五四运动”的影响，受过鲁迅先生以及其他老前辈的作品的影响，还受过欧洲戏剧的影响。当《文学季刊》的主办者巴金和靳以约我再写剧本时，我的脑子里老翻腾着我所想象的一位诗人写的《日出》诗中的四句话：“太阳升起来了，黑暗留在后面。但是太阳不是我们的，我们要睡了。”它使我首先想到了陈白露和方达生，也想到了潘月亭、胡四这些人。我已经说过，我年轻的时候，就处在像《雷雨》那样的环境里，我的亲戚，我父亲的朋友，大多数是剥削者。《雷雨》写成后，我很想在一出戏里反映社会上各种各样的人。那四句诗，触发了我创作《日出》的欲望，想起了我所观察到的各种各样的人。剧中陈白露曾对方达生说，你要在这里住几天，你就先看一下我现在同社会上接触的是哪一些人物，可以看看这里的人怎样过日子。陈白露说的，也是我所希望于读者的。

陈白露是贯串全剧的人物。有人说，《日出》这个戏没有什么主要人物。这话是对的，我写的时候，也这么想过，想在戏里表现社会上的种种丑恶。但还是有贯串全剧的人物的，那就是陈白露。

我认为，陈白露这个人物是非常可爱的，也是比较勇敢的。她不是死于债务，而是被社会逼死的。她年轻，漂亮，又是交际花，本可以活得很畅快。虽然供给她钱的老头子死了，但她凭着“年纪不算太大”“长得不算难看”，仍可换一个奉养她的资本家，照样活下去。但使她致命的，是她要求从那个社会跳出来，到一个新的理想境界里去。这个境界她没有找到。她的遭遇使她看透了，这个社会没有前途，自己也没有前途。她不愿意那样活下去，终于自杀了。她的自杀，可以说是一种抗议。最后由陈白露念出那四句诗，表明陈白露认识了社会的矛盾，也是剧本的主题所在。

关于《王昭君》

写《王昭君》是为歌颂民族团结。王昭君这个题材我很早就想写了。大约六〇年吧，曾和周总理谈起，总理说，你写这个好，你就写吧。写民族友好，大汉族主义是最重要的部分，要着重写。于是，我就下了决心。剧本发表后，有人说这是“遵命文学”，你遵总理之命，怎么写得好呢？我不大赞同这种说法。“遵命”，也要看遵谁的命，遵什么命。遵人民之命还是对的。人民要你这样写，你就应遵人民的命。民族团结、友好这是各族人民的共同愿望。另外，台湾说我这是“国策文学”，意思说，是根据共产党所定的国策而产生出来的文学。也许有这样的影子吧。但是，他们忘记了我是个人，是写戏的活生生的人。人是有灵魂的呀。国家政策摆下来，我并非一定要写。如果这个政策合乎我的心理，合乎我的思想感情，合乎我的生活，我就愿意写。否则，我就不写，也写不出来。

我的王昭君是笑嘻嘻的。我是有根据的。《后汉书》记载匈奴呼韩邪单于到汉求亲时，王昭君向掖庭令（汉代管理后宫的一个机构）表示“自愿请行”。这是我塑造王昭君形象最重要的事实依据。王昭君不下大决心是不可能“自愿请行”的。难道她不知道胡地的艰苦吗？她不愿在汉宫过悲怨的生活，自愿嫁到匈奴去，这位汉家姑娘有多大的胆识！《西京杂记》里有这样一句话描述王昭君："举止闲雅善引对"，讲她非常能说话。一个女孩子在皇帝面前"引对"，如果没有一点本事，那吓也吓坏了。可见她相当勇敢，有魄力。《后汉书》还记载王昭君到匈奴后，很受匈奴人尊重，对边境的和平有很大影响。宋代王安石写过关于王昭君的两句诗："汉恩自浅胡自深，人生乐在相知心"，可见王昭君到匈奴后的生活是美满的，没有什么悲怨的情绪。这足以说明，历史上的王昭君，并不像人们历来流传的那样，是悲怨的，哭哭啼啼的，而是热情勇敢地追求着自由和幸福的。我根据这些资料和时代精神的要求，进行了想象、虚构，写成现在这个样子。

我想把《王昭君》写成诗剧。写《王昭君》，我希望把以前的东西抛掉一些，写成有诗意的剧本。夸张地说，就是写成诗剧。我的本领不够，谈不上诗剧，但总想写出点诗情画意。里面用了歌唱的形式，以西汉时流行的那首《长相知》情歌来贯串全剧，试图造成民族和好的气氛，像夫妻、爱人不能分离那样。即使是出自王昭君口中的一些说理的话，我也努力写得有节奏，有味道。为此，剧本里还用了一点象征手法。例如剧本的结尾对"合欢被"的处理。"合欢被"随着那位老头子变成的大雁飞向天空，它的光彩照耀了胡地，也照耀了汉地，象征汉胡两家同盖一床"合欢被"，永远友好下去。有人说，《王昭君》有点莎士比亚式，这当然是誉美之词，太夸奖了。但我不能不受这位大师的影响。莎士比亚的作品我从十几岁开始读，一直读到现在，多少要受些影响，譬如剧本中的旁白、独白，让人物讲自己心里的苦闷，等等。

另外，在语言的运用上也同过去的剧本有些不一样。过去写《胆剑篇》，用的是文绉绉的语言。后来我去问观众，观众说听不懂。这次写《王昭君》，我就采用郭老的方法（郭老写历史剧，什么样的词句都用），让王昭君说现代的词语，非让人们听懂不可。

我对戏剧创作的希望

你们都是写剧本的，我也是写剧本的，不过比同志们写得早一点。今天，我想谈谈咱们戏剧创作的一些问题。

粉碎“四人帮”以后，我们的文艺有个很大的繁荣。反应最快的是相声，其次是戏剧，再就是小说……三年多来，我们看了不少的好剧目。话剧就有不少好的。一些比较好的传统戏曲剧目恢复了上演，还有新编的历史剧。现代戏很有几本好的。三年来有一个了不起的现象。三十年来，以前有一段是“万马齐喑”，现在是万马齐鸣。这个现象当然是非常鼓舞人心的。但是目前我们感到有许多麻烦，有不少阻难。我想从一个创作者的角度，看一看我们可以改进的地方。

【题注】载《剧本》1981年第4期。文末附注：“此文是曹禺同志八〇年十一月三日在杭州召开的戏曲、歌剧现代题材作品讨论会上的讲话，根据录音整理。”

作者看问题应远一点

我头一个感觉到咱们作者看事情，看问题，应该往远一点看，也就是说，把问题看大一些，不能局限在一个角落里看问题。对某一件事情，因为你看的角度不同，先有一定的成见，常常把一个带有个人成见的问题写在剧本里头，这个剧本就显得薄，显得不厚实。我看的话剧不算太多，我感觉话剧写的东西给人去思索的余地不多，总是抓住一个当前的具体问题，就写这个具体问题，甚至解答了这个具体问题。

你们看，古往今来的大作家，有的在剧本里提出问题，也解决问题；有的只提出问题，但并不解决问题。他不负这个解决问题的责任，因为他提出的问题太大，而且他看得很远，他觉得自己提出的问题，未见得就能够在剧本里头把这个问题解决掉。

但是，我们目前大多数的“问题剧”，都有一种“野心”，比较大的“野心”，就是一方面提出问题，一方面就在戏里把问题解决了。甚至于，有时当我们的党和政府刚刚提出一个政策来，我们就紧紧地跟上，十分具体地跟着这个政策，做这个政策的解释者和解答者。这有好处也有坏处。好处就是我们做了一个很好的宣传，用我们的作品来解释党的政策，或者跟着党的政策来写东西。但是，我看到的一些话剧，就发现一个小问题，我们就拿《权与法》来讲，这个戏写得好，很受欢迎。我应该指出，这是一个很好的戏。我看演出时很受感动。但它也存在不足的地方。什么问题呢？这个戏大家都看过，它讲法制：你是个有特权的人，不管你官有多大，你也得按法制办事。你触犯了刑律，我就要办你。那个坏的书记，侵吞公款来盖自己的亭台楼阁，干不法的事情。新的书记来了，就依法办理，“执法如山”，坚决把这个人“解决”了。当然，解决的办法是依法定手续，并不是立刻就逮捕，看情形可能是从严处理的。作者提出了问题，并在戏里解决了问题。换句话说，就是正面战胜了反面。正面人物战胜反面人物是好事，应该提倡的事。

然而，这里头有一个值得研究的现象，我后来看的一些戏，也有这么一个特点：一写正面人物就把他过分的夸张，好得不得了；写反面人物呢？也过分的夸张，坏得不得了。这种创作心情是可以理解的。我尽管挑剔，我也经常如此。这种搞法，好的人物好到什么程度呢？譬如，这个新的书记与那个旧的、坏的书记，他们过去是老战友，当初曾一起打过仗，同生死共患难，现在那个旧书记坏了，新的书记不顾生死之交的老关系，坚决要法办他。而这个坏书记的姐姐恰恰又是新书记的爱人，她虽有不忍，但“大义灭亲”，坚决听她丈夫的话，同意法办她的弟弟。终于，在报纸上发表他的种种罪行，最后依法办事，这样做好不好呢？在当时，我看了非常受感动，观众看了以后非常“解气”。就是邪不压正嘛，最后是正面人物得到了胜利！

这个问题提出来是好的，我赞成作者这么提。但，是不是就一定要这么写？可以研究。我觉得，在那个时候，《权与法》刚弄出来的时候，我们正在反对特权，坚决要搞法制，就不管它可能不可能有这样的结局，我们就要这么写，就是要大义灭亲。他就是今天的“包公”、今天的“青天”。因此，它获得了大家的热烈欢迎。因为人民希望法制，希望反特权嘛！看到台上果然有了，大家就热烈地鼓掌！但是，事实上，这样的结局多不多？这个法制，是不是这样容易建立？如果在生活中有亲戚关系，又有老朋友关系，老战友的关系，遇见这样的事情，他怎么解决法呢？是不是就像这个戏这样，我是不敢完全肯定的。

过去我们在台上演出逮着了土豪劣绅，大家一斗之后说：“枪毙了他！”“砰”一枪，就把他毙了，大家觉得很出气。这是一种解决办法。但是，在目前的状况之下，生活是这样的复杂，它的结局就有几种可能：一种可能性，就像剧本所写的那个样子，就那么圆满，那么使人满意。这个戏的好处是在这一点上，叫你满意了，叫你对国家的前途，法制的前途，建立信心。但是，另一方面，使人感到这样的结果来得太容易了。说得厉害一点，是“画饼充饥”的办法。饼还没有做好，就画一个。实在太饿了，先画一个饼看看，也是好的。这样写，也不错。但这种办法似乎可以考虑一下。我不是说不应该树立法制的观念。无论如何，事事要有法制；不论官大官小，人人都得讲法制。但是不是那么容易啊？不一定。咱们看报纸，从读者来信和记者的报道中，看到有许多问题明明是贪赃枉法，明明是冤案、错案，有的就是解决不了。还有一种情况，刚好倒个个儿，不是正的把邪的打倒了，恰恰是邪的把正的打倒了。有没有这种情况，我猜想，可能有的。起码，暂时有这种可能，不然，我们目前的问题就不那么复杂了。前进之困难，“四化”建设之困难，就不像戏里那样容易解决。你也可以说，我写这个戏，确确实实是根据某某事情写出来的，这是个真事情。这个，我也相信，有这种真事。但是不是所有这一类事，都进行得这么顺利，结果都这样圆满？我们无妨想想。

因此，我主张，今天的问题必须写。但是，如何解决这些复杂的问题，要多了解一点生活，要多有一点儿自己的思想。使人看了以后，有思索的余地，总觉得台上的事情是可信的。这样，他才真正树立起信心。

《权与法》这种写法，我不是不赞成，我觉得这个戏的作者是有功劳的。在那个时候，他这个戏真是鼓士气啊！但是，长久这么写下去，就有点对不起观众。我们跟真实的生活，不要离得太远。当然，“正义”总是要抬头的，总是要胜利的，但是要经过一段多么艰苦的斗争啊！

这种写法，常常使我联想到我们旧戏用的“大团圆”结局。旧戏里，才子佳人要受各种各样的磨难，父亲母亲不赞同，这个问题，那个问题一大堆，甚至“佳人”被人家抢去了，后来把她弄回来，终于结了婚。善有善报，恶有恶报，最后大团圆。这是许多人爱看的喜剧。《玉堂春》虽然是“传奇”，事实上，难得有这样的理想的结局，但这出戏确实写得耐看。当然，还有悲剧，如《白蛇传》。所以，旧戏也并不全用“大团圆”的手法。方才提的那种写法，似乎多少因袭过去“大团圆”的路子。因为它确实叫人解气，叫人痛快。

写戏不在于如何结局，而在于怎样提出问题

我更进一步的想法是，你写一个剧本，不在于要如何结局。这倒是其次的。我认为，在于你怎样提出问题。这个问题提得深不深？提

得透不透？怎样写出人物来？这才是重要的。你提的问题确实很深很透，而你并没有把它解决，或并没有把它完全解决，大家怀着一肚子的问题要想，让他们回家去想去，一晚上睡不好。不止一个晚上，够他想几天几夜，甚至以后老在想。这样的戏，就坏吗？我看是不坏的。因为生活是复杂的，有许多问题不是一时解决得了。这里，我要说明，我不是反对“大团圆”的写法。我仅仅要说，我们还有更广阔的道路。

有些戏的毛病，是看了之后经不起推敲。这种戏，可以轰动一阵，但回味不出什么道理，不叫观众扩大眼界。观众对我们的期望是高的。我们不能给他一块糖，吃了甜蜜蜜的那么一会儿，就过去了，这个不行。你们看易卜生的《娜拉》，最近电视上放映过。看完《娜拉》之后，它给你的不是一块糖，也许是青果，要你慢慢回味；也许是一块苦瓜，让你吃后，永远忘记不了那种味道。作者没有写最后结果如何，他提出了一个真正的妇女解放问题。一直到现在，尽管全世界妇女中的某些人争取到社会地位，但妇女解放问题还是一个很大的问题。这是一部经典著作。到现在还没有一个写妇女解放问题的剧本能超过易卜生的《娜拉》。

要反映生活的真实

咱们还有一个责任，如何使观众提高文化修养，如何使观众提高鉴赏能力。换句话，我们要让观众能够欣赏好的剧本。这种剧本，不只是反映“真实的生活”，而且要反映“生活的真实”。譬如关汉卿的《窦娥冤》，就是个杰出的剧作。这个戏写于十三世纪。它真实地描绘了当时残酷的社会生活；通过一个蒙冤而死的普通妇女的满腔怨愤，感天动地，连自然界都为她起了异常的变化，有力地抨击了封建社会的黑暗，强烈地表现了长期遭受压迫的人民群众的反抗情绪。

窦娥和蔡婆婆两人相依为命，过着孤寡的日子。地痞张驴儿和他的父亲，借口救了蔡婆婆，乘危要挟，肆无忌惮，搬进蔡家居住。张驴儿的父亲强占了蔡婆婆。张驴儿要霸占窦娥，窦娥断然拒绝了。张驴儿想毒死蔡婆婆，反而毒死了自己的父亲。他转而诬陷窦娥，说是她毒死的，妄图逼她顺从。窦娥为了捍卫自己的贞节，宁要“官休”，不肯“私了”。窦娥心目中以为父母官是能主持正义，能替她昭雪申冤的。但楚州太守桃杌，是个见钱眼开、草菅人命的赃官，受了张驴儿的贿赂，把善良无辜的窦娥判成死刑，害人的张驴儿反而逍遥法外。窦娥的悲剧正是当时吃人的社会生活的反映。

窦娥的悲剧有着普遍意义。在元朝初年，社会动荡不安，人民生活贫困，卖儿鬻女比比皆是，流氓恶棍横行霸道，官吏昏庸无能，几乎是无官不贪，人们的生命安全毫无保证。窦娥的悲剧，实质上是当时人民群众的生活遭遇的集中反映，也就是时代的悲剧。

窦娥被绑赴法场，她满腔愤懑，指天骂地，对不公平的残酷的社会迸发出诅咒的嘶喊：“……天地也做得个怕硬欺软，却原也这般顺水推船。地也，你不分好歹何为地！天也，你错勘贤愚枉做天！”最后，窦娥发下三桩“誓愿”。行刑后，果然血溅白绫，六月天降大雪，三年大旱。

关汉卿这位伟大的剧作家，对当时的封建统治激烈地抗议。他通过窦娥这个善良妇女形象的遭遇，斥责控诉当时那种好人受罪，坏人横行，正义得不到伸张的黑暗社会。这体现了关汉卿的社会政治观点。他运用浪漫的手法，写天地、自然都为她不平，证明窦娥的冤枉。最后还有个托梦雪冤。在浓郁的悲剧气氛中，给人们一些希望，让观众解解气。关汉卿的《窦娥冤》就是概括地、真实地写出了那个时代的“生活的真实”。

大凡一个大作家，大剧作家，或者大诗人，他们都给我们一些东西。这些东西，不只包括他们文学上的美，感情上的真挚，人物的深刻；他们的作品往往有一种气势磅礴的感人力量，教我们对人生、对社会，有一种比较广大的视野，比较博大精深的看法。也就是说，人应该如何活着？人为什么而活着？这样一类的大问题。你看托尔斯泰的《复活》，或《安娜·卡列尼娜》，或《战争与和平》，他是在颂扬一个东西的。他颂扬人应当互相爱；做了坏事，自己要忏悔；不要打仗，要和平。在这整个大的布局当中，里头有无数的故事，无数的穿插，各种各样的真实人物，然而，最后他给你一个完整的感情，一套他对这个世界的想法。

我觉得，“真实的生活”和“生活的真实”不是一个东西。真实的生活是可以这么写，那么写，但要真正写出一个生活的真实来，就要看你用不用头脑去思索你所看到的种种，并把你真正感受和思索的东西写成作品。这样的作品，总是你经过了多少的困苦与艰难，然后才写得出来的。所以，我觉得，真正打动人的东西，是作家的那个极其亲切又极其真实，他感受到的、思考过的问题和他的答复。当然，无疑问的，还包括作家刻画人物的本领，文字的美，丰富的语言艺术，以及丰富的知识。但是，如果作家没有那个活生生的思想，那个深刻的感受，那么，作品的艺术生命就短。艺术生命长的作品，它总是打动人的灵魂，叫人多懂人生的道理。请你们多读读《红楼梦》，多读读关汉卿的作品，就会感觉到这个道理。

不要怕“对号入座”，不要绕道走

再有，咱们想想看，三十年来，什么时候能像现在这样，想写什么，就写什么？一般来说，现在比过去进步了很多。当然，在有的地方，不是一点干涉都没有了。有时往往写着写着，就出来了想不到的是非，叫你感到下笔困难。有的作者比较勇敢，提出一个尖锐的问题，立刻就有人来“对号入座”。“对号入座”，大家都懂，就是剧中所骂的这个人呀，“嗳，大概骂的就是我唷！”于是，他就要来干涉。这个问题，可能同志们多多少少见过一点，听过一点，甚至自己感受过一点。其实，你并不是为他写的。鲁迅不是说过吗？他写的小说，人物的模特儿，没有专用过一个人，往往嘴在浙江，脸在北京，衣服在山西，是一个拼凑起来的角色。他说：“有人说，我的那一篇是骂谁，某一篇又是骂谁，那是完全胡说的。”所以，“对号入座”的问题，是自古有之，连鲁迅这样伟大的人物都碰到过。如果你们提出一个尖锐的问题，又有人“对号入座”，怎么办？办法就是：应该有勇气，应该顶得住！诚然，你如果错了，那还是不应该写，不应该顶。

当然，也会有这种情况，常常弄得上也上不去，下也下不来，你说“下吧”，剧本已经写出来了，甚至已发表了，抹不掉；你说“上吧”，他跟你对上“号”了，他来指责，又演不出。这是作家最为难的问题。

还有一种情况，就是采取绕道走的办法，绕着道儿走。哪些问题最好不要谈；或者哪些事情，还不到谈的时候。为了避免一些不必要的麻烦，因此就绕道走，写些没有多少麻烦的东西，譬如，爱情呀，中日友好呀，中美友好呀，……等等。这些题材，可以写，应该写。写这些题材的戏，有些艺术上是不错的，政治上也有道理。问题在哪里呢？就是没有把我们的戏剧引上一条大道上去。这个大道，就是作者提出来的问题，写出来的人物，比较深刻，比较有生命力，不是昙花一现的。我们应该努力多写这样的剧本。

同时，我老觉得，我们目前应该多写一些反映现实生活的剧本。当然，写现实生活的剧本确实难写，但我们不要回避困难，不要绕道走。我们应该歌颂“四化”建设中的英雄人物，这是义不容辞的。但是，要写得恰如其分，写得真实可信，写得全面一点。

剧作家应该是思想家

我还有一个想法，一个剧作家应该是一个思想家才好。一个写作的人，对人，对人类，对社会，对世界，对种种大问题，要有一个看法。作为一个大的作家，要有自己的看法，自己的思想，有自己的独立见解。不然，尽管掌握了很多的、很丰富的生活积累，但他没有一个独立的见解，没有一个头脑来运用这些东西，从中悟出一个道理，悟出一个主题来，那还是写不出深刻的作品。咱们作品的主题，不是概念化的那套东西，也不是两三句话就把这个主题说明白了的，不是的。在剧本里，或者是小说、或者诗里，主题思想是通过许多生动的细节逐渐显出来的。所以，我们写剧本，不要走狭窄的道路，要走广阔的大道。

提高美的鉴赏能力

我们还要提高观众美的鉴赏能力。这就要求我们的剧本写得这样的好：一方面非常的通俗，一方面又非常的美。我所谓“美”，不仅指美的文字，还指美的思想，美的道德观念。我这个“美”字，包括得比较广。要有美的鉴赏能力，这与观众、读者的要求有关系；反过来，我们也应拿一些美的东西给观众和读者，使他们能够借我们的作品提高美的鉴赏能力。

再者，我觉得我们写东西，文字上要注意，一方面要通俗，一方面要有味道，有诗意，含蓄无穷。你看李白、杜甫的诗，你读完之后有余味，能叫你反复地读，百读不厌。我们现在要在通俗的语言当中，表现出诗意来，而不要借重陈词滥调，不要滥用辞藻。有些先生，过去因为旧体诗读多了，或者读得不怎么通，常常乱用一些辞藻，引经据典，写些难于理解的东西，这不大好。现代戏需要现代语言，现代语言包括两个方面：一是今天的语言；同时，是今天的美的语言。这需要各位同志下大功夫。写剧本的人，尤其是写戏曲剧本的人，不但要注意戏剧性，也要有诗人的气质才好。

还有一个问题，就是提倡戏曲的现代戏。如果我们今天忽视这个问题，我们将要丢掉很大的一块园地，一块很大的阵地。因为传统剧目，一般来讲，青年人不大看得懂。第一因为词的问题，第二是它的形式问题，都不大看得懂。地方戏就好得多，地方戏搞现代戏就容易懂些，因为它的词句通俗一些，故事是现代的故事，青年人容易理解。像评剧《小二黑结婚》《小女婿》，吕剧《李二嫂改嫁》，豫剧《朝阳沟》，它们就是好，很受欢迎！

多研究传统戏的编剧技巧

关于学习问题，我有个想法，供大家参考。传统剧目要多读、细读，把好的找来读，研究为什么这些地方就有吸引力？譬如《打渔杀家》，这个戏写得实在好。我讲一点，它的虚实结合得好。哪个地方要虚，哪个地方要实，哪个地方必须表现在台上，哪个地方就搁在台后，都安排得很对。比如说，萧恩被知县打了四十大板，被打的时候不是在台上。萧恩的女儿出来唱了四句，头一句“老爹爹到县衙前去出首”。萧恩告状去了。这句唱完后，后面打板子声，大叫“一十！”“一十”什么呢？一十大板。后台在打萧恩了。前台只有他的女儿，但观众明白，她父亲一出首就在县里挨打了。她接着每唱一句，后台就大叫“二十！”“三十！”“四十！”再一会儿，萧恩出来，已经被打伤了。公堂这一场就不必演了。虚实结合得多好。这值得我们学习。这一类比较好的剧目，在传统戏里是不少的。

传统剧目还有一个很好的特点，不噜嗦。当然，你说明代的传奇，一出戏演好几天，还不噜嗦？我是说比较好的，现在整理、改编过的本子是不大噜嗦的。此如，田汉同志改编的《白蛇传》，那真是非常情深动人的。尤其是关汉卿的《窦娥冤》，写得干净，简洁，惊天动地[1]，是一部伟大的作品。

现在，有一种现象，大概是受八个所谓“样板戏”的影响，就是爱用实景，这多半是从话剧学的。我觉得写现代戏曲剧本，咱们要从中国的传统剧目当中学习如何写。当然，现代戏写的是现代生活中的问题，这里头相当复杂，我只是说了一个路子。我觉得用真实的布景是不大好的。因为真实起来可以无止境的。譬如，黄佐临先生在西德看戏，看见把脑袋砍下来了，砍下来的时候，鼻子眼睛还都会动的！那个砍脑袋有什么看头？所以，实到这种程度，真是叹观止矣！我们中国的传统戏，它的表现形式有许多是可以借鉴的，咱们在表演上要尽量运用。这需要有一些真正要革新的人，一些要革新的演员，一些要革新的导演，一些要革新的作家，一些要革新的舞台美术家，一块儿合作，志同道合，共同创造，闯出一条路子来。

---

1 “写得干净，简洁，惊天动地”论戏剧本作“写得热情沸腾，却又深沉含蓄，它惊天动地”。

小剧场好处多

为此，我主张搞小剧场。所谓“小剧场”者，就是不大的剧场，能坐三十个左右的人就行。我和赵寻同志年初到英国访问，看过三十个人的一个剧场。三十个观众，台上呢，十好几个人演。当然，也有两三个人演的。它的好处是：它许可你做各种试验。票价又不贵。布景简单，不要多少东西。灯光也不复杂，亮了就成。你们可以设计这种小剧场，大家捐助点钱，国家可以津贴一些。你要真好，国家会津贴的。各地不要老跟着几个大剧场跑，剧场一则太少，二则要花许多钱。咱们搞小剧场，从三十人到一百人，顶多坐二百人。话剧也罢，戏曲现代戏也罢，拿到小剧场做试验。让观众看，看完之后，请他们提意见。先小后大，先在小剧场搞成功了，再把它放到大剧场去。小剧场可以附属在各种地方剧团、大剧团里头。大演员、好演员也要参加小剧场的演出，不然的话，就号召不了人来。小剧场还有一个好处，差不多没有多少机会上台的青年演员大可以上台了。这是个好办法。我看小剧场不妨几十、几百、几千的那么添，因为干起来不会用多少钱的。不要老觉得大剧场辉煌得很，非得那么大才过瘾。小剧场不怕没人看，问题是莎士比亚说过的那句话：“戏呀，才是真个的。”戏，是真个的。戏，是最重要的。真正有戏，就这么对面看，我就越看越有味道。

在英国访问时，我跟赵寻同志，我们几个人，在莎士比亚出生的地方，那儿有个大剧场，讲究得不得了，我们在那个剧场看了两出莎士比亚的戏。有天，英国朋友说，旁边有个小剧场，是个仓库改的，也属于这个大剧场的，很多大演员也在那里演。他请我们去这个小剧场看了奥尼尔的《安娜·桂丝蒂》[1]。

《安娜·桂丝蒂》是一部深刻的社会问题剧

这个剧本讲一个老水手如何找他自己的女儿。十五年前，他妻子去世，当时他女儿才五岁，他把女儿寄养在一个亲戚家里，给她寄钱，但没有去看过她。最后，在纽约一个小酒店，他父女碰头。他们过去通信，这女儿说她怎么好啊，说她做看护妇，帮人看护小孩子，教他们学习。在这个酒店里，他看见女儿打扮得妖妖艳艳，是个妓女啊，但他还不知道她已当妓女，他把女儿带到自己的船上去。他的女儿想重新做一个真正的女人，在船上她和一个青年水手相爱了，那个水手非常爱她。当那个水手正式向她求婚时，她认为自己不配和他结婚，所以没有答应，并诚恳地说出了自己被迫沦为娼妓的事。这时，父亲大怒，把她骂了一通；那青年水手也大怒，把她大骂一通，气走了。两天后，那个青年水手又来找她，说他爱她，不能离开她，若是没有她，他要发疯了。他提出第二天早上就结婚。这个女的感动了，答应了。她的父亲也高兴地答应了。为了赚钱维持今后她在陆地上的生活，老父亲和那个青年水手漂洋出海了。而这个想重新做人的

1 “《安娜·桂丝蒂》”论戏剧本、曹禺论创作本均作“《安娜·克里斯蒂》”。

妓女，在破船上等着等着，等着他们回来。他们要漂流到非洲去，究竟能否回来呢？结果如何呢？作者没有讲。但是，动人极了，这三个人写得非常好。我们看演出那天冷得要死，演员演得一身的汗，真演得好啊！静，静得不得了。所以，小剧场还有个好处：就像你我这么近。演员演得不好，不真实，不自然，就是瞒不过人。所以，小剧场训练出来的演员是了不起的。

我们中国有奥尼尔这个戏的译本，我希望你们找来好好看看。我觉得，这个戏是一部深刻的社会问题剧。它有几点值得我们借鉴：一、作者对人生看得比较全面，看得深。二、写得非常含蓄，不一目了然。他不宣传，但他做了最好的宣传，他老给观众留有余地，让你想问题。三、主要人物写得非常丰满，写得透，不是平面的，陪衬人物轮廓清楚，有性格，而且有职业特点。四、情节曲折生动，发展变化幅度很大，大起大落，但都入情入理。它情节很曲折，但不是情节戏，因为它的人物写得深刻，没有故弄玄虚的地方。我们现在有的戏情节离奇得不得了，那是情节戏。它的人物谈不上什么性格，故事转折不合逻辑，不合理。

总之，写作时各种手法都可以用，不一定那么一条路子。多少条路啊！真是“条条道路通罗马”。条条道路通向无产阶级的伟大文化。中国会出现无产阶级的伟大作家。这样的剧作家，这样的诗人，这样的小说家，会在你们当中出现。我的希望、我们这一辈人的希望寄托在你们身上。年岁不饶人，我们已经老了，不行了。我们不是不干，我们一定抓紧有限的晚年，和大家一起努力，为建设社会主义的高度精神文明而尽心写作。但是，真正的希望在你们身上。

跳加官

——代发刊词

《北京戏剧报》创刊了。同志们要我说两句话。

这使我记起孩时看庙台戏，必须三通锣鼓闹闹台，这才开戏。台帘掀开，跳出来一个戴着笑眯眯的面具、穿着红袍的老头儿，手持颂词的条幅，边跳边向台下膜拜，这叫“跳加官”。大约是向看戏的人祝贺吉祥之意。

似乎这次“跳加官”要我来演。我祝贺什么呢？想了半天，“长命百岁！”不要办几期引起了不知哪方面的麻烦，只好不办。或者虎头蛇尾，创刊号开头热闹一阵，办到后来审顾多端，畏葸不前，终于心肌梗死，一命呜呼。

本来要说点吉祥话，不料脱口而出，叫人丧气。其实，原不该如此说，因为这类事情还不大见到。大约是我爱之过甚，唯恐夭折的缘故吧。

【题注】载1981年1月4日《北京戏剧报》创刊号。

今天文艺刊物确实不少，它丰富了人民的文化生活，提起大家说话的兴头。该讲的说了不少，大家的言论，不像往日那样的贫乏、拘谨。这是“放”的结果，是提倡“畅所欲言”的收获。然而在某种时期，在某种问题上，还是不够“放”，不够“畅”。一来是可以发表的地方不够多，二来是过多干涉，不听党中央三令五申的“圣贤”们，还是大有人在。

于是我们才想办个《北京戏剧报》，也来参加今天的文艺新军。《北京戏剧报》是个小报，篇幅有限，只能登载小文章、短文章，登不起洋洋大篇。但“短”“小”，未见得提不出大问题；“短”“小”不等于说不出启发人们深远思索的真理。

因此办报的意趣有三：

一，勇于发表正确但明显的不大中听的话，即，勇于“放”。

二，积极为观众以及专业戏剧和业余戏剧工作者服务。介绍讨论舞台上的一切，包括剧本、导演、表演、音乐、歌唱、舞美、灯光等艺术工作上的问题。议论“好”与“差”的戏剧艺术，报道文艺界的动态。

三，喜读者之所喜，供读者之所需。喜什么呢？大约读者欢喜看真有见地，诚实明确，痛快淋漓的文章。曲折委婉，谈言微中，在有意无意间，击中要害的文章，读者也会喜欢的。

需要什么呢？可能读者需要增强他们欣赏、鉴别真与伪，美与丑的能力，介绍古今中外的好戏和戏剧知识以及逸事、趣闻等等。

舞台应是给人们以“美”的享受和“美”的教育的神圣地方。观众应爱护、尊重舞台艺术家们的劳动。剧场应有宁静、安详的艺术气氛。舞台上的艺术家们应该有高尚的道德和情操。这一类的问题，是说不胜说的。

因此，《北京戏剧报》的内容，应该丰富多彩，“小而短”的锦绣文章应该情文并茂，人人乐道。

我的“跳加官”太长了，该开戏了。观众是鼓掌叫好，欢声雷动，或者索然乏味，悄悄离场？这就看下面的戏唱得如何了。

1980年11月14日　上海

（《老舍的话剧艺术》）序

老舍先生是小说家、散文家、诗人，更是一位人民的幽默文学家。

我一直从他的著作中，感到老舍先生的幽默藏着令人心酸的眼泪，刻骨的讽刺，又使人开怀畅笑，笑出心中的一腔闷气。

老舍先生每次写完一个作品，总把几个旧友召来畅叙。我总被他的真挚、恳切、豪爽、酣快所感动。在旧社会，他一直是不屈不挠，多少朋友被他可敬可爱的言行感染。他谦虚、实在。在他面前，我也无话不谈。

他是永远活在人民当中的人。没有一种题材、形式他不屑于写。鼓词、快板、相声、对联都写得情深有致、感激动人。

至于他的长篇小说，如《骆驼祥子》，列于世界文学之林是毫无

【题注】据克莹、李颖编《老舍的话剧艺术》所载排印，文化艺术出版社1982年版，原题《序》。又载1980年12月20日《人民日报》，题名《〈老舍的话剧艺术〉序》，兹以通校（校注称“人民日报本”）。

逊色的。如果说“人杰”两个字并不陈旧，我就把它奉献给老舍先生。他就是中国当代的“人杰”，这是全世界研究中国文学的人都承认了的。

在抗战时的重庆，“前方吃紧，后方紧吃”的时候，他似乎感到小说还不够有“劲”，不够直接，不够快。他挥戈投入话剧队伍。

他的剧作从来不离开社会斗争。对旧社会被压迫，被诬蔑的劳动人民，他是满腔的同情和热爱。和他们一样，他孜孜不倦，辛勤劳动，他用他的笔为人间一切不平而战斗！

他的笔好比来自天上的黄河，回旋激荡，直下东海。

他的力量就在于他和劳动人民融在一起。

他是新旧社会的见证者。他到死都维护着人民的利益，维护着人的尊严。

我常常想到他笑容可掬的脸。我深夜沉思，他的形象逐渐巨大、庄严起来。

在文艺领域里，他代表了中国人民。

我在美国偶尔看到一本书——《老舍与中国革命》。那就是说，在外国人眼中，老舍先生和中国人民的革命是连在一起的，从未断过。他是天上人间，永不休止的乐曲，是悲壮、沉痛、愤怒，但又十分幽默、诙谐、乐观的乐章。

我衷心佩服他。不仅是他的戏剧、文学，我更钦佩他的为人耿直诚实，永远为别人着想，很少想到自己。

解放后，他写了不下二三十部剧本。他肯拿出来的，是其中的少数。

他对剧本创作十分严格，一句话，一个标点，都不肯轻易放过。他的剧本结构之严谨，语言之生动，闪烁着智慧与哲理的警句，都使许多人深思不已。他的剧本在舞台上屡获成功，绝非幸致。

我记得他说过：为了苦思诗里的一个字，他“想得眼都发了蓝”。他写戏又何尝不是如此？很多素材到他的手里，便点石成金，出现了许多可爱、可亲、风趣而又令人深思的人物。

他随意洒出宝石般的语言，如《茶馆》最后一幕，常四爷说：“我爱咱们的国呀，可是谁爱我呢？”这是对旧社会、旧中国何等尖锐、何等辛酸的讽刺！

今年秋天，北京人民艺术剧院在欧洲演出《茶馆》。这是中国话剧第一次出国演出，获得空前的成功，受到各国评论家与观众热烈赞誉，演毕谢幕长达36次。这种荣誉首先是老舍先生的，老舍这样深刻的经典作品，才使北京人艺极有才华的戏剧艺术家们纵横驰骋于世界舞台，使中国话剧艺术在国际上焕发了夺目的光彩。

老舍先生写过许多文艺论文和杂文，至于写如何进行话剧创作的文章，倒是解放以后的事情。他所说的“话剧艺术”，都是他在写戏的道路上艰苦摸索出来的，是他实践的经验、心得。要写戏，就该认真揣摩他立论的精义。

他谈“话剧艺术”，道理扼要，深入浅出，笔下生风。他不仅是教了方法，而且教了如何思想，教给我们一颗感受生活的心。

他诲人不倦，写出一个剧本，反复给演员们娓娓长谈。如果对他的剧本提出意见，他认为对，就绝不吝啬精力，抛弃重写。我想，他每一部好戏，不知写了多少遍。

当然，他的生活积累丰富，有时便会一气呵成，但我感到大部分时间，他在沉潜思考，字斟句酌，一丝不苟，严肃真诚，就像他的为人。

我记得他第一次把《茶馆》第一幕给我看，我读毕，老舍先生笑眯眯地说："曹禺，可以吗？"我压不住我的兴奋，我从心眼里激动。写戏的人都知道，最难的是第一幕。《茶馆》的第一幕写到这样，是永传的文章！

老舍先生写过童话剧、历史剧、现代剧、问题剧、地方风味的戏及各种人民喜闻乐见的作品。

他的创作经验既丰富又扎实。我是没有能力来为老舍先生的文章写序的。然而接到老舍夫人胡絜青同志的一封信：

"现在由中央戏剧学院克莹、李颖同志编了《老舍的话剧艺术》一书，恳请您在百忙中抽暇撰写序言，此书今年与读者见面。"

这位老大姐的嘱托，我是应该做到的。何况，我是中央戏剧学院的干部，学院的老师们做了这样一件大好事，我是十分兴奋的。

贺 词

今年是中央戏剧学院三十周年纪念。这确是值得庆贺的日子。

“三十而立”，中央戏剧学院已经成长起来了。

三十年来，为祖国的戏剧事业和社会主义文艺事业培养了无数人才。桃李满天下，这是中央戏剧学院的骄傲与光荣。

三十年来，在教学中，在实践中，逐渐摸索出了一条如何培养话剧人才的方法，在这条道路上扎实地迈出了步子。

三十年来，是大量的诚诚恳恳的，有学识，有才能，勇于负责，热爱戏剧教育事业的同志们，靠着他们坚持不懈的奋斗，才使这个学院成为名副其实的戏剧大学。

应该庆贺的事是很多的，是多少人付出了心血，才有今天这个可喜可贺的“三十而立”的日子。

一九五〇年建院时，我才四十岁，除欧阳予倩老院长外很多同志

【题注】载《戏剧学习》1980年第4期，系“中央戏剧学院建院三十周年纪念特辑”之一。

都很年轻。三十年过去了，他们的头上生出了白发，他们为学院的成长献出了青春；应该说，他们的青春在学生们身上再生了。多少取得优异成绩的青年人，在祖国各地的戏剧舞台上焕发着光彩。

我要祝贺这些可敬的老师和优秀的学生。我要祝贺学院的干部和工作人员。

过去，道路并不平坦；今后，也会有艰难曲折。世界上历史最长的戏剧学院是英国“皇家戏剧学院”，它于1904年成立，到今年已有七十六年了。我们的戏剧学院也会有七十六年，还会有一百年。到了一百周年纪念的日子，尽管我是不在了，但我相信中央戏剧学院事业会更加兴旺，更加壮丽的。

它的历史是我国日后的伟大艺术家在那里发育，成长为党，为人民攀登戏剧艺术高峰的历史。

漫谈小剧本创作

——贺《小剧本》复刊

小剧本是文艺武库中的小兵器，用得好，很犀利。小剧本反映得出当前社会的各种变化和历史发展。

可能有人认为小剧本不大值得写，因为不能传之千古。也有人觉得小剧本很难写得淋漓尽致，也就难以舒展所长。

然而，古往今来，多少艺术作品，正因其短小，便更精炼、更浓、更实、更有力量、更显作者的功力。

王羲之的《兰亭序》，只其中的一句，“此地有崇山峻岭，茂林修竹”，不知有多少后人引用。

刘禹锡的《陋室铭》，文章不足百字，以往的文人学士，都奉为圭臬。

再如法国都德的《最后一课》，亡国的悲哀，眷念故土的热忱，初读时就使我落泪，至今仍不能忘怀。

【题注】载《小剧本》1981年第1期复刊号。

《放下你的鞭子》，激动了多少人走上抗日前线，恐怕谁也计算不出来的。那不过是一个广场小剧。

美国剧作家奥尼尔的早期独幕剧，我甚至觉得比他晚期作品，更真实有力。

我认为一个作品的价值，不在于长与短，大与小。小剧的特点恰恰是能够较快地反映社会的动向、变化，更接近群众。

小剧本演起来容易，在一个有限的时间和空间里，表达人民的思想、感情，又给人民以艺术享受。

小剧本是充满活力的。因为它形式的短小，就更锻炼结构的谨严，文笔的洗练和强烈的感染力，更需要作者对生活有敏锐的观察与捕捉能力。

中国有句古话："语简言奇，精炼扼要。"这是作文章的方法，写戏也如此。

我们要生动的语言，深刻的人物，思想的锐利。写小剧本也要有真生活、真感情、深思想，不能因其小而轻视之。

要一语中的，不要废话连篇。

小剧本更忌讳直，平铺直叙。共合几千字的剧本，再一平铺，一览无余，还有什么看头。

古代传说，主文艺的星宿是文曲星。它着重一个"曲"字。

即使小戏，也要曲折有致，异峰突起，不要顺手拈来的陈词滥套。

小剧本也可以做到"言有穷而情不可终"，小剧本也可以含蓄、可以抒情，可以有激烈的冲突，甚至也可以达到远若溪间鸟鸣，绿影微风等等，难尽描摹的情趣。这就要各展所长，更下功夫了。

写好小戏，并非轻易。几句话就要写出人物性格，几十分钟的戏让人动情，悟出一点生活的哲理，提出一点使人深思的问题。这是非常考人的，也是锤炼写戏的一条途径。

我们提倡独出心裁，要探索，要闯新。世界在前进，人类在前进，只有这样才能适应人民精神文化生活的需要。

今天，我们写英雄是好事，但也不一定都去写英雄；写问题剧是好事，但也不一定都去写问题剧。生活是丰富的，各种各样的内容都可以写。我们要有所追求，力求在短小的篇幅中，显示出长江大河的气魄，发挥深刻感染人的力量。

切记，要独立思考，不要一听到提出什么问题，马上就写出个什么戏，“听喝”，而不是自己亲身去感受，去思想，那是写不出好作品的。

不懂的和一知半解的人，不要瞎指挥，要尊重艺术规律。省得作者白费力气，观众也得不到好处。

我相信，我们文艺工作者是热爱祖国的，是拥护党的领导的。

我还想，写大剧本的人，最好也写写小剧本，可以使旁人、使自己都感到耳目一新。

业余写作的同志更应该试写小剧本。不少有成就的作者都是从写小戏开始的。

我赞成写各种格调的小戏，写讽刺剧、幽默剧，露出一种善意的微笑，也可能是嘲笑，如同《诗经》中说的：“善戏谑兮，不为虐兮。”我们也可以抨击、批评，只要我们是为社会进步，使社会进步的。

自然，还可以谈言微中，曲折委婉地击中要害，说出真理。

是怎样的人，就会有怎样的风格。要善于发现自己的特点。

写出心中最真实，也许是最隐秘的话，为着中国人民和全人类。

头难，头难，开始写总会有些困难。多写、多问、多投稿，甚至于多碰壁，就能把思想和语言越磨越成熟，文笔越磨越洗练。在小小的舞台上，摆出大千世界，摆出瞬息万变的人生。

同志们，盍兴乎来！盍兴乎来！

赶快动笔吧。

重视舞台美术在戏剧艺术中的地位

——在中国舞台美术学会成立大会上的讲话

我首先代表中国戏剧家协会和戏剧界人士，向同志们表示祝贺。祝贺中国舞台美术学会成立了。这是一件大喜事。

我看了一些你们这次座谈会的简报，在张庚同志的发言中，谈到了关于戏曲舞台美术很多很好的意见。他的头一句话给我很深到的印象，就是舞台美术工作者既是体力劳动者，又是脑力劳动者。而多年来，我们对同志们的成就认识是很不够的。现在可以说，没有舞台美术就没有戏剧。不是光有几个导演、几个演员就能演出一个戏了。而且，不论是大城市还是小城市的观众，都喜欢看看布景怎么样。刚才听孙浩然同志谈到在座的各位都是舞台美术界的专家。各位就是在剧本、导演等意图的框框下（“框框”的提法也不一定对），体现这些意图的专家。我觉得舞台美术包括的东西非常多。我刚才听到了一句

【题注】载《舞台美术与技术》1982年第2期，文末标注“蔡体良整理”。按，中国舞台美术学会成立大会于1981年1月9日召开。

挺有意思的话，瑞士舞台灯光的老祖宗阿庇亚说，灯光是舞台上的画笔。所以，如果没有灯光的专家，各位的创作意图就无法实现了。当然，还得有服装、道具等等。舞台美术是有相当大的学问，这个座谈会上，有一百一十篇论文进行了交流，这就是证明。这些论文，数量不少，质量也不低，这在中国的舞台美术史上是从来没有过的一件大事。我们需要这么一个学会，这个学会的前途是无限量的。

过去，大家说我们是戏剧艺术界里的少数民族，是孤儿，这句话说得虽然俏皮，却悟出一点真实的道理。现在，舞台美术在演出中能达到和谐的、调子高的、有美感的东西，观众肯定是欢迎的，起码是内行、懂行的观众。因此，舞台美术在戏剧中是一个很重要的因素。这是老早而不是现在就注意到这个问题了。但是，要把舞台美术家团结在一起，聚在一起却不容易。中国有一句话，叫作“文人相轻”。当然，这一次我们舞台美术家刚好相反，是团结的。今天是社会主义，是在党的领导下，不管是戏剧家、各种文艺家，应该说都是要团结的。

去年，我去外面走了一趟，看到有些变化，主要是舞台的变化、剧场的变化，也就是运用伸出式舞台。舞台伸出去，变成三面看了。我在华盛顿看到的舞台是在观众厅中心，可以四面看。这个究竟能不能站住脚还成问题。我有这么一个意见，由于剧本都在搞各种各样的新的形式，表现新的思想感情，所以，舞台与剧场也要变化，舞台美术也需要新的形式。我看到国外的演出，很简练，要表现的观念很集中，很含蓄，不像我们有的搞得很华丽、宫廷式的、很实的，实到茶杯里就要有茶叶。但是在这个时候有人可能会说，新的东西我们欢迎，可我们没有这样的剧本。我认为，我们还不能放弃那种镜框式的、箱子式的舞台装置。演易卜生的戏如果舞台中间放一个什么东西，味道就没有了，无论如何是搞不好的。我想这话是有道理的，因为剧本的特殊需要，导演的特殊需要，舞台美术要适应这种需要。当然，我们的舞台美术非常需要吸收一些外国的东西，但也不能乱用。我认为我们的舞台美术家的创作精神非常好，但我还得重复一下，就是你们的学生们，看到一点新东西就乱用，这个要注意。我们搞任何东西都是要统一的，即便是荒诞派（不过荒诞派我并不熟悉），也有它的统一性。换句话，就是中心人物的思想感情，中心的主题思想，必须以统一的依据来创造，来发挥。

艺术创作是受物质限制的，我觉得限制是一件好事，问题是要在限制中看到不限制的功夫来。如中国的传统绘画，在一张纸面的限制里，画出千山万水，画出宇宙间的神奇来。我们舞台美术家也应做到这一点。如在有限的舞台空间，创作出无限的空间。再提一点，就是民族化的问题。化得好不好，是很有差异的。国外舞台美术家到中国来，他们就喜欢看我们中国的演出、中国的导演处理、中国的舞台美术家的创造。这个民族化，究竟是探讨些什么内容？我想，就是几千年的民族传统精神所创造出来的、其他国家所不能有的、表现人民生活的美好的观念。因此在民族化的问题上，有这个创造和没有这个创造是大不相同的。这是很重要的，很需要的。这个问题，大家还可以继续讨论下去。因为我们要搞舞台美术展览，而且还要拿一部分参加国际展览，如果我们不拿道地的中国学派的东西，恐怕是不相称的。

今天能开这样的会是非常庆幸的。我觉得教育下一代是个非常重要的事情。要培养出真正的舞台美术专家，能够在国际上站住脚的专家。这样的专家当然有几个，但我更寄希望于我们的青年和少年。要培养苗子，把我们的实践经验传授给他们。戈登·克雷的想法很特别，他不要剧本不要导演、不要演员、不要灯光，演员只是一个大木偶。有些地方是讲得过火些，但有些地方也有一定的道理。作为创作人员，就是要有敢想的精神。在现在的潮流中，过去的老的东西不行了。我不是卖老，我现在七十一岁了，恐怕我赶不上了。我没有专门系统地研究过某一位专家的作品，但我希望同志们要有各方面的文化、艺术修养。同时，我愿意再讲一下与修养有关的合作问题。如果两个人的文化修养都比较高，都能够欣赏人家的好处，就不至于在合作中产生矛盾。这一点是相当重要的。

我还想谈谈观众。我觉得中国的观众还不够文明。我说的文明不是指从前贵族、老爷看戏那样的“文明”。我知道我们的观众很爱看戏，爱看我们演员的表演，也爱看我们的舞台美术创造。但他们只能说，这个布景不错啊！而对舞台美术创造、对后台无名英雄就不注意、不了解。这就需要我们尽量解决普及与提高的问题。

你们回去以后，可以和领导或通过报纸，做一下大大的宣传，就是如何使观众觉得我们的剧场是个神圣的地方。我老是觉得这是个问题，不晓得怎么办。我们舞台美术家花了这么大力气，总要有点知音嘛！我们要使我们的观众是我们的知音。在外国的剧场里面，欧洲是一天换一个戏，英国可以一个星期换一个戏。他们的老观众很爱看戏，他们戏的排练与观众的爱好结合起来。我谈这个问题，就是说，没有一个好的观众，我们就白干了。连我们舞台美术创作上的错误、缺点，都没有人看见，也没有人批评了。所以，我们要提高观众的文化修养和文明，使他们懂得欣赏，成为我们的知音。英国国家剧院首席美术家、国际舞台美术协会副书记约翰·波里亚谈到，他们的观众看戏就很注意是谁搞的设计，谁搞的装置，这能成为买票选择的原因之一。可见，人家的观众是很关心舞台美术的。

再就是我们要搞舞台美术史，西方和中国的舞台美术史。当然，不是两三年内能搞成的事情。但是现在有愿意做研究的人，可以着手做这方面的工作。要为目前的舞美工作服务，为提高我们的艺术修养服务，必须要有一个舞台美术史。我听说，西方这种史料很多，我们翻译了一些，但还不够。因为翻译有个毛病，大家不易看懂。我们要编我们自己的，不要搞得高深莫测。我认为戏剧丛书之类的满好，介绍一些简单的舞台美术史。所以搞舞台美术史不只是为我们自己，在国际上，我们有这么一个东西，也是我们的光彩。

还有刊物问题，将来可以是个专刊，现在不一定办月刊，可以办成丛刊。刊登的不光是在座各位专家的论文，而且包括灯光等舞台各部门专家的文章，刊登致力于普及的文章。现在舞台美术已经提高到这样的水平，你们已成为中国第一代最好的舞台美术家，但是在下边一些基层工作的对舞台美术就不大重视。例如对灯光的一些起码知识都不懂。如果刊用的文章有指导性的、常识性的、趣味性的，就可以普及下去。这就需要我们学会来做。将来说不定更好的舞台美术家从你们普及的工作中产生出来。历来是这样，专家往往不是大学的什么概论里教出来的。提高是重要的，普及也是当前更现实的问题。

现在国际上有一个舞台艺术协会，我们还未参加，但我们要争取参加，必须参加。我们有学会了，就有条件了，也有了与各国进行交流的可能了。我们必须拿出东西来才能交流。我们要挖掘、重视自己的东西，要拿出一个较高质量的东西，它不是靠外国进口，而是靠我们自己去创造。艺术上互相吸收、交流是很重要的，绝对必要的，看一些人家的好东西，无论是哪一国，谁都行，不要有什么界线。我并不是为艺术而艺术，我是说要留心舞台美术的发展、舞台上的发展，否则我们会远远落在后面的。

目前，形成了现实主义路线的恐怕是写实主义。写实主义的东西，在舞台上起来的很晚，而在中国比较容易接受。我不是说过时了，也不是提倡，我是强调要用各种手段，吸取新的东西。北京、上海和一些大城市已经有很多新的实践。据说实验话剧院《灵与肉》，四十多场景的变化是个新的试验，我觉得是非常值得的。不管怎么样，成功与否还是取决于群众，创新也必须坚持一定的作品的风格。

我唠唠叨叨谈了这么多。对古往今来未曾有过的这次盛会，对学会的成立，再次表示祝贺。这将开创一个新的舞台美术的历史，而你们是走在最前面的开拓者。我相信你们会继续发展下去，会引导下一代跟着你们一道前进！

赞维吾尔族歌剧《艾里甫—赛乃姆》

我看了维吾尔族歌剧《艾里甫—赛乃姆》，它使我陶醉，使我忘记我是在北京的民族宫里，我又看见了美丽的天山，碧绿的天池，翠蓝色的赛里木湖和湖边草地上的夏夜……

这部维吾尔族古典歌剧，反映了维吾尔族高度的民族文化，反映了纯朴、正直、勇敢、热情的民族性格。它歌颂了遥远的年代，一对坚贞不渝的爱人，英雄艾里甫与赛乃姆公主。它告诉人们，邪恶、阴谋终敌不住善良和忠诚。

维吾尔族人民和祖国各民族人民一样，是永远爱真理，爱正义的。这个戏以感人的情节，生动的人物，美妙的歌声和浓郁的民族色彩深深地打动了首都观众的心。这部歌剧是我们共同的骄傲，表明了维吾尔族艺术家们无比美好的创造精神。

在新疆，我听到过许多撼人心灵的音乐，其中就有维吾尔族古典的“木卡姆”。我虽然不懂维吾尔语，但是我情不自禁地随着那真切、

【题注】载1981年1月25日《新疆日报》。

悠扬的曲调，打起拍子。

今天,《艾里甫—赛乃姆》又以一个崭新的面貌，出现在舞台上，千千万万的维吾尔族兄弟，男女老少欣喜若狂地欢迎它，热爱它，这种真挚的感情使我深深地激动。

这个戏中的演员，不仅唱得情深感人，高歌入云，他们的表演也是惊人的。他们很有激情，同时又十分自然，不见夸张。他们的内心充满了真实的情感。我不能忘记艾里甫戴着镣铐与城头上的赛乃姆“生离死别”一段的动人场面。我看见我身边的维吾尔族老人流出了眼泪。当这一对情人欢聚在花园中，我也欣喜地笑了。身边的老人也流出了欢喜的泪水。

艾里甫在戈壁滩渺无人烟的古堡中，他悲哀，但不绝望，他痛苦，但绝不乞求。尤其是他和母亲见面的那一场。母子间那种刻骨的深情与对灾难不屈的态度，使我感动。母亲悲痛而庄严的形象，是非常出色的。

看戏后的第二天上午，我参加了民族事务委员会和中国戏剧家协会为这个戏举行的座谈会。会上请来了首都艺术界的各方面的专家。大家都发自内心地赞扬，同时又提出了许多很好的建议，为了使这个戏更加紧凑，更加完美，上海的一位歌剧专家表示，希望这个戏不断地加工，登上世界的歌剧舞台。

当天下午，我又参加了中央戏剧学院为自己的维吾尔族校友返校举办的联欢会。那真是热烈、激情的聚会。《艾里甫—赛乃姆》一剧中的很多演员都曾在中央戏剧学院度过自己的少年和青年时光。在我的记忆中，他们是那么天真、纯洁，有的还戴着红领巾。如今，都成了高大、俊美的艺术家了。他们当年的勤奋精神是学院所有的人都不能忘记的。他们曾使整个校园荡漾着欢笑。在最后赠送礼物时，有一个极其动人的场面，那就是将当年他们入学时的照片送给他们。那照片上是一张张娃娃脸，他们大笑起来，有的人自己都不认识自己了。

当年我才五十多岁，现在我已是七十一岁了。我望着这些朝气蓬勃的面孔，想到昨天舞台上的歌声，我为他们感到自豪，我为他们默默地祝福，也为所有的新疆歌剧团的弟兄们祝福。

衷心祝愿你们将会得到崇高的幸福与快乐。因为祖国将会为你们日后更大的成功，得到世界的称赞。

想想孩子们吧！

读了《人民日报》上刊登的《四分之一和百分之一》《孩子们到哪儿去看戏?》两篇文章，我们很感动，也很不安。

儿童戏剧演员和儿童文学家们为了儿童，向社会大声呼吁：给孩子们一个看戏的地方！给儿童戏剧工作者一个演戏的地方！其实，孩子们看不到戏，儿童戏剧工作者没有演出的场所，又何止是北京一地呢?

文化部向全国发出了《关于加强少年儿童艺术工作的意见》，又成立了少年儿童艺术委员会。现在，儿童剧场的问题，对于儿童教育工作者和戏剧工作者来说，应该算得上火烧眉毛的事了。

几年前，我们有人看见十七八岁的大小伙子，还凑在一起玩弹球儿，感到十分难过。在十年大动乱的年代，百花凋零，青年人、孩子们没有一点健康的娱乐，没有他们自己的艺术和对美的享受与追求，真是十分可怜的。现在不同了，随着文艺、戏剧事业的发展，儿童戏

【题注】载1981年1月26日《人民日报》，署“茅盾　夏衍　阳翰笙　曹禺　赵寻”。

剧也繁荣起来，孩子和大人们都非常欢喜。但是，现在，就像一个打扮好了的新娘，忽然得知迎亲的花轿不来了。

这实在是说不过去。

孩子们是最有活力的，他们的全身心都在渴望，渴望着一切。他们不会只满足于课堂的教育，或是做做游戏，看看小人书。他们需要更多、更美的享受。

孔夫子时代，当然没有儿童剧。但是，他小时候也和小同伴扮演“俎豆祭祀”的戏。这说明只要是孩子，便有模拟生活，类似演戏的要求，连“至圣先师”也不免。

鲁迅先生那时候也没有“儿童剧”看，只能看看“社戏”，读读《山海经》。但在他成为文学家之后，儿时看“社戏”的情景，还使他长久地不能忘怀。

鲁迅有一篇文章《我们现在怎样作父亲》。他提出“五四”时代的父母，应该“放他们到宽阔光明的地方去；此后幸福的度日，合理的做人”。半个多世纪已过去，今天我们应该更认真想想了。在《上海的儿童》一文中，鲁迅还提到：“童年的情形，便是将来的命运。”这个道理，是无人不知的。然而一遇具体问题，就容易把孩子们的事情忽视掉。

西方有一位教育家把儿童比作太阳，认为一切教育措施都应围绕这个中心旋转。我们虽不能像他那样看待这个事物，但是，儿童教育毕竟是成人教育的基础，关系到祖国和民族的未来。而儿童戏剧又是儿童教育的一个重要的组成部分。

说来说去，我们就是为了儿童剧场问题说话，为成千上万的小观众说话，我们不能眼看着中国儿童艺术剧院停止活动，等待那不知何时才能“重建”起来的新剧场。

据我们所知，北京很多机关“大院”，都有规模宏大、建筑华丽的礼堂，有些利用率并不高，甚至经常闲置着。那么，能不能借给中国儿童艺术剧院用一用，借给孩子们用一个时期呢？北京城中心地区就有质量相当高的机关礼堂，地点也适中，如果向孩子们开放，让孩子们在那里看上一年半载的戏，那该多好！

我们衷心希望有关的同志们能把这件事看作自己的义不容辞的责任。我们都是父母，都是爷爷、奶奶。我们对于下一代应尽的责任是不能推辞的。为孩子们做件好事，也是为祖国的未来做好事。为什么我们不给孩子们尽可能创造一些更好的条件呢？为什么我们不能做到把最好的东西给儿童呢？

一位长期从事儿童戏剧的艺术家，最近含着眼泪，连声对我们说：“想想孩子吧！想想孩子吧！”听到这样的话，我们心里真感到难过和不安。

在新的一年里，我们不要再让孩子们失望了！

自己费力找到真理

——1981年2月17日在北京人艺《日出》剧组的谈话

最近我正在看爱克曼辑录的《歌德谈话录》。其中有这样一段对话：爱克曼对歌德说，莱辛虽然对著名雕塑拉奥孔研究有素，但是在他的名著《拉奥孔，或论绘画与诗的界限》中，“他不马上得出结论，总是先带着我们用哲学方式去巡视各种意见、反对意见和疑问，然后才让我们达到一种大致可靠的结论。我们体会到的毋宁是他自己在进行思考和搜索，而不是拿出能启发我们思考，使我们具有创造力的那种重大观点和重大真理”。歌德对他说：“你说得对，莱辛自己有一次就说过，假如上帝把真理交给他，他会谢绝这份礼物，宁愿自己费力去把它找到。”我们搞艺术的人，都要记住莱辛这句话。在艺术创造中，只想图现成，必将一事无成。演戏也是这个道理。即使有人告诉你怎么演戏，怎么导戏，说得再高明，也是人家的。这些可以借鉴，但你想得到的东西，终究要自己费力地去把它找到。

【题注】载《人民戏剧》1981年第6期。

经常有同志要我谈谈自己的剧作，这对我往往是个难以胜任的题目。因为我写作的时候，总是感性的形象思维的东西多，逻辑思维少。所以要我分析自己的作品，有时讲不出一个所以然来。现在研究、分析我作品的著作、文章较多。这些同志搞的是学术研究，各有心得，可供参考。搞导演的同志必须记住莱辛的话，要自己费力地去找到你要寻求的东西。这样的演出，才有自己的创造性。

要了解那个社会，才能演好《日出》

《日出》中写的人物，我见过很多，但又并不是具体写某一个人。往往这个人的某一部分，那个人的某一部分启发着我。写着，写着，某个时候又忽然想起另一个人来了。这些人有的是亲戚，有的是朋友，或者是我父亲这一辈的人。但是写作时决不是照猫画虎，而是通过这个人的眼睛，那个人的鼻子，另一个人的声音笑貌，逐渐孕育出一个个剧中的人物。所以我的戏有一个特点，就是剧中的时间不是很具体的，只是划定一个大致的年代。不像不久前离开我们的敬爱的茅盾同志，他的《子夜》概括的生活面非常广阔，而且时间、地点非常具体。《日出》这个戏写于1934年，剧情发生的时间也就差不多在这个年代。《雷雨》中的时间则是“五四运动”前后这一时期。

写《日出》时，我才24岁，对社会科学根本不懂。虽然那时我也曾努力想读《资本论》，但是一章都没有看完，因为我确实看不懂。对于共产党也不甚了了。《新青年》我看过。北平当时有个《晨报》，报上记载李大钊同志英勇就义的情景，给我印象极深。使我明白世界上有这样为宣传真理而置性命于不顾的伟大人物。我感到这种人真是了不起。当时我不知道共产党人是什么样子，其实他们就在我身边。我中学时有个同学叫郭中鉴，是个革命者，平时沉默寡言，说起话来，有条有理，功课很好，经常为同学们补习功课，是我们的班长。后来被北洋军阀抓走，受尽酷刑，在法庭上侃侃而谈，义不受侮，举起手铐掷在军法官的头上，不久被杀害。这个同学给我的印象极深。我在高中时还有一个同学叫管亚强，我们同住一室，经常在一起聊天，他现在已是老革命干部了。解放后，他告诉我那时他就是“C. Y.”。至于鲁迅先生的作品，我很早就看了。总之，那时我知道世界上存在一种追求光明的人，都是些好人。但是究竟是怎么一回事，当时并不明白。

当时我四周更多的人，就是《雷雨》《日出》中那些人。对于这些人我太熟悉了。对于那个社会，今天年纪轻一点的同志们知道得太少。但是对于那个黑暗、复杂的社会不了解，要演好《日出》是很难的。我希望年轻同志看看当时或更早一点的报纸、杂志、画刊；鲁迅、茅盾、巴金的小说；左联青年作家描写旧社会的诗歌、小说、戏剧与报告文学，还有清末的谴责小说《二十年目睹之怪现状》《官场现形记》等。从那里你们会知道人可以复杂到什么程度，你会大吃一惊，人与人可以有天渊之别；有些人根本不是人，是畜牲，是禽兽。这些作品所反映的社会，与《日出》所反映的，自然不完全一样，但是将会有助你了解当时社会的黑暗。

不过有一点要注意，在刚才列举的文艺作品中，那些清末的谴责小说里，只有黑暗，没有光明。这一方面是作者对腐败的清末政府十分失望，他们眼里的国家好像一艘即将沉没的大船。《日出》不是这样。这个戏一方面揭露生活十分腐败，社会极其黑暗。另一方面，在这个戏里，我希望能写出赋有强烈生命力的东西。这种想法大约表现在《日出》所写的，是一个极矛盾的世界。戏里写的是黑暗的社会，我没有把光明写出来。但是黑暗已经到头了。在这个黑暗世界里，人跟人纠缠着、搏斗着。唯一的希望，就是把这帮脑满肠肥的东西们早点打倒。至于如何把这批家伙打下去，我当时还认识不到。所以在这个戏里没有一个真正新兴力量的代表。方达生并不是这样的人物。他只是在渺茫中摸索着。也许陈白露爱过的那个诗人是这样的人，可是他寻找光明去了，在戏中没有出场。

我动笔写这个戏时，头一个要表现的观念，就是陈白露说的那句话，“太阳要出来了，黑暗留在后面，但是太阳不是我们的，我们要睡了。”这个“我们”，不是今天的人，也不是那时的革命者，而是指要被打倒的人们，其中也包括陈白露在内。陈白露不是不想追求光明，但她没有成功，最后堕落下去了。

但是我对社会的新生力量寄予着很大希望，这表现在全剧最后的“夯歌”中。夯歌的歌词是我创作的。它代表一种新型人物，这就是工人。演出中，一定要谱出一曲好的、真正的夯歌，不一定用刊在剧本中的曲谱。这个夯歌要非常响亮、非常快乐、非常有劲，充满着向前的力量。有的演出，闹够了、哭够了，乐也乐够了，胡四等人洋相也出够了，陈白露也自杀了，唯独对这“夯歌”不注意。这样的结束，是欠缺的，不完全的。不把夯歌的意境和内在含义表达出来，这个戏等于白演。我总希望，戏的结尾出现一种浩浩荡荡、气势无穷的雄壮声音，震动我们的灵魂，告诉人们，旧的终于死去，新的必然来临。

我写这个戏时，怀着“时日曷丧，予及汝偕亡”的决绝心情。我痛恨那个人吃人的社会，希望它早日被消灭。尽管我想了一些办法，那时剧场的各种禁令与限制是很多的，我想说的话不能尽情写出来。我心中的话只有一句：必须打倒这个吃人的社会。我希望通过演出，强烈地把我要说的这句话表达出来。如果演出时，仅觉得这个戏挺好玩，散场，大家哈哈一笑，青年们甚至学学张乔治、胡四那副德行，这就适得其反了。

目前个别青年的思想状况有些糊涂，对四项基本原则不够理解。他们不知道自己的祖国有过多么黑暗的过去，好人如何受罪，坏人坏到什么程度。如果这个戏演得深刻、真实的话，那会有助于他们热爱今天，热爱社会主义。这是我对今天演出这个戏的期望。我希望参与演出的所有同志们都怀着这样的责任感。

我们在讨论创作理论时，常提到“真实的生活”和“生活的真实”问题。我以为要写出“真实的生活”还不是最难的。你熟悉某一点，就能写出某一点真实的生活。但是要写出“生活的真实”，你就必须懂得全局，写出社会的本质，让人全面地认识生活、理解社会。演戏也是这样，能演出局部的生活的真实，并不难。但是要通过演出，把作者对社会的认识和态度，以及倾注在作品中的热烈的爱憎，深刻地表达出来，这比局部地再现真实的生活要更难一些。如果演《日出》，把某种人演得很像，使人去欣赏甚至学习那些坏东西，而不去想过去的残酷与黑暗，这个“戏”就大可不演。不要让青年人看完戏后，受那些恶毒、庸俗、残暴的影响。这个戏不是教人学坏的，而是要人懂得憎恶黑暗和邪恶，追求光明和美好。只有演出真实的人物，演出人物灵魂深处的东西，才能使观众的兴趣不停留在对生活的表面现象上。就怕演得既不真实，而又夸张。不去挖掘人物的灵魂，而专在表面的丑化上，下功夫，那人家就要怀疑你究竟有多少艺术修养了。艺术上真正动人的力量都来自严肃的创造。演《日出》是为寓教育于娱乐，不是为了娱乐自己，也不是单纯为了娱乐人。请大家记住这一点。

陈白露——必须懂得她，才能演好她

《日出》里陈白露是个关键人物，有了她，才有戏里的一切。假如没有这么一个美丽漂亮的女人，戏里其他人物根本拢不到一块儿来。她在戏中具有贯串作用。她是个交际花。她才二十三岁，时尔像是久经风尘，时尔像是单纯的少女；时尔玩世不恭，时尔满腔正义；时尔放纵任性，时尔感伤厌世。这一切在戏里都是明显的。要演好这个人物，关键不在于这些外露的东西演得够不够，而是要把她的复杂性、内心的矛盾，内在的“苦痛”演出来。否则，只能说演出是失败的。我常说陈白露是很难演好的，指的就是这个人物有它的深度。人们对她可能同情，也可能蔑视。但是演员必须懂得这个人，才能演好这个人。

陈白露算得上是个知识分子，文化程度不是太低的。她年纪虽轻，可是对黑暗的社会已经看得比较明白。她对那个社会感到可恨、可憎、可厌，但又摆脱不开那个社会。她没有决心像她爱过的诗人那样，为理想而斗争，最后只有堕落。她不甘心。她憎恶现实，又憧憬美好的过去。她在矛盾的夹缝里活着。她像是懦弱，但她毕竟坚强。她有值得同情的一面，有她胆大斗狠的一面。对她来说，生命有时是火热的。方达生对她的感情，拉着她倾向光明，但是终于拉不动，她消失在黑暗中了。她是个绝望了的好人。陈白露的这一部分往往是演不出来的。这一部分演不出来，这个人物就不大对头，就不丰满。这不能光怪演员，因为对她的这一部分我写得不多。演员要演出她内心里的这一部分，必须真正懂得她。方达生是了解陈白露的，他对陈白露说："我知道你嘴头上硬，故意说着谎，叫人相信你快乐；可是你眼神儿软，你的眼瞒不住你的恐慌，你的忧疑、不满。竹均，一个人可以欺骗别人，但欺骗不了自己，你这样会把你闷死。"方达生是从她的眼睛里看到她内心的矛盾和痛苦。我希望演陈白露的演员要有这样高明的演技，可以使人看到人物的心灵！

陈白露，我说过，是在矛盾的夹缝里讨生活。她曾经热切地追求自己的理想，可是她过不了清贫的日子，也没有追求光明的顽强意志。最后绝望了，只有死去。自杀也需点决心。用安眠药求死，并不是人们所想象的那样，在睡梦中不知不觉地死了。我听说在垂危之前，还是意识到自己即将殒灭。人有求生的本能，她还会有痛苦的挣扎，但是一切都来不及了。陈白露死的时候，年轻，漂亮，在那个社会有这点"本钱"，还是能苟活的。所以她不是被债逼死的。她是在极度的矛盾中不能自拔。她追求着她的理想的生活，这就是她的生命支撑。她的死并不表现她是懦弱的。

陈白露自杀前独白:“生得不算太难看吧。人不算太老吧!这——么——年——轻,这——么——美。”她怜惜自己,终于决心死去。她内心里是讲不出口的屈辱,痛苦。

在第四幕,在很安静的气氛里,她独自喝醉了酒,流着泪。她不愿让任何人看见她流泪。我记得她拿一块手绢盖在脸上,眼泪在手绢里流,把手绢都弄湿了。她像掉在黑洞洞的深井里,再也爬不出来。这无底的深渊,就是罪恶的社会。当然,她的一生,她自己也要负责任。天下的事情是两面的。造成她悲剧一生,一是罪恶的社会环境,再就是她自己。尽管她的行为在过去的“正人君子”们眼中看来,是非常可耻的,但她最后恨透这罪恶的旧社会。她是那个社会的殉葬品。

陈白露有值得怜悯的一面,有值得同情的一面。但是塑造这个人物形象,不要生硬地给她身上贴金,要搞得自然一些。

方达生—— 一个诚恳、认真的书呆子

方达生在戏里也是个重要人物,是比较难演的。要塑造好这个人物,首先要挑选合适的好演员。他确实是个书呆子,但不能仅表现他的呆气。他诚恳,认真,他寻找光明。结尾,他说要跟金八斗一斗,要为那些受欺侮的人做点事情。他还在摸索走向光明的道路,开始有点觉悟。作者确是希望他终究会找到出路,找到光明,找到志同道合

的朋友。他在旅馆里待了几天，并没有白费光阴，他在这里见到了不少“世面”，使他对旧社会的黑暗了解得多了。

在戏里，方达生出场的机会很少。第四幕方达生与陈白露谈话，这段戏很重要，似乎是在叙家常，谈别人，讲过去，论现在，方达生还说出了自己往后的打算。这些都是他们两人的心里话。只有在这里，才透露出他们之间的感情的真切。气氛是安静的。观众应该看得有兴味。

顾八奶奶、张乔治、胡四、潘经理及其他
——不能怎么丑，就怎么演

《雷雨》《日出》《原野》都写得浓。戏一浓，表演就容易过火。我希望演员多在真实、自然上，下功夫。要把人物的灵魂挖掘出来。这是演好《日出》的关键问题。

《日出》中丑恶的人物颇集中。演这些人，不要一味夸张，演成闹剧，而要演得准确。确实演出那个社会中的那种人物，并不容易。如顾八奶奶吧，这是半殖民地、半封建社会的产物，而不是资本主义社会的产物。要从这一点找准人物的感觉，就不那么容易。这个人物，我是亲眼见过的。演她不要大加夸张。演这个女人，要掌握分寸，需要很高的演技，更要有修养。我看过一些舞台上顾八奶奶，大多数是怎么丑，怎么俗气，怎么恶心，就怎么演。这样演，就不是顾八奶奶这个人了。对本子上已经写得很足的人物，表演一定要讲究真

实，要演得不多不少，恰到好处。我在美国看到一个地方演《日出》，扮演顾八奶奶的演员是一个美国人，长得很好看，上妆后也不是俗不可耐，令人讨厌，我倒觉得她演得真像顾八奶奶。她并不是怎么恶心，就怎么演，而是通过几个紧要的地方，几种神态，把这个丑恶人物的感觉传达出来。

对潘经理、张乔治、胡四等人，都要注意，不可在表面的丑化上，下功夫，而要准确地演出人物来。潘经理是个搞投机的金融资本家。这些人对发展国计民生毫无好处，不是我们所指的民族资本家。这个人很坏。但是这不等于在舞台上就要演得丑得要死。一个好演员要把俗的东西，演得不俗，要有化腐朽为神奇，把石头变黄金的本领。

张乔治这个人物也不好演，尤其是他喝醉酒那场戏难演。这是这出戏里第一个出现的丑恶人物，不仅让大家看到那个社会的“上等货色”、称为“博士”的人是什么样的货色。更重要的是通过他的出现，让人看到陈白露的处境与地位。这样恶浊的人物可以任意出入她的房间，在床上呕吐。方达生才更加厌恶说：“我不明白你为什么跟这种东西来往？”陈白露却轻描淡写：“他口袋里有几个钱。”这一句话说出了她的屈辱和轻贱地位。要把这种关系、地位和陈白露内心的矛盾表现出来，这段戏才有意义。否则，只剩下醉汉撒疯，就没有什么意思。如果这场戏弄不好，可以把它删掉。

翠喜这个人物，真正要演好她。卖淫是人类历史上最古老的“职业”之一，在旧社会这是公开的合法的“职业”。扮演这个身在三等妓院，过着非人的生活，却有着金子般的心的妇女，演员既要放得开，又要揭示她的心灵美，才能塑造“这一个”真实的艺术形象。

至于潘经理与李石清的狗咬狗，应该是比较好处理的戏，只要注意让他们“咬”得很真实就行。

黄省三这个人，我写得比较多些。这个人不好演，在于他的戏没有多大变化。这样“一条道走到黑”的角色，并不比陈白露好演。

几句题外话

我希望我们的话剧演员，一定要下功夫说好台词。不少演员也讲究念词的抑扬顿挫，但就是不能把话清楚地送到最后一排。有的演员嗓门挺大，但是咬字不清，声音越大，字越不清。过去英国有个得过“爵位”的大演员，他的天资很坏，声音细弱，还有点女腔。后来他却以读词著称于世，他说他成功的秘诀，是注意最后一排观众能否听得清。后来他的台词本领达到看上去毫不吃力，而声音送得很远，念得十分清楚。当时是没有扩音器的。我们中国确实也有不少这样好的话剧演员。过去，他们也是没有扩音器可借助。我希望每个话剧演员都练就这种本领。

我还希望灯光照明，一定要让观众看清演员的脸。演员的眼睛是最传神的，照明的同志除了创造气氛之外，一定要让人看清演员的表情和眼睛，否则导演、演员忙乎半天，全等于白干。

仿佛话说完了，还是忘了提醒一句。方才的话仅是一个写戏的人单方的解释。很多评论家常有符合实际的独到见地。事实上，评论家挖掘得深，他们的见解与剖析，经常说得透切、正确，比作者自以为是的思路，高明得多。作者与广大的读者和观众往往需要评论家的指点、引导，才能正确理解一部作品，即便那作品是自己写的。因此，你们——导演、演员、舞台艺术家们——不要把我的话当作“金科玉律”。你们叫我来，我作为北京人艺的一个干部，有义务来，向你们絮叨一顿。其实，原不需要如此。我希望你们听听、想想，只能当作一家之言。重要的是听许多文艺专家与观众的话。他们比较客观，对全局常有恰如其分的估计，而我容易偏爱。

此外,《日出》太长，需要适当的删节，甚至动“大手术”，整段整节地割舍。如何做得恰到好处，这就看导演的体会、才能与决心了。

一代名家，不同凡响

——在侯喜瑞先生舞台生活八十年纪念会上的祝词

同志们：

今天，我们大家聚在一起，万分高兴。我们是为年纪最长、功劳最多的当代京剧表演艺术家侯喜瑞同志开一个盛大的庆祝会。我们庆祝他老人家舞台生活八十周年。

经过十年浩劫，在党的三中全会正确路线指引下，全国安定团结，我们正向新长征进军，正向“四化”进军。侯老以九十岁的高龄，志气昂扬，精神振奋，继续为党为人民努力工作。人生七十古来稀，但他在中国京剧舞台上，奋斗了八十个年头。这是一件多么了不起的大事啊！我们敬佩他这种精神，我们要学习他这样的精神。请允许我代表中国戏剧家协会和剧协北京分会，向侯喜瑞先生表示衷心的祝贺。

侯喜瑞先生是我国老一辈的戏曲表演艺术家，生在十九世纪。他

【题注】载《戏曲艺术》1981年第2期。

在我们国家还有皇帝的时候，就投身于戏曲事业。他从小学戏，参加中国比较完善的京剧科班“喜连成”。侯老排行最早，属于“喜”字辈。因此中国出了这位赫赫有名的侯喜瑞，侯老先生。他从他的前辈黄润甫学花脸，是黄派花脸中学习得最好的一个继承人。出科后就成了一代名家。他和许多戏剧艺术家合作。同我国四大名旦：梅、程、尚、荀；四大须生：余叔岩、高庆奎、言菊朋、马连良合作；更应该提的是他同中国京剧一代宗师的杨小楼先生合作，他们二人的合作是京剧史册上光辉的一页。

侯老先生经历了清朝、北洋军阀、日伪、国民党各个时期。侯老为人刚正爽直，不怕强暴，有民族气节，有爱国精神，一向对同行艺人、对群众有侠气英风，扶困济贫，肝胆照人。无论内行外行，对他都非常尊重钦佩。同时，使我们十分敬重的是他一心钻研艺术的精神，根柢打得深，成了名家，还是日夜钻研，从不忘记他要对得起观众。看他一场戏，要观众得到美的享受，得到教益。在长期的艺术实践中，他从历史资料和社会生活，琢磨研究，得到“活曹操”这样一个谁都赞赏的称号。他演的曹操，不只是一般的浅薄庸俗的表演，而比别人创造得丰富多彩。比如《战宛城》演马踏青苗，割发代首，非常有个性，讽刺中含有赞赏，在演《长坂坡》的曹操时，见到敌方赵云英勇无敌，爱将之心，油然而生。在《击鼓骂曹》中，不是把曹操当成一个草包、权臣来演，而是演出了曹操的气度，演出了曹操对祢衡既赞赏他的才华，又不容忍他的狂妄，展现出曹操有大志、有权术的雄才大略气概。总的来说，在侯老的表演里，渗透出这位军事家、文学家、政治家的书卷气；他有他的权欲、自私的毛病，但也有爱才爱将的优点。不是概念化、脸谱化的人物。这就是他“活曹操”的“活”的地方，是他刻画人物精妙之处。侯老是科班出身，从小武功底子好，他与杨小楼合演的传统戏《连环套》，他主演的《坐寨》《盗马》，那种功架，那种气魄，那种身段，那种做派，真给人以美的享受。除了曹操、窦尔敦这两个著名人物外，他演的《取洛阳》的马武，投入反暴起义，戏中刻画了他粗中有细的个性。除了演传统戏，他也积极参加新剧目的建树。如他与程砚秋先生合演的《红拂传》，他演虬髯公，豪爽而深沉的英雄性格，鲜明突出。侯喜瑞同志的念白，是别具风格的。人们常说“千斤话白四两唱”，侯老的道白清楚，铿锵有力，特别练就的花脸的“炸”音、“虎”音，都是非常美的，他在数十年演出中，树立了“侯派”花脸艺术，在全国影响极大。他在京剧舞台上可谓黄钟大吕，不同凡响，侯喜瑞先生是“喜连成”科班的老一辈艺术家中最有光彩的人物，他今天健在，真是鲁殿灵光，是我国古典戏曲艺术中的财富。

解放后，侯老已是六十岁了，他受到党的重视，他极热爱党的文艺事业。他积极地献身于戏曲教育工作。他在中国戏校和北京戏校执教。三十多年来培养了多少青年演员，成绩斐然。现在有不少著名演员如马崇仁、袁国林、尚长荣等，均受到侯老亲自的教授。数十年来，侯老在戏曲课堂上，孜孜不倦地献身于党的艺术教育工作，他不但是著名的表演艺术家，也是一位有卓越贡献的戏曲艺术教育家。

我们要坚持毛主席亲定的，也是党的“百花齐放”“推陈出新”的文艺方针，对老一辈的艺术家身上的珍贵艺术，要进行抢救、继承，只有在继承优秀的传统艺术基础上，才能创造发展我们崭新的社会主义戏曲事业。

让我再一次代表中国剧协和剧协北京分会，向对戏曲事业有功的侯喜瑞同志，在他舞台生活八十年纪念会上，表示衷心的祝贺！祝您长寿！望您使千钧力，开万石弓，长久不衰的青春全部贡献给祖国和人民！

一九八一年三月十八日

强有力的竞争者

——祝贺《北京艺术》创刊

近来，文艺刊物日益增多，人民的精神生活日益丰富。据我所知，全中国的文艺刊物，已近一千多种，这在以往的任何时候都是没有的事。

如今,《北京艺术》创刊了。文艺新军又多了一名竞争者。

记得小时候读书，曾读过达尔文的一句名言：“物竞天择，适者生存。”这就是说，一切生物都有它新陈代谢的过程，只有适应自然规律的强者才能传下去。

我看，对今天的文艺刊物，不妨也这样看一看。

办得好的刊物会越来越发展，办得不好的刊物，就可能销声匿迹了。这样说，大约是符合客观规律的。

当然，对十亿人口的中国来讲，一千余文艺刊物还是不多的，并没有到饱和的程度。但也不是不用心力，不下功夫，不追求，不探

【题注】载《北京艺术》1981年第1期。

索，不创新，就能轻易生存下去。

因此，我希望《北京艺术》，作为一种普及艺术的刊物，要确实做到为人们喜闻乐见，雅俗共赏。当然，更需要有一些真知灼见的精炼文章。

北京是中国的首府，“首善之区”，大有人才。我读了《北京艺术》的“征稿启事”，看到它所包含的内容之丰富，是很有吸引力的。我相信，办得好，可以做到名列前茅，对爱好艺术的广大读者，展开新的天地。

别的不讲，“征稿启事”中提到的“讲事实，讲真话，讲道理，开展不同意见的争论”，就是一件对人十分有益的事。

艺术不能说假话，就如同科学不能说假话，是一样的。艺术是发自心灵的声音。我们可以不赞同，可以非议，但是不能装腔作势，更不能口是心非。

任何真正激动人心的艺术，必然有一个“诚于中，形于外”的道理。我想，这也是《北京艺术》遵循的标准。

要勇敢，要敢于发表十分中肯却又十分不中听的话。我们要学会点“容忍”的态度，这绝不是“忍气吞声”，而是对于不同意见的正视与思索。只要对艺术，对人有价值，就应该允许存在。

这里便需要有一点“费厄泼赖”的精神。“费厄泼赖”（Fair Play）一词来自英国的绅士们，其中是包含着虚假的。但是，顾名思义，如能真正做到一点“费厄泼赖”，在今天还是需要的。

我还喜欢，“征稿启事”中提到的“文章短小生动，通俗易懂”。

莫测高深的文章，貌似权威的面孔，会使人望而生厌。当然，我们又反对那种平淡如水，顺手拈来，空洞无物的东西。

我见着《北京艺术》几位年轻的编辑，她们谈了不少目前的计划和准备刊登的文章。一股蓬蓬朝气，使我耳目一新。我盼望拿到这本刊物。我甚至想象出，读者们面上会浮起喜悦的笑容。

我想，这不是期望，这将是事实。《北京艺术》将会在有众多刊物的文艺园地中，成为一名强有力的竞争者。

向茅盾先生学习

崇高的灵魂去了。伟大的心，停止了跳动。中国革命文学大师，中国新文学运动的先驱者，茅盾先生离开了我们。

连日来，心情沉重，不只是悲痛，更多的是悔憾。我这一生，有许多机会，接触多少伟大的心灵，在同一个时代，在同一块祖国的土地上，我却没有去亲近他们，这实在是说不出的悔憾！

四十几年前，我的老友巴金告诉我，已和鲁迅先生约好了见面的日子，这是我渴望已久的。当时，鲁迅先生已经病得很重，但还是答应见我。第二天上午八时，我到了景云里鲁迅先生家中，他却在清晨去世了。他躺在简朴的床上，再也不能和我说话。

这次，在茅盾先生去世前，我赶到医院探望，他已借助氧气，艰难地呼吸着。我默默地站在床边。茅盾先生的儿子韦韬告诉我：早晨醒来过，情况似有好转，我想茅盾先生也许会好起来吧？韦韬要把他唤醒，我来不及阻止，茅盾先生已睁开了眼睛。我听见他微弱的声

【题注】载1981年4月12日《文汇报》。

音:“曹禺……谢谢。”中间他说了些什么，却实在听不出。我看看他那苍白清癯的面容，慢慢又阖上了眼。我想着，他会好起来的。我回家打电话给几位同志，告诉他们韦韬说的话，使这些同志们放心。没想到这竟然是我和茅盾先生最后的一次见面。

在重庆时，我和茅盾先生有过多次接触。大家忙着抗日救亡运动，我没有单独和先生长谈过。解放后，见面的机会多起来了。但我觉得他是前一辈的作家，共同的经历和话头不多吧？又怕打扰他，我错过许多求教益的机会。

茅盾先生早在“五四运动”前夕，就开始了文学活动。“五四”以后，更为中国新文学运动，做出了卓越的贡献。他的业绩，不仅在中国，在世界文学史上同样是不朽的。

鲁迅先生的《呐喊》《彷徨》，我经常用心地阅读。茅盾先生的《春蚕》《子夜》《林家铺子》，我也经常用心地阅读。两位文学大师都是我们这些后辈的启蒙者。

茅盾先生的多年写作生涯，为我们留下浩若烟海、精湛完美的文学遗产，永远激励着我们广大文学工作者，永远是我们学习的楷模。

在茅盾先生生前的最后一段时间，他身体虽然很不好，但他一直没有辍笔。我在《新文学史料》中，不断地看到他的洋洋万言的《回忆录》。听说他哮喘得很厉害，不能起床，只能坐十几分钟，最多半个小时。他终日躺在床上，不停地追溯着过去，叫韦韬和儿媳陈小曼四处找资料，或托人到外地去找。他用放大镜，仔细翻阅成堆成堆的资料；想到一些，看到一些，就从床上支撑起来，扶桌一字一字地写着。他以极审慎、严肃的态度，为我们留下了珍贵的新文学运动的史料。先生襟怀坦荡，对党、对人民赤诚炽热，数十年如一日，为祖国文学事业奋斗一生。我深深崇敬先生。他永远是我们这些后辈学习的榜样，激励我们为伟大的社会主义事业而奋斗。

“我的心向着你们”

——悼念茅盾同志

最近一个时期，常常听到茅盾先生的身体时好时坏。一会儿听说他住院了，过些时候，又听说他出院了。然而在《新文学史料》中，不断看到洋洋万言的《回忆录》，总以为他的健康还可以维持下去的，我还有机会去看他。

那晚，在剧场看戏，遇见了周扬同志，他告诉我，茅盾先生的健康情况很不好，一直在昏沉不醒，许多老病都复发了。这一夜，我十分不安。

第二天，我忙到北京医院看望。茅盾先生闭着眼睛，似乎睡着。床边立着氧气罐，他的儿子韦韬同志告诉我，他已是整日整夜地吸氧了。医生说似乎有好转，或有延长一段时间的可能。也许这是不得已安慰的言语吧？我觉得这也可能有些根据。多少人在外边诚心地盼望茅盾先生早出院，继续写完他的《回忆录》。又有多少读者根本不知

【题注】载1981年4月16日《中国青年报》。

先生病在垂危，以为他仍然是健康的，正不断写出文章来滋育培养祖国的后代。我默默在床边望着。我只想不要惊动先生，但韦韬一定要唤醒茅盾先生。我急忙阻拦，没有来得及，茅盾先生已经睁开眼睛。我赶快上前，还没等我唤出声，就听见茅盾先生微弱的声音：“曹禺……”下面他还在说，但我实在听不清。只有最后两个字，我听出了，他说：“谢谢！”

我告诉韦韬，我是在茅盾先生熏陶下的后辈，我来探望先生，同时也代表有多少人想来而没有能来的。先生精神好点时，请一定告诉他。告别时，茅盾先生已经又慢慢地沉睡了，他的脸苍白着……

回来后，我立即给几个朋友通了电话，把这个好转的消息告诉他们，叫他们放心一些。

第二天，我正在写稿子，得到消息，茅盾先生故去了。

他离开我们了。我再也写不下去什么。

下午开学习会，周扬同志把不幸的消息告诉大家。他谈着谈着，眼里涌出不尽的泪水。他说不下去了，只好请贺敬之同志来读茅盾先生致党中央的遗书。

我和同志们沉默着，流下热泪。

散会后，我重又想看到他，虽然他昨天就已不在了。但，我还是要去看他。

史群吉同志劝我说，他一定已经不在那里了。我没有听，依旧到了北京医院，又走到119病室。房间里收拾得非常干净整洁。那张床上空荡荡的，铺着雪白的床单。不在了，是不在了。连韦韬也不在了。并非是人去楼空之感，而是深切地感到一个可亲可敬的灵魂去了。

伟大的人并不是常能遇见的，但我的祖国在我生时，却出现不少千古人物，有的就在一个城中，有的和我近在咫尺。我常以为早晚总能相会长谈，我竟失去和他们接近的许多机会。

对茅盾先生，我不知有多少次想探望他，甚至想和先生长谈几次。我知道他平易近人，也很健谈。然而，大约我总觉得他是前一辈的作家，共同的经历和话头不多吧？我没有决心闯过我自己设的难关，没有单独访问他。我羞涩，我见生朋友和师辈常发怵，怕给他添麻烦，终于未能和先生畅叙几次。现在他故去了，我悲痛，还深感对不起茅盾先生。因为我竟然忘记他是乐于见友朋的，从不把自己当作大人物看。我错过了求教的机会。

一九三七年，《大公报》举办文艺奖，其中有《日出》。《大公报》副刊主编萧乾办了一版副刊专为介绍《日出》，巴金、靳以、杨刚、荒煤、朱光潜等朋友都写了文章。那充满最恳切的鼓励的头一篇文章，是茅盾先生写的。尽管那时，我还没有与茅盾先生相识。

我一点不了解他的为人，想不到竟是这样的热情洋溢。

在长沙时，曾经得到他一封信，约我为刊物写文章。当时忙于搞抗日宣传，还要教书，匆匆之中竟没顾上及时复信。至今想起都很抱愧。而那封笔迹秀劲的来信，也流失了。

在重庆的一段日子，常常能与茅盾先生见面，他是中华全国抗敌作家协会的主席。每次见他，听他谈话都那样娓娓动听，教益是不能忘怀的。

一九四六年，我去国外讲学之前，非常想见总理一面。但总理那时已不在重庆。我给八路军办事处打电话，找吴老、董老，都不在家。后来，我便找了茅盾先生。他约我到他家里去吃饭。茅盾先生平时自奉甚俭，当时，他的生活也不宽裕。他的爱人孔德沚同志，却亲自为我准备了一顿极其丰富的饭菜。饭间，我请教茅盾先生几个问题。记得他亲切、从容地指出两点：一定要把中国的实际情况告诉世界；再有，便是要讲讲文学的社会意义。后来，在国外的一年里，我确是这样做了。

我解放后的作品，茅盾先生也都看过。对《胆剑篇》，他还做过十分中肯的分析。他真挚的关心，使我感激。

在四届文代会上，我见到他，那次真是下了决心，当面请他为我写一幅字。很快，我就收到了。他的字苍劲方正。我立即送到荣宝斋裱好，今天，这成了多么珍贵的手迹。

近日，我重读了茅盾先生的《回忆录》。他终生那样严肃精深地追求共产主义理想。他勤奋一生，持重、公允。他的文章言论都充溢着坚定的信念和力量，我深深地崇敬他。

茅盾先生故去了，老一辈的遗爱在哪里呢？我想，是在我们心中无限的怀念。我怀念茅盾先生，这绝不仅是悲痛，更是奋发。

我仍然听得到茅盾先生在病床上的声音，“曹禺……谢谢”。中间他说的是什么呢？我没有能听见。但我觉得，那是他还在像过去那样亲切勉励着我这个后生。

今日复何日，共此好时光

——贺日本话剧访华演出团

这些天，暮春洋洋，万物生辉，日本话剧访华演出团在北京演出了日本名剧《华冈青洲之妻》与《文那啊，从树上下来吧!》，著名艺术家们以其卓越的才能、功力，动人的深情和光彩照人的演出，震动了北京的观众和戏剧界同行。

剧团领导人千田是也和杉村春子两位先生是日本话剧界的卓著功勋的老前辈，是中国人民尊敬的老朋友。见着这两位老朋友，我想起往日多次诚恳的交谈，忆起我们相互会心的微笑，我们是心心相印的。

听说这次访华演出团中，有许多老一辈的演员，更有不少出类拔萃的青年演员。他们中许多是对中国知道不多或第一次访问中国的青年演员。我想，两位先生大约是想把自己对中国的深厚感情，多年从事中日友好的事业，移交给这些纯朴、可爱的青年们，把中日戏剧家

【题注】载1981年4月21日《人民日报》。

们传统的友谊，传给我们的下一代吧？我们见面问起，果然如此。

从这两部名剧，我们得到许多启发。这两出戏在日本已经演了三百多场，获得了文学奖。我十分喜欢有吉佐和子写的《华冈青洲之妻》，这个戏写十八世纪的一位名医华冈青洲，为试验应用在外科手术上的麻醉药“通仙散”，全家都帮助他在科学上的不断试验。母亲于继和他的妻子加惠，争着首次在自己身上做试验。试验成功了，但华冈青洲之妻加惠的眼睛瞎了。这一对婆媳的自我牺牲代表了日本人民为科学献身的精神。这个戏又是一出深刻剖析心理的戏。剧中婆媳之间微妙、阴暗的斗争和封建社会窒息的空气，笼罩着全剧，写得好，演得好。从写作到演出，表现出日本话剧界的进步传统与精美的写实主义的艺术。它自然、精细，赋有意味深长的生活气氛。杉村春子演得非常洗练、朴素、严谨。她清晰、优美的台词和精致、准确的动作，来自她几十年苦练的功夫。她沉浸在她的人物里。剧中所有的人物都演得十分出色，自然、真切。日本话剧卓越的演员们有这样大的魅力，我不觉得我在看戏，我仿佛也在华冈青洲的家庭里生活着。杉村春子把婆婆的心灵深处，毫不保留地显露出来。名导演戌井市郎先生导演这出戏，深而细，不雕琢，台上洁静如水，古色古香，随着主要人物的发展，流出通畅的节奏感。这个戏情韵悠长，使人一唱三叹。

必须提到的是剧作家有吉佐和子，她是日本当代有才华的女作家。她写了很多小说和剧本。这是她的写作生活中，具有代表性的一部剧作。这出戏，味浓意远，写了历史，也写了诗，给人的印象是深刻的。

我十分喜爱根据老作家水上勉先生著名长篇小说改编的童话剧《文那啊，从树上下来吧！》。这个戏里蕴蓄深刻的人生哲理，鼓励人们要努力生活下去，乐观地活下去。文那这只可爱的青蛙，总在向往广阔的神秘世界，它终于爬上了高高柯树的顶端。然而，那上面并不安全，是老鹰临时存放食物的地方。文那对弱肉强食的恐怖世界有了亲身体验。勇敢的文那，充满了对前途的信心，救了自己，也救出被小学生捉去准备做解剖实验用的青蛙伙伴们。只有坚强的信心、智慧与勇敢，才能战胜一切，才能战胜鹰、蛇一类贪狠的强食者。

年轻的导演筱崎光正先生在导演这出戏时，大胆想象，用几块三角形道具做布景，变幻多端；用明快的音乐，用自然的舞蹈，用孩子们喜爱的歌唱，用生动的模拟动作，用各种美妙、多姿的造型，甚至用了滑冰的舞蹈，使青年演员发挥所长。全剧节奏流畅，一气呵成，相当别致，台上、台下是一片春光。这个童话剧受到了极热烈的欢迎，不只是因为这些青年演员生动的表演，舞蹈与歌唱的美妙，基本功练得深；更因为导演在构思时注意到它的群众性。他们准备在任何广场、操场、讲台或较大的空地随时上演。因此，他们走向工厂、学校、农村和边远地带，给日本人民带来了对生活的热爱，充满了快乐与信心。

日本话剧访华演出团，将要在南京、上海陆续公演。他们受到欢迎，不只是因为他们带来了中日友好的深切情感，也因为他们代表了日本话剧界的精湛、高超而又能普及的艺术。这种美丽而丰满的艺术是与千田是也与杉村春子和一切在日本的话剧前辈的多年培育、耕耘分不开的。我和这两位日本老朋友相见多次了，这次在洋洋暮春的北京见面，相顾而笑。我不禁改动一首杜甫的七绝，来歌颂我们的兴致与友情：

> 正是北京好风景，
> 春花时节又逢君。

中国戏剧家协会决定授予千田是也和杉村春子二位先生为中国戏剧家协会“荣誉会员”的称号。这样，两位日本戏剧界极有威望的耆宿，也成了我们中国戏剧界的老前辈了。你们赢得的，是中国人民对日本人民的更深、更厚的友情；你们赢得的，是中国戏剧界对日本戏剧界的更深、更厚的友情。

天地共存

茅盾同志离开我们已半个多月了。这些天，在悲切的怀念中，又仔细读先生在病中写的《回忆录》。我痛感我们失去一位多么严肃、坚定，又多么慈祥、真诚的文学前辈。

茅盾同志学识渊博，治学严谨，通晓中外古今的文学和思想。他是祖国革命文学园圃中的一位勤勤恳恳的耕耘者。他诲人不倦，平易近人，像长江流水，默默地流入支流、沟渠，灌溉、滋润文学园地的幼苗，使我们这些后辈，一代一代地茁壮成长，结下累累果实。

数十年如一日，从未辍笔，勤奋、扎实地工作着，为党的文学事业，做出卓越的贡献，直到他停止呼吸。“横眉冷对千夫指，俯首甘为孺子牛。”这就是茅盾同志的真实画像。但他从未表露自己，从不以大人物自居。他是伟大的！

茅盾同志，一直关怀着青年的成长。早在“五四运动”以前，他自己也不过二十岁出头，就参加编辑《教育杂志》《学生杂志》。在

【题注】载1981年4月26日《解放日报》。

《学生杂志》上，写了两篇社论，他号召学生“翻然觉悟，革心洗肠，投袂而起”。他说：“呜呼！浩浩黄胄，其果有振兴之日耶？阖阖社会，其果有革新之望耶？会当于今日之学生觇之。”茅盾同志早年为改造社会，振兴中华，胸怀远大的理想和抱负。他对学生提出了三点希望：“革新思想”、“创造文明”和“奋斗主义”。那时他就对青年寄予无限希望。

坚决服从党的领导，他从不顾个人安危。在暴风骤雨的险恶时期，他一身充溢着饱满的革命正气，星夜奋战，为共产主义理想而拼死斗争。无论革命处于低潮或高潮，他总是忠贞不渝，持重，顽强，埋头工作。这种崇高的品德与情操，是我们在社会主义建设中必须学习的光辉楷模。

茅盾同志浩瀚的文学著作，早已被世界称为划时代的伟大作品，反映了中国大时代的动态，生动绘出黎明前的旧中国社会，歌颂为新中国而流血奋战的革命力量，深刻地塑造出无数的新的与旧的人物典型。他的文学业绩，使我们懂得了创业的艰难，要狠狠鞭笞旧社会的黑暗势力，光明在斗争中才能到来。

我们永远不能忘记他对学文学的后辈，循循善诱，谆谆教导的无限热诚。我最近在《萌芽》杂志读到他在一九五六年《给初学写作者的信》，那种耐心的态度，恳切的言语，像父亲对子女一般的殷切的希望和嘱咐，要求青年博览群书，指出应该看些什么，为他们仔细计算，花多少业余时间读这些书籍，处处都使我益发崇敬这位革命前辈。

茅盾同志，谦虚谨慎，严于律己，对自己终生追求的共产主义理想和党的事业，鞠躬尽瘁，死而后已。

有人死了与草木同朽，有人死了与天地共存。

卓越的无产阶级文化战士茅盾同志是与天地共存的。

我所喜爱的舞剧

看了藏族神话舞剧《花仙——卓瓦桑姆》，我确实非常感动！感动的理由是，我们藏族的优秀传统剧目的故事终于在北京演出了。过去我听过藏族的歌，看过藏族的舞蹈，但是，藏族的舞剧我没有看过，像这样美的反映古代藏族生活的舞剧，我是第一次看，确实是迷人的！我不知道怎样来评论这个戏，但是，我确实从心头赞美这出舞剧。过去我也看过不少的舞剧，在几十年中看了不少的外国的、古典的、现代的，以及在国外看到的那种最现代派的舞蹈。那天看了舞剧《花仙——卓瓦桑姆》之后，我从心头感到找到了一种我所喜爱的舞剧。咱们都是搞创作的，创作当然要有理智，但更需要理智当中所发出来的一种真正的热爱的感情。我感觉这出戏除了它给人以美的享受外，其中有一个根本的东西，就是善与恶的斗争、美与丑的斗争，最

【题注】收录于《花仙——卓瓦桑姆（藏族神话舞剧）》，四川人民出版社1982年第1版。署“中国戏剧家协会主席曹禺”，文末附注：“根据在北京一次座谈会上的讲话，但犁努整理。”按，1981年5月4日，曹禺出席“藏族神话舞剧《花仙——卓瓦桑姆》”座谈会并发言。

后是在善与恶的斗争当中，善胜利了；美与丑的斗争当中，美胜利了！这出舞剧，除了舞蹈美，音乐也美，但是，我感到难得的是把这个善与恶斗争的题目演得这样自然。这个题目是有教育意义的，但它是用舞的语言、舞的节奏、舞的故事，有人物、有性格；有极其好的表现力的舞蹈，有极其好的表现力的音乐，把这个极其普通的，又是根本的主题表现得那样清楚，那样深入人心，这是我感受最深的一点。大约一个人活下来，总是在善、美与丑、恶之间的矛盾中，也就是处在正反两面的矛盾中，一辈子在矛盾中生活下去，我们究竟选择哪一条路呢？从藏族这个了不起的神话当中，我看出了这个基本道理。在艺术家手里，如何把这个道理表现得那样突出、那样深刻动人，这要花费很大的心力。这出舞剧，就是我心中向往的那种戏！它既有艺术，又有做人的基本的道理在里头，要把这样的戏表现得那样清楚、那样动人、那样深刻、那样深入人心，这是很不容易的！比如《识奸》那一场，我看了非常受感动。那个国王，能说他是国王吗？我觉得他跟老百姓一样，就像是我们，甚至就是我自个儿。当着他被妖妃迷惑的时候，他确实看错了人；但是当他真正有所醒悟的时候，一件事也能唤醒他对善和美的追求。戏里有一段舞蹈，当热巴姑娘捧着卓瓦桑姆所赠的“嘎呜”向国王倾诉，引起国王对卓瓦桑姆王妃的思念之情时。这段三人舞，我感觉非常之美。我感到国王作为一个人，有时他也会向往着美和善的东西。尽管妖妃站在他面前，而他思念的却还是卓瓦桑姆。因此，才引起妖妃在最后非杀她不可了。这里面有个很深刻的意思，一个人对善、美与丑、恶的识别是多么困难呀！当我看完这出舞剧之后，我想到在我们这一生中，拿我个人这一生来说，要识别这个善和这个美的东西，确实费了几十年的工夫。我们现在是沿着社会主义道路前进，就是因为里面有善、有美的东西。但是，要识别这条道路，走这条道路，我个人和我的一些朋友，并不是那么简单容易的。因此，我就觉得这出舞剧很美，不仅从美中看出了藏族古代的文化，也看出了我们社会主义中国的艺术家们追求的是什么东西。这出舞剧，尽管是一个神话故事，根据几百年前的一出藏戏《花仙——卓瓦桑姆》改编的，但是，也可以看出藏族这个民族的人民，跟所有中国其他兄弟民族的人民一样，他们都是在追求着美的东西，追求着善的东西。这一点，我认为这出舞剧表现得最深刻，最成功！

我听到有人这么讲，这出舞剧是编导在酥油灯下把它构思出来的，或者说是在酥油灯下把它编成的，才能在今天舞台上出现这样美丽的舞剧，这是十分感动人的！我们凡是搞过创作的人都知道，从无到有是多难；从有到比较好是多难；从比较好到更好是多难；从更好到十分好是多难！在这么短的时间里，就搞出这样高的水平，我相信再花功夫，还可以将它修改得尽美尽善。在这么短的时间里，演出了这样好的反映藏族古代生活的第一个舞剧。它增加了我们这个多民族国家的自豪感！我只能说出我这些赞美的心情！感谢的心情！

一九八一年五月四日

《徐九经升官记》在北京（节选）

——首都戏剧家关于《徐》剧的评论

我听说这个戏好，可没想到这样的好，太吸引人了。幕一拉开，就揭开了戏剧冲突，节奏流畅，整个戏不避讳矛盾，情节的发展也很自然，有的地方是出其不意的。主角徐九经叫人发笑，叫人喜欢，叫人恭敬。饰这个丑角的演员演得很有身份，不俗气。配角也不错，演倩娘、安国侯的演员嗓子都很好。

这个戏不同于那种表现不畏权势，为民做主的“青天”戏，它具有特殊的位置，带有时代气息。“官官官”那一大段台词很俏皮，很有哲理性。在念白的处理上采用韵白不上口的念法，观众易懂，这是一个突破。我觉得徐九经做梦的那场戏在良心与昧心的问题上还可以写得深一点。这个剧目应该推广。这个剧团大有希望。

【题注】载《长江戏剧》1981年第1期。按，文前“编者按：四月十日至五月二十三日，湖北省京剧团创作的大型古典喜剧《徐九经升官记》进京演出，受到了首都戏剧界和观众的热烈欢迎。中国戏剧家协会等单位邀请在京部分戏剧家举行座谈，并撰写文章给予热情的鼓励，同时也提出了一些改进的意见。这里摘要登载的，只是其中的一部分”。本期登载曹禺、吴祖光、新凤霞、阿甲、张梦庚、马彦祥、郭汉城发言，曹禺发言排在首位。

“黄泉前后人，少壮须努力!”

——在中央戏剧学院导演进修班毕业典礼上的讲话

首先声明，我不是来宾，我是本院的干部，只是见面的机会较少。前些天，我看了就要完工的学院的剧场。大约一个月前，我在电视里看了进修班的《马克白斯》，过了一个很愉快的夜晚。昨天，又看你们在舞台上演出的《马克白斯》。应该说，这个戏是演得很不错的。英国的导演托比·罗伯逊对我们演出的《马克白斯》是满意的，认为有些演员的演技很好。朱生豪先生翻译的《马克白斯》比较准确，但不大容易念。这次孙家琇教授进一步地校订，应该感谢孙家琇教授，这个戏的文学气味是浓烈的。我们更应该感谢各位教师、职工。为了培养你们，他们在两年半的时间里是费了心血的。自然，金山院长不断对你们下了很大的功夫。

你们是二十四个省市戏剧院、团的“尖子”，又在中央戏剧学院受到培养。因此，可以说你们是“精华中的精华”。中央戏剧学院培

【题注】载《戏剧学习》1981年第3期。

养了很多优秀人才，特别是历届师资进修班。你们在学习上的进步，得到了社会的好评，也得到了各级领导的好评，这是你们苦心学习的结果，也是党和祖国培养的结果。

你们就要回去工作了，我想无须谈你们各方面的优点。你们就要遇到许多问题，现在还是就我所能想到的，谈几句话：

一、你们是导演，导演是领导者。

你们是导演，导演是领导者，做领导工作，不要一意孤行，不要搞“一言堂”。经过学习，你们知道得多了，还要虚心地向周围的同志征求意见，这是一种导演。还有一种，是“杂务头”，凡事都抓，自己也爱管，毫无重点地瞎管，乱说，这就不是好导演。

二、你们是艺术家，艺术家不能照猫画虎。

你们是艺术家，艺术家不能照猫画虎。齐白石说：“似我者死，学我者生。”他的意思是，学我的“道道”，不要像我；否则，好不了。在齐白石后，李可染同志是有很大的创造的。创造者就是要有自己独特的新东西。听说导演要“再创造”的。即根据剧本，“再创造”。要有你的思想，你的感情，你的智慧，要有独创性。同时，又是根据作家的基本思想，有所发挥。所以，你们应该是思想家，要有自己的独特性，能看出剧本中放在舞台上才能表露出来的东西，把它在舞台上，深刻地展现出来。一个剧作者，在舞台上常常会看到自己的作品中，他未曾想到的地方放出光彩。这是导演应该发现的，这就是一种“再创造”吧。要用自己“舞台的语汇”进行创造，如舞台调度，舞美与灯光效果，台词处理等等。这种“舞台语汇”，复杂、丰富、巧妙。

一个导演要引导出演员的想象、艺术的才能与其独特的创造力量。导演的智慧就在这些地方显出来。当然，对舞台美术，舞台灯光，以及其他舞台艺术，一个好导演，都得要用尽他的心力，来启发、诱导这些艺术家的创造精神。如果一个导演刻板的根据剧本，来指挥一切，就不是“再创造”。

另外，我反对“乱贴东西”。根本不是作者的东西，不要乱贴。改语言可以，但要商量。不要贴作家不同意的东西，更不要为了“取悦”于观众而乱贴，为了“取悦”于领导而乱贴，为了“取悦”于某些不合理的要求而乱贴。凡是“乱贴”的东西，就不是你独创的东西。

其三，希望你们要懂得“人”，“人”太复杂了。

希望你们要懂得“人”，“人”太复杂了。人是有阶级性的，也有许多共性，虽然孔夫子说：“食色性也。”这只是本能，人的本能，为了生存，为了延续后代。希望你们要懂得“社会”，其中包括你们各种各样的生活，以及别人的各种各样的生活。我不是指“人情世故”，要“与世浮沉”。“人情世故”是社会的复杂现象。“人之情”“世之故”，有人到了五六十岁还不懂得。这种人，不能当导演。懂得“人情世故”，决不是用来去“耍弄人”、搞“小动作”，这是小人！庸俗的小政客！不要那种“整人”的“世故”，要“正确地”理解人情世故。因此，需要深入生活。

要理解演员。如果你不理解，就不能正确地引导演员。要看到他们的优缺点，并要经常地培养他们。现在你们受到培养。你们毕业后，就要学习如何培养人。将来的演员靠你们培养。这是无止境的。不单是使演员会演戏，要让他们提高鉴赏能力：能够区别话剧艺术水平的高与低，绘画艺术的美与不美，音乐的高尚与不高尚，语言的高雅与平庸。丰富他们的社会知识，文学知识以及各种科学知识。尤其是学习、体会马克思主义、毛泽东思想的基本原理，这是一定要学会、学通的。

四、导演一个戏，如果成功了，你们也许感到自己了不起，也许觉得自己是个“天才”。

导演一个戏，如果成功了，你们也许感到自己了不起，也许觉得自己是个“天才”。“天才”是不可完全相信的“词”。如果说有天才，那主要靠勤奋、劳苦，靠劳动。这是一。其二，要靠耐心、细致。搞导演的不耐心、不行，“发火”、不行，枝粗大叶、不行。其三，要有“持久性”。不可搞一半就烦了，就停下来。艺术就是要千锤百炼。要发挥自己的意志、毅力的力量。其四，要迷醉于自己的工作，要对自己的创作有感情。遇见什么天大的困难，都不灰心，不丧气，不“尥蹶子”，不愤然离场，不高声训斥人，不转弯抹角地讥笑。演员是极灵敏的艺术家。讽刺、或隐约地讥笑，都会刺伤他们的勇气与自信心。

好的导演对所排的剧本要“入迷”，迷醉于再创造中。如若有人要你一定搞某个戏，自己并不爱它，一，是要尽量说服对方学习一点艺术的规律。二，如果你自己错了，原来你应该导演这个剧本，那就应该多想想对方的话或劝告，还须学习，而且爱上这个剧本。那就要耐心听别人的解释和启发。接下这个剧本，熟读几遍，使自己找着它的迷人处，真正入了迷。但如实在看不出道理来，那就直言无隐：“我导不了。”如果碰到“无理也能嚼三分”的人，我看，也应该坚持自己的正确意见。但要有“自知之明”，你原“无理”“不正确”，就应接下剧本。

其五，要交朋友，认真地交朋友。

要交朋友，要认真地交朋友。在交朋友中，学得“谦虚”。你们这三十多人，就是朋友。孔子说：“三人行，必有我师焉。”每个人都可以找到别人的优点来学习。古时，有尧、舜。尧有“谏鼓”，舜有“谤木”，这都是诚挚纳谏，谦虚的表率。当头的人，听群众的话，叫别人提意见。你们如无这样的品质，那连古人都不如了。光“谦虚”不成，自己要有正确的见地，自己对的还要坚持。别人的意见，如果不对，就不能听。但你要有真正的鉴别能力。

其六，要继续不断地读书。

要继续不断地读书。我七十一岁了，但几十年来，我浪费了许多时间，读书太少。最近读茅盾先生的《回忆录》，茅盾先生的书读得多，底子厚。你们用两年半读书，是很不够的。要在实践中，在工作中补习，长此不断。至于茅盾先生终身一贯的革命精神和他的人格修养，谦逊严谨，平易近人，诲人不倦，以及他的深厚、真实、严刻的写作功夫，我们更应该体会、学习。了解一个文学巨人是如何锻炼自己，要求自己的。

莎士比亚曾在他的剧本《皆大欢喜》里说：“整个世界是一个大舞台，男女老少不过都是演员。”这句诗不是要我们灰心。莎士比亚不是消极的。他不是说，人生仅是玩玩闹闹，而是说人生要由小到老，总须如此生活下去。我以为，人生短促，走过这一段，就要“下台”的。在任何困难前面，不要灰心，要勇敢！但勇敢不是“吵架”，不是“蛮干”，更不是“强词夺理”，要以理服人。我们肚子里要真有点“道理”。

导演既是一切舞台艺术家们的司令员，又是他们的朋友和良师。要理解他们，做他们的知心人。不但在艺术上是这样，更要在个人品德上做他们的良师、好友。个人品德不好，气度狭隘，无容人的肚量，吹毛求疵，刻薄尖酸等等，是永远不能指挥人的。

遇见困难，不要发脾气。怎样冲撞了你，也不可愤怒。“愤怒”总是以你的“愚蠢”开始，以你的“后悔”告终。

其七，和作家的关系。

和作家的关系。要帮助作家，又要向作家求教。你们今后会碰到许多年轻作家，对老作家也是如此，在需要帮助他们修改剧本时，要学会诱导他们的思想。不要由导演、演员动手。如果作者修改写作的愿望，毫无苗头，而事实的逻辑又确实非改动剧本不可，那么，不要逼他，更不要使他灰心。要支持他，使作家心情舒畅，自己动手。帮助他，从生活知识上给予补充。如果他的基本思想，主题是错的，就更需要耐心地诱导和帮助。

在中国，自从有话剧以来，从没有为艺术而艺术。总是为人生而艺术，为社会而艺术。现在是为四个现代化，为振兴中华，为社会主义的中国，更要为坚持四项基本原则而艺术。党中央号召我们“百花齐放”，“百家争鸣”，“思想解放”，“实事求是”，“向前看”。我们不要把党的方针与政策，理解得太狭隘了。党中央殷切期望我们多写、多演出，对人民有益，对社会主义有利的剧本。它决不是希望我们图解政策，说些概念与口号化的台词。希望剧中有人物、有语言、有结构，有丰富的思想。我们要创造出许多高度概括当代生活，指导当代生活的好剧本。

因此，我们导演（当然领导者更是如此），要团结作家，启发作家。青年作家有自信心，但有的便缺乏马列主义与毛泽东思想来看问题，同时，也有技巧不足的，那都要婉转解释、提醒。他们是肯思想，能思想的。但如果他的生活素材不够，要动员所有舞台工作者，下去生活、调查、研究与思索，为他们提供更多的生活素材。

其八，如何做人？

如何做人？人的一生，必须要有一种崇高的理想。人生太短。活着究竟为什么？这是大问题。我已活了七十一年了，你们也已去了一半。要有崇高的理想，为这个理想而死，才活的值得，有意义。否则，可笑，没意思。我们活着，块然一生，如同猴子，那不是行尸走肉？这个问题，确是需要认真想想、挖挖，真弄清楚、弄明白，才成。其实，“四项基本原则”，早为我们明确指出了。但这种“现成饭”是吃不下去的，也不能真消化得了的。“真理”一定要自己费心寻找，费心摸透，费心思索，最后，才能融会贯通于自己的思想、行为中。顺口道出“四项基本原则”，普通的小学生也会。到了我们这么大年纪，倒是要极认真，极诚实地考虑它，有力地抓住它，终我们的一生执行它！

其九，严格地要求演员，而不是对演员的演技不满时，随意申斥。

严格地要求演员，而不是对演员的演技不满时，随意申斥。要文明一点，礼貌一点。要懂得“五讲”“四美”。

导演的学问，你们学了很多。最低要求要告诉演员在舞台上与观众亲切交流，要使观众听得见、看得见。“听得见”是演员的主要本领。英国大演员约翰·吉尔格德（John Gielgud）的声音，原来细弱如女性，传达无力，送不远。经过艰苦锻炼，每到一个剧场演戏，都声明不用话筒，要使最后一排观众听得见。他是劳伦斯·奥立佛的前辈，演过不少莎翁的戏。中国的大演员于是之及许多好演员都能做到这一点。如果说，对你们演出的《马克白斯》有意见，即“声音”“台词”的功夫不够。但你们学的是导演，尚可原谅。你们当导演，就应要求演员能够使观众听得见。

“看得见”，主要靠灯光。今天的舞台条件好，对演员的“眼”的照明更靠灯光。灯光艺术道道多，但至少要求灯光照到演员的“眼睛”。

要启发演员内心的东西，要懂得角色的灵魂，要演员们懂得作家的风格。要求演员演得明确有力，收敛含蓄，不见浮夸雕琢的气息。

其十，“金人”三缄其口。

孔夫子进太祖后稷庙之后，看见一个“金人”，三缄其口，背面写着：“此古之慎言人也。”孔子于是感慨说：人要谨于言，慎于行。孔圣人这句话，也好，也不好。说它“好”，就是不乱说话。但“慎言人”这句夸奖语，也有毛病。西汉的大经学者刘向的《金人铭》说（他在这当口，却用的是今天能懂的俗语）：“当说少开口，遇事躲着走！”这就是金人“三缄其口”的毛病。把自己的嘴巴，像捆口袋那样捆起来，所谓“括囊无咎”。封建统治者的暴行，把他思想上的“脊梁骨”打断了！他这两句话，流毒很深。这是与中国传统道德思想背道而驰的。中国的传统思想是，要“知无不言，言无不尽”，要“言为心声”，要“言之成理”，要“言行相顾”，要“开广言路”。唐朝初，有个宰相魏徵，魏徵好进谏，一次弄得唐太宗李世民下不得台，要杀死他。回宫后，对长孙皇后说：“一定要打死这个鬼！”皇后听到，取下玉簪，匍伏地上，贺喜皇帝，说有这样敢说话，敢进谏的大臣，这是皇帝的贤明啊！

晋朝孙楚，主张一个人要“多言多事”（多说话、多做事），不要做聪明鬼。他说：若不如此，后代子孙从何处看见我们的聪明、劳动和智慧？不“言”、不“事”，岂不成天像木头块，立在朝廷，活着还有什么意思？凡有权的人，要学会兼容并包，听正确和错误的，听正、反两方面的意见。只要善于处理，就能成大事。老百姓中，真有才能的人，要贡献他们的才智。“怀宝迷邦”是不好的。那样，国家就不会富强了。我们应该反对刘向的主张。

我说这番话，不是要你们莽撞、乱说、蛮干，而是运用正确的思想，说话、做事。要分清是非。需要说清道理的时候，应该勇敢；不要做“当说少开口，遇事躲着走”的小人。

当然，要多体贴人，不要东挑剔，西挑剔。要看大事情，看大处。

我们一定要坚持四项基本原则。如果没有这四项基本原则，中国就要灭亡，更谈不上振兴中华。

其十一，要把你们所知道的，所明白的道理，全部交给接班人。

要把你们所知道的，所明白的道理，全部交给接班人。自己要有“脊梁骨”。鲁迅说：中国人从来是有脊梁骨的。但我想，这不是指蛮干乱说。

不要经常“良辰美景奈何天，赏心乐事谁家院”，这类“千种风情”，不可怀在心里。你们平均四十五岁，你们风华正茂，正在大好年华，有多少壮丽的时光堪得消磨?!

最后，我想引用唐朝一位名叫“寒山”的和尚的诗结尾：

“有酒相招饮，有肉相呼吃。
黄泉前后人，少壮须努力！
玉带暂时华，金钗非久饰。
张翁与郑婆，一去无消息。”

寒山是个有名的和尚诗人，他说，时光易逝。“黄泉前后人”，是说无论谁，早晚都要死的，仿佛他很消极。但接连一句，“少壮须努力！”实在是强劲有力的入世人的好诗。因此，后面四句，说贵人的“玉带”，富人的“金钗”，都长久不了。隔壁的张老头，与另一家的郑老婆子，一离开人世，再也听不见他们的任何消息。这确实是真理。这四句写得好，因为它反衬出那句极有力的“少壮须努力”的深意。

你说，这个和尚虚空、沉寂么？我看，一点也不虚空、沉寂！连一个和尚都如此看生活，看世界！

他大声喊出：“少壮须努力！”

你们风华正茂，前途无量，要善于利用这大好时光！

1981年5月25日

我的一生始终接受着党的教育

我的一生中，从青年时代起，就接受了共产党的影响。1927年有两件事我毕生难忘。一是中学时代，我的一位班长叫郭中鉴，是全班最好的一个同学，待人热情，乐于助人，功课也最好，后被军阀逮捕，在法庭上义不受侮，把镣铐打在军法官的头上，后来被杀害。事

【题注】载《人民戏剧》1981年第7期。按，文章开头说明："在党的诞生六十周年纪念日届临前夕，本刊于六月十二日上午邀请在京部分老戏剧家，以如何继承与发扬党领导戏剧事业的优良传统，加强并改善党对戏剧的领导为题，举行座谈会。应邀出席者有张庚、马彦祥、舒强、赵寻、阿甲、刘佳、傅铎、张东川、张梦庚、李之华、夏淳、蓝光、李玉茹，刘厚生、方杰也参加了会议。这些老同志都为革命戏剧事业贡献了大半生，今天他们不畏暑热，放下手头紧迫的工作，欣然前来赴会。座谈会由中国剧协主席曹禺主持，他说：我们今天聚在一起，回顾走过来的道路，研讨如何促进戏剧事业的更大的发展，有什么就说什么。人生六十而'耳顺'，什么话都听得进去了。请大家真正做到畅所欲言，各抒己见。"发言总题《继往开来——在京部分老戏剧家座谈继承发扬党领导戏剧的优良传统》。曹禺发言题下编者记录："蓝光同志发言后，曹禺马上补充说，刚才蓝光同志提到有人说，过去没有党的领导反倒出了鲁迅、郭沫若、茅盾、巴金、老舍和我这样一些作家。这是十分错误的。我的一生恰恰是不断接受革命思想和共产党人的影响而逐渐进步的，党的影响也反映在我的创作生活中。他简要地回顾说："以下为本文内容。

后才知道他是共产党员。另一件就是《北京晨报》头版上生动地刊载了李大钊同志英勇就义的情景。这两个人使我第一次认识到世界上有这样崇高情操的人，为宣传真理而不惜牺牲，这些人是共产党员。

后来，我参加一个短期训练班，听了后来成为著名报人的王芸生先生和其他老师讲工人斗争发展史，讲马克思主义学说。这是我第一次接触革命理论。当时不甚了了，但思想上是受了影响的。虽然王先生并不是共产党员。

在清华大学学习时，胡乔木、蒋南翔等都是先后同学。在共产党人的组织与鼓动下，学校里爱国学生运动蓬勃兴起。这一时期我投入了抗日宣传活动，参加短期学生军。

大学毕业以后，我到当时的国立剧校教书。杨帆同志当时公开名义是张道藩的秘书，其实他是中共地下党员。是他第一次告诉我什么叫阶级，什么叫社会主义。他还对我说，我会唱一支歌，很好听，唱给你听听吧。这支歌就是《国际歌》。

抗战时期，随国立剧专到重庆。党通过很多关系来教育我。那时我当教务长，学生们办读书会，好多很用功的学生常到我家来搞活动，他们都是党员，介绍我读艾思奇的《大众哲学》。后来，他们告诉我是地下党的两位负责人叫他们来做我的工作的。

抗战中，一方面国民党实在太腐败，而一些共产党人给我的印象实在深刻，所以我写了《蜕变》。剧中我写了个好官梁专员，“文化大革命”中一些不明真相的青年说我美化了国民党。他们哪里知道，这个人物我是以徐特立同志为模特儿写成的。

写《北京人》和《蜕变》时，我每写一部分，都由一个同学拿去给当地的地下党县委书记看。这是后来他们对我说的。这说明党时刻在关心我，包括我的创作在内。

当然，我直接正面受党的教育最多的是周恩来同志。周恩来同志要我看《新民主主义论》及其他革命的进步的文章。他不断对我讲解党在抗战期间的方针、政策。

最近王苹同志告诉我，宋之的同志与我合作写抗战剧本《全民总动员》，也是周恩来同志的指示。

我说这些情况，是说明党是如何长期地细致地在领导我，做我的工作，要把我引上一条正路。我的生活道路，我的进步，乃至我的创作生涯都有着党的影响。

我过去想过，现在更加强烈地感觉到：没有共产党就没有新中国。今天，我们没有共产党，四个现代化在中国也不能实现。

关于加强和改善党对文艺的领导，我只说一点意见，就是要经常性地开展正常的文艺批评，要发扬实事求是的精神。有错可以批评，但不可一棍子打死，要允许反批评。文艺批评，既不要抬轿子，也不要打棍子。

“少壮须努力”

——在张君秋同志收徒仪式上的讲话

这样的拜师仪式，我一生只参加过两次。第一次是[1]一九六〇年，马连良先生收徒弟，是河南的[2]。这是第二次。张君秋同志也收一个河南的徒弟。[3]

我想起唐朝河南韩愈的一句话：“师者，所以传道、受业、解惑也。”所谓“传道”，今天讲，指的是传“做人的道理”。从大的方面讲，我们有党的“四项基本原则”，就是我们立身之道。就“学艺”来讲，要讲“戏德”。唱戏不讲“戏德”，这是不应该的。过去老一辈的戏剧艺术家都讲究“戏德”。梅兰芳在这方面，就做得不错，据

【题注】载《北京戏剧报》1981年第25期，据以排印。又载《河南戏剧》1981年第5期，题名《“少壮须努力”——在张君秋同志收徒弟会上的讲话》，兹以通校（校注称“河南戏剧本”）。

1 此处河南戏剧本有“在”。

2 此处河南戏剧本有“（申凤梅）”。

3 河南戏剧本无此句。

说金少山、马连良也都不错。

“戏”是教育人的工作。过去人讲“高台教化”，这很重要。优秀的艺术家都有高尚的道德品质，要用它教导学生，以身作则，身体力行。“艺术修养”是同“戏德”紧连在一起的。如果只学“技艺”，不学“戏德”，用今天的话讲，主要是“政治品德”，那就学到歪路上去了。

“受业”，是指传艺术。老师要毫无保留地教，学生要认真学。要尊师爱徒。不要以为拜了师，就“毕业”了。师生相与的道路，是长久、崇高的道路。

“解惑”，就是解释“疑惑”。老师要帮助学生解释人生中许多疑惑。譬如，怎样才是个艺术家？怎样才能演好戏？为什么人而演戏？

搞艺术，要抛开名利场。唐朝有个和尚寒山，他有一首诗，很有意思：“有酒相招饮，有肉相呼吃。黄泉前后人，少壮须努力。”“黄泉”指人死后，埋葬的地穴。我们都是要到“黄泉”去的，只是早晚而已。活在世上，“少壮须努力”。[1]青年要爱惜自己的青春。你看，他一个和尚，对人间事，是如此积极。下面四句：“玉带暂时华，金钗非久饰。张翁与郑婆，一去无消息。”“玉带”“金钗”，既“贵”、且“富”，这都是一时的虚华。“张翁与郑婆”，大概是寒山的相识了，“一去无消息”。他们一死，再没回来。因此，珍惜时光，“名”和“利”不是我们追求的。有为之年，要多努力，努力为人民多做贡献，这才是永久的。

1 “‘黄泉’指人死后”以下河南戏剧本无。

目前，京剧剧目贫乏。[1]真是，唱不完的《玉堂春》，打不完的《三岔口》！一定要丰富剧目。一定要改革。同时，要搞现代戏，搞新编历史戏，要整理传统戏，搞出更多的剧目。今天不想法解决，四五年后，就会成为火烧眉毛的问题。

我们要有更多的完美的新剧目，对我们会戏不多的青年演员更重要，“少壮须努力”，这不是一句空话！

我不是来说教的。我只是一个中国剧协的干部，讲一点心里话，祝贺这个拜师会。

1 河南戏剧本无“贫乏”。

（《京剧漫话》）序

最近在一次会议上，张梦庚同志告诉我，他和朋友们合写了一本介绍京剧艺术知识的小册子，约我写个序。

京剧界的朋友们说："隔行如隔山。"我对京剧，是个外行。作为京剧爱好者，就说几句外行话。

在我童年时代，母亲喜欢听京剧，常带我到剧场看戏。我在读书的时候，居然看到孙菊仙、这位天津的"老乡亲"，演的《四进士》。观众对他热爱非常。他大约已九十岁了。观众看他被人搀着上台，不住报以如雷的掌声。这种热烈的景象，至今还十分清晰地留在我的记忆里。

我是余叔岩、杨小楼、龚云甫、王长林、陈德霖等艺术大师的崇拜者。我最早接触的戏，应该算是京戏。

京剧艺术历史悠久，一个多世纪以来，由于它兼收并蓄，具有鲜明的民族特色，是我国影响较大的一个剧种。解放后，在党的"百花

【题注】据张梦庚、佟志贤、王雁著《京剧漫话》所载排印，北京出版社1982年第1版，原题《序》。

齐放，推陈出新”的方针指引下，有了新的发展，成为我国各族人民共同喜爱的戏曲艺术。在国际上，享有较高的声誉。许多国际友人，赞扬京剧惊人的武打，“‘万有引力’也为之失效”。细腻而又耐人寻味的表演，独具风格的化妆，色彩缤纷的服装等等，使他们赞扬“中国京剧，是世界第一流的艺术”。

京剧是以唱、念、做、打（舞）为中心的综合艺术。艺道很深，技巧性很强。多少年来，由于历代的京剧艺术家们不断地丰富、创造，逐步形成了严格的表演程式。这种程式，既规格化，又要灵活运用。前辈京剧艺术家，曾经运用这种表演程式，塑造了许许多多性格鲜明的、有血有肉、生动感人的艺术形象，给我们留下了宝贵的艺术遗产。

过去，对于京剧艺术的研究介绍，曾经发表过许多文章，有过专门著作。但还不能满足读者的需要。今天有了张梦庚、佟志贤、王雁三同志撰写的《京剧漫话》及时问世。我相信这本书的出版，对青年将会起到普及京剧艺术知识的作用；对于京剧爱好者，也有参考价值；对于那些热爱我国京剧艺术的外国朋友，这样的作品，会受到他们热烈的欢迎。

我知道梦庚同志，早在延安平剧院起，一直从事京剧改革工作，已经四十年了，对京剧，他有较全面的研究和实践经验。我相信他的严肃、认真的态度。这本书，将会得到大家的赞许，读者们也会给予它充分的评价的。

一九八一年七月九日

于北京

首都文艺界座谈话剧《北上》发言摘要（节选）

广州军区战士话剧团演出的《北上》，是李伯钊同志的新作。李伯钊同志是老作家了，她是小说家、戏剧家、舞蹈家，这样讲就太多了，她还当过高尔基学校的校长，是革命的前辈。她有志于写长征有

【题注】据中央戏剧学院档案铅印件排印。文前说明："一九八一年七月十四日上午，中国戏剧家协会、总政治部文化部为话剧《北上》举行了座谈会。参加座谈会的有：中国戏剧家协会主席曹禺、剧协党组书记赵寻、剧协书记处书记凤子、青艺党委书记白凌、中央戏剧学院副院长阮若珊、北京人艺副院长夏淳、中央实验话剧院副院长于村、中国儿艺负责同志张富及，著名演员董行佶等；参加座谈会的还有：解放军艺术学院院长魏传统、总政文化部部长刘白羽、副部长胡可、解放军艺术学院副院长刘佳、以及正在北京演出的南京军区前线话剧团团长漠雁、导演张哲、文卜东、作家刘川等同志。《北上》的作剧李伯钊同志、艺术顾问周桓同志，以及剧组其他有关工作同志和主要演员也参加了座谈会。座谈会由曹禺同志主持。"发言者依次有李伯钊、董行佶、漠雁、刘白羽、刘佳、于村、胡可、夏淳、白凌、阮若珊、赵寻、魏传统、周桓。曹禺作会议总结："在会议结束之前，让我再次感谢和祝贺伯钊同志创作并领导了这个本子，感谢和祝贺广州军区战士话剧团的成功的出色的演出。在坐的许多同志还有许多话还没有说，希望同志们多写些评论、文章，给报刊、杂志多做些宣传工作。我觉得这么出色的戏，应当宣扬。"文末标注："战士话剧团资料室根据录音整理"。

几十年了，凭这一点精神，就令人佩服。这个戏的演出非常好，是很成功的。首先剧本是非常好的，是李伯钊同志写戏以来，最好的一个戏。比她第一个写长征的剧本不知好多少倍。我们知道，长征是多么难写，内容是多么丰富。长征是震惊中外，开天辟地第一次，伯钊同志一直想搞好，终于搞好了，值得敬佩。

演出很出色。参加演出的同志很辛苦，把最好的东西都拿出来了。由于有好的导演，有周桓同志、金山同志出的力气，各位演员、各位舞台工作者的共同协作，使这个戏获得了巨大的成功。我深深感觉到：广州战士话剧团的潜在力量，出乎意外的雄厚。我没有想到，这么一个大戏，这么多领袖、历史人物，见过的，没见过的，一个团的人就把它演出来了，而且演得这么厉害，每个人都做出了贡献。

戏是由高手写的。戏不能说是伯钊同志一人写的，但伯钊同志做了元帅，她指挥着一支军队，打了大胜仗。写长征，千头万绪，没有一个了不起的决策人不行。这是一个战略问题。《北上》两个字就看出文章，一开头就写对了，抓住了北上还是南下，团结还是分裂这个贯串的红线，尤其是今天，六中全会闭幕以来，更感到这个戏现实意义、时代意义的重大。现在不是两个拳头，是十亿人口的十亿拳头要捏在一起呀！在建设四化的时候，我们看这个戏，不仅是缅怀伟大领袖毛主席和其他的领袖，而且想到如何团结一致向前奋斗，想到贯彻六中全会的决议，想到中国的光明前途，必然能够实现，因为指导光明前途的政策是正确的。这个戏，给我们以党的历史的教育，给我们以鼓舞，我真是佩服。这个艺术，如果没有很好的思想，没有串起来的红线，没有一个了不起的老帅指挥着，是不行的。这是我个人很好的学习机会。

今天到会的各方面的同志来得不少，机会难得，大家都想一想，谈一谈。请伯钊同志先谈。

看话剧《金子》随想

中国青年艺术剧院演出的话剧《金子》，是个好戏。现在党的六中全会已经闭幕，国家建设将进入一个新的历史时期。我们的文艺，如何反映这个新的时代、新的生活、新的人物，这就需要我们大家不断探索。

《金子》这个剧本写得比较流畅，台词富有生活气息，导演处理也较新颖，演员配合比较默契。

这个戏是写待业青年问题的，这是人民群众十分关注的一个社会问题。演出效果好，几乎每句话都引起观众共鸣，因为台上说的就是我们日常生活中所熟悉的人物的语言。看来，这个戏的作者、导演、设计、演员是下了功夫的。不熟悉生活，是写不出，也演不出这样的好戏的。

这个题材，很难写，因为剧中人的生活同当前观众的生活，距离很近。观众对舞台上的人物是十分熟悉的。他们看戏时，看得十分细

【题注】载1981年7月21日《北京日报》。

致。有一位在劳动服务公司工作的老人对我说，他跟待业青年打了多年交道，戏里不同类型的待业青年，个个面熟。这说明《金子》的演出，是得到观众的承认的。

这个戏能写成这样的水平，被观众承认，确实很不容易。青年，是祖国的未来和希望。如何把这些人物写得更深些，把他们的精神境界写得更丰富些，也许会更能感人。我相信作者广泛征求意见，进一步修改，能把这个戏改得更好。

这个戏的青年演员很多，他们演得不错。但是，有些地方的台词听不大清楚，有些字被“吃”掉了。因此我想到，解放后，我国话剧的台词虽然有很大进步，但是问题还没有普遍解决。台词训练应当引起剧团的普遍重视。应当讲究台词的音乐性、节奏感和韵味美。最低限度，应当让剧场每个角落的观众，听清楚每一句台词。演员应当重视每句台词对全剧的重要关系。如果把《金子》的台词，每一个字都送到观众耳朵里，效果将会更好。

我祝贺《金子》这个新戏的出现。希望有更多的反映新生活的好戏出现在舞台上。

我一直认为，中国青年艺术剧院有朝气，有青年的特色。他们热情为广大观众（特别是青年）服务。他们的剧目反映现实生活比较快，提出的问题也比较及时，比较尖锐。《金子》这台戏的演员，有的是第一次见观众。但他们得到老演员的培养，因而演得好。老演员不仅教他们如何演，而且，有的在台上做青年演员的配角，为他们“把场”。这是值得称赞的演员道德。我们应该向这样的老演员学习，也要向那些虚心好学的青年演员学习。我确实见过一些胸无点墨，偶有所得就飘飘然的青年演员。这种态度是不足取的。

我认为,“青艺”还有一个好处,他们演出反映现实的剧目,很注意社会效果,也注意剧目的艺术性,但不追求廉价的掌声,不迎合观众某些不健康的要求。

在他们的心目中,戏是教育人的。好的戏,既要给观众美的享受,又要培养观众崇高的精神境界。

在当代文学讲习班开学典礼上曹禺同志的讲话

你们各位同志都是讲中国当代文学的，现在中国当代文学在全世界是一个热。可以说无论哪一国，小至瑞士，大至美国、英国、欧洲各国，都研究中国当代文学。几乎每个文科大学都有。一个系，起码有人专讲。道理有很多：第一，闭门多少年，人家想知道我们中国；第二，想从中国当代文学，知道中国的社会、人情、世故，以至中国的历史、将来的发展方向。所以，各种目的、动机都有。而今天在座的诸位同志们，你们都是掌握着第一手材料的老师。你们能最快的知道当代文学，你们有发言权。所以，你们最后的研究，应该比全世界的任何当代文学的研究者要好得多。所以，你们的责任是重大的。而且全世界都在等待着要出一本中国的当代文学史。恐怕这是件很难做的事情，但又是必须做的事情。而这责任就放在各位同志们的肩膀上。

【题注】载《当代文学研究参考资料》1981年第10期，文末附注“陆文璧整理”。按，讲习班于1981年7月29日举行开学典礼，本期刊载陈荒煤、曹禺、姚雪垠的讲话。

又比如说现在有各种热。昨天我碰到沈从文，我告诉他现在有沈从文热，他说他不知道，前一段时间有巴金热，这个热好哇。恐怕也不会一阵子。巴金、沈从文是了不起的作家。现在刘宾雁、王蒙，都是大家注意的人物。尤其是故去的茅盾先生，我看了他的回忆录，我非常后悔，我明明有机会天天，起码是常常可以跟他见面，姚雪垠同志和茅盾先生常写信。我老觉得他老人家岁数大了，有病。有次，叶圣陶，叶老，问我愿意不愿意跟他一起到茅盾先生那里坐一坐，聊一聊。当时我认为我跟他几乎不同辈，几乎没有什么共同的语言，就没有去。后来我很后悔。看了回忆录我才知道，他是这样一个伟大人物，这么有学问，有知识，这么平易近人。我非常难过。

再有，我曾经跟姚雪垠同志说过，你的一部《李自成》现在有很多人在研究，过去有“红学”，将来说不定还有“李学”哩，说不定过了几十年后还要研究。我说，有些问题，你现在最好搞清楚一点，以免像“红学”那样，今后老争论不休。

现在是“安定、团结”的时代，我们应该立足于四项原则，立足于“决议”。关于成绩、错误的认识，恐怕我们研究中国当代文学的人都离不开，这是根本性的问题。

各位同志，你们研究当代文学的方向，要走到何处去？这是个大问题。

第二点，你们是研究，不是学究。所以，不要有学究气。你们必然是评论家，中国文学评论家，当代文学评论家。因此，你们要批评之、议论之，来促进当代文学，甚至于造成一代文风。

第三点，就是为日后当代文学史打下很好的基础，靠各位同志们的智慧，靠各位同志们的深刻研究。我很粗浅地感觉到有这三点期望。

第四点，现在是十年浩劫之后的第二次解放，文艺非常昌盛，尤其是小说，又多又好，出了不少人物。“百花齐放、百家争鸣”这是最好的。有人说，中国有两个最好的时代，一个是延安时代，一个是现在。即是毛主席在延安文艺座谈会上的讲话以后和三中全会以后。但是，我总觉得，这是开始。中国的、社会主义的曹雪芹，社会主义的托尔斯泰，社会主义的巴尔扎克还没有。但是，已经有刘宾雁、王蒙、刘绍棠、谌容、邓友梅等等，多得不得了，数下去二百多名字都数不够。大大小小，老老少少。所以，我觉得有个东西，念一念，可以作参考。法国有个雨果，就是写《悲惨世界》和无数其他小说的大作家。他的言行录中有一段写巴尔扎克。是巴尔扎克死后，在巴尔扎克的墓前有段悼词，最后几句：“从今以后，众目仰望的，不是统治人物，而是思维人物。因为一位思维人物不存在了，举国为之震动。今天，人们哀悼的，是死了的、有才的人。国家哀悼的，是死了的、有才的人。”我想，一个是才能，一个是思维。各位在研究时，作为我这样一个写过一点东西的人，我希望你们要客观一些。不要像一句老话：“爱之欲其生，恶之欲其死。”唐朝有个史学家叫刘知几的，在唐朝武则天时代，唐玄宗时代都还活着。他写了很多东西，有一部叫《史通》，是一部讲史学评论的专书。他说，“官设史局有利弊”，好处是材料多，坏处是只听几个人的话。他说史学应该有才、有学问、有见识，即“才、学、识”，他说尤其重要的是“识”。见识、史识，很重要。我不大懂这个史识怎么讲，因为我没有读过《史通》。他提倡

“直笔”，不是弯笔。提倡“不掩恶、不虚善”[1]，就是说，坏的东西不替他遮掩，好的东西不要一味地集中地总说他好。这几句话很值得我们文学研究者作为一个标准的参考。他又说：“爱而知其丑”，爱这个人物，历史人物，一定也知道他的丑地方。“憎而知其善”，恨这个人物也要找到他的好处。要有全局。所以，比如现在，对中国现代文学，现在有的人对徐志摩、戴望舒，以至胡适的诗，也开始研究了。我觉得有一定道理。所以，鲁迅先生说，对评论，要有全面的认识。我们对中国封建时代两千多年历史，中国的历史观有一个向后看的倾向，不是向前看，而是向后看。总是尧、舜、禹、汤，是最好的社会。法先王，要以先王制度为法。其实，那个社会早已消失，或根本没有。所以，《史记》了不起，司马迁了不起，他确实写了一个生动活泼、有气派、有决断，而且最最写直笔。那么，后来他这一条路子还有别的路子，成为一个“模式”，不大变了。模仿别人，缺乏一个“胆”字，没有胆量，研究什么东西都困难。老是因袭别人的话，因袭别人的见解。当然，别人的见解也可以承袭传统，学习传统，但因袭，是没有在你脑子里过过，稀里胡涂就过来了。还有，怕惹是非。只好罗列一大堆史料，所以像这样的情况，不但“胆”都没有了，连“识”也没有了。

再，我很希望同志们，写东西最好有点文学色彩。很能引人兴致。有声有色，有独到的见解。拿中国的历史来看，有很多好的。“历史”这个词，从希腊文来的。希腊文“历史”这两个字包括有故事在里边

1　查《史通》有《直书》及《曲笔》两篇文章，但并无“不掩恶、不虚善”二句。——底本注。

的意思。这里可看出，要引起读者爱看各位同志们研究的成果，文章要写来好看。现在文学中常常有一种规劝、教化的味道。这倒不是坏事，问题是看你用什么方法去教化，什么标准去规劝。所以，第二点，请诸位同志，文章要写得更有声有色。文学研究不要写得干巴巴的。

第三点，就是实事求是的精神。外国皇帝怕神，怕将来进不了天堂，外国宗教势力太大。他们怕得罪了宗教要人，得罪了宗教要人常常引起战争，连他的头也保不住了。中国的皇帝大多是要万古流芳，总希望自己在历史上是个非常好的皇帝。但不管他怎么样，历史这个东西，总不是以人的意志为转移的。所以，皇帝是最有权力的人，但是还有夏桀、商纣的传说故事。所以，我们需要有实事求是的精神。实事求是就是今天的精神，是我们违反不了、也抗拒不了的一种时代精神。不过，有一点，在这种精神之下，我们需要站在自己一定的角度上看问题。这就是在文学研究上的品质问题，这是第三点。实事求是，但要有自己的独创精神。

第四点，“胆”字，我讲一个故事。汉朝有个刘向，写过一篇《说苑》，是讲秦到汉的历史故事，中间加以评论。这里面，主要是谈儒家的政策思想和伦理观念。但居然有现代化的口语，“当说少开口，遇事躲着走”这么一句话。我没有查过书，听说的，拾人牙慧。据说他主张“三缄其口”[1]，孔夫子见了一个铜铸的人有感，说到主张把口拿针缝起来，不但缝一针，还要缝三针。当然，是不是缝三针也不知道了。总之是少说话为是。后来有晋朝人叫孙处的。他写了一个东

1 “三缄其口”出自《孔子家语》一书。(缄——音“尖”，不读“成”)——底本注。

西，叫《反今人名》。[1]这个人有点脾气，有点狂妄态度。晋朝人非常讲究官长制度，首长制度，很厉害。家庭世族观念也很深。所以，有一次，孙处见到一个大将军叫施包的，施包阔气的不得了，孙处见到将军不下跪，只作了一个揖。说道：天子叫我来帮你（卿）做事。这“卿”字，在当时是很不恭敬的。在文学文中，有丈夫叫自己的老婆为“卿”的。孙处反对刘向说的话。他说，人不应该少说话。我古时多言人也。不应该少做事。有什么道理，要去探索。有什么样的奥妙，要好好地去勾出来。这恐怕搞文学研究的非做不可。不能像一块石头，像土挖的人坐在朝廷上一句话也不说。他说，尧有谏鼓。他指的朝廷，我觉得可以给我们作借鉴。尧有谏鼓，舜有梆木。拿着鼓一敲，他就来听。现在礼教坏了，你要承意旨，就顺顺当当的，你出了意旨，就该倒霉了。所以，有时候，一股风气，女人喜欢细腰，于是宫里的女人都快饿死了。有的人从前喜欢宽眉，于是细眉就没有了。龙的鳞要顺着摸，如逆着摸就该倒霉了。所以一个人假如你都不说话，不做事，后代子孙又能得到什么呢？应该有独立的见解。当然，我们的独立见解是有范围的。我们必须立足于“决议”，立足于四项原则，立足于安定团结。但应有独立的见解，没有独立的见解，跟着人讲是不好的。多言多说话，多辩论，这不是意味着胡言乱讲，也不意味着瞎干蛮干。他说，只要多说多讲，“言满天下无口尤”[2]，你这个

1　晋朝人孙处。查《二十五史人名索引》有孙处其人，但孙处的事迹与此事不合。孙处：《宋书》卷49，《南史》卷17。——底本注。

2 《论语》有“言寡尤”，尤——过失的意思。——底本注。

话，天下都听见了，只要你多说，不会因口而犯错误。

多读点中外古今的东西。光读当代的不行，因为你没有比较，难以分清好坏。当然，由于世界观的不同，制度的不同，我们跟外国人比较，制度不同。但也还是要比较，有好有坏。去粗取精，去伪存真。但不要拘泥于一点，拘泥是很可怕的。我再讲个故事。古人好诗画，北宋有个沈括，他写有《梦溪笔谈》，这人是个大科学家，他地理、文学，无所不知，他的《梦溪笔谈》是十一世纪科学的总结，但他谈诗的一些话，就值得考虑。比如白居易的《长恨歌》，写唐明皇逃跑到四川去，诗中有两句："峨眉山下少人行，旌旗无光日色薄"，沈括说，其实峨眉山在嘉州，唐明皇到四川根本不走这个地方，毫无关系。所以，"峨眉山下少人行"这句话，根本不通，根本不科学。但是，我们看起来非常有道理。文学嘛，怎么能这么看呢？它不能拘泥于某一种思想。

今天，有时候有人好挑剔，有种议论，近乎挑剔。就跟沈括这个大了不起的人相同。沈括又谈到杜甫的诗，诗中有关诸葛亮的庙，庙里的柏树有多高。诗是这样写的："霜皮溜雨四十围，黛色苍天二千尺。"沈括说，四十围也不过七尺，而树高二千尺，太细乎。我举这个例子是说，不要太拘泥，在今天，偶尔有这个毛病出现，这不好。

"言满天下无口尤"，哪有说话不犯错误的？没有的事情。所以，这七个字不足为训。但我们要力求少错点，要下功夫。

最后，我读一首诗。唐朝有个和尚诗人叫寒山。他写有诗句："有酒相呼饮，有肉相呼吃。黄泉前后人，少壮须努力。玉带暂时华，金钗难久饰。张翁与郑婆，一去无消息。"我觉得这个和尚看得很开，

“少壮须努力”尤其好。当然，在座的，我跟姚老（指姚雪垠）要走在前罗，各位同志们要在后边。但我们都要努力。不要虚度年华，光阴易逝，时间不多。我比我的很多同辈，要少读好多书，少做好多事。但现在，我已有觉悟了，我现在急于读书，但也没有几年了。急于写吧，也没有几年了。当然，我也不那么悲观，不会明天就死啦。

最后，我再说两句话，必须立足于“决议”，立足于四项基本原则，立足于“双百”方针，实事求是。必须要改造世界观，思想改造还要不断学习马列主义、毛泽东思想。我们老、中、青都到齐了，要互相学习，互相爱护，互相体谅，互相尊重。要点在“互相”二字上。一个人独干，做一家买卖是不行的，要互相帮助嘛。

我祝贺你们研究当代文学一天天成功，将来写一部很好的、在全世界都站得住的中国当代文学史。你们的前途无穷，但需要有独立的见解，要有鉴别的能力，现在文学之多，光杂志就不少，确实要有很好的鉴别能力。再就是要有根脊梁骨，我不是要你们做反党的造反派，我认为才、学、识，还有胆。你们研究、思考的结果，写出文章，必然有赞成的，也必然有反对的。你说得对，我就服你，改正错误，要有胸怀坦荡的态度。但你说得不对，你逼迫我承认我错了，你要顶得住。这就是脊梁骨。有个脊梁骨的标准问题，有个鉴别是非的问题。否则瞎指一气，就是思想僵化的化石。最后不过是支撑理论的空架子。历史，其实也用不着历史，群众一点，就哗啦啦倒下去了。所以，我认为要尊重群众的意见，更要尊重历史。

我说完了，谢谢各位。

满怀信心

我学习了《建国以来党的若干历史问题的决议》，受到了很大的教育和鼓舞。这个《决议》实事求是地总结了建国三十二年来正反两个方面的经验和教训。我深深地感到，我们的党是一个伟大的党，是一个勇于批评和自我批评的党。党中央现在的领导同志，是十分成熟的马克思主义者，是完全可以信赖的。在这样坚强的党中央的领导下，我对我们的党和我们的祖国，充满了信心，充满了希望。

从戏剧的发展形势来看，也又一次证明，三中全会到这次六中全会，党的路线、方针、政策是正确的。三中全会以来，我们出了不少的好戏，出现了一批有希望的新作者。这正表现了党在戏剧工作者的心中唤起的力量。刚刚开始的部队戏剧调演，我们就看到了三个好的话剧。反映南昌起义的《一代英豪》，写长征路上的斗争的《北上》，还有《平津决战》。再有近两年一直比较贫乏的农村题材的创作，也繁荣起来了。今年上半年，就出现了几个反映农村生活的好戏。如话

【题注】载《人民戏剧》1981年第8期。

剧《赵钱孙李》《落凤台》《张灯结彩》，还有花鼓戏《牛多喜坐轿》，评剧《月难圆》等等。反映待业青年生活的话剧《金子》，也受到了观众的欢迎。

在题材上，我们也是十分广阔的。比如，十幕历史剧《秦王李世民》，上海市青年话剧团正在上海演出，观众的评价很高。京剧《徐九经升官记》，莆仙戏《状元与乞丐》，都构思巧妙，引人入胜，很有现实意义。

我们的创作队伍中，上半年又出现了几位很有前途的青年作者。《徐九经升官记》的两位作者，都是三十多岁的年轻人。《秦王李世民》的作者，是上海复旦大学中文系的学生，一个才二十四岁的姑娘。这说明，我们的戏剧创作事业，是后继有人的。

总之，形势很好。当然，也有缺点和不足。比如，在少数戏剧工作者头脑中存在着“向钱看”等问题。这是前进中的缺点，我相信在工作中会得到克服和纠正的。

《决议》谈到毛泽东思想过去、现在和将来都是我们党的指导思想。毛泽东的文艺思想，是毛泽东思想的一个组成部分，其中一些原则性的部分，我们应该坚持。我想，文艺为什么人的问题，文艺与人民的关系，文艺与革命的关系，文艺与生活的关系，毛主席都做过十分正确的论述。只有解决好这些问题，我们的文艺事业，才能沿着正确的方向前进。

同时，对待毛泽东的文艺思想，我们也不能教条主义地生搬硬套。毛主席晚年对文艺问题的一些见解，就有不适当的地方。他把历史剧、传统戏一律认为是宣传封建主义的东西，这就离开了他自己过去说过的“推陈出新”“古为今用”的话。

学习了六中全会的《决议》，我感到，我们今后要坚持“四项基本原则”，坚持“双百”方针，我们要进一步肃清“左”的思想干扰，开展健全的文艺批评。社会主义的文艺事业需要大家干，需要团结。我说的团结，并不是一团和气，但是，也不该是一团火气。

我们的文艺批评应该实事求是，以理服人，与人为善；而不要以力服人，随便上纲。资产阶级自由化，是不能允许的；但“左”的“自由化”，我们同样受不了的。我相信，我们的文艺工作者经过几十年的锻炼和考验，是一支可以信赖的革命文艺队伍，是爱党、爱国、爱社会主义的。我们一定要运用批评与自我批评这个武器，来提高我们的作品的思想和艺术质量。我相信，我们都不会辜负党中央对我们的期望。

曹禺院长在演员训练班开学典礼上的讲话

同学们，老伙伴们，我们都是三十年在一起的。刚才看了同学们演出，有很多使我高兴的地方，你们现在像是刚出来的苗，没有沾染各式细菌，你们表演自然，活泼，没有毛病，不造作，感情部分不伤感，我喜欢。换句话说，也就是不过分。再就是很真实。"很"字是不容易的。苏民同志刚才说的"深厚的生活，深刻的体验和鲜明的形象。"你们开始有一点点路子，这是一辈子也学不完的，干不完的。你们刚才表演来源于生活，形象比较鲜明，我感觉你们有愿望，是尽量想做到美好，从真心出来的。你们的歌、舞、讲故事都是这样的。你们这样具有欣欣向荣、朝气蓬勃、向上的一批青年使我高兴。我在这里呆了三十年，讲讲我个人历史。从十五岁就学演戏，条件不如你们。哪有这么多有经验的老师教呢？是在学校里搞，但一直没放松。

【题注】据北京人民艺术剧院档案所存手稿排印。档案记录标注"曹禺院长在演员训练班开学典礼上的讲话（记录）1981.9.7"；内页标题为"曹禺院长在学员班开学典礼上的讲话"；文末以不同字体分两行标注："1981年9月7日"和"1981届演员训练班"。

刚到这儿来四十多岁，现在七十多岁，与这儿的同志不但是共欢喜、共快乐、共创造，而且共患难，是个演戏关系、创造关系，是一个美的关系，是说不尽的。你们有六门课程，这二年中我感到很适当，如果你们真能学到家，会有一个很好的演员根底。你们看的出来，有才气，但需要大加工、狠狠的加工。要用心，我们这个行业不是舒舒服服行业，是拼老命的行业。我从十五岁到七十多岁，有很多遗憾我告诉你们。我个人遗憾，第一是我是写剧本的，但写的剧本太少；第二是写得还不够好。你们也会活到七十多岁的，也可能活到一百岁。人到青年时，认为时间还多，不够用功，到老年回首一望才后悔。我个人读了不少书，读得还很不够。等我看了茅盾先生的回忆录，我感到自己很惭愧。人家才真正读书多。中外古今书读的多，掌握外国文字多，最了不起的是参加革命，真的参加革命，是一位敢于说话的革命家，但是自己从来都是非常谦虚。我认识他很早，不看他的回忆录，我不真正知他有这么高深的学问，这么多的革命行为和经历，可是我没有看见他夸耀过自己一点。所以你们首先要向老前辈下死功夫学习，要读书，学好六门课程。你们要有理想。人生七十古来稀，否则活的年龄大，像僵尸一样，块然一生，像个木头人，也可过去。但另外一种人为理想而奔，像郭老说的美的理想。你们要追求美，不是要穿花衣服，出名得利，最要紧的是道德上的美。一提道德，你们就讨厌，因说得太多。实际上任何一个有学问的人，像爱因斯坦、关汉卿、曹雪芹都是有道德的人。他们一辈子不管经历了多少困难痛苦，但他们过的是美的一辈子，不是丑的一辈子。“美”不是说话拘拘束束，见人客客气气，所谓道貌岸然的君子，而是真正的心灵美。每个人要有灵魂，必须有灵魂。灵魂一天天长，可以搞得愈深愈厚，很重要。是要靠很多东西，靠对自己的要求、苦练，不吝惜自己的精力，最重要的是有真正的理想。没有理想就等于死人一个。四条基本原则，就是理想，很容易接受。但懂的很难。我想做个好演员，很容易说，但实际上很难，而且是有灵魂的更难。我们剧院有很多好演员，像于是之、刁光覃、蓝天野、董行佶等；女的有朱琳、胡宗温等，多的很。他们达到一定的美的境界。你们对美要多考虑，不要庸俗的考虑。扎个花算美吗？带个漂亮的女朋友算美吗？我猜想不是！苏民同志也说过，要求你们在这二年中，把整个精神投入学习演戏的基本功上，你们要求美的观念，你们有道德的、技术的、各种文学修养的。你们年轻，不能只有一套假的东西，必须有美的灵魂。美的东西包括的多极了，比方男女关系，处理的美，将来生儿育女，能像个有灵魂的人。过一辈子是非常之难的，需要有个扩大的深的美的观念，不能简单跳一个迪斯科就是美。我不是反对迪斯科，但现在藉跳迪斯科乱搞男女关系是丑，我反对。你们经常注意，什么是美？丑？要具体起来。这是头一点。具体的美有几点要注意的。我感到现在话剧界，特别是戏曲界，文化修养太差，换句话书读的少，我个人也是书读得不宽，不能把一本书用心精读。这样能使你眼界宽广，能看到前途，向往共产主义世界是美。光说说没有用，等于废话，要一点点体验出来。我是经过五个朝代的人，经过“四人帮”一闹，闹到现在有一个安定团结的局面，来之不易啊！但是尽管是有许多乌七八糟的事情，例如：刚才你们作的小品《罗莱夫塞》就不美，但很具体。人的一生要经历无数的考验，人活着过的太快，从没有皱纹到现在满脸的皱纹，头发由黑变白，我不是伤感，而是让你们知道人会老的。你们能做到一个有伟大灵魂的演员，是我所希望的，但也不是全能成为的。人艺演过许多好戏，但不是全好。有过若干好作风，但也不是完全是好的。你们要向老前辈学习美的，丑的不要学，要靠你们自己下功夫，美丑不是教出来的，你们舞蹈很美，说明是下过功夫练的。你们要好好想一想，为什么要演戏？

一辈子不为什么而活着，那太难了。当然口号很多，你们要自己摸索到的，也许会摸索半辈子。再一个令我高兴的是你们的老师，苏民同志下了很大功夫，还有蓝天野、童弟、谢延宁、刘涛等位，非常好。还有从戏剧学院请来的代课的老师，搞形体训练的，还有发声吐字。舞台语言，不只是技巧，是两个东西。舞台语言包括很多舞台修养问题。修养问题天天准备，要读书。我们都好读书。比方苏民老师会画画，写的一手好字，会做旧诗。蓝天野老师也会画，你们算找着好老师了。你们将来都要会一点。除了六门课之外，比方你们有人会舞蹈，就要互相交换学习。舞蹈中也有美不美的问题，迪斯科就不美。假使跳迪斯科对身体好，能弄结实，我会跳，就在屋里一个人跳。但是它不美。想了半天，赠送给你们一句话“追求美的理想”，当然包括四化等很多。有了这个东西，遇见困难、折磨、为难的时候就不会低头，因为有理想，不会悲观失望。当然每一个人有所不同，有不同脾气，但是都要有理想的要求。我刚才这一会儿功夫，就看出了每个人都有不同的长处。时间短，还看不出缺点。听见好些同志谈，你们是一千三百多人中选出来的，十六个人不简单，你们是尖子。从前外国基督教有句话叫选民，犹太人说他是选民，是上帝特殊爱的叫选民，是特别考出来的一种人，这是废话。你们不是这样，是动员全院力量选出来的。没有一点后门，坚决不许走后门，你们是凭素质选出来的，是宝贝，不叫选民，叫选苗，要精心培育。苏民同志是个有才气能干而肯负责任的人，把你们交给他我是放心的。我代表北京人艺感谢以苏民同志为首的老师们。

我的爱人是学京戏的。她们那会学戏时，哪能有你们现在的条件。她学跷功，在大拇指上绑上一块木头，与三五个孩子一起站在板凳上，要站一炷香的时间。如果有一个人掉下来，一块挨打，甚至不许上厕所，有人尿裤子。老师拿着皮鞭子在一边看，冬天地上冷水冻成冰，要用一个脚指头在冰上跑圆场。就因为幼时练的苦，现在腿功还很好，走起来好看，还有弯下去。当然这些非人道的残酷的训练方法是要废除的，但是不艰苦是不行的。你们学话剧是另外一条路子，你们要准备一天要有二十四小时学习，炎热的夏天，严寒的冬天都要练功。到这里来，不是来过享福的日子，当然你们来考，也不是来享福的。将来你们还要学习更多的东西，要有根底，要学基本功。我虽干过话剧，现在新方法很多，我很落后，我真正知道新方法，还是通过你们的老师们。我最高兴的是经过十年混乱，吃过很多苦才把你们请进来，对你们寄托了无穷的希望。你们不但把他当学堂，而是把他当家来看。我必须说，这个家不是这么干净。有人说北京人艺藏龙卧虎、人才很多，反过来我说是鱼龙混乱，泥沙俱下。有鱼，比龙差远了，换句话说，也不是都那么了不起。首先从你们这儿起要立新风，这个责任很重。我认为你们是非常干净，有决心学话剧，而且决心把中国话剧提高到中国独有的民族化的，老老实实的站在现实主义生活基础上的，将来成为伟大的演员。

你们在万里长征中，半步还没迈出，你们在准备走。也许你们二十几岁就要成名，成名不是什么了不起的事情，成名容易。我听说有人想拉你们拍电影，我反对，坚决不能演电影，不能被乱七八糟的东西、心思干扰我恨透了。这就是不美的东西，想出名。咱们非常有修养的演员，非想演一二部电影，认为电影了不起，这是错误的思想。真正成为伟大的演员时，再露一露。实际上舞台是最迷惑人的地方，你们还没有尝着味道，尝着就舍不得了。我不是要把你们拴在舞台上，而是将来有好的，真正能表现你们灵魂的好剧本是可以的，你们不要随便演个小角色而丢了人艺的风格。你们必须看重自己，我的孙子都快有你们大了,我对你们抱有很大期望。我看人的本领，还不会太差，我看出你们是好苗子，而培养你们的是了不起的老师，将要刻苦的为中国戏剧界培养话剧人才。我想起来一个故事。你们知道吧？意大利十六世纪文艺复兴时代一个最有天才的伟大人物叫达芬奇，他的作品叫《神秘的微笑》，你们有人知道吧？你们知道的东西不多。他是大画家，大雕刻家，大艺术家，大科学家，他在作品中提到但丁的《神曲》。《神曲》是讲天堂地狱，这当然是迷信了。在地狱中写到一个人被蛇围绕着，写的非常恐怖、悲惨。最后人变成蛇了。人可不可以变成蛇呢？我说是可以的。在一个不良的环境中，不良的教导之中，在一个不正派作风当中，人会变成蛇的心肠。反过来，在今天，蛇是可以变成人的。现在我正式讲几句，我对把二年时间放在培养学生的老师们，我把这十六个有好根底的小苗子交给你们，他们父母也很放心，你们负责教育他们，重要的是教给他们什么是美。当然你们作为学生更要好好的认真学习，“什么是美”够你们学一辈子的，我要感谢这些位老师，诚恳的希望你们全心全意的教好这些有根底的下一代！

舞蹈大家——崔美善

唐朝有位神奇的舞蹈家公孙大娘，杜甫看完她的舞蹈说："观者如山色沮丧，天地为之久低昂。"

今天中国的舞蹈家可谓盛极一时，崔美善是当今的一位"公孙大娘"。

崔美善的舞姿，变幻矫健，流旋飘逸，摇曳有致。

多年来，我看过她的《长鼓舞》，直使我"夺气"。如今，她和她的编舞李仁顺，创造多少绚丽的妙舞。她们新近合作的《东方的微笑》，那是崔美善从敦煌壁画中悟得的神妙启示，恬静，明慧，充满了熙熙春光，是她又一璀璨杰作。她的《喜悦》及《丰收曲》也有新发展。近来，她的艺术日臻美妙，更超绝了。

解放后，崔美善最早介绍印度舞，获得成功。她现在又把埃及舞和日本樱花舞跳得非常优美。崔美善舞遍各大洲，她的声名流四方，吸引了各国观众。世界专家赞颂她集东方美于一身，刚健、温柔，既

【题注】载1981年9月14日《人民日报》。

奔放，又含蓄，是新中国的一位舞蹈大家，又是通过艺术传达友谊的使者，是社会主义中国舞蹈艺术的骄傲。

我十分喜爱崔美善的舞蹈风度，波澜壮阔，神采扬扬，这是我们时代的精神。

杜甫说“草圣”张旭看了公孙大娘的舞蹈，“豪荡感激”，从此草书长进。艺术是有灵光的，可传神，可鼓气，可八面生风，可激发人的创造灵感。我愿崔美善与一切中国杰出的舞蹈家都赋有这样的神奇。

首都戏剧界座谈《真假美猴王》(节选)

这出戏前天看了，就像小时候躲在小房间里一遍又一遍地看着《西游记》那样有趣。看了戏，我就在想:《西游记》的道理在什么地方?寻根究源，再看看《真假美猴王》的优点是什么?它可以进一步提高的地方在哪儿?

《西游记》成书于明代，作者吴承恩集前人许多有关的说书、平话、杂剧、民间故事，加以融会贯通，重新构思写成的。这部伟大著作具有极丰富的想象、极宏伟的结构。从大闹天宫到九九八十一难取经而归，其气魄之大、人物之多、故事之妙是罕见的。《真假美猴王》只不过是其中的一段。要真正懂得《真假美猴王》的价值，我们回

【题注】载《福建戏剧》1981年第6期。按，文前编者说明:“福建省京剧团《真假美猴王》剧组在杭州、上海巡回演出之后，又于八月初晋京，受到首都戏剧界和广大观众的热烈欢迎与热情支持。中国戏剧家协会，剧协北京分会，福建省文化局，福建省京剧团于9月24日在首都民族文化宫举行关于《真假美猴王》的座谈会。”会议由马少波主持，“曹禺、赵寻、李万春、袁世海、张君秋、李和曾、夏淳、王金璐、刘吉典、吴祖光先后发言”。

顾一下《西游记》的道理是有必要的。《西游记》里的故事流传已久，但在社会主义时代的今天，人们仍然喜欢孙悟空，喜欢表现孙悟空的戏。《真假美猴王》可以说是《三打白骨精》之后又一出令人喜爱的“猴戏”。

一部《西游记》分两大段：孙悟空大闹天宫是一大段；孙悟空保唐僧取经，经过九九八十一难到了西天是另一大段。

佛教于西汉传入我国，到了明朝，仍很盛行。我们马列主义者认为宗教是迷信，是鸦片。然而在吴承恩生活的那个年代，佛教的思想、佛教的理论，是为一般人民甚至统治者所接受的。吴承恩虽然是个大知识分子，他也不能不接受。佛教在那个时候，似乎会给人以“安慰”。《西游记》反映了明代的社会思想，反映了那个时代人们对佛教的信仰和崇敬。因此，对“佛”这个问题，是不能推翻的；如果可以推翻，那么不仅《西游记》将不复存在，就连中国的其他古典名著也将一样不复存在。

关于大闹天宫的情节，在吴承恩之前出现的杂剧、故事、平话，都是放在最后，只有到了吴承恩的《西游记》，才把它放在头里。《西游记》共一百回，大闹天宫占了七回，描绘了孙悟空的诞生及其成为“齐天大圣”的过程。很显然，多少次农民起义，多少人对统治者的不满，促使吴承恩不知不觉地或者是有意识地去塑造叛逆者的英雄形象。通过描写大闹天宫，揭露统治者的无能与欺骗。人们喜欢《大闹天宫》，因为它反映了人民对统治者不满的思想感情。

孙悟空大闹天宫成为了不起的个人英雄，后来又有个大转折，被压在五行山下五百年。直到唐僧要往西天取经，才把他解放出来，然而给加上"紧箍咒"，好驾驭他。西天取经，也是孙悟空"建功立业"的举动。他们经历九九八十一难，说明任何伟大事业，不可能没有艰难险阻。孙悟空有着极不平凡的智慧与能耐，却遭到不公平的待遇，连唐僧也不理解他。孙悟空救了唐僧多少回，照理唐僧应对他感恩不尽；可是到头来，他还得一次又一次地蒙受委屈。所以说，孙悟空这个人物的形象之中，内涵东西之多，必然引起人们的深思。孙悟空永远是个被同情的角色，而且永远是个英雄。

但是，我们不能把孙悟空的西天取经，看成是他"改邪归正"。如果那样看，那么哪一个是邪，哪一个是正，就容易把人搞糊涂。因为"佛法无边"是封建社会牢固的思想，如果离开《西游记》的历史背景，不从历史和社会基础去看这个戏，我看不出它的真谛来。孙悟空一生战斗不止，大闹天宫是战斗不止，后来建功立业也仍然是战斗不止，到了西天，得到一个佛的封号叫"斗战胜佛"。

唐僧是个非常有趣的人物，他是个很虔诚的佛教徒，但是他很像我们知识分子，遇到困难就害怕，胆小如鼠，而具有一己之见就固执得要死。他囿于佛教戒律、封建礼教，是个孔乙己型的人物。当然孔乙己是更不幸的。

《西游记》还存在着宿命论思想，要把它改编成戏困难就在这里。我们要懂得以历史唯物主义的观点来看待文化遗产。今天你再讲因果报应，是不是还有许多人相信呢？我看不见得。这是我的看法，也许还行不通。不过，我同意刚才万里云同志所说的，一出戏出来会有种种意见，但无论如何，先不禁演，是好是坏，大家来评议。《真假美猴王》在北京演出，场场满座，说明人们喜欢它。当然，这也说明福建同志是下了极大的功夫的，无论在表、导演上，舞台美术和化妆上都是有革新的。

这出戏的猪八戒也演得很好。八戒的性格也描写得很真实，他肯干活、憨厚、单纯、能打仗。猪八戒并非没有能耐，有时孙悟空还得依靠他呢。不要把猪八戒看成窝囊废。当他被捕之后，从来没有妥协过，而且总是想方设法把唐僧救出来。他有个臭毛病是爱讲小话，但他非出于嫉妒，只是喜欢信口开河而已。今天我们也可以从这个人物身上得到借鉴。

这出戏叫《真假美猴王》，如果要进一步加工，应该在为什么一个是真的，一个是假的，一个真取经，一个假取经这些方面做文章。《三打白骨精》为什么被毛主席所肯定，因为它赋予了今天的社会意义。这出戏也要赋予今天的社会意义，但不要搞得太教条，要用言外之意去发人深省。真假之斗，不一定靠打，真的把假的打倒没有什么了不起，而真理能战胜假理，才算了不起。能做到这一点，不论在艺术、技术、武打哪方面都会使人感兴趣，而且在思想内容方面也将会增添光彩。

总的来说，这出戏很成功。感谢福建省京剧团所有演员、导演、编剧、舞台工作人员，尤其要感谢与此有关的各级好领导。因为文艺能搞好，首先是有好的领导。有了好领导，大家努力，干劲冲天，就能搞出好作品。

(《攻坚集》) 序

北京人民艺术剧院，自一九五二年创立，到一九八二年，整三十周年。

古人说："三十而立。"北京人艺已经是一个风骨矫健、神采昂扬的壮年。

社会主义祖国正乘风破浪，奋发前进。他在这一段大好时光中生长起来。他克服了多少艰难险阻，跌过跤，吃过苦头，获得一些成功。

北京人艺的一些成果，都是在反反复复与困难、与矛盾、与复杂事物的斗争中取来的。理想的追求、韧性的战斗、整体与局部、集体与个人的协调，使每个成员逐渐成熟。有人愿意把北京人艺比作自己的家，或者"鞠我育我"的地方。其实，北京人艺是党和人民培育的

【题注】据《攻坚集》所载排印，中国戏剧出版社1982年第1版，原题《序》。又载《人民戏剧》1982年第1期，题名《〈攻坚集〉序》，兹以通校（校注称"人民戏剧本"）。人民戏剧本文末附注："这是北京人民艺术剧院院长曹禺同志为北京人艺建院三十周年纪念文集《攻坚集》所写的序言。该文集今年将由中国戏剧出版社出版。"

一支攻坚的战斗队伍；他团结，他有纪律，他勇于战斗。他为人民、为社会主义学习戏剧艺术的志气，是无穷无尽的。

一个戏的演出是一场艰苦、复杂的创造活动。要最大限度地使用我们的脑力与体力，使用我们的思维与情感。舞台艺术家们饱尝辛酸苦辣的滋味。要体验各种人物的生活；要尽量吸收一切美好的文化，提高修养；要经历日以继夜的各种训练；要运用自己的观察、想象；还要有一点特殊的禀赋。此外，导演，演员与其他舞台艺术家的成功，都要承袭前人的成就，继续丰富它，革新它，终于攻破前人的窠臼，创造出自己的风格。这是一个长期的曲折经历。千百次探寻，千百次琢磨，才找到了“自己的创造道路”。这才使我们似乎望见了戏剧艺术的“自由王国”。

舞台是一座蕴藏无限魅惑的地方，它是地狱，是天堂。谁能想象得出艺术创造的甘苦与艰辛呢？学习舞台的知识、技能与艺术；探索世界一切美好的修养与人性的秘密；取得心领神会、活脱脱地表现各种人生境界的本领；积累多少深刻理解与偶得颖悟的舞台经验。我们重视这样的基础，在这里重复、引申前面讲过的话。

一场惊心动魄的成功演出，是从苦恼到苦恼，经过地狱一般的折磨，才出现的。据说进天堂是美德的报酬。天堂是永远的和谐与宁静。然而戏剧的“天堂”却比传说的天堂更高，更幸福。它永不宁静，它是滔滔的海浪，是熊熊的火焰，是不停地孕育万物的土地，是乱云堆起、变化莫测的天空。只有看见了万相人生的苦与乐的人，才能在舞台上，得到千变万化的永生。

陆机的《文赋》说过这样一句话：“观古今之须臾，抚四海于一瞬。”（用我们舞台的观点说，大意是：刹那间，把古往今来的故事演遍；刹那间，把四面八方的风物说全。）人生百年，演员和舞台艺术家们却把千种人物、万种姿态，传奇的、现实的生活与心情尝透。他们占尽无限风光，全心全意交予人间，留给人们享受和思索。难道他们不是天堂的神仙？难道他们不是童话的魔杖？

许多年纪大、体力弱的伟大演员，死也不肯离开他的舞台。历史上很有一些演员，鼓尽最后一口气，读出悦耳的台词。天才的莫里哀是其中之一，他死在舞台上。他们的灵魂仿佛追随流动的仙乐，在神妙的舞台上歌唱。他们像服了仙药。永远不死的青年，享受着无穷无尽的欢呼与赞美。赞美是蜜一般甜的。但对一个伟大的演员，沉浸在人物创造的快乐中，这才是大海一般汹涌的吸引力。他比孙大圣还高明，一生岂止有七十二种形象变化？从前，京剧大师杨小楼，早被认为衰老，还要在舞台上献出他神奇的艺术；孙菊仙九十岁，居然还要唱《四进士》。这样对舞台的依恋岂是偶然？又何止是我们的前辈？舞台，对今天北京人艺的艺术家们来说，就是他们献身的圣坛。

我说过，我们是攻坚的战士。在这本集子里，有不少好文章，说出艺术家们追求艺术理想的艰难路程。这些文章，有的说得很亲切，很透，可以引人思索。作者有些是具有长久的丰富经验，有才智、有创造性的艺术家。我们推荐这些文章，还因为这些人是三十年来在北京人艺不断“攻坚”的战士。

什么是北京人艺的“攻坚”呢？这确是难于一时讲得清楚的。我想，大约是三十年来我们逐渐创立北京人艺的艺术风格；把北京人艺的传统，交给下一代；日后，由他们发展、革新，不断丰富，表现更新时代精神的戏剧艺术。

这里，我想提一个枝节问题：什么叫戏的好效果？是不是演出到了超凡入圣[1]的地步，弄得观众神情恍惚，全神进入戏境，才算好呢？我以为这不算好的演出。我们始终不赞同把观众变成一种失去思索能力的傻子。当然，我们的演出，企图感动观众，使他们得到享受。但更重要的，我们希望观众看了戏后，留有余味，去思考，去怀念。所谓“含不尽之意，见于言外”。这才是我们朝夕追求的好演出。

我们是否完全做到了呢？没有。有的做到了；有的，远没有做到。

然而，我还是给这个集子叫“攻坚”。因为在这个集子里，这些文章，是作者们三十年间“攻坚”的体验与探索。“无坚不克”，这是应该提倡的精神。但“不怕攻坚”，这是北京人艺的艺术家曾经走过的道路，是北京人艺多年来立足于话剧一角的根本精神。

我希望这种精神，将随中国人民永存下去。

1981年9月28日[2]

---

1 “超凡入圣”人民戏剧本作“超凡入胜”。

2 人民戏剧本无“1981年9月28日”。

从“关关雎鸠”想起的

我小时候，老师教《诗经》，并不从“关关雎鸠，在河之洲。窈窕淑女，君子好逑”这首诗启蒙。我的老师十分得意，挑选“父兮生我，母兮育我……”那篇开讲。这大得父亲的欢心，到处赞扬老师得“天地之心”。似乎世界都从“父母之恩”发展出来。男女总要结为“父母”，这样造成人类的历史。

因此，我幼时的生育知识第一课，是从《诗经》明了的。后来又是“多福、多寿、多男子”，许多的祝词，以及孟子讲的“不孝有三，无后为大”种种，滔滔不绝地灌输。

于是骂人也从“断子绝孙”骂起。颂老人，“子孙满堂”；贺新婚，“早生贵子”。叨叨了下上古今几千年，延续到今天，我们就成为拥有十亿人口的泱泱大国。

建国以来，卫生工作进步了，人民生活改善了，人的寿命大大延长。三十年就出生了六亿人口。人口吓人地长，父母们不顾一切地

【题注】载《人生》1981年第1期。

生。全国老百姓的衣、食、住、行，教育卫生、就业等等方面，因“超速度”的生育，几乎发生“川壅而溃”的大困难。

听说1963—1970这几年，出生率更为惊人。许多忠于工作的年轻父母，准备业务，护理孩子，照顾老人，买菜做饭，洗衣缝补上班，已经疲惫不堪，还有多少精力顾到子女的教育培养的大问题？目前国家有困难，很难在短期内改变贫穷落后的面貌。如果不严格控制人口的增长，人口更加膨胀起来，那么，“四化”的建设，人民生活的改善，都将成为泡影。

我们老北京人见面，总是有句客气话，“您吃饭了没有？”对方答，“偏过了！”相互询问，朝夕不止。可见“吃”是天经地义的事。孔夫子说，“民以食为天”。自古以来，就把“吃”，看成极重要的大事。

我们虽有九百六十万平方公里的辽阔土地，但可耕面积少。要供给十亿人的口粮、工业用粮和其他方面的用粮，在目前条件下，这个负荷是相当重的。西方朋友，叹服中国人了不起，除了要解决十亿人的“吃”的问题，还要搞四个现代化。他们真是佩服！

幸尔我们有党的三中全会的方针、政策，农村逐渐富裕了起来。粮食产量，都在稳步上升。党和国家特别重视控制人口的增长。计划生育、教育儿童，已成为全国人民所关注的一件大事。

因此说计划生育，是关系我们国计民生的大问题。它涉及面积广，关系到我们的“四化”建设；关系到提高整个民族的文化、科学，精神情操和物质文明。总之，这是一门十分重要的社会科学。孩子多了，我们不能不付出极大的物质力量和精神力量来抚育他们。

“十年树木，百年树人。”要使孩子们成为有用之才，还要重视“优生”。“计划生育”是时代赋予我们的要求，也是“君子”与“淑女”，要做父母的时刻，应严肃想到的问题。

学习鲁迅

鲁迅先生是我一生景仰的思想革命和文艺革命的先驱。他战斗到最后一刻，是新时代的拓荒者、启蒙者、培育者。

在黑沉沉的年代里，每读先生一篇新作，我认识到人活着要有斗志。在那窒闷如死的旧社会中，读一些他的文章，我知道人必须爱憎分明。

鲁迅先生的著作是一面照见一切的镜子。我在这面镜子里，也照见我自己。我看见我的平庸、渺小和无知。多少青年渴慕追随先生。我当时想见先生一面，几次来上海，总得不到机缘。迁延复迁延，终于不能聆听先生的声音，这是我终生的遗憾。

一九三六年十月十八日，巴金告诉我，鲁迅先生约我第二天早上八点钟去他家见面，由巴金、靳以带我去。能够与先生相见，倾听先生讲话，当时我是多么欣喜啊！那些日子，我听说他病重。在他身体不好的情况下，还愿接见我，我感到很不安，担心会影响他的健康。

【题注】载《剧本》1981年第10期。

我又觉得温暖、鼓舞。我那时才二十六岁，我深深感激鲁迅先生对一个幼稚的文学青年的厚爱和关怀。

我等待着第二天的会见，心情激动，一夜没有睡。可是，万万没有想到，第二天早上，靳以跑来告诉我，鲁迅先生不幸于清晨五点二十五分与世长辞了。噩耗传来，我像突然受到电击一般，一时震动得说不出话来。上午八点，巴金、靳以和我到了鲁迅先生的卧室。他的遗体安详地躺卧在床上，衣着朴素，面容宁静。我昨天还怀着要与先生相会的一腔热望，今天竟成了死别！凝望着先生的遗容，我泪水不住地往外流。许广平先生肃然立在鲁迅先生的床边，我们本想说几句安慰她的话，可是什么也说不出来。此时此刻，任何语言都失去了分量。我们三人向鲁迅先生的遗体深深地鞠了躬，就退出来了。当时海婴才五六岁，还以为自己的爸爸睡着了，在房子里走来走去，看着他，我们愈加的难过。

我虽然失去了亲耳聆听鲁迅先生面教的机会，但是，他的作品，对我说了一辈子的话。他的作品哺育了我。

我第一次读到鲁迅的作品是《呐喊》。记得那是一九二三年，我在北京买到那本第一版的《呐喊》，是北京大学新潮社出版的。红色的封面，质地柔软，中间长方形黑块印着“呐喊”两个黑字，是鲁迅所喜欢的那种毛边装订，读时需要自己裁开。印刷、装帧都十分考究。当时我才十三岁，读鲁迅这样深刻的作品，还不太懂，后来，对他的作品读得多了，才逐渐有所理解，开始懂得一点鲁迅所指的“国民性”、中国的封建社会和中国人民的伟大精神。

鲁迅是我国新文化运动的主将。他的精神影响之大，是无法估量的。他的爱国主义，彻底反封建的思想，对我的写作影响很大。其实又何止我。鲁迅的作品是乳汁，哺育了我们一代又一代的文学新人。我们的文艺作家在他们成长的道路上，无不从他不朽的著作深受教益。以我自己来说，一直想学，也一直在学，只是没有学好。

鲁迅在戏剧方面的专门论述诚然不多，但他对我国戏剧文化是十分关注的。

他对我国的民间戏曲，怀着热爱。还在他的童年时代，就和农民孩子们一起在月夜的水乡看社戏，这在他写的《社戏》中，做过生动亲切的描写。一九三六年九月，他在散文《女吊》中，还回忆起他四十年前在绍兴看戏的情景。从女吊这些鬼魂的戏剧形象，他看到的是活人的生气，是妇女遭遇的不幸，是她们蕴藏在心底深处的抗争，是有冤必申，有仇必报的强悍感情。鲁迅说："单就文艺而言，他们就在戏剧上创造一个带复仇性的，比别的一切鬼魂更美、更强的鬼魂。这就是'女吊'。"

在《朝花夕拾》中，鲁迅描画了另一种很有特色的鬼，"表现对于死的无可奈何，而且随随便便的'无常'"。鲁迅觉得这是个比较可爱的形象。他写了这个"无常"的种种近乎人性的地方。他说："一切鬼众中，就是他有点人情；……我至今还确凿记得，在故乡时候，和'下等人'一同，常常这样高兴地正视过这鬼而人，理而情，可怖而可爱的无常；而且欣赏她的脸上的哭和笑，口头的硬语与谐谈……"

在《准风月谈》里，鲁迅说：浙东的戏班中，有一种"二丑"，"二丑""有点上等人模样，也懂些琴棋书画，也来得行令猜谜，但依靠的是权门，凌蔑的是百姓，有谁被压迫了，他就来冷笑几声，畅快一下，有谁被陷害了，他又去吓唬一下，吆喝几声。不过他的态度又并不常常如此的，大抵一面又回过脸来，向台下的看客指出他公子的缺点，摇着头装起鬼脸道：你看这家伙，这回可要倒楣哩！”鲁迅指出，这就“是二丑的特色”。是当时某种有知识的人物的嘴脸。世上有恶的势力，便一定有“二丑”，而且有二丑的艺术，用来“遮掩他并不是帮闲”，但小百姓是明白的，早已在舞台上活画出他们的嘴脸来了。

这些文章见出鲁迅如何重视民间戏曲艺术的传统，如何深刻地估价民间戏曲。

京剧也是来自民间的，鲁迅对京剧有精辟的论述。他从不反对京剧，但痛恨封建统治者对京剧的毒害，他说“士大夫是常要夺取民间的东西的”，“但一沾着他们的手，这东西也就跟着他们灭亡”。京剧的一些缺点正是这样造成的。它曾供奉内廷，又被士大夫篡窃，“从俗众中提出，罩上玻璃罩，做起紫檀架子来”，和群众隔绝了。鲁迅说：在这之先“自然是俗的，甚至于猥下，肮脏，但是泼辣，有生气”。唐弢同志曾说：“鲁迅要求京剧保持其优秀的传统，排除封建统治阶级的沾染和篡窃，在本身的特色上努力发展。这是一切京剧艺人必须斗争的道路。”鲁迅并不反对京剧改革。但鲁迅说：“京剧改革，那就是，啊啊啊，我们要救国啊，听听，行吗？”他的意思是说，京剧在长期发展过程中，有它自己特有的程式，这程式可以在一定程度上加以改进，却不能根本取消它；取消它，就等于取消了京剧的特点。

鲁迅又说：“有地方色彩的，倒容易成为世界的，即为别国所注意。打出世界上去，即与中国之活动有利。”

今日京剧在世界各国引起广泛的赞美和重视，正因为它有中国的色彩。尤其是，解放后在党的领导下，做了大量的戏曲革新。

他所否定的只是那些宣传封建思想的糟粕。他批评“才子及第，奉旨成婚”的团圆套子。批评“善有善报，恶有恶报的因果报应戏”。他认为这是“不敢正视各方面，用瞒和骗，造出奇妙的逃路来”。对于戏曲剧本的大团圆结尾，鲁迅也有分析地指出，这是“由于中国人不大喜欢麻烦和烦闷，所以凡是历史上不团圆的”，在戏曲里就“往往给他团圆”。鲁迅的这些论述，对于我们今天的戏曲革新工作，是值得记取的。

鲁迅曾经热情关怀着新兴话剧的成长。在他主编的刊物如《奔流》《语丝》《萌芽》上面，就刊登过一些剧本。仅《奔流》这一刊物，前后十五期中，就刊登了五个独幕剧和一个多幕剧，即白薇的五幕剧《打出幽灵塔》。他还亲自翻译了日本武者小路实笃的《一个青年的梦》、苏联爱罗先珂的《桃色的云》两个多幕剧。他深知并尊重戏剧艺术的特点和规律，认为写剧本要考虑到舞台演出的特点和规律。他说：“剧本虽有放在桌上的和演在舞台上的两种，但究以后一种为好。”

鲁迅早期从他的为人生的艺术观点出发，特别强调戏剧创作与戏剧表演对教育与影响人民深刻而广泛的作用，因此每有论述，往往把重点突出在剧本的内容及其思想意识上。

他特别提过三位剧作家：莎士比亚、易卜生、萧伯纳。

一九〇七年，鲁迅阐发科学的重要，同时不能偏废文艺，提到莎士比亚，他用文言写道：“盖使举世惟知识之崇，人生必大归于枯寂，如是既久，则美上之感情漓，明敏之思想失，所谓科学，亦同趣于无有矣。故人群所当希冀要求者，不唯奈瑞（注：现通译牛顿）已也，亦希诗人如狭斯丕尔（Shakespeare，注：现通译莎士比亚）……凡此者，皆所以致人性于全，不使之偏倚，因以见今日之文明者也。”

要叫人类精神不至于偏倚，那么就必须借重文艺的教育，这就告诉我们，文艺工作是改造灵魂的工作。

但人的思想意识总是和一定的社会经济基础有着千丝万缕的关系，因此，鲁迅进一步认识到一个改造人类灵魂的戏剧家必须又是一个热心的社会改革家，他提出易卜生来。

一九一八年《新青年》出了一期易卜生号，鲁迅认为介绍易卜生，是“因为易卜生敢于攻击社会，敢于独战多数，那时的绍介者，恐怕是颇有以孤军而被包围于旧垒中之感的吧，现在细看墓碣，还可以觉到悲凉，然而意气是壮盛的”。这段话里，想是指易卜生《国民公敌》中主角斯托克曼医生的奋斗。其后，鲁迅又做了著名的讲话《娜拉走后怎样》，指出娜拉离家是这戏的故事，但前途渺茫，因为易卜生也只说到妇女应离开那样的家庭，妇女应有独立的人格，与男子平等。但如何获得这样的地位，即妇女解放途径，易卜生并没有说出来。

以后鲁迅又提到萧伯纳，并和易卜生做了比较，他是这样说的：“绅士淑女们是顶爱面子的人种。易卜生虽然使他们登场，虽然也揭发一点隐蔽，但并不加上结论，却从容地说道：‘想一想罢，这到底是什么呢？’绅士淑女们的尊严，确也有一些动摇了，但究竟还留着摇摇摆摆的退走，回家去想的余裕，也就保存了面子。……萧可不这样了，他使他们登场，撕掉了假面具，阔衣装，终于拉住耳朵，指给大家道：‘看哪，这是蛆虫！’连磋商的工夫，掩饰的法子也不给人有一点。这时候，能笑的就只有并无他所指摘的病痛的下等人了。在这一点上，萧是和下等人相近的，而也就和上等人相远。”

鲁迅从“剧圣”莎士比亚一直谈到萧伯纳，我觉得他毫不是贬低莎士比亚和易卜生，但萧伯纳更合他的口味。因为萧的剧本，更能鞭挞当代的恶人与剥削阶级。

对中国的话剧，鲁迅更是关心备至的，他曾在上海的白色恐怖中，看过业余剧人协会演出的《钦差大臣》，并留下十分中肯的意见。我听说他在北方时，还看过南开新剧团自编自演的新剧《新村正》，这是一部揭露封建社会黑暗的剧本。一九一二年六月十一日，鲁迅看了话剧《江北水灾记》之后，在日记中写道：“勇可嘉而识与技均不足。”在鲁迅看来，写好一个戏，作者应具有勇气，有深刻的见识，还要有卓越的技巧。勇、识、技三者的统一，是鲁迅先生对我们从事话剧创作者的一个期望。

鲁迅主张大胆地睁开眼睛观察社会，忠实于艺术的真实，说：“只有真的声音，才能感动中国人和世界的人。”

我们应该努力创作出真实、深刻的好作品来。我想，这应当是我们戏剧界纪念鲁迅诞生一百周年之要义吧！

一九八一年十月九日于上海

注：写这篇东西，读了鲁迅先生几篇作品，也读一点研究鲁迅的文章。但使我深得益处的，还是唐弢同志在1956年10月的《文艺月报》上刊载的《鲁迅与戏剧艺术》一文。他的某些话，我也引进去了。我感谢唐弢同志。

曹禺谈《东邻女》

我说的不是过奖话，这戏的确非常好。整个戏是个和谐的统一体。进展迅速、流畅，也很干净。一条线穿下来。一个很简单的故事，却把极其伟大的感情表现出来了。

周总理的出场非常之好，唱得也很好。

我回家后想过，这戏有点小毛病：主要是第一场女主角决定离婚的问题。照中国的人之常情，夫妻好到这种地步，离婚是否可能？要找出性格上的理由。现在感到有点勉强。我不是说现在这样写没理由，是说理由不充分。是否可以把祖父写得有强烈的家族观念。关于医学问题：现在全世界都在研究中药，都做了化学分析。中药的特点，我们确实不大懂。有没有不育症是用中药治好的呢？（作者说：

【题注】载1981年11月17日《福建日报》。文章开头说明："十月三十一日，曹禺同志会见《东邻女》作者戈明与唱腔设计人员黄山，作者说明来意：'那天晚上你在舞台上与演员们见面时，讲了许多过奖的话，在场人很多，你不便讲很多毛病，今天我们来请你挑一挑这出戏的毛病。'下面是曹禺同志的谈话。"以下为本文内容。文末附注"黄山记录"。

“写戏前问过医生，有的。”）

我跟总理几十年了，总理对我是有恩的。总理一向是关心别人为重。这个恩是很重的，我看了戏很感动。尤其是结尾，昭子接骨灰的唱词“能收取，星星点点，可当得，万万千千。”这段唱词很好。

整出戏确实非常之好。

戏里的几个地方构思很巧，叫我不能忘怀。像老房东那张名片就安排得好极了！是你想出来的吧?（作者说:“不，确有此事。”）这个演员好，我顶喜欢这个演员。很像日本人。日本人民朴素，有感情。

还有一段戏，我看了非常感动。就是“戏中戏”那一段。你想得非常之好。那段戏虽然很简短，但使人感动极了。你真是灵感来了。是神来之笔！唱词又有中国古典诗词的美感。平川小姐与普照的对话也写得好。我认为是全剧最好、最动人的一段戏。你大概怕这段戏太长，其实，还可以再展开一点点，就更好。

京戏有程式、套子，要和日本人的生活结合在一起，这做法是了不起的。从老房东身上能看出较多传统的东西。

还有一点不足：做满月唱“联弹”时，大家拍手，有一些日本人的味道，但还不够，再多加一些，气氛就渲染起来了。

一台全是好人，而又能使人非常感动。这是个了不起的写法。

你们能下这么多苦功去反复修改，也是很了不起的。（作者说:“这出戏前后排了两年多，收入亏损十多万。”）所以说，你们领导也是了不起的。

出色的贡献

——在上海首届戏剧节上的祝辞

同志们：

今天，上海戏剧节在这里隆重开幕，规模盛大，上海文艺界和戏剧界的同志们欢聚一堂，庆祝上海戏剧创作的丰收。我代表中国戏剧家协会，向大会表示热烈的祝贺！

这次上海戏剧节，是近两年上海戏剧创作成绩的一次大检阅，也是上海广大戏剧工作者在党的领导下努力工作，进行艰苦艺术创造的丰盛收获。上海是一个具有光荣革命传统的大城市。上海的剧种多，剧团多，优秀的戏剧家多，思想活跃，创作丰富，历来是出作品、出人才的地方。上海的戏剧家们曾经创作出许多优秀的剧目，在全国有广泛的影响，对于我国社会主义戏剧事业的繁荣与发展，有重要的贡献。我们希望这次上海戏剧节能够涌现出更多的好戏来，希望上海的戏剧家们，继续做出更加出色的贡献！

【题注】载1981年11月26日《文学报》。

同志们，我们正处在一个伟大的新时代里，我们要建设四个现代化的社会主义新中国，我们要建设高度的物质文明，同时，要建设高度的精神文明。我和同志们都有一个共同的感觉：时代赋予我们戏剧工作者的任务是很艰巨的。今年，中央召开了思想战线问题座谈会，小平同志、耀邦同志、乔木同志都有重要讲话。这对于我们广大文艺、戏剧工作者都是极大的鼓舞和鞭策。我们要坚持党的四项基本原则，要坚持文艺为人民服务，为社会主义服务的方向，要坚持“百花齐放、百家争鸣”的方针，对于资产阶级自由化的错误倾向，要开展积极的批评与自我批评。在我们的戏剧工作中，要认真地贯彻中央的精神，这对于繁荣我国社会主义文艺事业，具有极为重要的作用。

“江山代有才人出，各领风骚数百年。”我们社会主义制度是优越的，它为文学艺术的发展，开拓了无限宽广的领域。只要我们更加勤奋地努力，就一定可以创作出更多的好作品，一定会涌现出更多的优秀戏剧人才，为社会主义事业和人民做出积极的贡献！

最后，我再说两句话。今天，中国女子排球队荣获世界冠军，因为她们是崇高的爱国主义者。她们精诚团结，她们具有知心的默契。她们有高尚的道德情操，不为名利、不为私念，她们心中装的是党、是人民、是祖国的荣誉。这种高贵的品质，我们戏剧界难道就学不到么？我们是学得到的。党和人民是相信我们学得到、也做得到的。我们一定要发扬这种高贵的精神。

预祝上海戏剧节演出成功！

为中国文化争光

——看芭蕾舞剧《雷雨》有感

芭蕾舞剧《雷雨》是富有吸引力的艺术创作。它的成功，不是因为过去有个常演的戏《雷雨》，可以模仿，可以抄袭。而是打破话剧《雷雨》的框框，用芭蕾的语汇，把它重新写过。凡是艺术家必须有独创、有勇气、有见解、有想象、有表现能力。上海芭蕾舞团艺术家们是具有这些条件的。

一年前，胡蓉蓉同志和她的伙伴们到我家，谈起改编《雷雨》为芭蕾舞剧。我觉得这是妙想天开，不能成功。可她们说："我们有想法！有路子！"她们眼里闪着一种惊人的异彩。我有个怪念头，凡是真有思路、有信心、有勇气的人，时常露出这样的神色；但我还是迷惑，我虽有些兴趣，我毕竟将信将疑。

这一年，我们晤谈了几次，讨论热烈，毫不拘束。不管上海是天朗气清或是细雨霏霏，这群芭蕾舞家和作曲家总是在快乐的笑声中

【题注】载《上海画报》1982年第1期。

来，又欢快地回去。

暮秋，上海芭蕾舞团邀我去看舞剧连排。宽阔明亮的排练间，摆了一架钢琴，没有灯光布景，没有华丽的服装，演员们着代替服，音乐伴随着芭蕾演员的心灵和流旋飘逸的舞姿，时而切切私语，时而幽怨暗恨，时而激烈昂扬，时而暴雨狂风。这一群男女艺术家，纵情尽兴地舞起一场无言的悲欢离合的戏来。连排完了，大家很受感动，才知道这是经历了严冬酷暑，下了一年磨练的苦功的收获。我们认为这出舞剧或将在千百个舞剧中占一个显著的位置；时间会证明，随着不断的精雕细琢，它将逐渐成为群众喜爱的创作。

正式在舞台上演出了，这出丰富多彩的舞剧多次获得观众热烈的赞许。这个舞剧独创新风，在穿插与神韵上有它自己的抑扬顿挫、承应转换的境界。我赞同那样的删节与改动。如“鲁贵窥听”“朴园忆旧”这两场舞蹈，省略话剧要用多少言语才讲得明白的情节。

编舞家、舞蹈家和音乐专家都付出了极大的努力。最打动我的，是舞剧第三幕。蘩漪死命拦住要逃走的周萍的那一场，芭蕾舞剧给她以充沛有力的大起大落的表现。舞剧的蘩漪，比话剧舞台上的更洒脱了。两个蘩漪的演员：杜红玲与石钟琴都各有独到之处。

现在许多人在议论芭蕾舞剧《雷雨》了。有人讲：新颖别致，难以言喻；有人讲：恰到好处，希望再看。一位朋友对我说：“芭蕾舞剧的灵感，一向来自神话、传说、小说、歌剧、音乐、诗歌。此外，由编导自己写故事。由话剧移植的芭蕾舞剧，过去成功的只有一个，莎士比亚的《罗密欧与朱丽叶》；现在的芭蕾舞剧《雷雨》也是较好的一例。”这种成就当然是芭蕾艺术家们的功劳。我感谢的是，在上海市委和文化局的领导下，上海芭蕾舞团把行将半个世纪的老戏，搬到今天的芭蕾舞台上，使它又年轻起来。

这个舞剧，正如胡蓉蓉同志和她的伙伴们引以自豪的，是“民族化”了的。这很重要。西方的艺术，拿到中国来，不应止于照搬。对于各种文化，我们是善于吸收、融会的。

艺术家们说，芭蕾舞剧要“性格化”。这是个难题目。仿佛，大部分的芭蕾舞剧的人物，都有点概念化。最好的芭蕾舞演员有极高的艺术与技巧，但他们多半仅仅表现“善与恶”“美与丑”“抒情与激烈”“悲哀与昂扬”的意境，不能生根于“人的性格”的土壤里。然尔，芭蕾舞剧《雷雨》中八个人物，有表达追求“性格化”的舞蹈，也有一定的个性。

芭蕾是一种世界性的艺术。从文艺复兴到今天，五百多年来的变化与发展，由意大利传遍到全世界。它是一种既有普及的群众基础，又有提高的广阔前景的艺术。中国介绍芭蕾，时间短、进步快。但是，今天无论首都和上海，都需要大跨一步，大下功夫，提高体力，严格结实地科学地打下芭蕾艺术与技巧的深厚基础。聘请世界芭蕾的好教师与我国芭蕾的好教师协同教练，摸出中国芭蕾舞的路子来。要如中国的体育界一样，登上国际高峰。“说”容易，“做”很难。这需要我国文化领导者与艺术家们下大决心。

中国的芭蕾，一定要发扬中国人的气魄与实力，为国争光，为中国文化争光。

1981年12月8日夜半于北京

（《纪念北京人民艺术剧院建院三十周年》）序言

三十年了！北京人民艺术剧院成长起来，他一直跟党、跟人民、跟社会主义祖国同命运、共甘苦。他在春风化雨中度过华丽的青春，吐出态浓意远的花枝。他也经历过各种运动，踏过艰难困苦的道路。[1]

如今，他成年了，他像是一个神态质朴[2]、文采风流的壮年，他矢志要把中国的话剧推向[4]一个较高、较深的境界。[5]

【题注】据《纪念北京人民艺术剧院建院三十周年》所载排印，1982年版，原题《序言》。又载《文汇月刊》1981年第12期，题名《我爱北京人民艺术剧院》，兹以通较（校注称“文汇月刊本”）。又载《戏剧论丛》1982年第2辑，题名《纪念北京人艺建院三十周年》，兹以通较（校注称“戏剧论丛本”）；戏剧论丛本文末附注：“本文系《北京人民艺术剧院三十周年纪念册》一书的序言，标题为编者所加。”按，因底本无出版时间，以文汇月刊本的发表时间作为排序参考。

1 “他一直跟党”以下文汇月刊本作“他一直跟党、跟社会主义、跟祖国、跟人民同命运、共甘苦。他经历各种运动，踏过艰难困苦的道路。他从暴风骤雨中闯过来，练就一副青松一般的筋骨；他在春风化雨中度过华丽的青春，吐出态浓意远的花枝。”

2 “神态质朴”文汇月刊本作“风神高迈”。

4 “他矢志要把中国的话剧推向”文汇月刊本作“正在策马奔驰，将把话剧带到”。

5 此处文汇月刊本有“北京人艺是有成就、有声望的中国众多话剧院之一。”。

有人说，北京人艺是一个“藏龙卧虎”的地方。意思是说，此处人才多，有抱负的人多，有成就的人也多。我仅同意一半。因为，我深知[1]北京人艺在人才上还是一个参差不齐，高下不一的团体。这个剧院尽管有不少文化修养较高、艺术成就有相当水平的演员和舞台美术[2]工作者。但这个剧院也有一些在培育与实践中逐渐成长的人[3]。至于，体制问题，更高的戏剧道德问题，更浓烈的艺术研究空气问题，剧目与演出不够理想的问题，我不想在此[4]一一赘述。

我们是有不少缺点的。我们心里有许多“可望而不可即”的理想[5]，远未实现。它使我们懊恼，使我们焦虑。但北京人艺究竟[6]在三十年中（其实，在林、江“四人帮”[7]的专政下，话剧在全国禁演足足十年），出现过不少比较好，甚至于很好的剧目演出[8]，造就相当多的艺术人才，养成了一种北京人艺的风格，培养起一批爱着[9]北京人艺演出的观众，有了一定国内与国际的声誉。

1　文汇月刊本无“我深知”。

2　“美术”文汇月刊本作“艺术”。

3　“一些在培育与实践中逐渐成长的人”文汇月刊本作“不少不成熟的半成品，或者连半成品都不可及的人”。

4　“在此”文汇月刊本作“在此地”。

5　“理想”文汇月刊本作“空想”。

6　“究竟”文汇月刊本作“毕竟”。

7　“林、江‘四人帮’”文汇月刊本作“林彪、四人帮”，戏剧论丛本作“林彪、‘四人帮’”。

8　“剧目演出”文汇月刊本作“剧目的演出”。

9　“爱着”文汇月刊本作“爱看”。

原因在什么地方呢?

我想，最重要的还是一个团结问题解决得较好。团结是一个艰难细致的工作。北京人艺的成员之间有一种空气。在关键问题出现的时刻，在公和私交战的时刻。他们左思右想，只有抱成一团，才能发展中国的话剧艺术，才有自己终生为戏剧艺术效命的条件。在这一点上，他们是自豪的。无论经过多少惊风骇浪，他们的思想和感情，终究希望北京人艺成为一座话剧丰碑的大剧院。

其二，北京人艺的艺术研究空气比较活跃，受到重视。在艺术面前，人与人之间，是无私的，他们互相琢磨，互相尊重，谈心里话。此外，剧院给他们以提高文化修养的机会，使他们提高了欣赏水平，培养了文学、历史、绘画、音乐、舞蹈、写作以及美学等多方面的知识，具有了鉴别各种艺术中“美”和“丑”的能力[1]。我们几位出色的导演、演员和舞美艺术家，都能写出一笔有风格的好字，画出好画，作出好文章。他们的表演艺术、舞台美术和灯光艺术，都不庸俗；他们的舞台艺术[2]创作，使观众感到[3]真实、亲切、从容自然。我以为和他们平时孜孜不息、提高文化修养，有莫大的关系。[4]

---

1 “使他们提高了欣赏水平，培养了文学、历史、绘画、音乐、舞蹈、写作以及美学等多方面的知识，具有了鉴别各种艺术中‘美’和‘丑’的能力”文汇月刊本作“使他们具有鉴别各种艺术中‘美’和‘丑’的能力”。

2 文汇月刊本无“舞台艺术”。

3 文汇月刊本无“使观众感到”。

4 此处文汇月刊本有“他们苦练戏剧艺术的基本功夫与严肃的舞台艺术实践，是从不间断的。”。

许多人说，北京人艺有自己的艺术风格。有人向我提出这个问题，我也说不清楚。我只能提出造就这一风格的某些原因。

我们很幸运。有中国许多杰出[1]的戏剧前辈在支持、帮助我们。他们把不朽的剧作交给我们上演。郭沫若、田汉、夏衍、老舍、丁西林的剧作，使我们的剧院不断出现灿烂辉煌的演出。我们也有无数中、青年剧作家，他们的优秀剧本，展现[2]了时代的风貌。这些出色的作品，使北京人艺的思想感情经常和时代的脉搏合拍，共同唱出时代的强音：为人民服务，为社会主义服务。我们也不能忘记[3]外国杰出[4]戏剧大师的作品对我们的[5]滋养。这些大师用一生的精力，锐利的目光，探索真理，给人类以智慧和美感，使我们更丰富地认识了[6]“爱”与“恨”，高尚与庸俗[7]的真实感情。我们演出了莎士比亚、莫里哀、奥斯特洛夫斯基、契诃夫、高尔基和西方各国的著名作品。

在北京人艺的发展史里，必须提起两个应该[8]长久被我们记住的名字：焦菊隐和赵起扬。前者是北京人艺的总导演，后者是北京人艺的组织者和创办者之一。

1 “杰出”文汇月刊本作“伟大”。

2 “展现”文汇月刊本作“展览”。

3 “忘记”文汇月刊本作“缺少”。

4 “杰出”文汇月刊本作“杰出的”。

5 文汇月刊本无“作品对我们的”。

6 “使我们更丰富地认识了”文汇月刊本作“更教给我们”。

7 文汇月刊本无“高尚与庸俗”。

8 文汇月刊本无“应该”。

焦菊隐以他半生的精力，研究、实验中国戏曲和中国话剧的意象与内在的美感。他创办中华戏曲专科学校[1]，造就了许多京剧杰出的人才。他在法国潜思冥想，研究中国戏曲导话剧的异同和内在的联系。

他在北京人艺尽心致力于中国话剧民族化[2]的创造，奠定了现实主义创作方法[3]的基础。他创造了赋有诗情画意、洋溢着中国民族情调的话剧。他是北京人艺风格的探索者，也是创始者。

他不断思索与实践，专心致意地琢磨构思，沉迷于他所理想的戏剧境界。他精心揣摩，着意推敲，不放过任何能说明戏剧核心思想的光色、画面、音乐与情调，不忽略意义精微的台词和动作。他在舞台上纵横挥洒，创造出既符合作家的意图又丰富作家想象的意境。[4]他的导演工作[5]，精微确切。常常是[6]经过无数昼夜，[7]终于得心应手、立下“意根”，画出枝叶，放出一片明丽的朝花。

他的一切创造，都立足于中国文化丰沃的土地上。他为北京人艺不断开拓新的艺术境界。[8]北京人艺的演员们在他想象联翩的导演过

---

1 “中华戏曲专科学校”文汇月刊本作“北平戏曲学校”。

2 “话剧民族化”文汇月刊本作“民族化话剧”。

3 “奠定了现实主义创作方法”文汇月刊本作“建立了现实主义”。

4 此句文汇月刊本作“他创造中国独特的民族话剧的意境。”。

5 文汇月刊本无“工作”。

6 文汇月刊本无“常常是”。

7 此处文汇月刊本有“他”。

8 此句文汇月刊本作“他使北京人艺的演出，成为艺术的芳草。”。

程中，得到耐人寻味、生动的启发。有时，如急风骤雨[1]，掀动起排演场上的创作激流[2]，有时，在寂静如空的沉默中，冒出两三句精到入微的妥帖言语，挑起演员的创造心情。他的话如春雨落花，自自然然飘落在演员的颖语中。

然而，自始至终，焦菊隐总以演员发自内心的真实情感为根据，从不允许[3]虚伪、表面的形体动作，他随时启发[4]演员对角色的真实感情，校正演员的创作路标[5]，引导[6]演员对人物[7]广泛深刻的探寻。演员从毫无收获的苦恼到偶有所得的欢快，两种心情反复交替的过程中，最后摸着了角色的真谛。焦菊隐才肯定这个角色性格的基调。

焦菊隐的导演，特别表现在他不拘一格、决不停留在已有成就的创造精神上。在艺术道路上，焦菊隐不断地探索、追求、创造，从不因袭自己，不抄走过的旧路，总在开拓新的天地。[8]

[9]他故去了，死于“四人帮”的残酷折磨之下。我们追思他锲而

---

1 “急风骤雨”文汇月刊本作“急雨骤风”。

2 “掀动起排演场上的创作激流”文汇月刊本作“忽然来了几番风云的变动”。

3 “从不允许”文汇月刊本作“从未鼓励”。

4 “启发”文汇月刊本作“点醒”。

5 文汇月刊本无“校正演员的创作路标”。

6 “引导”文汇月刊本作“激发”。

7 文汇月刊本无“对人物”。

8 “焦菊隐的导演”以下文汇月刊本无。

9 此处文汇月刊本有“北京人艺之所以成为北京人艺，这位艺术大师奠定了不可动摇的基础。”。

不舍的钻研精神。我们怀念他对话剧艺术的理想和对北京人艺所有演员和艺术工作者的深情。我凝神追思，总觉得焦菊隐的灵魂仍在北京人艺的舞台上。今天北京人艺的风格，仍然继承他的创造精神，一天天向前发展。

一个戏剧团体，如果只是一群艺术家们整日沉浸于他们的艺术活动，那么这个剧团必将逐渐走向纷乱。因此[1]，一个戏剧团体必须有一个精明强干的组织者，一个真正的戏剧内行，他能从千百个心引出一条艺术理想的轨道[2]，把各种纷纭复杂的矛盾，顺理成章，一一解决[3]。人事的纠纷、经费的调派、人才的选求、剧院的规划、剧本的挑选[4]——这一切都需[5]要一个[6]组织者。他要有理想，有能力，有德行，有胸襟，有精力[7]，全心全力扑在话剧事业上的无私精神。没有这样一个组织者，一个好剧院是办不成的。北京人艺幸运地遇到这样一位[8]组织者。他叫老赵[9]。

---

1 文汇月刊本无“因此”。

2 文汇月刊本无“他能从千百个心引出一条艺术理想的轨道”。

3 “顺理成章，一一解决”文汇月刊本作“一一解决，顺理成章”。

4 此处文汇月刊本有“，理想的追求团结千百个心眼在一条轨道上前进”。

5 文汇月刊本无“都需”。

6 此处文汇月刊本有“杰出的”。

7 “他要有理想，有能力，有德行，有胸襟，有精力”文汇月刊本作“他要有高尚的理想，超越的能力，美好的德行，宽大的胸襟，无限的精力”。

8 此处文汇月刊本有“百折不弯”。

9 “老赵”文汇月刊本作“赵起扬”。

整个剧院，上上下下，都亲昵地叫他的名字[1]。北京人艺的升腾发展[2]，就是他领着大家[3]干起来的。他和群众一道，用了将近三十年的功夫，踏出这样一段扎实而丰富的历程。他经过多少艰难险阻，他不怕逆境，也不满足于顺境。[4]他能接受好的意见，也能驳斥不正确的意见，使人心服口服。

有人讲："我情愿带一师人冲锋陷阵，也不愿带十个艺术家演半个好戏。"艺术家是创造者，是善感的，是有激情的。他们有[5]不同的意见：合理的与不合理的，为公的与为私的。老赵能[6]排难解纷，鉴别是非，讲道理，说服群众[7]。

他有严密贴切的"指挥"能力。我所以用"指挥"两字，因为戏剧艺术是集体的艺术，从排练到演出的全过程，也如同打一次战役那样紧张，那样拼命，那样需要配合默契，那样需要以公克私，服从整个的布局。这中间，就显出老赵的"指挥"作用。[8]

---

1 "叫他的名字"文汇月刊本作"叫他'起扬'"。

2 "发展"文汇月刊本作"起扬"。

3 "大家"文汇月刊本作"群众"。

4 此处文汇月刊本有"他时时刻刻立意创新。"。

5 "有"文汇月刊本作"总有"。

6 "老赵能"文汇月刊本作"赵起扬总能"。

7 "讲道理，说服群众"文汇月刊本作"说服群众，讲道理"。

8 "我所以用'指挥'两字"以下文汇月刊本作"也许，'指挥'二字用得不妥，但任何一位真正的戏剧艺术家，在他从排练到演出的全过程里，必然是如同打一次战役那样紧张，那样拼命，那样需要配合默契，那样需要以公克私，服从整个的布局。这里，就显出赵起扬的领导。"。

我常看见他耐下性子，听着[1]无尽无休的诉说[2]和对他直接的指责。我忘不了他凝神静听的神色，[3]有条不紊的解答。[4]他有时也激动起来，面红耳赤，但从不在这时感情用事做出决定。当他集思广益，明辨是非之后，他是敢于做出重大决定的。他不怕任何流言蜚语，不怕别人的误解，他是一个“顶得住”的人。[5]

在北京人艺前进的道路上，老赵仿佛作着一篇难写的文章[6]。但[7]他得心应手，挥洒自如，在他酣畅的笔墨下，他写的多么出色啊[8]！

我不能忘记北京人艺的大门口，经常在深夜和天明，等待买票的观众。他们对人艺的戏，是喜爱的。但也随时给我们批评。他们经常携带全家老小来看我们的戏，评论什么是好的、美的；什么是坏的，丑的。我们经常收到他们许多信件，那是滋养我们的“鲜奶与蜜汁”，其中有激情的赞赏，也有指出缺点与错误的良言。我们离不开

---

1 “耐下性子，听着”文汇月刊本作“沉静细听着”。

2 “诉说”文汇月刊本作“控诉”。

3 此处文汇月刊本有“他”。

4 此处文汇月刊本有“在我的记忆中，他总是骑自行车上班，骑车回家吃饭，每日四次，很少更动。”。

5 “他有时也激动起来”以下文汇月刊本作“他有时也激动起来，面红耳赤，分辨是非，但终于安下心来，倾听群众的呼声，敢于做出重大的决定，不怕任何流言蜚语。在十年浩劫中，他被戴上一堆堆帽子，其中一顶是‘一言堂’堂主的帽子。这是极端荒谬的，黑白不分的。”。

6 “老赵仿佛作着一篇难写的文章”文汇月刊本作“他一直好像作着文章”。

7 文汇月刊本无“但”。

8 “他写的多么出色啊”文汇月刊本作“他确实写出一篇多么好的文章啊”。

这样可爱的观众。他们是人民，是先生，是鼓励我们、监督我们前进的好友。

关于这个剧院的各种机构与设施，什么艺委会、行政处等等，我想读者是不大耐心听的。然而有一点，必须指出，我们的艺术家和行政人员确实是配合得很好。行政工作者和剧场所有工作人员，以及全体工人同志们有许多是忠心耿耿，任劳任怨，在剧院尽了半生精力的好干部、好工人。他们为戏剧艺术的创造，充分发挥他们各自的作用。

在这里我确实再想提到几位卓越[1]的演员和导演。但是纸短话多，我只好忍心不再做宣传了。好在人们将在舞台上看到他们的艺术，他（她）们的艺术究竟到了如何的境界，只有作为观众的你们，才能做出最公允的评价。

如同任何中国文艺事业一样，北京人艺的成长，时时刻刻依靠党的领导，政府的支持。人们常说："没有共产党，就没有新中国。"想起我们剧院的工作，我们要说："没有共产党，就没有话剧的前途，也没有北京人民艺术剧院。"

解放前，什么时候有过三十年历史的剧院？如今，这样历史长久的剧院，各大城市都有了。三十年来，敬爱的周恩来同志，和多少革命的领导者，对北京人艺不断的关怀与培养。恩来同志[2]关心北京人

1 "卓越"文汇月刊本作"杰出"。

2 此处文汇月刊本有"更是"。

艺[1]，甚至关心到[2]演员的台词和动作，整个演出的优点和缺点。他亲自探望演员的宿舍，关怀[3]他们的生活。尤其重要的是，他要求我们不断对工农兵的文化生活做出贡献，经常下去演戏。永远不能忘记人民是我们的父母。要使观众知道，一切真善美的道理，增强我们对[4]人民的社会责任感。

说起北京人艺，我像是从山谷[5]涌出的清泉[6]，沿着溪涧，潺潺[7]浪花，有说不完的话要讲。

然而应该打住了，我已感到，我像《哈姆雷特》剧中的宰相波格涅斯[8]，叨叨地[9]使人厌烦了。

我是爱这个剧院的。因为我和一些老同志在这个剧院的天地里，翻滚了三十年。我爱那些既有德行又有才能的好演员、好导演和那些多才多艺的可爱的舞台艺术工作者们。我爱剧院里有各种各样性格的工人们。我和他们说笑、谈天、诉苦恼，也不知有多少回了。戏演完了，人散了，我甚至爱那空空的舞台。微弱的灯光照着硕大无比的空

---

1 此处文汇月刊本有“的剧本和演出的水平”。

2 文汇月刊本无“关心到”。

3 “关怀”文汇月刊本作“关心”。

4 文汇月刊本无“我们对”。

5 “山谷”文汇月刊本作“青山”。

6 “清泉”文汇月刊本作“泉水”。

7 “潺潺”文汇月刊本作“潺潺的”。

8 “波格涅斯”文汇月刊本作“波罗尼斯”。

9 “叨叨地”文汇月刊本作“唠叨得”。

间，留恋不舍。是否人生如梦，是否我在思索我这一生究竟为什么活着呢[1]？不！我完全没有这样想过。我感到北京人艺是[2]培养多少戏剧新人[3]的园地。是[4]锻炼多少人物[5]的舞台。他是初春的雪水，夏日的莲花，秋天的黄菊，冬天的霜雪。他贡献给人民以娱乐和教育，人民给予我们滋养与恩情。

眼前[6]正是祖国大干“四化”的美好时光，[7]我们和一切中国人一样，要振兴中华，提高社会[8]的道德风尚，促进社会主义祖国人民的文化修养。我们将永远以青山不老、流水不息的精神，为祖国效劳，为人民效劳！此志不变，此心不变！

在这个剧院里，我是院长，但也不过是个院长，没尽多少力量。我的剧本在这个剧院的舞台上演出过，我感到光荣。但这是小事。在三十周年纪念日中，我感触最深的是，我一半的生命与这个剧院紧紧连在一起。我们[9]相信我们这个剧院将与祖国长存。[10]

---

1 文汇月刊本无“呢”。

2 此处文汇月刊本有“一块”。

3 “新人”文汇月刊本作“人才”。

4 “是”文汇月刊本作“也是”。

5 “人物”文汇月刊本作“人才的实验”。

6 “眼前”文汇月刊本作“现在”。

7 此处文汇月刊本有“祖国希望我们建成一个富强繁荣的社会主义大国。北京人艺的人们正是朝气蓬勃，兴高采烈地从事于崭新的戏剧事业。”。

8 “社会”文汇月刊本作“人民”。

9 “我们”文汇月刊本作“我”。

10 此处文汇月刊本有“我们一定有无限的如花似锦的前途。”。

但更引人入胜的，是我们将来还有[1]许多高山险水要闯过；还[2]有许多困难要克服[3]。这是我们引以自豪的[4]幸福。前途远征，需要勇气、智慧与韧性。这是我们战胜困难的力量。[5]

想到这样大好的前程，我写了这一篇序。[6]

---

1 “将来还有”文汇月刊本作“将有”。

2 文汇月刊本无“还”。

3 “困难要克服”文汇月刊本作“战斗要取胜”。

4 此处文汇月刊本有“战斗的”。

5 此句文汇月刊本作“这正是北京人艺多年来所以战胜困难的原因。我相信，从今以后，北京人艺将与日俱增地加强这种无畏的精神，创造更多、更美、更高尚的社会主义的话剧艺术。”。

6 文汇月刊本无此句。

一出鼓舞人心的好戏

——看话剧《分忧》

天津市第二电子仪器厂职工自编自演的话剧《分忧》是一出鼓舞人心的好戏。它通过分房子这个具体问题，讲清楚了是为国分忧还是从中揩油，如何对待“四化”，如何对待社会主义建设这么一个严肃的问题。目前我们国家还有困难，在这样情况下，我们每一个人是为国“分忧”，还是“分油”？戏中的老师傅郝伯虎和工会主席廉义明，他们吃苦在前，享受在后。他们的品质才是真正共产主义的品质。金局长想得周到，想得长远，他千方百计为国分忧。但社会上不只有金局长这样的人物。如果都是他这样的人物，一切事情都好办了。一方面有金局长，一方面还有方经理，还有那个能说会道，明明在揩国家的油，还说得那么好听的工会干事贺连生。剧本对这些人物写得是非分明。正面人物，不惜笔墨，热情歌颂；搞不正之风的人物，给以揭露，批判，义正词严。看了十分痛快，十分感人。无论哪个人物，性格都是鲜明的。

【题注】载1981年12月17日《北京日报》。

人物对话写得好，口语化，没有陈词滥调。安排很见匠心，尤其是结尾，相当别致，写得活。谁也没想到结尾是这样处理。自然，一时什么问题都解决了，是不可能的，但现在的结尾，给人以希望，给人以力量，让人感到我们的国家，我们的党是为人民着想的，问题需要一个一个解决，前途是光明的。

天津市第二电子仪器厂的职工，用业余时间，写了这么一个具有普遍意义的剧本，演了这么一个好戏，也是在为国分忧，说明了他们是有抱负的，有搞“四化”的雄心壮志。说明他们也是看出了光明，看出了希望。

我们中国是有前途的。我们在中国共产党的领导下，绝大多数干部是好的，眼前虽然遇到了一些困难，如房子问题，物价问题等，但我们都没有被困难所吓倒。我们的前途是光明的，这句话不是一句空话。这个戏说明我们工人阶级是非常清楚这一点的。他们看到了前途，看到了希望，这也是最使人感动的地方。“分忧”这个题目就很好，让人看出了中国工人阶级有何等气魄！何等信心！何等抱负！我相信这种精神必然会推动“四化”的进行，在全国开花结果。全中国人民都会“吃上喜糖”的。

这个戏布景简单、方便。到哪里都能演，工人有工人的创造，我们欢迎这样简易方便的舞台装置。

演出时台上台下亲切地交流，全场一片欢快的笑声。看戏的人们都感到应该为国分忧，不皱眉头。看了戏，心中豁亮了。总之这是一出能教育人的戏，能推动“四化”的戏，为了一个光明的前途，我们每一个人都应该为国分忧，为人民分忧，为党分忧。

感谢天津市的职工为我们演了这一出好戏。

工人阶级真是了不起

——同天津市第二电子仪表厂《分忧》剧组座谈时的发言

今天，我应该先庆贺你们!《分忧》这个戏从剧本到演出都非常好。各位同志都是工人，在业余时间演出这么一个好戏，更难能可贵。你们提出了一个实实在在，又极其紧迫的问题——房子问题。恐怕不只是天津，北京、上海，几乎所有的大城市都有这个问题。更重要的是，你们通过这个戏，提出一个更大的问题：在国家比较困难的今天，究竟是“分忧”还是“分油”？也就是如何建设社会主义，如何完成四个现代化的问题。这是了不起的。戏里的郝师傅无私、勇敢、爽直，工会主席廉义明一点不占公家便宜，吃苦在先，享受在后，这都是真正的共产主义风格，我看了以后，非常感动。戏里的金局长，塑造得也很好。我们确实有两种干部，有金局长这样的好干部，也有方副经理那样的干部。还有贺连生这样的人：能说会道，明明在偷巧，明明在占便宜，明明在揩油，却装得像一个大公无私的样

【题注】载1981年12月17日《工人日报》。

子。总之，咱们工人写的东西，就这么痛快，是非分明，有什么说什么，而且人物非常生动。因为你们自己就很鲜明，戏就是演你们自己。另外，你们这个戏语言好，对话、台词写得非常妙。这台词我是想不出的，而你们却出口成章。这是因为你们的生活丰富多彩，当然也是李景城同志写得好。戏的构思别具匠心，整个故事的穿插，尤其是戏的结尾，很有意思。戏的末了，说是问题解决了，实际上不可能在一两年内，问题都得到解决。但是这样一个结尾，给我们很大的希望，很大的精神鼓舞，所以全场观众十分高兴，鼓掌、欢呼，一片愉快的笑声。看了你们的戏，我看出光明来，看出希望来，看出一种高贵的情操来。我们中国大有希望，大有前途。不仅是女排夺了世界冠军，我相信我们中国的工业、农业等各方面，都会按照赵紫阳总理在五届人大四次会议上的政府工作报告所讲的，会越来越好。

我刚才听一位领导同志说，这出戏演了之后，你们天津第二电子仪器厂不但没有耽误工作，而且推动了生产，大家精神更加旺盛起来，把工作做得更好了。可见，反映现实的优秀艺术创作，是会引导人们向前看的，是能够促进“四化”的。你们虽然在一个工厂工作，但是，你们有远大的抱负，有搞“四化”的壮志，也有克服眼前困难的决心。你们工厂的职工们，参加演出的同志们，正用实际行动为国分忧，为党分忧，为人民分忧。最近有一阵子，有些人把前途看得渺茫。但是，在党的领导下，绝大多数的干部和群众，尽管遇到了一些困难，如房子问题，物价问题，但并没有被这些困难吓倒，因为我们知道，我们的国家和资本主义国家有根本的不同。我们常说“前途是光明的，道路是曲折的”，这话不是一句空话。我们相信这句话。从这个戏，看出你们对这句话非常地明了。所以，演到结尾你们道喜的时候，拿起喜糖，分给大家吃，尽管还有些问题没完全解决，但毕竟有一部分人确实可以拿喜糖了。我想，将来，全中国人都会拿喜糖来给我们大家吃，互相道喜。

我到过国外多次了，外国工人的工资好像是很高的，其实，生活并没有确实的保障。工人不知在什么时候就被开除、解雇，最后有的饿死，有的自杀了，到现在，还是这种情况。资本主义常常吹，什么这个保障，那个福利，实际上是竞争非常激烈，失业问题很严重。我们中国有些待业青年，但没有失业工人。资本主义国家的大批失业工人，那是可怕的;而且那些失业工人，酗酒、打老婆，生活非常悲惨。这一点我不只听到过，而且亲眼看到过。我们现在有一部分青年，看到西方穿的喇叭裤那些玩艺，还有这个录音机啦，那个电视机啦，看得眼花缭乱。在资本主义国家，工人是不是真正能享受那些东西？也许暂时能享受，可是那些个东西都不是他们自己的，大部分都是租来的，临时的。你做工，有钱；你突然被老板解雇了，立刻就没钱，被赶出去。相比之下，这就显示出了我们社会主义制度的优越性。我们今天是困难的，我们承认。谁要不承认，就不是真正的工人阶级。但是，我们绝不被困难吓倒，而恰恰相反，就像你们所做的，为国家分忧。国家确实有困难，你们为国家想问题，这是很高很高的精神境界，这恰恰是有些人做不到，甚至也想不到的。所以，我要好好向你们学习。你们这个戏，在这方面特别叫我感动。我在上海还看过一出戏叫《路》，是上海的工人业余作者创作和演出的，也很使我感动。你们的戏很成功。我不是说你们写的十全十美，但是你们确实写出了中国人民的愿望，写出了中国人民的前途。依我看，你们的戏和《路》一样，是中国最好的戏之一。我特别地被这个戏所吸引。我希望这样的戏在戏剧舞台上普遍开花。还说一点：在布景上，你们不讲究，就这么一个景，哪儿都能演。这就是工人的气派，业余的特点，你们这样的演出，简便易行，是应该大大提倡的。

我看戏的时候，看到观众跟你们交流得非常好，他们听得多么高兴，他们懂得你们讲出的苦处，也知道难处。难道他们每个人都有了房子？我不相信。可是你们这么一来，他们就不是总想着房子问题，而是觉得应该分忧，这就是教育啊！看了这个戏，就豁亮多了，不是那么小心眼了。所以，你们的戏，是能真正教育人的戏，而且不只教育人，还会推动四个现代化。“分忧”这两个字特别好，为国家分忧，为民族分忧，为社会主义分忧，为党分忧。目的是要创造一个更加繁荣富强、幸福美好的明天，就是“振兴中华”。

也许，作为每一个具体的人，并不是伟大的，但是作为工人阶级，就是伟大！我们不见得能写出这么好的戏，而你们却写出来了！所以，我代表中国戏剧家协会，向你们致贺！

(《中国戏剧年鉴1981》)序言

《中国戏剧年鉴》是一本记载中国戏剧各方面情况的类书。出版《戏剧年鉴》是我国戏剧运动中前所未有的创举，是我们今天戏剧繁荣的标志，应该是我们的一项重要工作。

现在全国戏曲、歌剧和话剧，大约有三百多种，专业戏剧工作者有三十多万人。图书馆、大学、研究所、专业学校以及各文艺团体和从事专门研究现代戏剧史和研究剧作家、导演、演员、舞台美术工作者的专家们，是少不得这类戏剧参考书的。全国戏剧工作者迫切地需要它。这部《中国戏剧年鉴》将是广大从事戏剧工作的人们的好帮手。

目前，外国朋友们，逐渐欣赏、认识中国珍贵的戏剧艺术。外国的戏剧学者，多方介绍，十分重视研究中国当代戏剧。中国戏剧是中国灿烂文化的重要部分。它吸引着研究中国近代文化艺术的外国学者们的兴趣。他们希望通过研究中国近年来文学戏剧的活动，确切认识

【题注】据《中国戏剧年鉴1981》所载排印，中国戏剧出版社1981年第1版，原题《序言》。

中国文化的发展与前途。

《中国戏剧年鉴》的诞生，是时代的需要。它给当代和后代戏剧工作者以借鉴，认清我们在前进道路上留下的足迹。

《中国戏剧年鉴》(1981)不限于1980年的事迹纪实，还反映粉碎“四人帮”后三年的情况。全国戏剧工作者挣脱了加在他们身上的桎梏，戏剧事业一跃为万马奔腾、百花争艳的灿烂景象。这不仅反映在许多优秀的作品上，同时反映在新老戏剧工作者劫后余生的崭新精神面貌上。我们应该对许多优秀的戏剧创作与各种重要的戏剧活动、会议，加以总括性的扼要评介。这一段扼要记载，十分重要，它是“根”，是“源”。因为这本书叫作“年鉴”，它多少带一些说明历史根源的责任。

《中国戏剧年鉴》是有重要参考价值的工具书。它需要广泛搜集全国戏剧活动各方面的情况，资料之浩繁是可想而知的。这里有个取舍的问题：是“宁缺毋滥”？还是“宁滥毋缺”？我主张“不滥”“不缺”。当然，这是个理想的目标。如果把《中国戏剧年鉴》当作“戏剧辞海”或“资料汇编”看，这显然是不符合本书意图的。我们应该力求做到以事实说明戏剧运动发展的趋向。

编辑《中国戏剧年鉴》，没有前例可循。我们正处在草创阶段。缺点、贻误难免会有些的。只要我们严肃认真，年复一年切磋琢磨，认真办下去，我相信，它将会是我国戏剧艺术宝库的一把金钥匙。

我以为“年鉴”的“鉴”字，值得我们揣摩。“鉴”是一面镜子，让我们每年照一照戏剧运动的真面貌。既可回顾过去，也可展望未来。它会使我们视野开阔，望见中国戏剧艺术的黄金时代的到来。

（《广播剧选》）序言

这本广播剧的剧本选，集中了许多优秀的剧目。这是百花园中艳丽的花朵，得到人民群众的称赞和喜爱。它们的创作题材，多种多样。思想和艺术都达到了相当高的水平。播出来，我们听得出人物的精神世界，他们的思想、感情。台词、音乐、音响效果融为一体，使人神往，耐人回味。

我喜欢在静静的夜晚，独自欣赏这样的艺术。它确实有一种特殊的魅力，触动人的情感深处，使人心驰神飞，使我们的世界在闭目静听中，化成万千生动的面貌。

我们的祖国疆域辽阔，人口众多，千万里外莽原深山的农民猎户，遥远的渔家和边防战士，广播就比电视来得方便。中国电视正在发展，还不普及。在这种条件下，广播剧显然有它的优越性。

【题注】据《广播剧选》所载排印，中国戏剧出版社1981年第1版，原题《序言》。又载1982年7月18日《人民日报》，题名《广播剧是大有前途的》，兹以通校（校注称“人民日报本”）。人民日报本文末附注：“这是曹禺同志为《广播剧选》写的序言，标题是本报所加。”

就广播剧的艺术本身来讲，它有自己的天地，不同于其他艺术形式。即使电视都已普及，广播剧这种仅有声音而不见形象的戏剧艺术，还有它长久[1]生命。

据说有声电影初兴时，卓别林觉得无声电影是打不倒的。因为它是哑剧艺术，有悠久的历史。但事实的发展证明，卓别林错了。今天的青年，不知道最早的电影是无声的。有影无声的电影，添了声音，无声电影便被淘汰。现在仅听声音、不见形象的广播剧的前途，将会如何呢？

我认为广播剧的前途是无限的。尤其在我们的祖国，它有很强的生命力。我们的八亿农民需要它。

广播剧的生命，在于它有独特的个性。广播剧的艺术家们，给听众留下了广阔的天地，使听众参与了创作。听众是广播剧的创作者。闭目静听，一切人物，生活的无穷变幻，凭借神奇的语言和音乐，你不觉展开想象的翅膀，翱翔在奥妙的世界中。想象打开了五光十色的宝库。你看得见深情的眸子和明丽的光影，你看得见暗淡的眼神和阴郁的气氛，你会看见人的崇高与雄浑，你会看见人的卑微与邪恶。一切展览在你的眼前：信仰与幻灭，高昂与消沉，悲哀与欢乐，战斗与沉静，胜利者的傲慢与失败者的卑屈，沉睡婴儿的微笑，白发昂首将军的庄严。生与死，善与恶，黑暗与光明。一切展览在你眼前：池塘碎影，高柳垂荫，乌云乱滚，海雨天风，滔天的白浪，浩瀚的沙漠。一切大自然的深邃浩渺，一切大自然的莫测高深，像无边的图卷，流

1 “长久”人民日报本作“长久的”。

动在你的眼前。

诗有多少意境，广播剧就有多少意境；诗，魅惑人，广播剧，也魅惑人。

广播剧的好处在“短”，在“短”中取胜。它是锐利的武器，一件事，一曲悲歌，一个人物，一位伟大的烈士，一首断肠的情诗，一段童年的回忆，古代的文化与人物，今天建设中的斗争与成果，星星点点，变化万千。宇宙间形形色色的题材，任凭你取用。

因此广播剧的特点，又在“广”。我们要求它丰富却精炼，它深入又浅出，它动人又含蓄，它宽广却又尖锐，它可以说明人生无穷的道路。

中国广播剧的历史，只有四十多年。解放后，它茁壮地成长起来，出现了许多动人的剧本，感人的演出。我们有了广播剧的专业演员、导演、编剧和作曲家，以及音响、录制的艺术家们。出现了许多优秀的人才，如编剧、导演刘保毅和其他许多有才华的广播剧工作者们。他们的努力和探索，使广大听众，得到美的艺术享受，提高人的道德观念和高尚情操，引向共产主义的大道。

我请求各方文艺工作者，在这个广阔的天地里，显一显身手，在广播剧的剧坛上，试一试你的彩笔，你将发现这是一个多么辽阔的战场，够你奔突驰骋，值得你为它献出你的勇敢、才能和智慧。

图书在版编目（CIP）数据

曹禺全集. 第九卷 / 曹禺著. — 北京 ：北京十月文艺出版社，2023.6

ISBN 978-7-5302-2263-8

Ⅰ. ①曹… Ⅱ. ①曹… Ⅲ. ①曹禺（1910-1996）—全集 Ⅳ. ①I216.2

中国版本图书馆CIP数据核字（2022）第155340号

曹禺全集 9
CAOYÜ QUANJI 9
曹禺 著

出　　版　北 京 出 版 集 团
　　　　　北京十月文艺出版社
地　　址　北京北三环中路 6 号
邮　　编　100120
网　　址　www.bph.com.cn
发　　行　新经典发行有限公司
　　　　　电话 010-68423599
经　　销　新华书店
印　　刷　北京盛通印刷股份有限公司
版　　次　2023 年 6 月第 1 版
印　　次　2023 年 6 月第 1 次印刷
开　　本　700 毫米 ×980 毫米 1/16
印　　张　45.75
字　　数　505 千字
书　　号　ISBN 978-7-5302-2263-8
定　　价　136.00 元

如有印装质量问题，由本社负责调换
质量监督电话　010-58572393

版权所有，未经书面许可，不得转载、复制、翻印，违者必究。